Библиотека Всемирной Литературы

Библиотека Всемирной Литературы

Серия основана издательством
ЭКСМО в 2002 году

Джером Д. Сэлинджер

Над пропастью во ржи

Перевод с английского

Москва

УДК 82(1-87)
ББК 84(7США)
С 97

Перевод с английского

Вступительная статья *С. Белова*

Оформление серии художника *А. Бондаренко*

В оформлении суперобложки использованы
работы художников *Эндрю Уайета* и *Эдварда Хоппера*

Фотография Д. Д. Сэлинджера на корешке:
AP Photo / FOTOLINK

Сэлинджер Дж. Д.

С 97 Над пропастью во ржи : Роман. Повести. Рассказы / Джером Д. Сэлинджер ; [пер. с англ. ; вступ. ст. С. Белова]. – М. : Эксмо, 2012. – 768 с. – (Библиотека Всемирной Литературы).

ISBN 978-5-699-18449-1

Джером Дэвид Сэлинджер – один из самых загадочных американских писателей XX века, ставший добровольным затворником на самом гребне литературной славы. Роман «Над пропастью во ржи», повести о семействе Глассов и знаменитые «Девять рассказов» сам автор считал своими лучшими работами. Дзэн-буддизм и нонконформизм в книгах Сэлинджера вдохновили на переосмысление жизни и поиск идеалов не одно поколение.

УДК 82(1-87)
ББК 84(7США)

ISBN 978-5-699-18449-1

Содержание

Девять рассказов

Джером Дэвид Сэлинджер

Джером Дэвид Сэлинджер – один из самых популярных и, пожалуй, самый таинственный персонаж новейшей литературной истории США. В атмосфере рекламы, гласности, публичности, что сопутствует славе в Америке, Сэлинджер избрал положение «писателя-невидимки». Он стойко сопротивлялся настойчивым попыткам представителей средств массовой информации добывать и выставлять на всеобщее обозрение факты его личной жизни. Его не просто читали: в 50-е – начале 60-х годов сложился своеобразный культ Сэлинджера – обожание поклонников и повышенная активность «литературно-критической индустрии» США. Но кумир читателей-любителей и читателей-профессионалов Сэлинджер практически никогда не давал интервью, не высказывался по проблемам литературного мастерства, не читал курсов по теории прозы. В отличие от многих коллег по перу, как и он, проходивших испытание успехом, Сэлинджер совершенно не стремился к увеличению продукции, а начиная с 1965 года вообще перестал публиковаться, прервав или, может быть, навсегда оставив литературную карьеру в зените славы. Это заслужило ему титул «Греты Гарбо от литературы» и еще больше повысило интерес к его личности. Журналисты и литературоведы подробно изучали доступные факты его биографии – то, что его герой Холден Колфилд окрестил «давидкопперфилдовской мутью», – но сенсационных открытий и прозрений не последовало. Формированию этого необычного писателя способствовали вполне заурядные обстоятельства.

Джером Д. Сэлинджер родился в 1919 году в Нью-Йорке, в семье торговца копченостями. Он сменил не одну школу, прежде чем в 1936 году получил аттестат о среднем образовании. Уже тогда он пробовал писать рассказы, но отец — Сол Сэлинджер — надеялся, что сын пойдет по его стопам и будет «делать дело». Перед войной отец и сын отправляются в Европу. Сочетая полезное с приятным, Сэлинджер-младший знакомится с культурными памятниками Старого Света и вникает в технологию колбасного производства. «Полезное» юному Сэлинджеру не пригодилось: по возвращении в Америку он всерьез задумывается о литературной карьере. В 1940 году журнал «Стори», открывший дорогу в литературу многим мастерам американской прозы, в том числе Т. Уильямсу, У. Сарояну, Н. Мейлеру, публикует рассказ Сэлинджера «Молодые люди». За дебютом последовали публикации рассказов в журналах «Кольерс», «Сатердей ивнинг пост», затем в «Харперс» и «Нью-Йоркере». Его охотно издают и читают, но для самого Сэлинджера это пока лишь черновые наброски.

В 1942 году Сэлинджера призвали в армию, а в 1944 году он в составе союзных войск высаживается в Нормандии. Опыт тех лет — горький, болезненный, трагический — сыграл важную роль в становлении его писательского таланта.

В конце 40-х — начале 50-х годов Сэлинджер создает свои лучшие рассказы, а в 1951 году выпускает роман «Над пропастью во ржи», ставший настольной книгой не одного поколения американцев. Да и не только американцев: по числу переводов на другие языки «Над пропастью во ржи» занимает одно из первых мест в послевоенной литературе США. Успех повести парадоксальным образом помог автору совершить побег от... успеха. Он покупает в Корнише, штат Коннектикут, дом, который становится его крепостью в буквальном смысле слова: увидеться с Сэлинджером все сложнее и сложнее, пока наконец доступ не оказывается и вовсе закрытым. Холден Колфилд мечтал о том, чтобы с полюбившимся писателем «можно было поговорить по телефону когда захочешь». Многие поклонники Сэлинджера мечтали бы поговорить со своим кумиром по душам с глазу на глаз или по телефону, но единственная форма общения, предоставленная Сэлинджером читателям, – через книги. В конце 50-х – начале 60-х годов он работает над завершением цикла о семействе Глассов. Последний фрагмент – новелла «16 Хэпворта 1924 года» – увидел свет в 1965 году. С тех пор о Сэлинджере мало что известно. Отсутствие информации рождает мифы. Говорили, что он поступил в буддийский монастырь, другие утверждали, что он попал в психиатрическую клинику. На самом деле он живет с женой и сыном все там же, в Корнише. Как свидетельствуют очевидцы, в саду для него выстроен специальный бетонный бункер, где он ежедневно проводит много времени, но работает ли он над «большой новой книгой», как втайне надеются многие его поклонники, – неизвестно.

Опубликованная в 1951 году повесть «Над пропастью во ржи» могла нравиться или не нравиться, но равнодушным, кажется, не оставила никого. Даже литературные критики, утратив профессиональное хладнокровие, сердились или защищали Холдена так, словно он был реальным и хорошо знакомым лицом. Поклонников у повести и ее героя оказалось все же много больше, чем противников. Книга Сэлинджера удивляла необыкновенной искренностью, подлинностью, откровенностью. Стремление Холдена Колфилда говорить о себе и окружающих без умолчаний, желание тесного человеческого контакта с миром (и с читателями), попытки выразить все, что творилось в душе, – сбивчиво, путано, перемежая сокровенные признания напускной грубостью, жаргонными словечками, прикрывая ранимость иронией и самоиронией, – все это определяло неповторимое обаяние книги, рождало доверие между читателем и рассказчиком, которому многое прощалось именно потому, что он ж и в о й. Нашлись, правда, критики, обвинявшие героя, а с ним и автора (их постоянно и совершенно напрасно отождествляли) в легкомыслии, в неуважении к общественным нормам, в злостном нигилизме и даже в опасном смутьянстве. Но такие оценки казались неубедительным брюзжанием ретроградов на фоне отзывов Фолкнера и Гессе, приветствовавших роман как смелую победу художника, наконец-то сообщившего то, что мир давно должен был услышать. Вполне житейская и камерная история нервного срыва в жизни одного подростка была прочитана как иносказание о глубоком неблагополучии нации, громко твердящей о своем благополучии.

Особенность обыденного мировосприятия состоит в том, что в силу естественной «экономии энергии» очень многое в окружающей реальности автоматизируется, воспринимается как нечто само собой разумеющееся и привычное и благодаря этой привычности начинает казаться нормальным и истинным. Оттого-то время от времени человек испытывает потребность взглянуть на мир свежим взглядом – как бы со стороны, как бы впервые. Эту потребность призвано удовлетворять искусство – в том числе и искусство слова. Сэлинджеровский эффект очуждения строится – как это не раз делалось в мировой литературе – на введении в повествование «человека со стороны», свободного от обязательств перед обществом и от тех его условностей, что для членов этого общества имеют силу «естественных и разумных законов».

«Все напоказ. Все притворство. Или подлость» – так оценивает герой-рассказчик свою бывшую школу, а с ней и тот социальный круг, в котором обитают его соученики, знакомые, родственники и он сам. Идеалы и цели, которыми руководствуются окружающие, образ жизни, который они ведут, в глазах Холдена «сплошная липа». Он не знает, как жить и во что верить. Понятно лишь одно: жить, как все, он не хочет и не может.

«Нормальное», деловое общество, поглощенное сиюминутными интересами, соображениями выгоды, престижа, материального успеха, получает от «бездельника» Холдена нелепые вопросы вроде того, куда деваются утки в Центральном парке, когда зимой замерзает пруд. Окружающие и знать не желают про этих уток, ясно давая понять вопрошающему, что есть в жизни заботы и поважнее. Отчасти это так – но только отчасти: равнодушие собеседников Холдена к уткам для автора знак более общей ситуации агрессивного неприятия «организованным обществом» всего того, что не отвечает соображениям целесообразности и утилитарной пользы.

И поклонники повести, и ее недруги почти единодушно объявили Холдена Колфилда бунтарем, чуть ли не борцом против социального устройства. Почему? Ведь фабула повести для подобных заключений дает мало оснований. Неужели весь бунт состоит в том, что герой покидает школу, из которой его успели исключить? И следует ли усматривать положительную программу его деятельности в наивной мечте «стеречь ребят над пропастью во ржи»? Вряд ли. Эта мечта возникла в его сознании столь же внезапно, как внезапно и невзначай была услышана — и перепутана — строчка из стихотворения Бернса, ставшая своего рода катализатором мечты.

Героизация образа бездельника и неудачника Холдена в глазах многих американцев станет отчасти понятной, если вспомнить некоторые положения книги американского социолога Дэвида Ризмена «Толпа одиноких», посвященной проблеме личности в капиталистическом обществе и вышедшей почти одновременно с романом Сэлинджера — в 1950 году. Ризмен указал на серьезные различия между типом личности, доминировавшим в эпоху становления капитализма, и массовым человеком современного «общества потребления». В период формирования капиталистических отношений высоко ценился тот, кто умел ставить перед собой цели и во что бы то ни стало добиваться их осуществления. Чтобы преуспеть, этот, по терминологии Ризмена, «управляемый изнутри» человек должен был обладать волей, энергией, мужеством, самостоятельностью. В «массовом» (читай государственно-монополистическом) обществе подобные «активные» качества скорее мешают. От нынешнего «героя эпохи» — «управляемого другими» — требуются совсем иные добродетели, и прежде всего — искусство ладить, подчинять вкусы, желания, стремления интересам организации или общественной группы, к которой он принадлежит. Таким образом, наибольшие шансы преуспеть получает конформист, а приверженность личному кодексу — нравственному, религиозному, деловому — выглядит смешным или даже опасным анахронизмом. Чтобы успешно функционировать, этот винтик новейшей конструкции, исполнитель чужой воли и потребитель «готовой» идеологической продукции должен оперативно развивать в себе качества, которые диктует сложившаяся ситуация. Так рождается человек, у которого есть некий «полезный вакуум», то вырабатывающий, то уничтожающий качества, запросы, убеждения, причем чем искреннее он сыграет очередную роль, уверив себя, что это не роль, а его суть, тем больше у него шансов на успех.

Холден Колфилд был воспринят американцами (в том числе и теми, кто не читал Ризмена и не был знаком с его терминологией) как «управляемый изнутри» в мире тех, кто «управляется другими». В этом и секрет его обаяния, и опасная ненадежность положения. Любопытно, кстати, что воспевающий нонконформизм роман Сэлинджера попал в список бестселлеров и долгое время соперничал в популярности с вышедшим в том же году романом американского писателя Германа Вука «Мятеж на “Кейне”», написанном с диаметрально противоположных позиций, – автор затратил немало усилий и страниц, доказывая пагубность действий по собственному почину и высокую доблесть исполнения долга и подчинения начальству, даже если оно далеко от совершенства.

Эта неожиданно случившаяся «полемика бестселлеров» весьма показательна для духовного климата Америки тех лет. На фоне «умеренности и аккуратности» американской литературы эпохи «холодной войны» и маккартизма (в историю США эти годы войдут как «молчаливые пятидесятые») повесть Сэлинджера читалась как осуждение социальной апатии и бездумного конформизма. Общественная ситуация, в которой живое слово, самостоятельное суждение или поступок казались актом отваги или просто безумием, приучила американских читателей той поры чутко реагировать на все, что не совпадало с официальной линией. Не удивительно, что в таких условиях повесть Сэлинджера восприняли как протест, а в неудачнике Холдене в те годы видели бунтаря, героя в полном смысле слова. Но герои, как известно, – деятели. Холден Колфилд же на поступок трагически не способен. Даже на самый пустяковый. Не случайно в начале повести Сэлинджер заставит героя слепить снежок:

Холден будет долго выбирать цель, да так и не выберет, а в конце концов по требованию кондуктора будет вынужден просто выбросить снежок на землю. По этой модели построены и дальнейшие действия Холдена. Ему не сидится на месте, ему то и дело хочется что-то предпринять, но его лихорадочная активность заканчивается ничем, за всякой попыткой положительного действия — комическая или печальная невозможность его совершить. Поедет капитаном школьной фехтовальной команды — забудет в метро снаряжение, подведет товарищей. Гордо распрощается со своими бывшими соучениками — «Спокойной ночи, кретины», — но тут же поскользнется на ореховой скорлупе и чуть не свернет себе шею. Напишет по просьбе болвана Стрэдлейтера сочинение — но не на тему, а потом, обидевшись на непонятливость заказчика, изорвет написанное. Купит сестренке Фиби ее любимую пластинку — нечаянно разобьет, вручит одни осколки. И так всегда и во всем. Только в мечте Холден — хозяин положения. Только в воображении он способен лихо расправиться с подлецом-лифтером Морисом, дать выход запасам нежности и доброты («стеречь ребят над пропастью»), наладить правильные отношения с опротивевшим обществом (притвориться глухонемым, по старой американской традиции бежать на Запад, жить в лесу и т.д.). В реальности же все идет кувырком. Окружающий мир словно мстит своему юному критику за высокомерие, совершенно не подчиняясь ему. Увы, по всем признакам бунтарь больше походит на жертву.

Читатели легко прощали Холдену его изъяны — за откровенность, за благие намерения, за нелюбовь к «липе». Но ограничиться таким благодушным пониманием Холдена — значит недопустимо все упростить. В американской цивилизации и впрямь достаточно «липы», но свободен ли от нее сам Холден? Его объявляли наследником твеновского Гекльберри Финна, но различия между ними велики, и сравнение получается не в пользу героя Сэлинджера. Полуграмотный оборванец Гек уважал писаные и неписаные законы своего общества, но когда дошло до дела, то оказалось, что для него легче пойти против этих законов («Ну что ж, пускай я попаду в ад», — говорит он себе, решив не выдавать негра Джима хозяйке), чем против совести. Скептический, ироничный, очень неглупый Холден Колфилд камня на камне не оставляет от общества, но наперекор ему идет только в воображении. «Бунтарство» Холдена манило аплодировавших ему юных средних американцев еще по одной причине, в которой признаться было нелегко: это был удивительно приятный бунт, без тех опасных последствий, которыми чревато истинное бунтарство. Сэлинджеру весьма симпатичен Холден, но в то же время его похождения изображены не без изрядной доли иронии. Слишком уж с комфортом бунтует герой: катается на такси, ходит в театр, посиживает в барах да еще кокетливо-доверительно признается читателям, что он «ужасный мот». Да и «добунтовывать» его, поистратившегося, автор заставляет на рождественские сбережения младшей сестры (впрочем, послушать их с Фиби разговоры – так ведь не угадаешь сразу, кто из них старше, взрослей, мудрей).

Изображая «восстание против липы» Холдена, Сэлинджер оказался трезвее и аналитичнее пришедших в литературу вскоре после него битников, предтечей и вдохновителем которых его порой называли. Битники относились к себе и своим персонажам уже без малейшей иронии, громогласно рекламируя гордый разрыв с миром мещанских добродетелей, хотя смелость этих бунтарей – в этом, правда, разобрались не сразу – была очень и очень проблематичной.

Мир, в котором неприкаянно блуждает Холден в своей красной охотничьей шапке – что это, шутовской колпак или, если вспомнить название повести С. Крейна, алый знак доблести? – очень сложен и всегда готов сыграть злую шутку с тем, кто этого не понимает. Понимание, кстати, вообще редкость в мире героев Сэлинджера. Особенно наглядно это проявилось в знаменитой сцене посещения Холденом своего бывшего учителя мистера Антолини. Холдена, наверное, можно упрекнуть за то, что он не прислушался к словам учителя – в самом неподходящем месте он зевает, а чуть позже, заподозрив мистера Антолини в «дурных намерениях», опрометью бежал среди ночи куда глаза глядят, в глубине души понимая, что совершает глупость. Формально-то учитель прав, беда лишь в том, что в тот момент измученный и задерганный гость менее всего нуждался в разумных советах и более всего — в молчаливом сочувствии, в отдыхе. Увлеченный собственным же красноречием (не случайно это качество так раздражало вообще-то очень уважавшего его Холдена), мистер Антолини не заметил состояния своего собеседника. Заговорился. Когда же он проявил запоздалое внимание и заботливость, в свою очередь Холден не понял его жеста. Может быть, на этом эпизоде не стоило бы останавливаться так подробно, если бы он не заключал в себе модель отношений, в том или ином виде часто повторяющуюся в новеллах и повестях Сэлинджера.

Движение повести — это медленное освобождение от поверхностного отношения к жизни. Мечта Холдена о побеге на Запад и «осуществлении гармонии» иронически претворится в жизнь его вынужденным отъездом в калифорнийский санаторий-клинику, откуда, собственно, и ведет он рассказ о своих злоключениях. Другая его мечта — оберегать детей от пропасти — при ближайшем рассмотрении тоже теряет свое идиллическое содержание. Критики эту пропасть расшифровали как «пропасть повзросления». Но спасать от повзросления — сомнительное благодеяние. Кажется, это прочувствовал и сам Холден. На последних страницах повести, наблюдая за детишками на карусели, которые, пытаясь поймать золотое кольцо, рискуют упасть, он произнесет монолог о недопустимости вмешательства в их игру, в их мир: «Упадут так упадут». Это истина тем более ценная, что набрел на нее герой не чужим умом, не советами красноречивого мистера Антолини, а собственным опытом. Холден понятия не имеет, как станет жить дальше, ему пока нечего ответить настырному психоаналитику, желающему знать, будет ли он «стараться», когда снова поступит в школу. Важно не это: на смену былому раздражению по любому поводу — и по пустякам, и по действительно серьезным причинам — приходит спокойствие. Любовь к категорическим суждениям, похоже, начинает уступать место внимательному вглядыванию в реальную действительность со всеми ее качествами — и дурными, и хорошими. Вглядыванию в окружающих его людей — их теперь этому, казалось бы, неисправимому эгоцентрику, по его собственному признанию, «как-то не хватает». Начав с тотального осуждения, он учится понимать.

В 1953 году Сэлинджер выпускает сборник «Девять рассказов». Из нескольких десятков рассказов он отобрал только то, что было ему важно и близко, отбросив все остальное. Сложный, тонкий мир личности — и не менее сложная действительность, их постоянное взаимодействие и взаимоотталкивание — на таком контрапункте строятся лучшие новеллы писателя. Внимание к малейшим нюансам движений души, удивительная наблюдательность и точность в передаче человеческих отношений «заражают» читателя, обращают его к собственным проблемам, мечтам, страхам, надеждам. Это создало Сэлинджеру репутацию исповедального писателя, своеобразного лирика в прозе. При этом как-то упускали из виду неуловимость позиций автора, крайне редко выражавшего свое отношение к изображаемому «открытым текстом». Заметим, что мало кто из писателей, работавших в традиционной манере, удостаивался такого количества взаимоисключающих интерпретаций. Постоянно стремясь к многозначимости, Сэлинджер нагружал значением, казалось бы, случайные предметы и явления, искал противоречия там, где другие видели цельность и единство. Он порой подвергал ироническому снижению или опровержению то, что по внешней логике повествования следовало принимать вполне однозначно. Откровенный разговор, только-только наладившийся между рассказчиком и читателем, может нежданно-негаданно прерваться на самом интересном месте, и читатель, так и не получив желанных разъяснений, остается один на один с загадкой, которую решать приходится самому.

Контакты между обитателями «страны Сэлинджера» затруднены, нарушены или вовсе отсутствуют. Единственный человек на свете, с кем Симор Гласс («Хорошо ловится рыбка-бананка») может говорить естественно, — маленькая девочка. Ей — а через нее всем остальным — расскажет он сказку о рыбках-бананках. Крошка Сибилла переживает историю о жизни и смерти этих загадочных существ всерьез. Она права – это и правда очень серьезная и грустная история. Для Симора эта сказка единственно возможная форма исповеди, косвенного – иначе не получается – выражения своего состояния. В глазах нормальных средних граждан Симор Гласс просто помешан и нуждается в услугах психоаналитика. Существует, однако, другой вид безумия, на который недвусмысленно указывает Сэлинджер, хоть и нигде не называет его открыто. Классическое помешательство характеризуется, как известно, гипертрофией внутреннего мира личности, перестающей соотносить свои представления с реальностью. XX век остро ощутил тревожные последствия душевного расстройства иного свойства. Этот новейший вид безумия заключается в вытеснении личного и неповторимого набором стандартных – «как у всех» – понятий, реакций, представлений. Таким недугом поражены родственники Мюриель Феддер, невесты, а затем и жены Симора («Хорошо ловится рыбка-бананка» и «Выше стропила, плотники»), капрал Клей, его подруга Лоретта и брат рассказчика, любитель «военных сувениров» («Дорогой Эсме́ с любовью – и всякой мерзостью»), и многие другие. Девяносто семь агентов по рекламе, оккупировавших телефон («Хорошо ловится рыбка-бананка»), – полномочные представители этого мира, где вещи важнее – и реальнее – людей.

Герой «Голубого периода де Домье-Смита» глядит на витрину ортопедической мастерской и размышляет: «Как бы спокойно, умно и благородно я ни научился жить, все равно до самой смерти я... обречен бродить чужестранцем по саду, где растут одни эмалированные горшки и подкладные судна...» В этот «сад вещей» – потребительский рай – открыт доступ всем желающим, но лишь немногие понимают, каким печальным может стать пребывание в нем.

Внешне здоровый и разумный, а в основе своей совершенно ненормальный мир буржуазности тяготит героев Сэлинджера. Размышляя над надписью «...жизнь – это ад», сделанной на книге Геббельса читательницей-нацисткой, сержант Икс пишет в ответ слова старца Зосимы из «Братьев Карамазовых»: «“Что есть ад?..”. Страдание о том, что нельзя уже более любить». Буржуазная реальность всем ходом своего развития — будь то крайние формы войны или обманчиво безмятежные периоды сытости и процветания — направлена на то — в этом уверены и автор, и его герой, — чтобы истребить в мире любовь. Сержанту Икс повезло больше других.

Встреченная им девочка Эсме оказалась способной на добрый поступок — именно на поступок, — что с таким трудом давалось (или не давалось вовсе) героям Сэлинджера. Часы погибшего на войне отца Эсме, посланные ей сержанту «на счастье», оказались чудесным лекарством, сумевшим победить «банановую лихорадку» и помочь герою восстановить связь с миром и самим собой. Этот рассказ — из немногих у Сэлинджера, где «хорошее», подлинное начало хоть на время, но победило «липу» — силы разобщенности и распада.

Чаще получалось наоборот. Мир детства, эта заповедная для писателя территория любви и добра, постоянно находится под угрозой вторжения со стороны злых сид мира взрослых («В лодке», «Лапа-растяпа», «Человек, который смеялся»). Конец блаженного неведения, крушение увлекательной романтики детства с ее наивной и трогательной мифологией — тема рассказа «Человек, который смеялся». Сталкиваясь со взрослой реальностью, юные герои Сэлинджера недоумевают, страдают, вроде бы ничего не могут противопоставить «липе», но своим присутствием согревают мир.

Сэлинджера, наверное, нельзя назвать социальным писателем по преимуществу. Прямых выпадов в адрес общественного устройства, как в рассказе «Грустный мотив», у него немного. Вместе с тем творческие искания Сэлинджера как раз определяются его серьезными разногласиями и с постулатами официальной американской идеологии, и с некоторыми важными положениями западной интеллектуальной традиции. Об увлечении Сэлинджера религией и философией Востока (прежде всего дзен-буддизмом) писалось и говорилось достаточно, особенно в связи с его поздними произведениями из цикла о Глассах[1]. Творчество Сэлинджера – и, кстати, не только позднее – имеет соприкосновение с поэтикой дзен. Недосказанность, отсутствие однозначных авторских указаний в рассказах и повестях Сэлинджера заставляют вспомнить важный для искусства дзен принцип равенства творческой активности создающего и воспринимающего эстетический объект. Увидеть, правильно истолковать смысл произведения – не меньшая доблесть, чем его создать. С другой стороны, идея эстетического восприятия как сотворчества – отнюдь не новинка для любителей искусства за пределами Востока. Искусство дзен исходит из неисчерпаемости мира и, как следствие, неизбежного разрыва между изображаемым и изображенным. В поисках наиболее адекватных способов отражения мира искусством художники Востока изображали сложное через внешне простое, но при более внимательном взгляде открывающее неожиданные глубины. Опыт искусства Востока уже давно привлекал внимание и художников Запада, боровшихся с неподатливой, скрывающей свои секреты действительностью.

Постулаты дзен-буддизма стали для Сэлинджера способом критики американской современности. В дзен Сэлинджер видел союзника в борьбе против рационально-умозрительного отношения к миру, против присущего западной философской традиции системосозидания, когда в расчет берется абстрактный человек, а его живой, противоречивый, многомерный прототип выпадает из поля зрения. Устами юного вундеркинда Тедди из одноименного рассказа Сэлинджер осуждает слепоту западного типа сознания, не способного «видеть вещи такими, какие они на самом деле». Но какие же они все-таки на самом деле? Призыв к истинному взгляду похвален, беда только, что истинное здесь никак не связано с конкретно-историческим. По Тедди, подлинная мудрость не имеет ничего общего ни с логикой, ни с точным знанием, он за то, чтобы отучить людей от

1 Подробнее об этом см.: Галинская И. Философские и эстетические основы поэтики Сэлинджера. М.: Наука, 1975. Завадская Е. Культура Востока в современном западном мире. М.: Наука, 1977, и др.

увлечения «яблоками с древа познания»: надо забыть про несущественные различия между вещами и явлениями (а значит, и между добром и злом в привычном понимании), надо принять мир целиком, слиться с ним. В отличие от большинства нервных, мятущихся персонажей Сэлинджера, Тедди, отбросив логику, а с ней и эмоции, обрел умиротворенность. Но за этой умиротворенностью — равнодушие к тому, что происходит вокруг. От неискушенной в метафизических тонкостях Эсме исходили добро и теплота, от Тедди веет холодом: к людям он относится с тем же вежливым и сдержанным любопытством, с каким смотрит на апельсиновые корки, проплывающие мимо окна каюты. Сэлинджер и в этом рассказе избегает прямых оценок, поэтому о его симпатиях к Тедди можно говорить с известной гипотетичностью, но «антизападная» отрешенность от мира этого вундеркинда нет-нет да проявит загадочное сходство с добрым старым эгоцентризмом, от которого страдают очень многие литературные герои Запада нашего времени.

Тедди выше тревог и сомнений. Субъективно он счастлив. Объективно — нелеп и даже трагичен. Ребенок без детства, он существует для других как объект потребления — как научная загадка, курьез природы, его изучают специалисты, на него смотрят как на интересную диковинку. Холодным и безжизненным предстает в этом рассказе мир детства. Раньше у Сэлинджера дети спасали мир. Теперь они «ненавидят всех на этом океане», как сестра героя, или, как Тедди, замкнулись в себе. Развязка новеллы оставляет в недоумении — что же, собственно, случилось? Автор решительно не желает помочь читателям, но, так или иначе, пронзительный детский крик в финале — сигнал серьезного неблагополучия в мире, где одни слишком увлечены сиюминутностью, а другие слишком от нее отрешены.

«Очень сложно предаваться размышлениям и жить духовной жизнью в Америке» — эти слова Тедди мог бы повторить и Симор Гласс, еще один кандидат в идеальные герои. Сделав названием повести «Выше стропила, плотники» строку из эпиталамы Сафо, Сэлинджер выдвинул свой — иронический — вариант современной свадебной песни. Непредвиденные обстоятельства, возникшие при заключении брачного союза Симора с Мюриель, читаются как указания на опасности, что ждут неординарную личность, желающую «заключить союз» с обществом. Рассказчик явно на стороне Симора, провидца сущностей и поэта, и с неприязнью относится к миру пошлости и мещанства, олицетворяемому родственниками невесты. Здесь, однако, рождается противоречие, разрешить которое Сэлинджеру не удается ни в этой повести, ни тем более в заключительных произведениях «саги о Глассах». Сочувствуя утонченным Глассам, трудно вместе с тем согласиться, что пошляки – родственники невесты – вся Америка, и уж тем более – весь мир. Так же трудно отделаться от мысли, что и материальное благополучие, и интеллектуальная независимость Глассов – результат тесного сотрудничества с раздражающим их обществом: с малых лет они выступали в пошлой, но хорошо оплачиваемой радиосерии «Умные ребята», зарабатывая на жизнь и обучение в школах и колледжах. Существовать за счет презираемого общества, на словах провозглашая его неприятие и в то же самое время ощущая свою полную от него зависимость, – знакомая позиция западного либерального интеллигента, но ироническое освещение тягот подобного удела в поздних произведениях Сэлинджера возникает, похоже, вопреки намерениям автора.

Остро переживая бесперспективность и безжизненность ориентиров и идеалов, которыми привыкли вдохновляться его соотечественники, Сэлинджер изобразил мучительный процесс утраты веры и напряженные поиски новых ценностей. Однако его находки – замена западных символов веры на буддийские – трудно признать удачными. И он, и его герои Глассы понимают, что даже сверходаренная личность не может жить и работать, совершенно игнорируя других, а раз так, то необходимо искать пути к людям. В годы радиокарьеры герой без страха и упрека Симор Гласс (не правда ли, странное сочетание в сэлинджеровских «идеальных личностях» высокой естественности по сути и актерства по профессии?) требовал от своих партнеров играть с полной отдачей «для Толстухи», той безымянной слушательницы, для которой эта передача, может быть, — из немногих радостей в жизни. Однако готовность «возлюбить Толстуху» как-то легко сочетается с неприязнью к тем вполне конкретным Толстухам, с которыми приходится сталкиваться в повседневности. Можно, конечно, упрекнуть того же Бадди, что он еще «не дорос» до симоровского всеприятия и всепрощения и напрасно так сердится на противных мещан, но трудно избавиться от ощущения, что провозглашенная Симором любовь ко всем, по сути дела, означает отсутствие серьезных обязательств по отношению к кому бы то ни было. Сержант Икс, призывая к любви, цитировал Достоевского. Раз уж русский писатель взят в союзники, уместно вспомнить его рассуждения, как нелегко добиться любви и братства в обществе, где процветает «начало единичное, личное, беспрерывно обособляющееся, требующее с мечом в руках своих прав». Поиск прочных ценностей упирается у Сэлинджера и его героев в противоречие: единение и любовь — насущная необходимость и в то же время роковая невозможность в пределах их глубоко индивидуалистического мироощущения, возросшего на почве той самой буржуазности, которую они охотно осуждают.

В финале повести «Выше стропила, плотники» Бадди Гласс размышляет, не послать ли Симору «чистый листок бумаги вместо объяснения». Начиная с 1965 года поклонники Сэлинджера вынуждены довольствоваться подобными «чистыми листками». Согласно буддийскому учению, молчание — одна из высших ступеней самопознания. В этом ли смысле понимать наступившее молчание Сэлинджера-художника? Или же это капитуляция перед неразрешимостью проблем, вставших перед ним и его героями? А может, за этим — убеждение в неадекватности творчества вообще как способа выражения того важного и сложного комплекса чувств, настроений, размышлений, что рождается в его внутреннем мире? Остается строить гипотезы. И снова возвращаться к тому, что написано Сэлинджером, остро ощутившим кризис американской идеологии, напряженно и самостоятельно искавшим иные — подлинные и одухотворяющие — ценности.

Сергей Белов

Над пропастью во ржи

1

Если вам на самом деле хочется услышать эту историю, вы, наверно, прежде всего захотите узнать, где я родился, как провел свое дурацкое детство, что делали мои родители до моего рождения, – словом, всю эту дэвидкопперфилдовскую муть. Но, по правде говоря, мне неохота в этом копаться. Во-первых, скучно, а во-вторых, у моих предков, наверно, случилось бы по два инфаркта на брата, если б я стал болтать про их личные дела. Они этого терпеть не могут, особенно отец. Вообще-то они люди славные, я ничего не говорю, но обидчивые до чертиков. Да я и не собираюсь рассказывать свою автобиографию и всякую такую чушь, просто расскажу ту сумасшедшую историю, которая случилась прошлым Рождеством. А потом я чуть не отдал концы, и меня отправили сюда отдыхать и лечиться. Я и ему – Д.Б. – только про это и рассказывал, а ведь он мне как-никак родной брат. Он живет в Голливуде. Это не очень далеко отсюда, от этого треклятого санатория, он часто ко мне ездит, почти каждую неделю. И домой он меня сам отвезет – может быть, даже в будущем месяце. Купил себе недавно «Ягуар». Английская штучка, может делать двести миль в час. Выложил за нее чуть ли не четыре тысячи. Денег у него теперь куча.

Не то что раньше. Раньше, когда он жил дома, он был настоящим писателем. Может, слыхали – это он написал мировую книжку рассказов «Спрятанная рыбка». Самый лучший рассказ так и называется – «Спрятанная рыбка». Там про одного мальчишку, который никому не позволял смотреть на свою золотую рыбку, потому что купил ее на собственные деньги. С ума сойти, какой рассказ! А теперь мой брат в Голливуде, совсем скурвился. Если я что ненавижу, так это кино. Терпеть не могу.

Лучше всего начну рассказывать с того дня, как я ушел из Пэнси. Пэнси – это закрытая средняя школа в Эгерстауне, штат Пенсильвания. Наверно, вы про нее слыхали. Рекламу вы, во всяком случае, видели. Ее печатают чуть ли не в тысяче журналов – этакий хлюст верхом на лошади скачет через препятствия. Как будто в Пэнси только и делают, что играют в поло. А я там даже лошади ни разу в глаза не видал. И под этим конным хлюстом подпись: «С 1888 года в нашей школе выковывают смелых и благородных юношей». Вот уж липа! Никого они там не выковывают, да и в других школах тоже. И ни одного «благородного и смелого» я не встречал, ну, может, есть там один-два – и обчелся. Да и то они такими были еще до школы.

Словом, началось это в субботу, когда шел футбольный матч с Сэксон-холлом. Считалось, что для Пэнси этот матч важней всего на свете. Матч был финальный, и, если бы наша школа проиграла, нам всем полагалось чуть ли не перевешаться с горя. Помню, в тот день, часов около трех, я стоял черт знает где, на самой горе Томпсона, около дурацкой пушки, которая там торчит, кажется, с самой войны за независимость. Оттуда видно было все поле и как обе команды гоняют друг дружку из конца в конец. Трибун я как следует разглядеть не мог, только слышал, как там орут. На нашей стороне орали во всю глотку – собралась вся школа, кроме меня, – а на их стороне что-то вякали: у приезжей команды народу всегда маловато.

На футбольных матчах всегда мало девчонок. Только старшеклассникам разрешают их приводить. Гнусная школа, ничего не скажешь. А я люблю бывать там, где вертятся девчонки, даже если они просто сидят, ни черта не делают, только почесываются, носы вытирают или хихикают. Дочка нашего директора, старика Термера, часто ходит на матчи, но не такая это девчонка, чтоб по ней с ума сходить. Хотя в общем она ничего. Как-то я с ней сидел рядом в автобусе, ехали из Эгерстауна и разговорились. Мне она понравилась. Правда, нос у нее длинный, и ногти обкусаны до крови, и в лифчик что-то подложено, чтоб торчало во все стороны, но ее почему-то было жалко. Понравилось мне то, что она тебе не вкручивала, какой у нее замечательный папаша. Наверно, сама знала, что он трепло несусветное.

Не пошел я на поле и забрался на гору, так как только что вернулся из Нью-Йорка с командой фехтовальщиков. Я капитан этой вонючей команды. Важная шишка. Поехали мы в Нью-Йорк на состязание со школой Мак-Берни. Только состязание не состоялось. Я забыл рапиры, и костюмы, и вообще всю эту петрушку в вагоне метро. Но я не совсем виноват.

Приходилось все время вскакивать, смотреть на схему, где нам выходить. Словом, вернулись мы в Пэнси не к обеду, а уже в половине третьего.

Ребята меня бойкотировали всю дорогу. Даже смешно.

И еще я не пошел на футбол оттого, что собрался зайти к старику Спенсеру, моему учителю истории, попрощаться перед отъездом. У него был грипп, и я сообразил, что до начала рождественских каникул я его не увижу. А он мне прислал записку, что хочет меня видеть до того, как я уеду домой. Он знал, что я не вернусь.

Да, забыл сказать – меня вытурили из школы. После Рождества мне уже не надо было возвращаться, потому что я провалился по четырем предметам и вообще не занимался и все такое. Меня сто раз предупреждали – старайся, учись. А моих родителей среди четверти вызвали к старому Термеру, но я все равно не занимался. Меня и вытурили. Они много кого выгоняют из Пэнси. У них очень высокая академическая успеваемость, серьезно, очень высокая.

Словом, дело было в декабре, и холодно, как у ведьмы за пазухой, особенно на этой треклятой горке. На мне была только куртка – ни перчаток, ни черта. На прошлой неделе кто-то спер мое верблюжье пальто прямо из комнаты вместе с теплыми перчатками – они там и были, в кармане. В этой школе полно жулья. У многих ребят родители богачи, но все равно там полно жулья. Чем дороже школа, тем в ней больше ворюг. Словом, стоял я у этой дурацкой пушки, чуть зад не отморозил. Но на матч я почти и не смотрел. А стоял я там потому, что хотелось почувствовать, что я с этой школой прощаюсь. Вообще я часто откуда-нибудь уезжаю, но никогда и не думаю ни про какое прощание. Я это ненавижу. Я не задумываюсь, грустно ли мне уезжать, неприятно ли. Но когда я расстаюсь с каким-нибудь местом, мне надо почувствовать, что я с ним действительно расстаюсь. А то становится еще неприятней.

Мне повезло. Вдруг я вспомнил про одну штуку и сразу почувствовал, что я отсюда уезжаю навсегда. Я вдруг вспомнил, как мы однажды, в октябре, втроем – я, Роберт Тичнер и Пол Кембл – гоняли мяч перед учебным корпусом. Они славные ребята, особенно Тичнер. Время шло к обеду, совсем стемнело, но мы все гоняли мяч и гоняли.

Стало уже совсем темно, мы и мяча-то почти не видели, но ужасно не хотелось бросать. И все-таки пришлось. Наш учитель биологии, мистер Зембизи, высунул голову из окна учебного корпуса и велел идти в общежитие одеваться к обеду. Как вспомнишь такую штуку, так сразу почувствуешь: тебе ничего не стоит уехать отсюда навсегда – у меня, по крайней мере, почти всегда так бывает. И только я понял, что уезжаю навсегда, я повернулся и побежал вниз с горы, прямо к дому старика Спенсера. Он жил не при школе. Он жил на улице Энтони Уэйна.

Я бежал всю дорогу, до главного выхода, а потом пережидал, пока не отдышался. У меня дыхание короткое, по правде говоря. Во-первых, я курю как паровоз, то есть раньше курил. Тут, в санатории, заставили бросить. И еще – я за прошлый год вырос на шесть с половиной дюймов. Наверно, от этого я и заболел туберкулезом и попал сюда на проверку и на это дурацкое лечение. А в общем, я довольно здоровый.

Словом, как только я отдышался, я побежал через дорогу на улицу Уэйна. Дорога вся обледенела до черта, и я чуть не грохнулся. Не знаю, зачем я бежал, наверно просто так. Когда я перебежал через дорогу, мне вдруг показалось, что я исчез. День был какой-то сумасшедший, жуткий холод, ни проблеска солнца, ничего, и казалось, стоит тебе пересечь дорогу, как ты сразу исчезнешь навек.

Ух и звонил же я в звонок, когда добежал до старика Спенсера! Промерз я насквозь. Уши болели, пальцем пошевельнуть не мог. «Ну, скорей, скорей! – говорю чуть ли не вслух. – Открывайте!» Наконец старушка Спенсер мне открыла. У них прислуги нет и вообще никого нет, они всегда сами открывают двери. Денег у них в обрез.

– Холден! – сказала миссис Спенсер. – Как я рада тебя видеть! Входи, милый! Ты, наверно, закоченел до смерти?

Мне кажется, она и вправду была рада меня видеть. Она меня любила. По крайней мере, мне так казалось.

Я пулей влетел к ним в дом.

– Как вы поживаете, миссис Спенсер? – говорю. – Как здоровье мистера Спенсера?

– Дай твою куртку, милый! – говорит она. Она и не слышала, что я спросил про мистера Спенсера. Она была немножко глуховата.

Она повесила мою куртку в шкаф в прихожей, и я пригладил волосы ладонью. Вообще я ношу короткий ежик, мне причесываться почти не приходится.

– Как же вы живете, миссис Спенсер? – спрашиваю, но на этот раз громче, чтобы она услыхала.

– Прекрасно, Холден. – Она закрыла шкаф в прихожей. – А ты-то как живешь?

И я по ее голосу сразу понял: видно, старик Спенсер рассказал ей, что меня выперли.

– Отлично, – говорю. – А как мистер Спенсер? Кончился у него грипп?

– Кончился? Холден, он себя ведет как... как не знаю кто!.. Он у себя, милый, иди прямо к нему.

2

У них у каждого была своя комната. Лет им было под семьдесят, а то и больше. И все-таки они получали удовольствие от жизни, хоть одной ногой и стояли в могиле. Знаю, свинство так говорить, но я вовсе не о том. Просто я хочу сказать, что я много думал про старика Спенсера, а если про него слишком много думать, начинаешь удивляться – за каким чертом он еще живет. Понимаете, он весь сгорбленный и еле ходит, а если он в классе уронит мел, так кому-нибудь с первой парты приходится нагибаться и подавать ему. По-моему, это ужасно. Но если не слишком разбираться, а просто так подумать, то выходит, что он вовсе не плохо живет. Например, один раз, в воскресенье, когда он меня и еще нескольких других ребят угощал горячим шоколадом, он нам показал потрепанное индейское одеяло – они с миссис Спенсер купили его у какого-то индейца в Йеллоустонском парке. Видно было, что старик Спенсер от этой покупки в восторге. Вы понимаете, о чем я? Живет себе такой человек вроде старого Спенсера, из него уже песок сыплется, а он все еще приходит в восторг от какого-то одеяла.

Дверь к нему была открыта, но я все же постучался, просто из вежливости. Я видел его – он сидел в большом кожаном кресле, закутанный в то самое одеяло, про которое я говорил. Он обернулся, когда я постучал.

– Кто там? – заорал он. – Ты, Колфилд? Входи, мальчик, входи!

Он всегда орал дома, не то что в классе. На нервы действовало, серьезно.

Только я вошел – и уже пожалел, зачем меня принесло. Он читал «Атлантик мансли», и везде стояли какие-то пузырьки, пилюли, все пахло каплями от насморка. Тоску нагоняло. Я и вообще-то не слишком люблю больных. И все казалось еще унылее оттого, что на старом Спенсере был ужасно жалкий, потертый, старый халат – наверно, он его носил с самого рождения, честное слово. Не люблю я стариков в пижамах или в халатах. Вечно у них грудь наружу, все их старые ребра видны. И ноги жуткие. Видали стариков на пляжах, какие у них ноги белые, безволосые?

– Здравствуйте, сэр! – говорю. – Я получил вашу записку. Спасибо вам большое. – Он мне написал записку, чтобы я к нему зашел проститься перед каникулами; он знал, что я больше не вернусь. – Вы напрасно писали, я бы все равно зашел попрощаться.

– Садись вон туда, мальчик, – сказал старый Спенсер. Он показал на кровать.

Я сел на кровать.

– Как ваш грипп, сэр?

— Знаешь, мой мальчик, если бы я себя чувствовал лучше, пришлось бы послать за доктором! — Старик сам себя рассмешил. Он стал хихикать как сумасшедший. Наконец отдышался и спросил: — А почему ты не на матче? Кажется, сегодня финал?

— Да. Но я только что вернулся из Нью-Йорка с фехтовальной командой.

Господи, ну и постель! Настоящий камень!

Он вдруг напустил на себя страшную строгость — я знал, что так будет.

— Значит, ты уходишь от нас? — спрашивает.

— Да, сэр, похоже на то.

Тут он начал качать головой. В жизни не видел, чтобы человек столько времени подряд мог качать головой. Не поймешь, оттого ли он качает головой, что задумался, или просто потому, что он уже совсем старикашка и ни хрена не понимает.

— А о чем с тобой говорил доктор Термер, мой мальчик? Я слыхал, что у вас был долгий разговор.

— Да, был. Поговорили. Я просидел у него в кабинете часа два, если не больше.

— Что же он тебе сказал?

— Ну... всякое. Что жизнь — это честная игра. И что надо играть по правилам. Он хорошо говорил. То есть ничего особенного он не сказал. Все насчет того же, что жизнь — это игра и всякое такое. Да вы сами знаете.

— Но жизнь действительно игра, мой мальчик, а играть надо по правилам.

— Да, сэр. Знаю. Я все это знаю. Тоже сравнили! Хорошая игра! Попадешь в ту партию, где классные игроки, — тогда ладно, куда ни шло, тут действительно игра. А если попасть на другую сторону, где одни мазилы, — какая уж тут игра? Ни черта похожего. Никакой игры не выйдет.

— А доктор Термер уже написал твоим родителям? — спросил старик Спенсер.

– Нет, он собирается написать им в понедельник.

– А ты сам им ничего не сообщил?

– Нет, сэр, я им ничего не сообщил, увижу их в среду вечером, когда приеду домой.

– Как же, по-твоему, они отнесутся к этому известию?

– Как сказать... Рассердятся, наверно, – говорю. – Должно быть, рассердятся. Ведь я уже в четвертой школе учусь.

И я тряхнул головой. Это у меня привычка такая.

– Эх! – говорю. Это тоже привычка – говорить «Эх!» или «Ух ты!», отчасти потому, что у меня не хватает слов, а отчасти потому, что я иногда веду себя совсем не по возрасту. Мне тогда было шестнадцать, а теперь мне уже семнадцать, но иногда я так держусь, будто мне лет тринадцать, не больше. Ужасно нелепо выходит, особенно потому, что во мне шесть футов и два с половиной дюйма, да и волосы у меня с проседью. Это правда. У меня на одной стороне, справа, миллион седых волос. С самого детства. И все-таки иногда я держусь, будто мне лет двенадцать. Так про меня все говорят, особенно отец. Отчасти это верно, но не совсем. А люди всегда думают, что они тебя видят насквозь. Мне-то наплевать, хотя тоска берет, когда тебя поучают – веди себя как взрослый. Иногда я веду себя так, будто я куда старше своих лет, но этого-то люди не замечают. Вообще ни черта они не замечают.

Старый Спенсер опять начал качать головой. И при этом ковырял в носу. Он старался делать вид, будто потирает нос, но на самом деле он весь палец туда запустил. Наверно, он думал, что это можно, потому что, кроме меня, никого тут не было. Мне-то все равно, хоть и противно видеть, как ковыряют в носу.

Потом он заговорил:

– Я имел честь познакомиться с твоей матушкой и с твоим отцом, когда они приезжали побеседовать с доктором Термером несколько недель назад. Они изумительные люди.

– Да, конечно. Они хорошие.

«Изумительные». Ненавижу это слово! Ужасная пошлятина. Мутит, когда слышишь такие слова.

И вдруг у старого Спенсера стало такое лицо, будто он сейчас скажет что-то очень хорошее, умное. Он выпрямился в кресле, сел поудобнее. Оказалось, ложная тревога. Просто он взял журнал с колен и хотел кинуть его на кровать, где я сидел. И не попал. Кровать была в двух дюймах от него, а он все равно не попал. Пришлось мне встать, поднять журнал и положить на кровать. И вдруг мне захотелось бежать к чертям из этой комнаты. Я чувствовал: сейчас начнется жуткая проповедь. Вообще-то я не возражаю, пусть говорит, но чтобы тебя отчитывали, а кругом воняло лекарствами и старый Спенсер сидел перед тобой в пижаме и халате – это уж слишком. Не хотелось слушать.

Тут и началось.

– Что ты с собой делаешь, мальчик? – сказал старый Спенсер. Он заговорил очень строго, так он раньше не разговаривал. – Сколько предметов ты сдавал в этой четверти?

– Пять, сэр.

– Пять. А сколько завалил?

– Четыре. – Я поерзал на кровати. На такой жесткой кровати я еще никогда в жизни не сидел. Английский я хорошо сдал, потому что я учил Беовульфа и «Лорд Рэндал, мой сын» и всю эту штуку еще в Хуттонской школе. Английским мне приходилось заниматься, только когда задавали сочинения.

Он меня даже не слушал. Он никогда не слушал, что ему говорили.

– Я провалил тебя по истории, потому что ты совершенно ничего не учил.

– Понимаю, сэр. Отлично понимаю. Что вам было делать?

— Совершенно ничего не учил! — повторил он. Меня злит, когда люди повторяют то, с чем ты сразу согласился. А он и в третий раз повторил: — Совершенно ничего не учил! Сомневаюсь, открывал ли ты учебник хоть раз за всю четверть. Открывал? Только говори правду, мальчик!

— Нет, я, конечно, просматривал его раза два, — говорю. Не хотелось его обижать. Он был помешан на своей истории.

— Ах, просматривал? — сказал он очень ядовито. — Твоя, с позволения сказать, экзаменационная работа вон там, на полке. Сверху, на тетрадях. Дай ее сюда, пожалуйста!

Это было ужасное свинство с его стороны, но я взял свою тетрадку и подал ему — больше ничего делать не оставалось. Потом я опять сел на эту бетонную кровать. Вы себе и представить не можете, как я жалел, что зашел к нему проститься!

Он держал мою тетрадь, как навозную лепешку или еще чего похуже.

— Мы проходили Египет с четвертого ноября по второе декабря, — сказал он. — Ты сам выбрал эту тему для экзаменационной работы. Не угодно ли тебе послушать, что ты написал?

— Да нет, сэр, не стоит, — говорю.

А он все равно стал читать. Уж если преподаватель решил что-нибудь сделать, его не остановишь. Все равно сделает по-своему.

— «Египтяне были древней расой кавказского происхождения, обитавшей в одной из северных областей Африки. Она, как известно, является самым большим материком в Восточном полушарии».

И я должен был сидеть и слушать всю эту несусветную чушь. Свинство, честное слово.

— «В наше время мы интересуемся египтянами по многим причинам. Современная наука все еще добивается ответа на вопрос – какие тайные составы употребляли египтяне, бальзамируя своих покойников, чтобы их лица не сгнивали в течение многих веков. Эта таинственная загадка все еще бросает вызов современной науке двадцатого века».

Он замолчал и положил мою тетрадку. Я почти что ненавидел его в эту минуту.

– Твой, так сказать, экскурс в науку на этом кончается, – проговорил он тем же ядовитым голосом. Никогда бы не подумал, что в таком древнем старикашке столько яду. – Но ты еще сделал внизу небольшую приписку лично мне, – добавил он.

– Да-да, помню, помню! – сказал я. Я заторопился, чтобы он хоть это не читал вслух. Куда там – разве его остановишь! Из него прямо искры сыпались!

– «Дорогой мистер Спенсер! – Он читал ужасно громко. – Вот все, что я знаю про египтян. Меня они почему-то не очень интересуют, хотя Вы читаете про них очень хорошо. Ничего, если Вы меня провалите, – я все равно уже провалился по другим предметам, кроме английского. Уважающий вас Холден Колфилд».

Тут он положил мою треклятую тетрадку и посмотрел на меня так, будто сделал мне сухую в пинг-понг. Никогда не прощу ему, что он прочитал эту чушь вслух. Если б он написал такое, я бы ни за что на свете вслух не прочел, слово даю. А главное, добавил-то я эту проклятую приписку, чтобы ему не было неловко меня проваливать.

– Ты сердишься, что я тебя провалил, мой мальчик? – спросил он.

– Что вы, сэр, ничуть! – говорю. Хоть бы он перестал называть меня «мой мальчик», черт подери!

Он бросил мою тетрадку на кровать. Но, конечно, опять не попал. Пришлось мне вставать и подымать ее. Я ее положил на «Атлантик мансли». Вот еще, охота была поминутно нагибаться.

— А что бы ты сделал на моем месте? — спросил он. — Только говори правду, мой мальчик.

Да, видно, ему было здорово не по себе оттого, что он меня провалил.

Тут, конечно, я принялся наворачивать. Говорил, что я умственно отсталый, вообще кретин, что я сам на его месте поступил бы точно так же и что многие не понимают, до чего трудно быть преподавателем. И все в таком роде. Словом, наворачивал как надо.

Но самое смешное, что думал-то я все время о другом. Сам наворачиваю, а сам думаю про другое. Живу я в Нью-Йорке, и думал я про тот пруд в Центральном парке, у Южного выхода: замерзает он или нет, а если замерзает, куда деваются утки? Я не мог себе представить, куда деваются утки, когда пруд покрывается льдом и промерзает насквозь. Может быть, подъезжает грузовик и увозит их куда-нибудь в зоопарк? А может, они просто улетают?

Все-таки у меня это хорошо выходит. Я хочу сказать, что я могу наворачивать что попало старику Спенсеру, а сам в это время думаю про уток. Занятно выходит, но, когда разговариваешь с преподавателем, думать вообще не надо. И вдруг он меня перебил. Он всегда перебивает.

— Скажи, а что ты по этому поводу думаешь, мой мальчик? Интересно было бы знать. Весьма интересно.

— Это насчет того, что меня вытурили из Пэнси? — спрашиваю.

Хоть бы он запахнул свой дурацкий халат. Смотреть неприятно.

— Если я не ошибаюсь, у тебя были те же затруднения и в Хуттонской школе, и в Элктон-хилле?

Он это сказал не только ядовито, но и как-то противно.

— Никаких затруднений в Элктон-хилле у меня не было, — говорю. — Я не проваливался, ничего такого. Просто ушел — и все.

— Разреши спросить — почему?

— Почему? Да это длинная история, сэр. Все это вообще довольно сложно.

Ужасно не хотелось рассказывать ему что да как. Все равно он бы ничего не понял. Не по его это части. А ушел я из Элктон-хилла главным образом потому, что там была одна сплошная липа. Все делалось напоказ — не продохнешь. Например, их директор, мистер Хаас. Такого подлого притворщика я в жизни не встречал. В десять раз хуже старика Термера. По воскресеньям, например, этот чертов Хаас ходил и жал ручки всем родителям, которые приезжали. И до того мил, до того вежлив — просто картинка. Но не со всеми он одинаково здоровался — у некоторых ребят родители были попроще, победнее. Вы бы посмотрели, как он, например, здоровался с родителями моего соседа по комнате. Понимаете, если у кого мать толстая или смешно одета, а отец ходит в костюме с ужасно высокими плечами, и башмаки на нем старомодные, черные с белым, тут этот самый Хаас только протягивал им два пальца и притворно улыбался, а потом как начнет разговаривать с другими родителями — полчаса разливается! Не выношу я этого. Злость берет. Так злюсь, что с ума можно спятить. Ненавижу я этот проклятый Элктон-хилл.

Старый Спенсер меня спросил о чем-то, но я не расслышал. Я все думал об этом подлом Хаасе.

— Что вы сказали, сэр? — говорю.

— Но ты хоть огорчен, что тебе приходится покидать Пэнси?

— Да, конечно, немножко огорчен. Конечно... но все-таки не очень. Наверно, до меня еще не дошло. Мне на это нужно время. Пока я больше думаю, как поеду домой в среду. Видно, я все-таки кретин!

— Неужели ты совершенно не думаешь о своем будущем, мой мальчик?

— Нет, как не думать — думаю, конечно. — Я остановился. — Только не очень часто. Не часто.

– Призадумаешься! – сказал старый Спенсер. – Потом призадумаешься, когда будет поздно!

Мне стало неприятно. Зачем он так говорил – будто я уже умер? Ужасно неприятно.

– Непременно подумаю, – говорю, – я подумаю.

– Как бы объяснить тебе, мальчик, вдолбить тебе в голову то, что нужно? Ведь я помочь тебе хочу, понимаешь?

Видно было, что он действительно хотел мне помочь. По-настоящему. Но мы с ним тянули в разные стороны – вот и все.

– Знаю, сэр, – говорю, – и спасибо вам большое. Честное слово, я очень это ценю, правда!

Тут я встал с кровати. Ей-богу, я не мог бы просидеть на ней еще десять минут даже под страхом смертной казни.

– К сожалению, мне пора! Надо забрать вещи из гимнастического зала, у меня там масса вещей, а они мне понадобятся. Ей-богу, мне пора!

Он только посмотрел на меня и опять стал качать головой, и лицо у него стало такое серьезное, грустное. Мне вдруг стало жалко его до чертиков. Но не мог же я торчать у него весь век, да и тянули мы в разные стороны. И вечно он бросал что-нибудь на кровать и промахивался, и этот его жалкий халат, вся грудь видна, а тут еще пахнет гриппозными лекарствами на весь дом.

– Знаете что, сэр, – говорю, – вы из-за меня не огорчайтесь. Не стоит, честное слово. Все наладится. Это у меня переходный возраст, сами знаете. У всех это бывает.

– Не знаю, мой мальчик, не знаю...

Ненавижу, когда так бормочут.

– Бывает, – говорю, – это со всеми бывает! Правда, сэр, не стоит вам из-за меня огорчаться. – Я даже руку ему положил на плечо. – Не стоит! – говорю.

— Не выпьешь ли чашку горячего шоколада на дорогу? Миссис Спенсер с удовольствием...

— Я бы выпил, сэр, честное слово, но надо бежать. Надо скорее попасть в гимнастический зал. Спасибо вам огромное, сэр. Огромное спасибо.

И тут мы стали жать друг другу руки. Все это чушь, конечно, но мне почему-то сделалось ужасно грустно.

— Я вам черкну, сэр. Берегитесь после гриппа, ладно?

— Прощай, мой мальчик.

А когда я уже закрыл дверь и вышел в столовую, он что-то заорал мне вслед, но я не расслышал. Кажется, он орал «Счастливого пути!». А может быть, и нет. Надеюсь, что нет. Никогда я не стал бы орать вслед «Счастливого пути!». Гнусная привычка, если вдуматься.

3

Я ужасный лгун — такого вы никогда в жизни не видали. Страшное дело. Иду в магазин покупать какой-нибудь журнальчик, а если меня вдруг спросят куда, я могу сказать, что иду в оперу. Жуткое дело! И то, что я сказал старику Спенсеру, будто иду в гимнастический зал забирать вещи, тоже было вранье. Я и не держу ничего в этом треклятом зале.

Пока я учился в Пэнси, я жил в новом общежитии, в корпусе имени Оссенбергера. Там жили только старшие и младшие. Я был из младших, мой сосед — из старших. Корпус был назван в честь Оссенбергера, был тут один такой, учился раньше в Пэнси. А когда окончил, заработал кучу денег на похоронных бюро. Он их понастроил по всему штату — знаете, такие похоронные бюро, через которые можно хоронить своих родственников по дешевке — пять долларов с носа. Вы бы посмотрели на этого самого Оссенбергера. Ручаюсь, что он просто запихивает покойников в мешок и бросает в речку. Так вот, этот тип пожертвовал на Пэнси кучу денег, и наш корпус назвали в его честь. На первый матч в году он приехал в своем роскошном «Кадиллаке», а мы должны были вскочить на трибунах и трубить вовсю, то есть кричать ему «Ура!». А на следующее утро в капелле он отгрохал речь часов на десять. Сначала рассказал пятьдесят анекдотов вот с такой бородищей, хотел показать, какой он молодчага. Сила. А потом стал рассказывать, как он в случае каких-нибудь затруднений или еще чего никогда не стесняется – станет на колени и помолится Богу. И нам тоже советовал всегда молиться Богу – беседовать с ним в любое время. «Вы, – говорит, – обращайтесь ко Христу просто как к приятелю. Я сам все время разговариваю с Христом по душам. Даже когда веду машину». Я чуть не сдох. Воображаю, как этот сукин сын переводит машину на первую скорость, а сам просит Христа послать ему побольше покойничков. Но тут во время его речи случилось самое замечательное. Он как раз дошел до середины, рассказывал про себя, какой он замечательный парень, какой ловкач, и вдруг Эдди Марсалла – он сидел как раз передо мной – пукнул на всю капеллу. Конечно, это ужасно, очень невежливо, в церкви, при всех, но очень уж смешно вышло. Молодец Марсалла! Чуть крышу не сорвал. Никто вслух не рассмеялся, а этот Оссенбергер сделал вид, что ничего не слышал, но старик Термер, наш директор, сидел рядом с ним на кафедре, и сразу было видно, что он-то хорошо слыхал. Ух и разозлился он. Ничего нам не сказал, но вечером собрал всех на дополнительные занятия и произнес речь. Он сказал, что ученик, который так нарушил порядок во время службы, недостоин находиться в стенах школы. Мы пробовали заставить нашего Марсаллу дать еще залп во время речи старика Термера, но он был не в настроении. Так вот, я жил в корпусе имени этого Оссенбергера, в новом общежитии.

Приятно было от старика Спенсера попасть к себе в комнату, тем более что все были на футболе, а батареи в виде исключения хорошо грелись. Даже стало как-то уютно. Я снял куртку, галстук, расстегнул воротник рубашки, а потом надел красную шапку, которую утром купил в Нью-Йорке. Это была охотничья шапка с очень-очень длинным козырьком. Я ее увидел в окне спортивного магазина, когда мы вышли из метро, где я потерял эти чертовы рапиры. Заплатил всего доллар. Я ее надевал задом наперед — глупо, конечно, но мне так нравилось. Потом я взял книгу, которую читал, и сел в кресло. В комнате было два кресла. Одно — мое, другое — моего соседа, Уорда Стрэдлейтера. Ручки у кресел были совсем поломаны, потому что вечно на них кто-нибудь садился, но сами кресла были довольно удобные.

Читал я ту книжку, которую мне дали в библиотеке по ошибке. Я только дома заметил, что мне дали не ту книгу. Они мне дали «В дебрях Африки» Исака Дайнсена. Я думал, дрянь, а оказалось интересно. Хорошая книга. Вообще я очень необразованный, но читаю много. Мой любимый писатель — Д.Б., мой брат, а на втором месте — Ринг Ларднер. В день рождения брат мне подарил книжку Ринга Ларднера — это было еще перед поступлением в Пэнси. В книжке были пьесы — ужасно смешные, а потом рассказ про полисмена-регулировщика, он влюбляется в одну очень хорошенькую девушку, которая вечно нарушает правила движения. Но полисмен женат и, конечно, не может жениться на девушке. А потом девушка гибнет, потому что она вечно нарушает правила. Потрясающий рассказ. Вообще я больше всего люблю книжки, в которых есть хоть что-нибудь смешное. Конечно, я читаю всякие классические книги вроде «Возвращения на родину»[1], и всякие книги про войну, и детективы, но как-то они меня не очень увлекают.

1 «Возвращение на родину» — роман Томаса Гарди. (*Примеч. пер.*)

А увлекают меня такие книжки, что как их дочитаешь до конца, так сразу подумаешь: хорошо, если бы этот писатель стал твоим лучшим другом и чтоб с ним можно было поговорить по телефону когда захочется. Но это редко бывает. Я бы с удовольствием позвонил этому Дайнсену, ну и, конечно, Рингу Ларднеру, только Д.Б. сказал, что он уже умер. А вот, например, такая книжка, как «Бремя страстей человеческих» Сомерсета Моэма, – совсем не то. Я ее прочел прошлым летом. Книжка, в общем, ничего, но у меня нет никакого желания звонить этому Сомерсету Моэму по телефону. Сам не знаю почему. Просто не тот он человек, с которым хочется поговорить. Я бы скорее позвонил покойному Томасу Харди. Мне нравится его Юстасия Вэй.

Значит, надел я свою новую шапку, уселся в кресло и стал читать «В дебрях Африки». Один раз я ее уже прочел, но мне хотелось перечитать некоторые места. Я успел прочитать всего страницы три, как вдруг кто-то вышел из душевой. Я и не глядя понял, что это Роберт Экли – он жил в соседней комнате. В нашем крыле на каждые две комнаты была общая душевая, и этот Экли врывался ко мне раз восемьдесят на дню. Кроме того, он один из всего общежития не пошел на футбол. Он вообще никуда не ходил. Странный был тип. Он был старшеклассник и проучился в Пэнси уже четыре года, но все его называли только по фамилии – Экли. Даже его сосед по комнате, Херб Гейл, никогда не называл его «Боб» или хотя бы «Эк». Наверно, и жена будет звать его «Экли» – если только он когда-нибудь женится. Он был ужасно высокий – шесть футов четыре дюйма, страшно сутулый и зубы гнилые. Ни разу, пока мы жили рядом, я не видал, чтобы он чистил зубы. Они были какие-то грязные, заплесневелые, а когда он в столовой набивал рот картошкой или горохом, меня чуть не тошнило. И потом – прыщи. Не только на лбу или там на подбородке, как у всех мальчишек, – у него все лицо было прыщавое. Да и вообще он был противный. И какой-то подлый. По правде говоря, я не очень-то его любил.

Я чувствовал, что он стоит на пороге душевой, прямо за моим креслом, и смотрит, здесь ли Стрэдлейтер. Он ненавидел Стрэдлейтера и никогда не заходил к нам в комнату, если тот был дома. Вообще он почти всех ненавидел.

Он вышел из душевой и подошел ко мне.

– Привет! – говорит. Он всегда говорил таким тоном, как будто ему до смерти скучно или он до смерти устал. Он не хотел, чтобы я подумал, будто он зашел ко мне в гости. Он делал вид, будто зашел нечаянно, черт его дери.

– Привет! – говорю, но книгу не бросаю. Если при таком типе, как Экли, бросить книгу, он тебя замучает. Он все равно тебя замучает, но не сразу, если ты будешь читать.

Он стал бродить по комнате, медленно, как всегда, и трогать все мои вещи на столе и на тумбочке. Вечно он все вещи перетрогает, пересмотрит. До чего же он мне действовал на нервы!

– Ну, как фехтованье? – говорит. Ему непременно хотелось помешать мне читать, испортить все удовольствие. Плевать ему было на фехтованье. – Кто победил – мы или не мы? – спрашивает.

– Никто не победил, – говорю, а сам не поднимаю головы.

– Что? – спросил он. Он всегда переспрашивал.

– Никто не победил. – Я покосился на него, посмотрел, что он там крутит на моей тумбочке. Он рассматривал фотографию девчонки, с которой я дружил в Нью-Йорке, ее звали Салли Хейс. Он эту треклятую карточку, наверно, держал в руках по крайней мере пять тысяч раз. И ставил он ее всегда не на то место. Нарочно – это сразу было видно.

– Никто не победил? – сказал он. – Как же так?

— Да я все это дурацкое снаряжение забыл в метро. — Голову я так и не поднял.

— В метро? Что за черт! Потерял, что ли?

— Мы не на ту линию сели. Все время приходилось вскакивать и смотреть на схему метро.

Он подошел, заслонил мне свет.

— Слушай, — говорю, — я из-за тебя уже двадцатый раз читаю одну и ту же фразу.

Всякий, кроме Экли, понял бы намек. Только не он.

— А тебя не заставят платить? — спрашивает.

— Не знаю и знать не хочу. Может, ты сядешь, Экли, детка, а то ты мне весь свет загородил.

Он ненавидел, когда я называл его «Экли, детка». А сам он вечно говорил, что я еще маленький, потому что мне было шестнадцать, а ему уже восемнадцать. Он бесился, когда я называл его «детка».

А он стал и стоит. Такой это был человек — ни за что не отойдет от света, если его просят. Потом, конечно, отойдет, но если его попросить, он нарочно не отойдет.

— Что ты читаешь? — спрашивает.

— Не видишь — книгу читаю.

Он перевернул книгу, посмотрел заголовок.

— Хорошая? — спрашивает.

— Да, особенно эта фраза, которую я все время читаю. — Я тоже иногда могу быть довольно ядовитым, если я в настроении.

Но до него не дошло. Опять он стал ходить по комнате, опять стал цапать все мои вещи и даже вещи Стрэдлейтера. Наконец я бросил книгу на пол. Все равно при Экли читать немыслимо. Просто невозможно.

Я развалился в кресле и стал смотреть, как Экли хозяйничает в моей комнате. От поездки в Нью-Йорк я порядком устал, зевота напала. Но потом начал валять дурака. Люблю иногда подурачиться просто от скуки. Я повернул шапку козырьком вперед и надвинул на самые глаза. Я так ни черта не мог видеть.

— Увы, увы! Кажется, я слепну! — говорю я сиплым голосом. — О моя дорогая матушка, как темно стало вокруг.

— Да ты спятил, ей-богу! — говорит Экли.

— Матушка, родная, дай руку своему несчастному сыну! Почему ты не подаешь мне руку помощи?

— Да перестань ты, балда!

Я стал шарить вокруг, как слепой, не вставая. И все время сипел:

— Матушка, матушка! Почему ты не подаешь мне руку?

Конечно, я просто валял дурака. Мне от этого иногда бывает весело. А кроме того, я знал, что Экли злится как черт. С ним я становился настоящим садистом. Злил его изо всех сил, нарочно злил. Но потом надоело. Я опять надел шапку козырьком назад и развалился в кресле.

— Это чье? — спросил Экли. Он взял в руки наколенник моего соседа. Этот проклятый Экли все хватал. Он что угодно мог схватить — шнурки от ботинок, что угодно. Я ему сказал, что наколенник — Стрэдлейтера. Он его сразу швырнул к Стрэдлейтеру на кровать; взял с тумбочки, а швырнул нарочно на кровать.

Потом подошел, сел на ручку второго кресла. Никогда не сядет по-человечески, обязательно на ручку.

— Где ты взял эту дурацкую шапку? — спрашивает.

— В Нью-Йорке.

— Сколько отдал?

— Доллар.

— Обдули тебя. — Он стал чистить свои гнусные ногти концом спички. Вечно он чистил ногти. Странная привычка. Зубы у него были заплесневелые, в ушах грязь, но ногти он вечно чистил. Наверно, считал, что он чистоплотный. Он их чистил, а сам смотрел на мою шапку. — В моих краях на охоту в таких ходят, понятно? В них дичь стреляют.

— Черта с два! — говорю. Потом снимаю шапку, смотрю на нее. Прищурил один глаз, как будто целюсь. — В ней людей стреляют, — говорю, — я в ней людей стреляю.

— А твои родные знают, что тебя вытурили?

— Нет.

— Где же твой Стрэдлейтер?

— На матче. У него там свидание. — Я опять зевнул.

Зевота одолела. В комнате стояла страшная жара, меня разморило, хотелось спать. В этой школе мы либо мерзли как собаки, либо пропадали от жары.

— Знаменитый Стрэдлейтер, — сказал Экли. — Слушай, дай мне на минутку ножницы. Они у тебя близко?

— Нет, я их уже убрал. Они в шкафу, на самом верху.

— Достань их на минутку, а? У меня ноготь задрался, надо срезать.

Ему было совершенно наплевать, убрал ли ты вещь или нет, на самом верху она или еще где. Все-таки я ему достал ножницы. Меня при этом чуть не убило. Только я открыл шкаф, как ракетка Стрэдлейтера — да еще вместе с деревянным прессом! — упала прямо мне на голову. Так грохнула, ужасно больно. Экли чуть не помер, до того он хохотал. Голос у него визгливый, тонкий. Я для него снимаю чемодан, вытаскиваю ножницы — а он заливается. Таких, как Экли, хлебом не корми — дай посмотреть, как человека стукнуло по голове камнем или еще чем: он просто обхохочется.

— Оказывается, у тебя есть чувство юмора, Экли, детка, — говорю ему. — Ты этого не знал? — Тут я ему подал ножницы. — Хочешь, я буду твоим менеджером, устрою тебя на радио?

Я сел в кресло, а он стал стричь свои паршивые ногти.

— Может, ты их будешь стричь над столом? — говорю. — Стриги над столом, я не желаю ходить босиком по твоим гнусным ногтям. — Но он все равно бросал их прямо на пол. Отвратительная привычка. Честное слово, противно.

– А с кем у Стрэдлейтера свидание? – спросил он. Он всегда выспрашивал, с кем Стрэдлейтер водится, хотя он его ненавидит.

– Не знаю. А тебе что?

– Просто так. Не терплю я эту сволочь. Вот уж не терплю!

– А он тебя обожает! Сказал, что ты настоящий принц! – говорю. Я часто говорю кому-нибудь, что он настоящий принц. Вообще я часто валяю дурака, мне тогда не так скучно.

– Он всегда задирает нос, – говорит Экли. – Не выношу эту сволочь. Можно подумать, что он...

– Слушай, может быть, ты все-таки будешь стричь ногти над столом? – говорю. – Я тебя раз пятьдесят просил...

– Задирает нос все время, – повторил Экли. – Помоему, он просто болван. А думает, что умный. Он думает, что он самый умный...

– Экли! Черт тебя дери! Будешь ты стричь свои паршивые ногти над столом или нет? Я тебя пятьдесят раз просил, слышишь?

Тут он, конечно, стал стричь ногти над столом. Его только и заставишь что-нибудь сделать, когда накричишь на него.

Я посмотрел на него, потом сказал:

– Ты злишься на Стрэдлейтера за то, что он говорил, чтобы ты хоть иногда чистил зубы. Он тебя ничуть не хотел обидеть! И сказал он не нарочно, ничего обидного он не говорил. Просто он хотел сказать, что ты чувствовал бы себя лучше и выглядел бы лучше, если б ты хоть изредка чистил зубы.

– А я не чищу, что ли? И ты туда же!

– Нет, не чистишь! Сколько раз я за тобой следил – не чистишь, и все!

Я с ним говорил спокойно. Мне даже его было жаль. Я понимаю, не очень приятно, когда тебе говорят, что ты не чистишь зубы.

– Стрэдлейтер не сволочь. Он не такой уж плохой. Ты его просто не знаешь, в этом все дело.

– А я говорю – сволочь. И воображала.

– Может, он и воображает, но в некоторых вещах он человек широкий, – говорю. – Это правда. Ты пойми. Представь себе, например, что у Стрэдлейтера есть галстук или еще какая-нибудь вещь, которая тебе нравится. Ну, например, на нем галстук, и этот галстук тебе ужасно понравился – я просто говорю к примеру. Знаешь, что он сделал бы? Он, наверно, снял бы этот галстук и отдал тебе. Да, отдал. Или знаешь, что он сделал бы? Он бы оставил этот галстук у тебя на кровати или на столе. В общем, он бы тебе подарил этот галстук, понятно? А другие – никогда.

– Черта лысого! – сказал Экли. – Будь у меня столько денег, я бы тоже дарил галстуки.

– Нет, не дарил бы! – Я даже головой покачал. – И не подумал бы, детка! Если б у тебя было столько денег, как у него, ты был бы самым настоящим...

– Не смей называть меня «детка»! Черт! Я тебе в отцы гожусь, дуралей!

– Нет, не годишься! – До чего он меня раздражал, сказать не могу. И ведь не упустит случая ткнуть тебе в глаза, что ему восемнадцать, а тебе только шестнадцать. – Во-первых, я бы тебя в свой дом на порог не пустил...

– Словом, не смей меня называть...

Вдруг дверь открылась и влетел сам Стрэдлейтер. Он всегда куда-то летел. Вечно ему было некогда, все важные дела. Он подбежал ко мне, похлопал по щекам – тоже довольно неприятная привычка – и спрашивает:

– Ты идешь куда-нибудь вечером?

– Не знаю. Возможно. А какая там погода – снег, что ли?

Он весь был в снегу.

– Да, снег. Слушай, если тебе никуда не надо идти, дай мне свою замшевую куртку на вечер.

– А кто выиграл? – спрашиваю.

– Еще не кончилось. Мы уходим. Нет, серьезно, дашь мне свою куртку, если она тебе не нужна? Я залил свою серую какой-то дрянью.

– Да, а ты мне всю растянешь, у тебя плечи черт знает какие, – говорю. Мы с ним почти одного роста, но он весил раза в два больше, и плечи у него были широченные.

– Не растяну! – Он подбежал к шкафу. – Как делишки, Экли? – говорит. Он довольно приветливый малый, этот Стрэдлейтер.

Конечно, это притворство, но все-таки он всегда здоровался с Экли.

А тот только буркнул что-то, когда Стрэдлейтер спросил «Как делишки?». Экли не желал отвечать, но все-таки что-то буркнул – промолчать у него духу не хватило. А мне говорит:

– Ну, я пойду! Еще увидимся.

– Ладно! – говорю. Никто не собирался плакать, что он наконец ушел к себе.

Стрэдлейтер уже снимал пиджак и галстук.

– Надо бы побриться! – сказал он. У него здорово росла борода. Настоящая борода!

– А где твоя девочка?

– Ждет в том крыле, – говорит. Он взял полотенце, бритвенный прибор и вышел из комнаты. Так и пошел без рубашки. Он всегда расхаживал голый до пояса, считал, что он здорово сложен. И это верно, тут ничего не скажешь.

4

Делать мне было нечего, и я пошел за ним в умывалку потрепать языком, пока он будет бриться. Кроме нас, там никого не было, ребята сидели на матче. Жара была адская, все окна запотели. Вдоль стенки было штук десять раковин. Стрэдлейтер встал к средней раковине, а я сел на другую, рядом с ним, и стал открывать и закрывать холодный кран. Это у меня чисто нервное. Стрэдлейтер брился и насвистывал «Индийскую песню». Свистел он ужасно пронзительно и всегда фальшивил, а выбирал такие песни, которые и хорошему свистуну трудно высвистеть, – например, «Индийскую песню» или «Убийство на Десятой авеню». Он любую песню мог исковеркать.

Я уже говорил, что Экли был зверски нечистоплотен. Стрэдлейтер тоже был нечистоплотен, но как-то подругому. Снаружи это было незаметно. Выглядел он всегда отлично. Но вы бы посмотрели, какой он бритвой брился. Ржавая как черт, вся в волосах, в засохшей пене. Он ее никогда не мыл. И хоть выглядел он отлично, особенно когда наводил на себя красоту, но все равно он был нечистоплотный, уж я-то его хорошо знал. А наводить красоту он любил, потому что был безумно в себя влюблен. Он считал, что красивей его нет человека на всем Западном полушарии. Он и на самом деле был довольно красивый – это верно. Но красота у него была такая, что все родители, когда видели его портрет в школьном альбоме, непременно спрашивали: «Кто этот мальчик?» Понимаете, красота у него была какая-то альбомная. У нас в Пэнси было сколько угодно ребят, которые, по-моему, были в тысячу раз красивей Стрэдлейтера, но на фото они выходили совсем не такими красивыми. То у них носы казались слишком длинными, то уши торчали. Я это хорошо знаю.

Я сидел на умывальнике рядом со Стрэдлейтером и то закрывал, то открывал кран. На мне все еще была моя красная охотничья шапка задом наперед. Ужасно она мне нравилась, эта шапка.

– Слушай! – сказал Стрэдлейтер. – Можешь сделать мне огромное одолжение?

– Какое? – спросил я. Особого удовольствия я не испытывал. Вечно он просил сделать ему огромное одолжение. Эти красивые ребята считают себя пупом земли и вечно просят сделать им огромное одолжение. Чудаки, право.

– Ты куда-нибудь идешь вечером? – спрашивает он.

– Может, пойду, а может, и нет. А что?

– Мне надо к понедельнику прочесть чуть ли не сто страниц по истории, – говорит он. – Не напишешь ли ты за меня английское сочинение? Мне несдобровать, если я в понедельник ничего не сдам, потому и прошу. Напишешь?

Ну не насмешка ли? Честное слово, насмешка!

– Меня выгоняют из школы к чертям собачьим, а ты просишь, чтобы я за тебя писал какое-то сочинение! – говорю.

– Знаю, знаю. Но беда в том, что мне будет плохо, если я его не подам. Будь другом. А, дружище? Сделаешь?

Я не сразу ответил. Таких типов, как он, полезно подержать в напряжении.

– О чем писать? – спрашиваю.

– О чем хочешь. Любое описание. Опиши комнату. Или дом. Или какое-нибудь место, где ты жил. Что угодно, понимаешь? Лишь бы вышло живописно, черт его дери. – Тут он зевнул во весь рот. Вот от такого отношения у меня все кишки переворачивает! Понимаете – просит тебя сделать одолжение, а сам зевает вовсю! – Ты особенно не старайся! – говорит он. – Этот чертов Хартселл считает, что ты в английском собаку съел, а он знает, что мы с тобой вместе живем. Так ты уж не очень старайся правильно расставлять запятые и все эти знаки препинания.

От таких разговоров у меня начинается резь в животе. Человек умеет хорошо писать сочинения, а ему начинают говорить про запятые. Стрэдлейтер только так и понимал это. Он старался доказать, что не умеет писать исключительно из-за того, что не туда растыкивает запятые. Совсем как Экли – он тоже такой. Один раз я сидел рядом с Экли на баскетбольных состязаниях. Там в команде был потрясающий игрок, Хови Койл, он мог забросить мяч с самой середины точно в корзину, даже щита не заденет. А Экли всю игру бубнил, что у Койла хороший рост для баскетбола – и все, понимаете? Ненавижу такую болтовню!

Наконец мне надоело сидеть на умывальнике, я соскочил и стал отбивать чечетку, просто для смеху. Хотелось поразмяться – а танцевать чечетку я совсем не умею. Но в умывальнике пол каменный, на нем очень здорово отбивать чечетку. Я стал подражать одному актеру из кино. Видел его в музыкальной комедии. Ненавижу кино до чертиков, но ужасно люблю изображать актеров. Стрэдлейтер все время смотрел на меня в зеркало, пока брился. А мне только подавай публику. Я вообще люблю выставляться.

– Я сын самого губернатора! – говорю. Вообще я тут стал стараться. Ношусь по всей умывалке. – Отец не позволяет мне стать танцором. Он посылает меня в Оксфорд. Но чечетка у меня в крови, черт подери!

Стрэдлейтер захохотал. У него все-таки было чувство юмора.

– Сегодня премьера обозрения Зигфилда. – Я уже стал задыхаться. Дыхание у меня ни к черту. – Герой не может выступать! Пьян в стельку. Кого же берут на его место? Меня, вот кого! Меня – бедного, несчастного губернаторского сынка!

– Где ты отхватил такую шапку? – спросил Стрэдлейтер. Он только сейчас заметил мою охотничью шапку.

Я уже запыхался и перестал валять дурака. Снял шапку, посмотрел на нее в сотый раз.

– В Нью-Йорке купил сегодня утром. Заплатил доллар. Нравится?

Стрэдлейтер кивнул.

– Шик, – сказал он. Он просто ко мне подлизывался, сразу спросил: – Слушай, ты напишешь за меня сочинение или нет? Мне надо знать.

– Будет время – напишу, а не будет – не напишу.

Я опять сел на умывальник рядом с ним.

– А с кем у тебя свидание? С Фитцджеральд?

– Какого черта! Я с этой свиньей давно не вожусь.

– Ну? Так уступи ее мне, друг! Серьезно. Она в моем вкусе.

– Бери, пожалуйста! Только она для тебя старовата.

И вдруг просто так, без всякой причины, мне захотелось соскочить с умывальника и сделать дураку Стрэдлейтеру двойной нельсон. Сейчас объясню: это такой прием в борьбе – хватаешь противника за шею и ломаешь насмерть, если надо. Я и прыгнул. Прыгнул на него как пантера!

– Брось, Холден, балда! – сказал Стрэдлейтер. Он не любил, когда валяли дурака. Тем более он брился. – Хочешь, чтоб я себе глотку перерезал?

Но я его не отпускал. Я его здорово сжал двойным нельсоном.

– Попробуй, – говорю, – вырвись из моей железной хватки!

– О черт! – Он положил бритву и вдруг вскинул руки и вырвался от меня. Он очень сильный. А я очень слабый. – Брось дурить! – сказал он. Он стал бриться второй раз. Он всегда бреется по второму разу, красоту наводит. А бритва у него грязная.

— С кем же у тебя свидание, если не с Фитцджеральд? — спрашиваю. Я опять сел рядом с ним на умывальник. — С маленькой Филлис Смит, что ли?

— Нет. Должен был встретиться с ней, но все перепуталось. Меня ждет подруга девушки Бэда Тоу. Погоди, чуть не забыл. Она тебя знает.

— Кто меня знает?

— Моя девушка.

— Ну да! — сказал я. — А как ее зовут? — Мне даже стало интересно.

— Сейчас вспомню... Да, Джин Галлахер.

Господи, я чуть не сдох, когда услышал.

— Джейн Галлахер! — говорю. Я даже вскочил с умывальника, когда услышал. Честное слово, я чуть не сдох! — Ну конечно, я с ней знаком! Позапрошлым летом она жила совсем рядом. У нее еще был такой огромный доберман-пинчер. Мы из-за него и познакомились. Этот пес бегал гадить в наш сад.

— Ты мне свет застишь, Холден, — говорит Стрэдлейтер. — Отойди к бесу, места другого нет, что ли?

Ох как я волновался, честное слово!

— Где же она? — спрашиваю. — Надо пойти с ней поздороваться. Где же она? В том крыле, да?

— Угу.

— Как это она меня вспомнила? Где она теперь учится — в Брин-Море? Она говорила, что, может быть, поступит туда. Или в Шипли, она говорила, что, может быть, пойдет в Шипли. Я думал, что она учится в Шипли. Как это она меня вспомнила? — Я и на самом деле волновался, правда!

— Да почем я знаю, черт возьми! Встань, слышишь?

Я сидел на его поганом полотенце.

— Джейн Галлахер! — сказал я. Я никак не мог опомниться. — Вот так история!

Стрэдлейтер припомаживал волосы бриолином. Моим бриолином.

– Она танцует, – сказал я. – Занимается балетом. Каждый день часа по два упражнялась, даже в самую жару. Боялась, что у нее ноги испортятся – растолстеет и все такое. Я с ней все время играл в шашки.

– Во что-о-о?

– В шашки.

– Фу ты, дьявол, он играл в шашки!!!

– Да, она никогда не переставляла дамки. Выйдет у нее какая-нибудь шашка в дамки, она с места ее не сдвинет. Так и оставит в заднем ряду. Выстроит все дамки в последнем ряду и ни одного хода не сделает. Ей просто нравилось, что они стоят в последнем ряду.

Стрэдлейтер промолчал. Вообще такие вещи обычно никого не интересуют.

– Ее мать была в том же клубе, что и мы, – сказал я. – Я там носил клюшки для гольфа, подрабатывал. Я несколько раз носил ее матери клюшки. Она на девяти ямках била чуть ли не сто семьдесят раз.

Стрэдлейтер почти не слушал. Он расчесывал свою роскошную шевелюру.

– Надо было бы пойти поздороваться с ней, что ли, – сказал я.

– Чего ж ты не идешь?

– Я и пойду через минутку.

Он стал снова делать пробор. Причесывался он всегда битый час.

– Ее мать развелась с отцом. Потом вышла замуж за какого-то алкоголика, – сказал я. – Худой такой черт с волосатыми ногами. Я его хорошо помню. Всегда ходил в одних трусах. Джейн рассказывала, что он какой-то писатель, сценарист, что ли, черт его знает, но при мне он только пил как лошадь и слушал все эти идиотские детективы по радио. И бегал по всему дому голый. При Джейн, при всех.

– Ну? – сказал Стрэдлейтер. Тут он вдруг оживился, когда я сказал, что алкоголик бегал голый при Джейн. Ужасно распутная сволочь этот Стрэдлейтер.

– Детство у нее было страшное. Я серьезно говорю.

Но это его не интересовало, Стрэдлейтера. Он только всякой похабщиной интересовался.

– О черт! Джейн Галлахер! – Я никак не мог опомниться. Ну никак! – Надо бы хоть поздороваться с ней, что ли.

– Какого же черта ты не идешь? Стоит тут болтает.

Я подошел к окну, но ничего не было видно, окна запотели от жары.

– Я не в настроении сейчас, – говорю. И на самом деле я был совсем не в настроении. А без настроения ничего делать нельзя. – Я думал, что она поступила в Шипли. Готов был поклясться, что она учится в Шипли. – Я походил по умывалке. – Понравился ей футбол? – спрашиваю.

– Да, как будто. Не знаю.

– Она тебе рассказывала, как мы с ней играли в шашки, вообще рассказывала что-нибудь?

– Не помню я. Мы только что познакомились, не приставай! – Стрэдлейтер уже расчесал свои роскошные кудри и складывал грязную бритву.

– Слушай, передай ей от меня привет, ладно?

– Ладно, – сказал Стрэдлейтер, но я знаю, что он ничего не передаст. Такие, как Стрэдлейтер, никогда не передают приветов.

Он пошел в нашу комнату, а я еще поторчал в умывалке, вспомнил старушку Джейн. Потом тоже пошел в комнату.

Стрэдлейтер завязывал галстук перед зеркалом, когда я вошел. Он полжизни проводил перед зеркалом. Я сел в свое кресло и стал на него смотреть.

– Эй, – сказал я, – ты ей только не говори, что меня вытурили.

— Не скажу.

У Стрэдлейтера была одна хорошая черта. Ему не приходилось объяснять каждую мелочь, как, например, Экли. Наверно, потому, что Стрэдлейтеру было на все плевать. А Экли — дело другое. Тот во все совал свой длинный нос.

Стрэдлейтер надел мою куртку.

— Не растягивай ее, слышишь? — сказал я. — Я ее всего раза два и надевал.

— Не растяну. Куда девались мои сигареты?

— Вон, на столе... — Он никогда не знал, где что лежит. — Под твоим шарфом. — Он сунул сигареты в карман куртки — моей куртки.

Я вдруг перевернул свою красную шапку по-другому, козырьком вперед. Что-то я начинал нервничать. Нервы у меня вообще ни к черту.

— Скажи, а куда ты с ней поедешь? — спросил я. — Ты уже решил?

— Сам не знаю. Если будет время, поедем в Нью-Йорк. Она по глупости взяла отпуск только до половины десятого.

Мне не понравилось, как он это сказал, я ему и говорю:

— Она взяла отпуск только до половины десятого, потому что не разглядела, какой ты красивый и обаятельный, сукин ты сын. Если б она разглядела, она взяла бы отпуск до половины десятого утра!

— И правильно! — сказал Стрэдлейтер. Его ничем не подденешь. Слишком он воображает. — Брось темнить, — говорит, — напишешь ты за меня сочинение или нет? — Он уже надел пальто и собрался уходить. — Особенно не старайся, пусть только будет живописно, понял? Напишешь?

Я ему не ответил. Настроения не было. Я только сказал:

— Спроси ее, она все еще расставляет дамки в последнем ряду?

— Ладно, — сказал Стрэдлейтер, но я знал, что он не спросит. — Ну пока! — Он хлопнул дверью и смылся.

А я сидел еще с полчаса. Просто сидел в кресле, ни черта не делал.

Все думал о Джейн и о том, что у нее свидание со Стрэдлейтером. Я так нервничал, чуть с ума не спятил. Я вам уже говорил, какой он похабник, сволочь такая.

И вдруг Экли опять вылез из душевой в нашу комнату. В первый раз за всю здешнюю жизнь я ему обрадовался. Отвлек меня от разных мыслей.

Сидел у меня до самого обеда, говорил про ребят, которых ненавидит, и ковырял громадный прыщ у себя на подбородке. Пальцами, без носового платка. Не знаю, был ли у этой скотины носовой платок. Никогда не видел у него платка.

5

По субботам у нас всегда бывал один и тот же обед. Считалось, что обед роскошный, потому что давали бифштекс.

Могу поставить тысячу долларов, что кормили они нас бифштексом потому, что по воскресеньям к ребятам приезжали родители, и старик Термер, вероятно, представлял себе, как чья-нибудь мамаша спросит своего дорогого сыночка, что ему вчера давали на обед, и он скажет — бифштекс. Все это жульничество. Вы бы посмотрели на эти бифштексы. Жесткие, как подметка, нож не берет. К ним всегда подавали картофельное пюре с комками, а на сладкое — «рыжую Бетти», пудинг с патокой, только его никто не ел, кроме малышей из первых классов да таких, как Экли, которые на все накидывались.

После обеда мы вышли на улицу, погода была славная. Снег лежал на земле дюйма на три и все еще сыпал как оголтелый. Красиво было до чертиков. Мы начали играть в снежки и тузить друг друга. Ребячество, конечно, но всем стало очень весело.

Делать мне было нечего, и мы с моим приятелем, с Мэлом Броссаром из команды борцов, решили поехать на автобусе в Эгерстаун съесть по котлете, а может быть, и посмотреть какой-нибудь дурацкий фильм. Не хотелось весь вечер торчать дома. Я спросил Мэла – ничего, если Экли тоже поедет с нами? Я решил позвать Экли, потому что он даже по субботам никуда не ходил, сидел дома и давил прыщи. Мэл сказал, что это, конечно, ничего, хотя он и не в восторге. Он не очень любил этого Экли. Словом, мы пошли к себе одеваться, и, пока я надевал калоши и прочее, я крикнул Экли, не хочет ли он пойти в кино. Он меня слышал через душевую, но ответил не сразу. Такие, как он, сразу не отвечают. Наконец он появился, раздвинул занавеску душевой, стал на пороге и спрашивает, кто еще пойдет. Ему обязательно нужно было знать, кто да кто идет. Честное слово, если б он потерпел кораблекрушение и какая-нибудь лодка пришла его спасать, он, наверно, потребовал бы, чтоб ему сказали, кто гребет на этой самой лодке, – иначе он и не полез бы в нее. Я сказал, что едет Мэл Броссар. А он говорит:

– Ах, этот подонок... Ну ладно. Подожди меня минутку.

Можно было подумать, что он тебе делает величайшее одолжение.

Одевался он часов пять. А я пока что подошел к окну, открыл его настежь и слепил снежок. Снег очень хорошо лепился. Но я никуда не швырнул снежок, хоть и собрался его бросить. Сначала я хотел бросить в машину — она стояла через дорогу. Но потом передумал — машина вся была такая чистая, белая. Потом хотел залепить снежком в водокачку, но она тоже была чистая и белая. Так я его никуда и не кинул. Закрыл окно и начал снежок катать, чтоб он стал еще тверже. Я его еще держал в руках, когда мы с Броссаром и Экли сели в автобус. Кондуктор открыл дверцу и велел мне бросить снежок. Я сказал, что не собираюсь ни в кого кидать, но он мне не поверил. Никогда тебе люди не верят.

И Броссар и Экли уже видели этот фильм, так что мы съели по котлете, поиграли в рулетку-автомат, а потом поехали обратно в школу. Я не жалел, что мы не пошли в кино. Там шла какая-то комедия с Кэри Грантом — муть, наверно. А потом, я уж как-то ходил в кино с Экли и Броссаром. Они оба гоготали как гиены, даже в несмешных местах. Мне и сидеть с ними рядом было противно.

Было всего без четверти десять, когда мы вернулись в общежитие. Броссар обожал бридж и пошел искать партнера. Экли, конечно, влез ко мне в комнату. Только теперь он не сел на ручку стрэдлейтеровского кресла, а плюхнулся на мою кровать, прямо лицом в подушку. Лег и завел волынку, монотонным таким голосом, а сам все время ковырял прыщи. Я раз сто ему намекал, но никак не мог от него отделаться. Он все говорил и говорил, монотонным таким голосом, про какую-то девчонку, с которой он путался прошлым летом. Он мне про это рассказывал раз сто, и каждый раз по-другому. То он с ней спутался в «Бьюике» своего кузена, то где-то в подъезде. Главное, все это было вранье. Ручаюсь, что он женщин не знал, это сразу было видно. Наверно, он и не дотрагивался ни до кого, честное слово. В общем, мне пришлось откровенно ему сказать, что мне надо писать сочинение за Стрэдлейтера и чтоб он выметался, а то я не могу сосредоточиться. В конце концов он ушел, только не сразу — он ужасно всегда канителится. А я надел пижаму, халат и свою дикую охотничью шапку и сел писать сочинение.

Беда была в том, что я никак не мог придумать, про какую комнату или дом можно написать живописно, как задали Стрэдлейтеру. Вообще я не особенно люблю описывать всякие дома и комнаты. Я взял и стал описывать бейсбольную рукавицу моего братишки Алли. Эта рукавица была очень живописная, честное слово. У моего брата, у Алли, была бейсбольная рукавица на левую руку. Он был левша. А живописная она была потому, что он всю ее исписал стихами – и ладонь, и кругом, везде. Залеными чернилами. Он написал эти стихи, чтобы можно было их читать, когда мяч к нему не шел и на поле нечего было делать. Он умер. Заболел белокровием и умер 18 июля 1946 года, когда мы жили в Мейне. Он вам понравился бы. Он был моложе меня на два года, но раз в пятьдесят умнее. Ужасно был умный. Его учителя всегда писали маме, как приятно, что у них в классе учится такой мальчик, как Алли. И они не врали, они и на самом деле так думали. Но он не только был самый умный в нашей семье. Он был и самый хороший, во многих отношениях. Никогда он не разозлится, не вспылит. Говорят, рыжие чуть что – начинают злиться, но Алли никогда не злился, а он был ужасно рыжий. Я вам расскажу, до чего он был рыжий. Я начал играть в гольф с десяти лет. Помню, как-то весной, когда мне уже было лет двенадцать, я гонял мяч, и все время у меня было такое чувство, что стоит мне обернуться – и я увижу Алли. И я обернулся и вижу: так оно и есть – сидит он на своем велосипеде за забором – за тем забором, который шел вокруг всего поля, – сидит там, ярдов за сто пятьдесят от меня, и смотрит, как я бью. Вот до чего он был рыжий! И ужасно славный, ей-богу. Ему иногда за столом что-нибудь придет в голову, и он вдруг как начнет хохотать, прямо чуть не падал со стула. Тогда мне было тринадцать лет, и родители хотели показать меня психиатру, потому что я перебил все окна в гараже. Я их понимаю, честное слово. В ту ночь, когда Алли умер, я ночевал в гараже и перебил дочиста все стекла, просто кулаком, не знаю зачем. Я даже хотел выбить стекла в машине – в то лето у нас был пикап, – но уже разбил себе руку и ничего не мог. Я понимаю, что это было глупо, но я сам не соображал, что делаю, а кроме того, вы не знаете, какой был Алли. У меня до сих пор иногда болит рука, особенно в дождь, и кулак я не могу сжать крепко, как следует, но, в общем, это ерунда. Все равно я не собираюсь стать ни каким-то там хирургом, ни скрипачом, вообще никем таким.

Вот об этом я и написал сочинение для Стрэдлейтера. О бейсбольной рукавице нашего Алли. Она случайно оказалась у меня в чемодане, я ее вытащил и переписал все стихи, которые на ней были. Мне только пришлось переменить фамилию Алли, чтоб никто не догадался, что он мой брат, а не Стрэдлейтера. Мне не особенно хотелось менять фамилию, но я не мог придумать ничего другого. А кроме того, мне даже нравилось писать про это. Сидел я битый час, потому что пришлось писать на дрянной машинке Стрэдлейтера, и она все время заедала. А свою машинку я одолжил одному типу в другом коридоре.

Кончил я около половины одиннадцатого. Но не особенно устал и начал глядеть в окошко. Снег перестал, издали слышался звук мотора, который никак не заводился. И еще слышно было, как храпел Экли. Даже сквозь душевую был слышен его противный храп. У него был гайморит, и он не мог во сне дышать как следует. Все у него было: и гайморит, и прыщи, и гнилые зубы – изо рта пахнет, ногти ломаются. Даже как-то жаль его, дурака.

6

Бывает, что нипочем не можешь вспомнить, как это было. Я все думаю – когда же Стрэдлейтер вернулся со свидания с Джейн? Понимаете, я никак не вспомню, что я делал, когда вдруг услышал его шаги в коридоре, наглые, громкие. Наверно, я все еще смотрел в окно, но вспомнить точно не могу, хоть убей. Ужасно я волновался, потому и не могу вспомнить, как было. А уж если я волнуюсь, так это не притворство. Мне даже хочется в уборную, когда я волнуюсь. Но я не иду. Волнуюсь, оттого и не иду. Если бы вы знали Стрэдлейтера, вы бы тоже волновались. Я раза два ходил вместе с этим подлецом на свидания. Я знаю, про что говорю. У него совести нет ни капли, ей-богу, нет.

А в коридоре у нас сплошной линолеум, так что издали было слышно, как он, мерзавец, подходит к нашей комнате. Я даже не помню, где я сидел, когда он вошел, – в своем кресле, или у окна, или в его кресле. Честное слово, не могу вспомнить.

Он вошел и сразу стал жаловаться, какой холод. Потом спрашивает:

– Куда к черту все пропали? Ни живой души – форменный морг.

Я ему и не подумал отвечать. Если он, болван, не понимает, что в субботу вечером все ушли, или спят, или уехали к родным, чего ради мне лезть вон из кожи объяснять ему. Он стал раздеваться. А про Джейн – ни слова. Ни единого словечка. И я молчу. Только смотрю на него. Правда, он меня поблагодарил за куртку. Надел ее на плечики и повесил в шкаф.

А когда он развязывал галстук, спросил меня, написал ли я за него это дурацкое сочинение. Я сказал, что вон оно, на его собственной кровати. Он подошел и стал читать, пока расстегивал рубаху. Стоит читает, а сам гладит себя по голой груди с самым идиотским выражением лица. Вечно он гладил себя то по груди, то по животу. Он себя просто обожал.

И вдруг говорит:

– Что за чертовщина, Холден? Тут про какую-то дурацкую рукавицу!

– Ну так что же? – спрашиваю я. Ледяным голосом.

– То есть как это – что же? Я же тебе говорил, надо описать комнату или дом, балда!

– Ты сказал, нужно какое-нибудь описание. Не все ли равно, что описывать – рукавицу или еще что?

– Эх, черт бы тебя подрал! – Он разозлился не на шутку. Просто рассвирепел. – Все ты делаешь через ж... кувырком. – Тут он посмотрел на меня. – Ничего удивительного, что тебя отсюда выкинули, – говорит. – Никогда ты ничего не сделаешь по-человечески. Никогда! Понял?

– Ладно, ладно, отдай листок! – говорю. Подошел, выхватил у него этот треклятый листок, взял и разорвал.

– Что за черт? – говорит. – Зачем ты разорвал?

Я ему даже не ответил. Бросил клочки в корзину, и все. Потом лег на кровать, и мы оба долго молчали. Он разделся, остался в трусах, а я закурил, лежа на кровати. Курить в спальнях не полагается, но поздно вечером, когда одни спят, а другие ушли, никто не заметит, что пахнет дымом. И потом, мне хотелось позлить Стрэдлейтера. Он из себя выходил, когда нарушали правила. Сам он никогда в спальне не курил. А я курил.

Так он и не сказал ни единого словечка про Джейн, ничего. Тогда я сам заговорил:

– Поздно же ты явился, черт побери, если ее отпустили только до девяти тридцати. Она из-за тебя не опоздала, вернулась вовремя?

Он сидел на краю своей койки и стриг ногти на ногах, когда я с ним заговорил.

– Самую малость опоздала, – говорит. – А какого черта ей было отпрашиваться только до половины десятого, да еще в субботу?

О господи, как я его ненавидел в эту минуту!

– В Нью-Йорк ездили? – спрашиваю.

– Ты спятил? Как мы могли попасть в Нью-Йорк, если она отпросилась только до половины десятого?

– Жаль, жаль! – сказал я.

Он посмотрел на меня:

– Слушай, если тебе хочется курить, шел бы ты в уборную. Ты-то отсюда выметаешься, а мне торчать в школе, пока не окончу.

Я на него даже внимания не обратил, будто его и нет. Курю как сумасшедший, и все. Только повернулся на бок и смотрю, как он стрижет свои подлые ногти. Да, ничего себе школа! Вечно при тебе то прыщи давят, то ногти на ногах стригут.

– Ты ей передал от меня привет? – спрашиваю.

– Угу.

Черта лысого он передал, подонок!

– А что она сказала? Ты ее спросил, она по-прежнему ставит все дамки в последний ряд?

– Нет. Не спросил. Что мы с ней – в шашки играли весь вечер, как, по-твоему?

Я ничего ему не ответил. Господи, как я его ненавидел!

– Раз вы не ездили в Нью-Йорк, где же вы с ней были? – спросил я немного погодя. Я ужасно старался, чтоб голос у меня не дрожал как студень. Нервничал я здорово. Видно, чувствовал, что что-то неладно.

Он наконец обрезал ногти. Встал с кровати в одних трусиках и вдруг начал дурака валять. Подошел ко мне, нагнулся и стал меня толкать в плечо – играет, гад.

– Брось, – говорю, – куда же вы девались, раз вы не поехали в Нью-Йорк?

— Никуда. Сидели в машине, и все! — Он опять стал толкать меня в плечо, дурак такой.

— Брось! — говорю. — В чьей машине?

— Эда Бэнки.

Эд Бэнки был наш тренер по баскетболу. Этот Стрэдлейтер ходил у него в любимчиках, он играл центра в школьной команде, и Эд Бэнки всегда давал ему свою машину. Вообще ученикам не разрешалось брать машину у преподавателей, но эти скоты спортсмены всегда заодно. Во всех школах, где я учился, эти скоты заодно.

А Стрэдлейтер все делал вид, будто боксирует с тенью, все толкает меня в плечо и толкает. В руках у него была зубная щетка, и он сунул ее в рот.

— Что ж вы с ней делали? Путались в машине Эда Бэнки? — Голос у меня дрожал просто ужас до чего.

— Ай-ай-ай, какие гадкие слова! Вот я сейчас намажу тебе язык мылом!

— Было дело?

— Это профессиональная тайна, братец мой!

Дальше я что-то не очень помню. Знаю только, что я вскочил с постели, как будто мне понадобилось кое-куда, и вдруг ударил его со всей силы — прямо по зубной щетке, чтобы она разодрала его подлую глотку. Только не попал. Промахнулся. Стукнул его по голове, и все. Наверно, ему было больно, но не так, как мне хотелось. Я бы его мог ударить больнее, но бил я правой рукой. А я ее как следует не могу сжать. Помните, я вам говорил, как я разбил эту руку.

Но тут я очутился на полу, а он сидел на мне, красный как рак. Понимаете, уперся коленями мне в грудь, а весил он целую тонну. Руки мне зажал, чтоб я его не ударил. Убил бы я его, подлеца.

— Ты что, спятил, спятил? — повторяет, а морда у него все краснее и краснее, у болвана.

— Пусти, дурак! — говорю. Я чуть не ревел, честное слово. — Уйди от меня, сволочь поганая, слышишь?

А он не отпускает. Держит мои руки, а я его обзываю сукиным сыном и всякими словами часов десять подряд. Я даже не помню, что ему говорил. Я ему сказал, что он воображает, будто он может путаться с кем ему угодно. Я ему сказал, что ему безразлично, переставляет девчонка шашки или нет, и вообще ему все безразлично, потому что он идиот и кретин. Он ненавидел, когда его обзывали кретином. Все кретины ненавидят, когда их называют кретинами.

— Ну-ка замолчи, Холден! — говорит, а рожа у самого глупая, красная. — Замолчи, слышишь?

— Ты даже не знаешь, как ее зовут — Джин или Джейн, кретин несчастный!

— Замолчи, Холден, тебе говорят, черт подери! — Я его таки вывел из себя. — Замолчи, или я тебе так врежу!

— Сними с меня свои вонючие коленки, болван, идиот!

— Я тебя отпущу — только замолчи! Замолчишь?

Я ему не ответил.

Он опять сказал:

— Если отпущу, ты замолчишь?

— Да.

Он слез с меня, и я тоже встал. От его паршивых коленок у меня вся грудь болела.

— Все равно ты кретин, слабоумный идиот, сукин сын! — говорю.

Тут он совсем взбесился. Тычет мне под нос свой толстый палец, кретин этакий, грозит:

— Холден, в последний раз предупреждаю, если ты не заткнешь глотку, я тебе как дам...

— А чего мне молчать? — спрашиваю, а сам уже ору на него: — В том-то и беда с вами, кретинами. Вы и поговорить по-человечески не можете. Кретина за сто миль видно: он даже поговорить не умеет...

Тут он развернулся по-настоящему, и я опять очутился на полу. Не помню, потерял я сознание или нет, по-моему нет. Человека очень трудно нокаутировать – это только в кино легко. Но кровь у меня текла из носу отчаянно. Когда я открыл глаза, дурак Стрэдлейтер стоял прямо надо мной. У него в руках был умывальный прибор.

– Я же тебя предупреждал, – говорит. Видно, он здорово перепугался, боялся, должно быть, что я разбил голову, когда грохнулся на пол. Жаль, что я не разбился. – Сам виноват, черт проклятый! – говорит. Ух и перепугался же он!

А я и не встал. Лежу на полу и ругаю его идиотом, сукиным сыном.

Так был зол на него, что чуть не ревел.

– Слушай, пойди-ка умойся! – говорит он. – Слышишь?

А я ему говорю, пусть сам пойдет умоет свою подлую рожу – конечно, это было глупо, ребячество так говорить, но уж очень я был зол, – пусть, говорю, сам пойдет, а по дороге в умывалку пусть шпокнет миссис Шмит. А миссис Шмит была жена нашего швейцара, старуха лет под семьдесят.

Так я и сидел на полу, пока дурак Стрэдлейтер не ушел. Я слышал, как он идет по коридору в умывалку. Тогда я встал. И никак не мог отыскать эту треклятую шапку. Потом все-таки нашел. Она закатилась под кровать. Я ее надел, повернул козырьком назад – мне так больше нравилось – и посмотрел на свою дурацкую рожу в зеркало. Никогда в жизни я не видел столько кровищи! Весь рот у меня был в крови, и подбородок, даже вся пижама и халат. Мне и страшно было, и интересно. Вид у меня от этой крови был какой-то прожженный. Я и дрался-то всего раза два в жизни, и оба раза неудачно. Из меня драчун плохой. Я вообще пацифист, если уж говорить всю правду.

Мне казалось, что Экли не спит и все слышит. Я прошел через душевую в его комнату посмотреть, что он там делает. Я к нему редко заходил. У него всегда чем-то воняло – уж очень он был нечистоплотный.

7

Через занавески в душевой чуть-чуть пробивался свет из нашей комнаты, и я видел, что он лежит в постели. Но я отлично знал, что он не спит.

– Экли? – говорю. – Ты не спишь?

– Нет.

Было темно, и я споткнулся о чей-то башмак и чуть не полетел через голову. Экли приподнялся на подушке, оперся на локоть. У него все лицо было намазано чем-то белым от прыщей. В темноте он был похож на привидение.

– Ты что делаешь? – спрашиваю.

– То есть как это – что я делаю? Хотел уснуть, а вы, черти, подняли тарарам. Из-за чего вы дрались?

– Где тут свет? – Я никак не мог найти выключатель. Шарил по всей стене – ну никак.

– А зачем тебе свет?.. Ты руку держишь у выключателя.

Я нашел выключатель и зажег свет. Экли заслонил лицо рукой, чтоб свет не резал ему глаза.

– О ч-черт! – сказал он. – Что с тобой? – Он увидел на мне кровь.

– Поцапались немножко со Стрэдлейтером, – говорю.

Потом сел на пол. Никогда у них в комнате не было стульев. Не знаю, что они с ними делали. – Слушай, хочешь, сыграем разок в канасту? – говорю.

Он страшно увлекался канастой.

— Да у тебя до сих пор кровь идет! Ты бы приложил что-нибудь.

— Само пройдет. Ну как, сыграем в канасту или нет?

— С ума сошел — каноста! Да ты знаешь, который час?

— Еще не поздно. Часов одиннадцать, полдвенадцатого!

— Это, по-твоему, не поздно? — говорит Экли. — Слушай, мне завтра вставать рано, я в церковь иду, черт подери! А вы, дьяволы, подняли бучу среди ночи. Хоть скажи, из-за чего вы подрались?

— Долго рассказывать. Тебе будет скучно слушать, Экли. Видишь, как я о тебе забочусь! — Я с ним никогда не говорил о своих личных делах. Во-первых, он был еще глупее Стрэдлейтера. Стрэдлейтер по сравнению с ним был настоящий гений. — Знаешь что, — говорю, — можно мне эту ночь спать на кровати Эла? Он до завтрашнего вечера не вернется.

— А черт его знает, когда он вернется, — говорит Экли.

Я знал, что Эл не вернется. Он каждую субботу уезжал домой.

— А черт его знает, когда он вернется, — говорит Экли.

Фу, до чего он мне надоел!

— То есть как это? — говорю. — Ты же знаешь, что он в воскресенье до вечера никогда не приезжает.

— Знаю, но как я могу сказать — спи, пожалуйста, на его кровати! Разве полагается так делать?

Убил! Я протянул руку, все еще сидя на полу, и похлопал его, дурака, по плечу.

— Ты принц, Экли, детка, — говорю. — Ты знаешь это или нет?

— Нет, правда, не могу же я просто сказать человеку — спи на чужой кровати.

— Ты настоящий принц. Ты джентльмен и ученый, дитя мое! — сказал я. А может быть, он и был ученый. — У тебя, случайно, нет сигарет? Если нет — я умру!

— Нет у меня ничего. Слушай, из-за чего началась драка?

Но я ему не ответил. Я только встал и подошел к окну. Мне вдруг стало так тоскливо. Подохнуть хотелось, честное слово.

— Из-за чего же вы подрались? — в который раз спросил Экли. Он мог душу вымотать из человека.

— Из-за тебя, — говорю.

— Что за черт? Как это из-за меня?

— Да, я защищал твою честь. Стрэдлейтер сказал, что ты гнусная личность. Не мог же я ему спустить такую дерзость!

Он как подскочит!

— Нет, ей-богу? Это правда? Он так и сказал?

Но тут я ему объяснил, что шучу, а потом лег на кровать Эла. Ох, до чего же мне было плохо! Такая тоска, ужасно.

— У вас тут воняет, — говорю. — Отсюда слышно, как твои носки воняют. Ты их отдаешь в стирку или нет?

— Не нравится — иди знаешь куда! — сказал Экли. Вот ума палата! — Может быть, потушишь свет, черт возьми?

Но я не сразу потушил. Я лежал на чужой кровати и думал про Джейн и про все, что было. Я просто с ума сходил, как только представлял себе ее со Стрэдлейтером в машине этого толстозадого Эда Бэнки. Как подумаю — так хочется выброситься в окошко. Вы-то не знаете Стрэдлейтера, вам ничего, а я его знаю. Все ребята в Пэнси только трепались, что путаются с девчонками, как Экли, например, а вот Стрэдлейтер и вправду путался. Я сам был знаком с двумя девицами, с которыми он путался. Верно говорю.

— Расскажи мне свою биографию, Экли, детка, наверно, это увлекательно! — говорю.

— Да потуши ты этот чертов свет! Мне завтра утром в церковь, понимаешь?

Я встал, потушил свет – раз ему так хочется. Потом опять лег на кровать Эла.

– Ты что, собираешься спать тут? – спросил Экли. Да, радушный хозяин, ничего не скажешь.

– Не знаю. Может быть. Не волнуйся.

– Да я не волнуюсь, только будет ужасно неприятно, если Эл вдруг вернется, а у него на кровати спят...

– Успокойся. Не буду я тут спать. Не бойся, не злоупотреблю твоим гостеприимством.

Минуты через две он уже храпел как оголтелый. А я лежал в темноте и старался не думать про Джейн и Стрэдлейтера в машине этого проклятого Эда Бэнки. Но я не мог не думать. Плохо то, что я знал, какой подход у этого проклятого Стрэдлейтера. Мне от этого становилось еще хуже. Один раз мы с ним оба сидели с девушками в машине того же Эда. Стрэдлейтер со своей девушкой сидел сзади, а я – впереди. Ох и подход у него был, у этого черта! Он начинал с того, что охмурял свою барышню этаким тихим, нежным, ужасно искренним голосом, как будто он был не только очень красивый малый, но еще и хороший, искренний человек. Меня чуть не стошнило, когда я услышал, как он разговаривает. Девушка все повторяла: «Нет, не надо... Пожалуйста, не надо. Не надо...» Но Стрэдлейтер все уговаривал ее, голос у него был, как у президента Линкольна, ужасно честный, искренний, и вдруг наступила жуткая тишина. Страшно неловко. Не знаю, спутался он в тот раз с этой девушкой или нет. Но к тому шло. Безусловно, шло.

Я лежал и старался не думать и вдруг услышал, что этот дурак Стрэдлейтер вернулся из умывалки в нашу комнату. Слышно было, как он убирает свои поганые мыльницы и щетки и открывает окно. Он обожал свежий воздух. Потом он потушил свет. Он и не взглянул, там я или нет.

Даже за окном было тоскливо. Ни машин, ничего. Мне стало так одиноко, так плохо, что я решил разбудить Экли.

– Эй, Экли! – сказал я шепотом, чтобы Стрэдлейтер не услыхал.

Но Экли ничего не слышал.

– Эй, Экли!

Он ничего не слышал. Спал как убитый.

– Эй, Экли!

Тут он наконец услыхал.

– Кой черт тебя укусил? – говорит. – Я только что уснул.

– Слушай, как это поступают в монастырь? – спрашиваю я. Мне вдруг вздумалось уйти в монастырь. – Надо быть католиком или нет?

– Конечно надо. Свинья ты, неужели ты меня только для этого и разбудил?

– Ну ладно, спи! Все равно я в монастырь не уйду. При моем невезении я обязательно попаду не к тем монахам. Наверно, там будут одни кретины. Или просто подонки.

Только я это сказал, как Экли вскочил словно ошпаренный.

– Знаешь что, – говорит, – можешь болтать про меня что угодно, но если ты начнешь острить насчет моей религии, черт побери...

– Успокойся, – говорю, – никто твою религию не трогает, хрен с ней.

Я встал с чужой кровати, пошел к двери. Не хотелось больше оставаться в этой духоте. Но по дороге я остановился, взял Экли за руку и нарочно торжественно пожал ее. Он выдернул руку:

– Это еще что такое?

– Ничего. Просто хотел поблагодарить тебя за то, что ты настоящий принц, вот и все! – сказал я, и голос у меня был такой искренний, честный. – Ты молодчина, Экли, детка, – сказал я. – Знаешь, какой ты молодчина?

– Умничай, умничай! Когда-нибудь тебе разобьют башку...

Но я не стал его слушать. Захлопнул дверь и вышел в коридор.

Все спали, а кто уехал домой на воскресенье, и в коридоре было очень-очень тихо и уныло. У дверей комнаты Леги и Гофмана валялась пустая коробка из-под зубной пасты «Колинос», и по дороге на лестницу я ее все время подкидывал носком, на мне были домашние туфли на меху. Сначала я подумал, не пойти ли мне вниз: дай, думаю, посмотрю, как там мой старик, Мэл Броссар. Но вдруг передумал. Вдруг я решил, что мне делать: надо выкатываться из Пэнси сию же минуту. Не ждать никакой среды – и все. Ужасно мне не хотелось тут торчать. Очень уж стало грустно и одиноко. И я решил сделать вот что – снять номер в каком-нибудь отеле в Нью-Йорке, в недорогом, конечно, и спокойно пожить там до среды. А в среду вернуться домой: к среде я отдохну как следует и настроение будет хорошее. Я рассчитал, что мои родители получат письмо от старика Термера насчет того, что меня вытурили, не раньше вторника или среды. Не хотелось возвращаться домой, пока они не получат письмо и не переварят его. Не хотелось смотреть, как они будут читать все это в первый раз. Моя мама сразу впадает в истерику. Потом, когда она переварит, тогда уже ничего. А мне надо было отдохнуть. Нервы у меня стали ни к черту. Честное слово, ни к черту.

Словом, так я и решил. Вернулся к себе в комнату, включил свет, стал укладываться. У меня уже почти все было уложено. А этот Стрэдлейтер и не проснулся. Я закурил, оделся, потом сложил оба свои чемодана. Минуты за две все сложил. Я очень быстро укладываюсь.

Одно меня немножко расстроило, когда я укладывался. Пришлось уложить новые коньки, которые мама прислала мне чуть ли не накануне. Я расстроился, потому что представил себе, как мама пошла в спортивный магазин, стала задавать продавцу миллион чудацких вопросов – а тут меня опять вытурили из школы! Как-то грустно стало. И коньки она купила не те – мне нужны были беговые, а она купила хоккейные, – но все равно мне стало грустно. И всегда так выходит – мне дарят подарки, а меня от этого только тоска берет.

Я все уложил, пересчитал деньги. Не помню, сколько у меня оказалось, но, в общем, порядочно. Бабушка как раз прислала мне на прошлой неделе перевод. Есть у меня бабушка, она денег не жалеет. У нее, правда, не все дома – ей лет сто, и она посылает мне деньги на день рождения раза четыре в год. Но хоть денег у меня было порядочно, я все-таки решил, что лишний доллар не помешает. Пошел в конец коридора, разбудил Фредерика Удрофа, того самого, которому я одолжил свою машинку. Я его спросил, сколько он мне даст за нее. Он был из богатых. Он говорит – не знаю. Говорит – я не собирался ее покупать. Но все-таки купил. Стоила она что-то около девяноста долларов, а он ее купил за двадцать. Да еще злился, что я его разбудил.

Когда я совсем собрался, взял чемоданы и все, что надо, я остановился около лестницы и на прощание посмотрел на этот наш коридор. Кажется, я всплакнул. Сам не знаю почему. Но потом надел свою охотничью шапку по-своему, задом наперед, и заорал во всю глотку:

– Спокойной ночи, кретины!

Ручаюсь, что я разбудил всех этих ублюдков! Потом побежал вниз по лестнице. Какой-то болван набросал ореховой скорлупы, и я чуть не свернул себе шею ко всем чертям.

8

Вызывать такси оказалось поздно, пришлось идти на станцию пешком. Вокзал был недалеко, но холод стоял собачий и по снегу идти было трудно, да еще чемоданы стукали по ногам как нанятые. Но дышать было приятно. Плохо только, что от холодного воздуха саднили нос и верхняя губа – меня по ней двинул Стрэдлейтер. Он мне разбил губу об зубы, это здорово больно. Зато ушам было тепло. На этой моей шапке были наушники, и я их опустил. Плевать мне было, какой у меня вид. Все равно кругом ни души. Все давно храпели.

Мне повезло, когда я пришел на вокзал. Я ждал поезда всего десять минут. Пока ждал, я набрал снегу и вытер лицо.

Вообще я люблю ездить поездом, особенно ночью, когда в вагоне светло, а за окном темень и по вагону разносят кофе, сандвичи и журналы. Обычно я беру сандвич с ветчиной и штуки четыре журналов. Когда едешь ночью в вагоне, можно без особого отвращения читать даже идиотские рассказы в журналах. Вы знаете какие. Про всяких показных типов с квадратными челюстями по имени Дэвид и показных красоток, которых зовут Линда или Марсия, они еще всегда зажигают этим Дэвидам их дурацкие трубки.

Ночью в вагоне я могу читать даже такую дрянь. Но тут не мог. Почему-то неохота было читать. Я просто сидел и ничего не делал. Только снял свою охотничью шапку и сунул в карман.

И вдруг в Трентоне вошла дама и села рядом со мной. Вагон был почти пустой, время позднее, но она все равно села рядом со мной, а не на пустую скамью, потому что я сидел на переднем месте, а у нее была громадная сумка. И она выставила эту сумку прямо в проход, так что кондуктор или еще кто мог об нее споткнуться. Должно быть, она ехала с какого-нибудь приема или бала – на платье были орхидеи. Лет ей, вероятно, было около сорока – сорока пяти, но она была очень красивая. Я от женщин балдею. Честное слово. Нет, я вовсе не в том смысле, вовсе я не такой бабник, хотя я довольно-таки впечатлительный. Просто они мне нравятся. И вечно они ставят свои дурацкие сумки посреди прохода.

Сидим мы так, вдруг она говорит:

– Простите, но, кажется, это наклейка школы Пэнси?

Она смотрела наверх, на сетку, где лежали мои чемоданы.

– Да, – говорю я. И правда: у меня на одном чемодане действительно осталась школьная наклейка. Дешевка, ничего не скажешь.

– Ах, значит, вы учитесь в Пэнси? – говорит она. У нее был очень приятный голос. Такой хорошо звучит по телефону. Ей бы возить с собой телефончик.

– Да, я там учусь, – говорю.

– Как приятно! Может быть, вы знаете моего сына? Эрнест Морроу – он тоже учится в Пэнси.

– Знаю. Он в моем классе.

А сын ее был самый что ни на есть последний гад во всей этой мерзкой школе. Всегда он после душа шел по коридору и бил всех мокрым полотенцем. Вот такой гад.

– Ну, как мило! – сказала дама. И так просто, без кривляния. Она была очень приветливая. – Непременно скажу Эрнесту, что я вас встретила. Как ваша фамилия, мой дружок?

– Рудольф Шмит, – говорю. Не хотелось рассказывать ей всю свою биографию. А Рудольф Шмит был старик швейцар в нашем корпусе.

– Нравится вам Пэнси? – спросила она.

– Пэнси? Как вам сказать. Там неплохо. Конечно, это не рай, но там не хуже, чем в других школах. Преподаватели там есть вполне добросовестные.

– Мой Эрнест просто обожает школу!

– Да, это я знаю, – говорю я. И начинаю наворачивать ей все, что полагается: – Он очень легко уживается. Я хочу сказать, что он умеет ладить с людьми.

– Правда? Вы так считаете? – спросила она. Видно, ей было очень интересно.

– Эрнест? Ну конечно! – сказал я. А сам смотрю, как она снимает перчатки. Ну и колец у нее!

– Только что сломала ноготь в такси, – говорит она. Посмотрела на меня и улыбнулась. У нее была удивительно милая улыбка. Очень милая. Люди ведь вообще не улыбаются или улыбаются как-то противно.

– Мы с отцом Эрнеста часто тревожимся за него, – говорит она. – Иногда мне кажется, что он не очень сходится с людьми.

– В каком смысле?

– Видите ли, он очень чуткий мальчик. Он никогда не дружил по-настоящему с другими мальчиками. Может быть, он ко всему относится серьезнее, чем следовало бы в его возрасте.

«Чуткий»! Вот умора! В крышке от унитаза и то больше чуткости, чем в этом самом Эрнесте.

Я посмотрел на нее. С виду она была вовсе не так глупа. С виду можно подумать, что она отлично понимает, какой гад ее сынок. Но тут дело темное – я про матерей вообще. Все матери немножко помешанные. И все-таки мать этого подлого Морроу мне понравилась. Очень славная.

– Не хотите ли сигарету? – спрашиваю.

Она оглядела весь вагон.

– По-моему, это вагон для некурящих, Рудольф! – говорит она. «Рудольф»! Подохнуть можно, честное слово!

– Ничего! Можно покурить, пока на нас не заорут, – говорю.

Она взяла сигаретку, и я ей дал закурить.

Курила она очень мило. Затягивалась, конечно, но как-то не жадно, не то что другие дамы в ее возрасте. Очень она была обаятельная. И как женщина тоже, если говорить правду.

Вдруг она посмотрела на меня очень пристально.

– Кажется, у вас кровь идет носом, дружочек, – говорит она вдруг.

Я кивнул головой, вытащил носовой платок.

– В меня попали снежком, – говорю, – знаете, с ледышкой.

Я бы, наверно, рассказал ей всю правду, только долго было рассказывать. Но она мне очень понравилась. Я даже пожалел, зачем сказал, что меня зовут Рудольф Шмит.

– Да, ваш Эрни, – говорю, – он у нас в Пэнси общий любимец. Вы это знали?

– Нет, не знала!

Я кивнул головой:

– Мы не сразу в нем разобрались! Он занятный малый. Правда, со странностями – вы меня понимаете? Взять, например, как я с ним познакомился. Когда мы познакомились, мне показалось, что он немного задается. Я так думал сначала. Но он не такой. Просто он очень своеобразный человек, его не сразу узнаешь.

Бедная миссис Морроу ничего не говорила, но вы бы на нее посмотрели!

Она так и застыла на месте. С матерями всегда так – им только рассказывай, какие у них великолепные сыновья.

И тут я разошелся вовсю.

– Он вам говорил про выборы? – спрашиваю. – Про выборы в нашем классе?

Она покачала головой. Ей-богу, я ее просто загипнотизировал!

– Понимаете, многие хотели выбрать вашего Эрни старостой класса. Да, все единогласно называли его кандидатуру. Понимаете, никто лучше его не справился бы, — говорю. Ох и наворачивал же я! — Но выбрали другого — знаете, Гарри Фенсера. И выбрали его только потому, что Эрни не позволил нам выдвинуть его кандидатуру. И все оттого, что он такой скромный, застенчивый, оттого и отказался... Вот до чего он скромный. Вы бы его отучили, честное слово! — Я посмотрел на нее. — Разве он вам не рассказывал?

— Нет, не рассказывал.

Я кивнул:

— Это на него похоже. Да, главный его недостаток, что он слишком скромный, слишком застенчивый. Честное слово, вы бы ему сказали, чтоб он не так стеснялся.

В эту минуту вошел кондуктор проверять билет у миссис Морроу, и мне можно было замолчать. А я рад, что я ей все это навертел. Вообще, конечно, такие типы, как этот Морроу, которые бьют людей мокрым полотенцем, да еще норовят ударить побольнее, — такие не только в детстве сволочи, они всю жизнь сволочи. Но я головой ручаюсь, что после моей брехни бедная миссис Морроу будет всегда представлять себе своего сына этаким скромным, застенчивым малым, который даже не позволил нам выдвинуть его кандидатуру. Это вполне возможно. Кто их знает. Матери в таких делах не очень-то разбираются.

— Не угодно ли вам выпить коктейль? — спрашиваю. Мне самому захотелось выпить. — Можно пойти в вагон-ресторан. Пойдемте?

— Но, милый мой, разве вам разрешено заказывать коктейли? — спрашивает она. И ничуть не свысока. Слишком она была славная, чтоб разговаривать свысока.

— Вообще-то не разрешается, но мне подают, потому что я такой высокий, — говорю. — А потом, у меня седые волосы. — Я повернул голову и показал, где у меня седые волосы. Она прямо обалдела. — Правда, почему бы вам не выпить со мной? – спрашиваю. Мне очень захотелось с ней выпить.

– Нет, пожалуй, не стоит. Спасибо, дружочек, но лучше не надо, – говорит. – Да и ресторан, пожалуй, уже закрыт. Ведь сейчас очень поздно, вы это знаете?

Она была права. Я совсем забыл, который час.

Тут она посмотрела на меня и спросила о том, чего я боялся:

– Эрнест мне писал, что он вернется домой в среду, что рождественские каникулы начнутся только в среду. Но ведь вас не вызвали домой срочно, надеюсь, у вас никто не болен?

Видно было, что она действительно за меня волнуется, не просто любопытничает, а всерьез беспокоится.

– Нет, дома у нас все здоровы, – говорю. – Дело во мне самом. Мне надо делать операцию.

– Ах, как жалко! – Я видел, что ей в самом деле меня жалко. А я и сам пожалел, что сморозил такое, но было уже поздно.

– Да ничего серьезного. Просто у меня крохотная опухоль на мозгу.

– Не может быть! – Она от ужаса закрыла рот руками.

– Это ерунда! Опухоль совсем поверхностная. И совсем малюсенькая. Ее за две минуты уберут.

И тут я вытащил из кармана расписание и стал его читать, чтобы прекратить это вранье. Я как начну врать, так часами не могу остановиться.

Буквально часами.

Больше мы уже почти не разговаривали. Она читала «Вог», а я смотрел в окошко. Вышла она в Ньюарке. На прощание пожелала мне, чтоб операция прошла благополучно, и все такое. И называла меня Рудольфом. А под конец пригласила приехать летом к Эрни в Глостер, в Массачусетс. Говорит, что их дом прямо на берегу и там есть теннисный корт, но я ее поблагодарил и сказал, что уезжаю с бабушкой в Южную Америку. Это я здорово наврал, потому что наша бабушка даже из дому не выходит, разве что иногда на какой-нибудь утренник. Но я бы все равно не поехал к этому гаду Эрнесту ни за какие деньги, даже если б деваться было некуда.

9

На Пенсильванском вокзале я первым делом пошел в телефонную будку. Хотелось кому-нибудь звякнуть по телефону. Чемоданы я поставил у будки, чтобы их было видно, но, когда я снял трубку, я подумал, что звонить мне некому. Мой брат, Д.Б., был в Голливуде, Фиби, моя сестренка, ложилась спать часов в девять – ей нельзя было звонить. Она бы не рассердилась, если б я ее разбудил, но вся штука в том, что к телефону подошла бы не она. К телефону подошел бы кто-нибудь из родителей. Значит, нельзя. Я хотел позвонить матери Джейн Галлахер, узнать, когда у Джейн начинаются каникулы, но потом мне расхотелось. И вообще было поздно туда звонить. Потом я хотел позвонить этой девочке, с которой я довольно часто встречался, – Салли Хейс, я знал, что у нее уже каникулы, она мне написала это самое письмо, сплошная липа, ужасно длинное, приглашала прийти к ней в Сочельник помочь убрать елку. Но я боялся, что к телефону подойдет ее мамаша. Она была знакома с моей матерью, и я представил себе, как она сломя голову хватает трубку и звонит моей матери, что я в Нью-Йорке. Да кроме того, неохота было разговаривать со старухой Хейс по телефону. Она как-то сказала Салли, что я необузданный. Во-первых, необузданный, а во-вторых, что у меня нет цели в жизни. Потом я хотел звякнуть одному типу, с которым мы учились в Хуттонской школе, Карлу Льюсу, но я его недолюбливал. Кончилось тем, что я никому звонить не стал. Минут через двадцать я вышел из автомата, взял чемоданы и пошел через тоннель к стоянке такси.

Я до того рассеянный, что по привычке дал водителю свой домашний адрес. Совсем вылетело из головы, что я решил переждать в гостинице дня два и не появляться дома до начала каникул. Вспомнил я об этом, когда мы уже проехали почти весь парк. Я ему говорю:

– Пожалуйста, поверните обратно, если можно, я вам дал не тот адрес. Мне надо назад, в центр.

Но водитель попался хитрый:

– Не могу, Мак, тут движение одностороннее. Теперь надо ехать до самой Девяностой улицы.

Мне не хотелось спорить.

– Ладно, – говорю. И вдруг вспомнил: – Скажите, вы видали тех уток на озере у Южного выхода в Центральном парке? На маленьком таком прудике? Может, вы случайно знаете, куда они деваются, эти утки, когда пруд замерзает? Может, вы случайно знаете?

Я, конечно, понимал, что это действительно была бы чистая случайность.

Он обернулся и посмотрел на меня, как будто я ненормальный.

– Ты что, братец, – говорит, – смеешься надо мной, что ли?

– Нет, – говорю, – просто мне интересно узнать.

Он больше ничего не сказал, и я тоже. Когда мы выехали из парка у Девяностой улицы, он обернулся:

– Ну, братец, а теперь куда?

– Понимаете, не хочется заезжать в гостиницу на Ист-Сайд, где могут оказаться знакомые. Я путешествую инкогнито, – сказал я. Ненавижу избитые фразы вроде «путешествую инкогнито». Но с дураками иначе разговаривать не приходится. – Не знаете ли вы случайно, какой оркестр играет у Тафта или в «Нью-Йоркере»?

– Понятия не имею, Мак.

— Ладно, везите меня в «Эдмонт», — говорю. — Может быть, вы не откажетесь по дороге выпить со мной коктейль? Я угощаю. У меня денег куча.

— Нельзя, Мак. Извините.

Да, веселый спутник, нечего сказать. Выдающаяся личность.

Мы приехали в «Эдмонт», и я взял номер. В такси я надел свою красную охотничью шапку, просто ради шутки, но в вестибюле я ее снял, чтобы не приняли за психа. Смешно подумать: я тогда не знал, что в этом подлом отеле полным-полно всяких психов. Форменный сумасшедший дом.

Мне дали ужасно унылый номер, он тоску нагонял. Из окна ничего не было видно, кроме заднего фасада гостиницы. Но мне было все равно. Когда настроение скверное, не все ли равно, что там за окошком. Меня провел в номер коридорный — старый-престарый, лет под семьдесят. Он на меня нагонял тоску еще больше, чем этот номер. Бывают такие лысые, которые зачесывают волосы сбоку, чтобы прикрыть лысину. А я бы лучше ходил лысый, чем так причесываться. Вообще, что за работа для такого старика — носить чужие чемоданы и ждать чаевых? Наверно, он ни на что больше не годился, но все-таки это было ужасно.

Когда он ушел, я стал смотреть в окошко, не снимая пальто. Все равно делать было нечего. Вы даже не представляете, что творилось в корпусе напротив. Там даже не потрудились опустить занавески. Я видел, как один тип, седой, приличный господин, в одних трусах вытворял такое, что вы не поверите, если я вам расскажу. Сначала он поставил чемодан на кровать. А потом вынул оттуда женскую одежду и надел на себя. Настоящую женскую одежду — шелковые чулки, туфли на каблуках, бюстгальтер и такой пояс, на котором болтаются резинки. Потом надел узкое черное платье — вечернее платье, клянусь богом! А потом стал ходить по комнате маленькими шажками, как женщины ходят, и курить сигарету и смотреться в зеркало. Он был совсем один. Если только никого не было в ванной — этого я не видел. А в окошке прямо над ним я видел, как мужчина и женщина брызгали друг друга водой изо рта. Может, и не водой, а коктейлем, я не видел, что у них в стаканах. Сначала он наберет полный рот и как фыркнет прямо на нее! А потом она на него, по очереди, черт их дери! Вы бы на них посмотрели! Хохочут до истерики, как будто ничего смешнее не видали. Я не шучу, в гостинице было полно психов. Я, наверно, был единственным нормальным среди них, а это не так уж много. Чуть не послал телеграмму Стрэдлейтеру, чтоб он первым же поездом выезжал в Нью-Йорк. Он бы тут был королем, в этом отеле.

Плохо то, что на такую пошлятину смотришь не отрываясь, даже когда не хочешь. А эта девица, которой брызгали водой в физиономию, она даже была хорошенькая. Вот в чем мое несчастье. В душе я, наверно, страшный распутник. Иногда я представляю себе ужасные гадости, и я мог бы даже сам их делать, если б представился случай. Мне даже иногда кажется, что, может быть, это даже приятно, хоть и гадко. Например, я даже понимаю, что, может быть, занятно, если вы оба пьяны, взять девчонку и с ней плевать друг дружке в физиономию водой или там коктейлем. Но, по правде говоря, мне это ничуть не нравится. Если разобраться, так это просто пошлятина. По-моему, если тебе нравится девушка, так нечего с ней валять дурака, а если она тебе нравится, так нравится и ее лицо, а тогда не станешь безобразничать и плевать в нее чем попало. Плохо то, что иногда всякие глупости доставляют удовольствие. А сами девчонки тоже хороши — только мешают, когда стараешься не позволять себе никаких глупостей, чтобы не испортить что-то по-настоящему хорошее. Была у меня одна знакомая девчонка года два назад, она была еще хуже меня. Ох и дрянь же! И все-таки нам иногда бывало занятно, хоть и гадко. Вообще я в этих сексуальных делах плохо разбираюсь. Никогда не знаешь что к чему. Я сам себе придумываю правила поведения и тут же их нарушаю. В прошлом году я поставил себе правилом, что не буду возиться с девчонками, от которых меня мутит. И сам же нарушил это правило – в ту же неделю, даже в тот же вечер, по правде говоря. Целый вечер целовался с ужасной кривлякой – звали ее Анна Луиза Шерман. Нет, не понимаю я толком про всякий секс. Честное слово, не понимаю.

Я стоял у окна и придумывал, как бы позвонить Джейн. Звякнуть ей по междугородному прямо в колледж, где она училась, вместо того чтобы звонить ее матери и спрашивать, когда она приедет? Конечно, не разрешается звонить студенткам поздно ночью, но я уже все придумал. Если подойдут к телефону, я скажу, что я ее дядя. Я скажу, что ее тетя только что разбилась насмерть в машине и я немедленно должен переговорить с Джейн. Наверно, ее позвали бы. Не позвонил я только потому, что настроения не было. А когда настроения нет, все равно ничего не выйдет.

Потом я сел в кресло и выкурил две сигареты. Чувствовал я себя препаршиво, сознаюсь. И вдруг я придумал. Я стал рыться в бумажнике – искать адрес, который мне дал один малый, он учился в Принстоне, я с ним познакомился летом на вечеринке. Наконец я нашел записку. Она порядком измялась в моем бумажнике, но разобрать было можно. Это был адрес одной особы – не то чтобы настоящей шлюхи, но, как говорил этот малый из Принстона, она иногда и не отказывала. Однажды он привел ее на танцы в Принстон, и его чуть за это не вытурили. Она танцевала в кабаре с раздеванием или что-то в этом роде. Словом, я взял трубку и позвонил ей. Звали ее Фей Кэвендиш, и жила она в отеле «Стэнфорд», на углу Шестьдесят шестой и Бродвея. Наверно, какая-нибудь трущоба.

Сначала я решил, что ее нет дома. Никто не отвечал. Потом взяли трубку.

– Алло! – сказал я. Я говорил басом, чтобы она не заподозрила, сколько мне лет. Но вообще голос у меня довольно низкий.

– Алло! – сказал женский голос не очень-то приветливо.

– Это мисс Фей Кэвендиш?

– Да, кто это? – спросила она. – Кто это звонит мне среди ночи, черт возьми!

Я немножко испугался.

– Да, я понимаю, что сейчас поздно, – сказал я взрослым голосом. – Надеюсь, вы меня простите, но мне просто необходимо было поговорить с вами! – И все это таким светским тоном, честное слово!

– Да кто же это? – спрашивает она.

– Вы меня не знаете, но я друг Эдди Бердселла. Он сказал, что, если окажусь в городе, мы с вами непременно должны встретиться и выпить коктейль вдвоем.

– Кто сказал? Чей вы друг? – Ну и тигрица, ей-богу! Она просто орала на меня по телефону.

– Эдмунда Бердселла, Эдди Бердселла, – повторил я. Я не помню, как его звали – Эдмунд или Эдвард. Я его только раз видел на какой-то идиотской вечеринке.

– Не знаю я такого, Джек! И если, по-вашему, мне приятно вскакивать ночью...

– Эдди Бердселл, из Принстона... Помните? – говорил я.

Слышно было, как она повторяет фамилию:

– Бердселл... Бердселл... Из Принстонского колледжа?

– Да-да! – сказал я.

– А вы тоже оттуда?

– Примерно.

– Ага... А как Эдди? – сказала она. – Все-таки безобразие звонить в такое время!

– Он ничего. Просил передать вам привет.

– Ну спасибо, передайте и ему привет, – сказала она. – Он чудный мальчик. Что он сейчас делает? – Она уже становилась все любезнее и любезнее, черт ее дери.

– Ну, все то же, сами понимаете, – сказал я. Каким чертом я мог знать, что он там делает? Я почти не был с ним знаком. Я даже не знал, учится ли он еще в Принстоне или нет. – Слушайте, – говорю я. – Может быть, мы с вами встретимся сейчас, выпьем коктейль?

– Да вы представляете себе, который час? – сказала она. – И разрешите спросить, как ваше имя? – Она вдруг заговорила с английским акцентом. – Голос у вас что-то очень молодой.

– Благодарю вас за комплимент! – говорю я самым светским тоном. – Меня зовут Холден Колфилд. – Надо было выдумать другую фамилию, но я сразу не сообразил.

– Видите ли, мистер Коффл, я не привыкла назначать свидания по ночам. Я ведь работаю.

– Завтра воскресенье, – говорю.

– Все равно мне надо хорошенько выспаться. Сами понимаете.

– А я думал, мы с вами выпьем хоть один коктейль! И сейчас совсем не так поздно.

– Вы очень милы, право, – говорит она. – Откуда вы говорите? Где вы сейчас?

– Я? Я из автомата.

– Ах так, – сказала она. Потом долго молчала. – Знаете, я очень рада буду с вами встретиться, мистер Коффл. По голосу вы очень милый человек. У вас удивительно симпатичный голос. Но сейчас все-таки слишком поздно.

– Я могу приехать к вам.

– Что ж, в другое время я сказала бы – чудно! Но моя соседка заболела. Она весь вечер лежала, не могла заснуть. Она только что закрыла глаза, спит. Вы понимаете?

– Да, это плохо.

– Где вы остановились? Может быть, мы завтра встретимся?

– Нет, завтра я не могу. Я только сегодня свободен.

Ну и дурак! Не надо было так говорить.

– Что ж, очень жаль!

– Передам от вас привет Эдди.

– Правда передадите? Надеюсь, вам будет весело в Нью-Йорке. Чудный город.

– Это я знаю. Спасибо. Спокойной ночи, – сказал я и повесил трубку.

Дурак, сам все испортил. Надо было хоть условиться на завтра, угостить ее коктейлем, что ли.

10

Было еще довольно рано. Не знаю точно, который час, но, в общем, не так уж поздно. Больше всего я ненавижу ложиться спать, когда ничуть не устал. Я открыл чемодан, вынул чистую рубашку, пошел в ванную, вымылся и переоделся. Пойду, думаю, посмотрю, что у них там творится в «Сиреневом зале». При гостинице был ночной клуб, назывался «Сиреневый зал».

Пока я переодевался, я подумал, не позвонить ли все-таки моей сестренке Фиби. Ужасно хотелось с ней поговорить. Она-то все понимала. Но нельзя было рисковать звонить домой, все-таки она еще маленькая и, наверно, уже спала и не подошла бы к телефону. Конечно, можно было бы повесить трубку, если б подошли родители, но все равно ничего бы не вышло. Они узнали бы меня. Мама всегда догадывается. У нее интуиция. Но мне ужасно хотелось поболтать с нашей Фиби.

Вы бы на нее посмотрели. Такой хорошенькой, умной девчонки вы, наверно, никогда не видели. Умница, честное слово. Понимаете, с тех пор как она поступила в школу, у нее одни отличные отметки – никогда плохих не бывало. По правде говоря, я один в семье такой тупица. Старший мой брат, Д.Б., – писатель, а мой братишка Алли, который умер, тот прямо был колдун. Я один такой тупой. А посмотрели бы вы на Фиби. У нее волосы почти такие же рыжие, как у Алли, летом они совсем коротенькие. Летом она их закладывает за уши. Ушки у нее маленькие, красивые. А зимой ей отпускают волосы. Иногда мама их заплетает, иногда нет, и все равно красиво. Ей всего десять лет. Она худая, вроде меня, но очень складная. Худенькая, как раз для коньков. Один раз я смотрел в окно, как она переходила через улицу в парк, и подумал: как раз для коньков – тоненькая, легкая. Вам бы она понравилась. Понимаете, ей что-нибудь скажешь, и она сразу соображает, про что ты говоришь. Ее даже можно брать с собой куда угодно. Например, поведешь ее на плохую картину – она сразу понимает, что картина плохая. А поведешь на хорошую – она сразу понимает, что картина хорошая. Мы с Д.Б. один раз повели ее на эту французскую картину – «Жена пекаря», – там играет Раймю. Она просто обалдела. Но любимый ее фильм – «Тридцать девять ступеней», с Робертом Донатом. Она всю эту картину знает чуть не наизусть, мы вместе смотрели ее раз десять. Например, когда этот самый Донат прячется на шотландской ферме от полисменов, Фиби громко говорит в один голос с этим шотландцем: «Вы едите селедку?» Весь диалог знает наизусть. А когда этот профессор, который на самом деле немецкий шпион, подымает мизинец, на котором не хватает сустава, и показывает Роберту Донату, наша Фиби еще раньше, чем он, в темноте подымает свой мизинец и тычет прямо мне в лицо. Она ничего. Вам бы она понравилась. Правда, она немножко слишком привязчива. Чересчур все переживает, не по-детски. Это правда. А потом, она все время пишет книжки. Только она их никогда не дописывает. Там все про девочку по имени

Гизела Уэзерфилд, только наша Фиби пишет «Кисела». Эта самая Кисела Уэзерфилд – девушка-сыщик. Она как будто сирота, но откуда-то появляется ее отец. А отец у нее «высокий привлекательный джентльмен лет двадцати». Обалдеть можно! Да, наша Фиби. Честное слово, она бы вам понравилась. Она была еще совсем крошка, а уже умная. Когда она была совсем маленькая, мы с Алли водили ее в парк, особенно по воскресеньям. У Алли была парусная лодка, он любил ее пускать по воскресеньям, и мы всегда брали с собой нашу Фиби. А она наденет белые перчатки и идет между нами как настоящая леди. Когда мы с Алли про что-нибудь говорили, она всегда слушала. Иногда мы про нее забудем, все-таки она была совсем маленькая, но она непременно о себе напомнит. Все время вмешивалась. Толкнет меня или Алли и спросит: «А кто? Кто сказал – Бобби или она?» И мы ей ответим, кто сказал, она скажет: «А-а-а!» – и опять слушает, как большая. Алли от нее тоже балдел. Я хочу сказать, он ее тоже любил. Теперь ей уже десять, она не такая маленькая, но все равно от нее все балдеют – кто понимает, конечно.

Во всяком случае, мне очень хотелось поговорить с ней по телефону. Но я боялся, что подойдут родители и узнают, что я в Нью-Йорке и что меня вытурили из школы. Так что я только надел чистую рубашку, а когда переоделся, спустился в лифте в холл посмотреть, что там делается.

Но там почти никого не было, кроме каких-то сутенеристых типов и шлюховатых блондинок. Слышно было, как в «Сиреневом зале» играет оркестр, и я пошел туда. И хотя там было пусто, мне дали дрянной стол – где-то на задворках. Надо было сунуть официанту доллар. В Нью-Йорке за деньги все можно, это я знаю.

Оркестр был гнусный, Бадди Сингера. Ужасно громкий – но не по-хорошему громкий, а безобразно громкий. И в зале было совсем мало моих сверстников. По правде говоря, там их вовсе не было – все больше какие-то расфуфыренные старикашки со своими дамами. И только за соседним столиком посетители были совсем другие. За соседним столиком сидели три девицы лет под тридцать. Все три были довольно уродливые, и по их шляпкам сразу было видно, что они приезжие. Но одна, блондинка, была не так уж плоха. Что-то в ней было забавное, но, только я стал на нее поглядывать, подошел официант. Я заказал виски с содовой, но велел не разбавлять – говорил я нарочно быстро, а то, когда мнешься и мямлишь, можно подумать, что ты несовершеннолетний, и тогда тебе спиртного не дадут. И все равно он стал придираться.

– Простите, сэр, – говорит, – но нет ли у вас какого-нибудь удостоверения, что вы совершеннолетний? Может быть, у вас при себе шоферские права?

Я посмотрел на него ледяным взглядом, как будто он меня смертельно оскорбил, и говорю:

– Разве я похож на несовершеннолетнего?

– Простите, сэр, но у нас есть распоряжение...

– Ладно, ладно, – говорю, а сам думаю: «Ну его к черту!» – Дайте мне кока-колы.

Он стал уходить, но я его позвал:

– Вы не можете подбавить капельку рома? – Я его попросил очень вежливо, ласково. – Как я могу сидеть в таком месте трезвый? Вы не можете подбавить хоть капельку рома?

– Простите, сэр, никак нельзя! – И ушел. Но он не виноват. Он может потерять работу, если подаст спиртное несовершеннолетнему. А я, к несчастью, несовершеннолетний.

Опять я стал посматривать на этих ведьм за соседним столиком. Вернее, на блондинку. Те две были страшные как смертный грех. Но я не глазел как дурак. Наоборот, я их окинул равнодушным взором. И что же, по-вашему, они сделали? Стали хихикать как идиотки! Наверно, решили, что я слишком молод, чтобы строить глазки. Мне стало ужасно досадно – жениться я хочу на них, что ли? Надо было бы обдать их презрением, но мне страшно хотелось танцевать. Иногда мне ужасно хочется потанцевать – и тут захотелось. Я наклонился к ним и говорю:

– Девушки, не хотите ли потанцевать? – Вежливо спросил, очень светским тоном. А они, дуры, всполошились. И опять захихикали. Честное слово, форменные идиотки. – Пойдемте потанцуем! – говорю. – Давайте по очереди. Ну как? Потанцуем? – Ужасно мне хотелось танцевать.

В конце концов блондинка встала – видно, поняла, что я обращаюсь главным образом к ней. Мы вышли на площадку. А те две чучелы закатились как в истерике. С такими только с горя и свяжешься.

Но игра стоила свеч. Как эта блондинка танцевала! Лучшей танцорки я в жизни не встречал. Знаете, иногда она дура, а танцует как бог. А бывает, что умная девчонка либо сама норовит тебя вести, либо так плохо танцует, что только и остается сидеть с ней за столиком и напиваться.

– Вы здорово танцуете! – говорю я блондинке. – Вам надо бы стать профессиональной танцоркой. Честное слово! Я как-то раз танцевал с профессионалкой, но вы во сто раз лучше. Слыхали про Марко и Миранду?

– Что? – Она даже не слушала меня. Все время озиралась.

– Я спросил, вы слыхали про Марко и Миранду?

– Не знаю. Нет. Не слыхала.

– Они танцоры. Она танцовщица. Не очень хорошая. То есть она делает что полагается, и все-таки это не очень здорово. Знаете, как почувствовать, что твоя дама здорово танцует?

– Чего это? – переспросила она. Она совершенно меня не слушала, внимания не обращала.

— Я говорю, знаете, как почувствовать, что дама здорово танцует?

— Ага...

— Видите, я держу руку у вас на спине. Так вот, если забываешь, что у тебя под рукой и где у твоей дамы ноги, руки и все вообще, значит, она здорово танцует!

Она и не слыхала, что я говорю. Я решил замолчать. Мы просто танцевали, и все. Ох как эта дура танцевала! Бадди Сингер и его дрянной оркестр играли «Есть лишь одно на свете...» — и даже они не смогли испортить эту вещь. Чудесная песня. Танцевал я просто, без фокусов — ненавижу, когда вытворяют всякие фокусы во время танцев, — но я ее совсем закружил, и она слушалась отлично.

Я-то по глупости думал, что ей тоже приятно танцевать, и вдруг она стала пороть какую-то чушь.

— Знаете, мы с подругами вчера вечером видели Питера Лорре, — говорит. — Киноактера. Живого! Он покупал газету. Такой хорошенький!

— Вам повезло, — говорю, — да, вам крупно повезло. Вы это понимаете? — Настоящая идиотка. Но как танцует! Я не удержался и поцеловал ее в макушку, эту дуру, прямо в пробор. А она обиделась!

— Это еще что такое?

— Ничего. Просто так. Вы здорово танцуете, — сказал я. — У меня есть сестренка, она, чертенок, только в четвертом классе. Вы не хуже ее танцуете, а уж она танцует — чертям тошно.

— Пожалуйста, не выражайтесь!

Тоже мне леди! Королева, черт побери!

— Откуда вы приехали? — спрашиваю. Не отвечает. Глазеет во все стороны — видно, ждет, что явится сам Питер Лорре. — Откуда вы приехали? — повторяю.

— Чего?

— Откуда вы приехали? Вы не отвечайте, если вам не хочется. Не утруждайтесь, прошу вас!

– Из Сиэтла, штат Вашингтон, – говорит. Снизошла, сделала мне одолжение!

– Вы отличная собеседница, – говорю. – Вам это известно?

– Чего это?

Я не стал повторять. Все равно до нее не доходит.

– Хотите станцевать джиттербаг, если будет быстрая музыка? Настоящий честный джиттербаг, без глупостей – не скакать, а просто потанцевать. Если сыграют быструю, все сядут, кроме старичков и толстячков, нам места хватит. Ладно?

– Да мне все одно, – говорит. – Слушьте, а сколько вам лет?

Мне вдруг стало досадно.

– О черт, зачем все портить? – говорю. – Мне уже двенадцать. Я только дьявольски большого роста.

– Слушьте, я вас просила не чертыхаться. Ежели будете чертыхаться, я могу уйти к своим подругам, поняли?

Я стал извиняться как сумасшедший, оттого что оркестр заиграл быстрый танец. Она пошла со мной танцевать джиттербаг – очень пристойно, легко. Здорово она танцевала, честное слово. Слушалась – чуть дотронешься. А когда она крутилась, у нее так мило вертелся задик, просто прелесть. Здорово, ей-богу. Я чуть в нее не влюбился, пока мы танцевали. Беда мне с этими девчонками. Иногда на нее и смотреть не хочется – видишь, что она дура дурой, – но стоит ей сделать что-нибудь милое, я уже влюбляюсь. Ох эти девчонки, черт бы их подрал! С ума могут свести.

Меня не пригласили сесть к их столику – от невоспитанности, конечно, а я все-таки сел. Блондинку, с которой я танцевал, звали Бернис Крабс или Кребс. А тех, некрасивых, звали Марти и Лаверн. Я сказал, что меня зовут Джим Стил, нарочно сказал. Пробовал я завести с ними умный разговор, но это оказалось невозможным.

Их и силком нельзя было бы заставить говорить. Одна глупее другой. И все время озираются, как будто ждут, что сейчас в зал ввалится толпа кинозвезд. Они, наверно, подумали, что кинозвезды, когда приезжают в Нью-Йорк, все вечера торчат в «Сиреневом зале», а не в «Эль-Марокко» или в «Строк-клубе». Еле-еле добился, где они работают в своем Сиэтле. Оказывается, все три работали в одном страховом обществе. Я спросил, нравится ли им их работа, — но разве от этих дур можно было чего-нибудь добиться? Я думал, что эти две уродины, Марти и Лаверн, — сестры, но они ужасно обиделись, когда я спросил. Понятно, что каждая не хотела быть похожей на другую, это законно, но все-таки меня смех разбирал.

Я со всеми тремя перетанцевал по очереди. Одна уродина, Лаверн, не так уж плохо танцевала, но вторая, Марти, — убийственно. С ней танцевать — все равно что таскать по залу статую Свободы. Надо было что-то придумать, чтоб не так скучно было таскать ее. И я ей сказал, что Гэри Купер, киноартист, идет вон там по залу.

— Где, где? — Она страшно заволновалась. — Где он?

— Эх, прозевали! Он только что вышел. Почему вы сразу не посмотрели, когда я сказал?

Она даже остановилась и стала смотреть через головы, не видно ли его.

— Да где же он? — говорит. Она чуть не плакала, вот что я наделал. Мне ужасно стало ее жалко — зачем я ее надул. Есть люди, которых нельзя обманывать, хоть они того и стоят.

А смешнее всего было, когда мы вернулись к столику. Марти сказала, что Гэри Купер был здесь. Те две — Лаверн и Бернис — чуть не покончили с собой, когда услыхали. Расстроились, спрашивают Марти, видела ли она его. А Марти говорит — да, только мельком. Вот дурища!

Бар закрывался, и я им заказал по две порции спиртного на брата, а себе две кока-колы. Весь их стол был заставлен стаканами. Одна уродина, Лаверн, все дразнила меня, что я пью только кока-колу. Блестящий юмор. Она и Марти пили прохладительное — в декабре, черт меня возьми! Ничего они не понимали. А блондинка Бернис дула виски с содовой. Пила как лошадь. И все три то и дело озирались — искали киноартистов. Они даже друг с другом не разговаривали. Эта Марти еще говорила больше других. И все время несла какую-то унылую пошлятину: например, уборную называла «одно местечко», а старого облезлого кларнетиста из оркестра называла «душкой», особенно когда он встал и пропищал что-то невнятное. А кларнет назвала «дудочкой». Ужасная пошлячка. А вторая уродина, Лаверн, воображала, что она страшно остроумная. Все просила меня позвонить моему папе и спросить, свободен ли он сегодня вечером. Все спрашивала, не ушел ли мой папа на свидание. Четыре раза спросила — удивительно остроумно. А Бернис, блондинка, все молчала. Спросишь ее о чем-нибудь, она только переспрашивает: «Чего это?» Просто на нервы действует.

И вдруг они все три допили и встали, говорят — пора спать. Говорят, им завтра рано вставать, они идут на первый сеанс в Радио-сити, в мюзик-холл. Я просил их посидеть немножко, но они не захотели. Пришлось попрощаться. Я им сказал, что отыщу их в Сиэтле, если туда попаду. Но вряд ли! То есть вряд ли я их стану искать.

За все вместе с сигаретами подали счет почти на тринадцать долларов. По-моему, они могли хотя бы сказать, что сами заплатят за все, что они выпили до того, как я к ним подсел. Я бы, разумеется, не разрешил им платить, но предложить они могли бы. Впрочем, это ерунда. Уж очень они были глупы, да еще эти жалкие накрученные шляпки. У меня настроение испортилось, когда я подумал, что они хотят рано вставать, чтобы попасть на первый сеанс в Радио-сити. Только представить себе, что такая вот особа в ужасающей шляпке приехала в Нью-Йорк бог знает откуда, из какого-нибудь Сиэтла, только для того, чтобы встать чуть свет и пойти смотреть дурацкую программу в Радио-сити, – и от этого так скверно становится на душе, просто вынести невозможно. Я бы им всем троим заказал по сто рюмок, только бы они мне этого не говорили.

После них я сразу ушел из «Сиреневого зала». Все равно он закрывался и оркестр давно перестал играть. Во-первых, в таких местах скучно сидеть, если не с кем танцевать, а во-вторых, официант не подает ничего, кроме кока-колы. Нет такого кабака на свете, где можно долго высидеть, если нельзя заказать спиртного и напиться. Или если с тобой нет девчонки, от которой ты по-настоящему балдеешь.

11

Вдруг, выходя из холла, я опять вспомнил про Джейн Галлахер. Вспомнил – и уже не мог выкинуть ее из головы. Я уселся в какое-то поганое кресло в холле и стал думать, как она сидела со Стрэдлейтером в машине этого подлого Эда Бэнки, и, хотя я был совершенно уверен, что между ними ничего не было – я-то знаю Джейн насквозь, – все-таки я никак не мог выбросить ее из головы. А я знал ее насквозь, честное слово! Понимаете, она не только умела играть в шашки – она любила всякий спорт, и, когда мы с ней познакомились, мы все лето каждое утро играли в теннис, а после обеда – в гольф. Я с ней очень близко сошелся. Не в физическом смысле, конечно, – ничего подобного, а просто мы все время были вместе. И вовсе не надо ухаживать за девчонкой, для того чтобы с ней подружиться.

А познакомился я с ней, потому что их доберман-пинчер всегда бегал в наш палисадник и там гадил, а мою мать это страшно раздражало. Она позвонила матери Джейн и подняла страшный хай. Моя мама умеет подымать хай из-за таких вещей. А потом случилось так, что через несколько дней я увидел Джейн около бассейна нашего клуба, она лежала на животе, и я с ней поздоровался. Я знал, что она живет рядом с нами, но я никогда с ней не разговаривал. Но сначала, когда я с ней поздоровался, она меня просто обдала холодом. Я из кожи лез, доказывал ей, что мне-то в высшей степени наплевать, где ее собака гадит. Пусть хоть в гостиную бегает, мне все равно. В общем, после этого мы с Джейн очень подружились. Я в тот же день играл с ней в гольф. Как сейчас помню, она потеряла восемь мячей. Да, восемь! Я просто с ней замучился, пока научил ее хотя бы открывать глаза, когда бьешь по мячу. Но я ее здорово натренировал. Я очень хорошо играю в гольф. Если бы я сказал вам, во сколько кругов я кончаю игру, вы бы не поверили. Меня раз чуть не сняли для короткометражки, только я в последнюю минуту передумал. Я подумал, что если так ненавидеть кино, как я его ненавижу, так нечего выставляться напоказ и давать себя снимать для короткометражки.

Смешная она была девчонка, эта Джейн. Я бы не сказал, что она была красавица. А мне она нравилась. Такая большеротая. Особенно когда она из-за чего-нибудь волновалась и начинала говорить, у нее рот так и ходил ходуном. Я просто балдел. И она никогда его не закрывала как следует, всегда он был у нее приоткрыт, особенно когда она играла в гольф или читала книжки. Вечно она читала, и все хорошие книжки. Особенно стихи. Кроме моих родных, я ей одной показывал рукавицу Алли, всю исписанную стихами. Она не знала Алли, потому что только первое лето проводила в Мейне – до этого она ездила на мыс Код, но я ей много чего рассказывал про него. Ей было интересно, она любила про него слушать.

Моей маме она не очень нравилась. Дело в том, что маме казалось, будто Джейн и ее мать относятся к ней свысока, оттого что они не всегда с ней здоровались. Мама их часто встречала в поселке, потому что Джейн ездила со своей матерью на рынок на машине. Моей маме Джейн даже не казалась хорошенькой. А мне казалась. Мне нравилось, как она выглядит, и все.

Особенно я помню один день. Это был единственный раз, когда мы с Джейн поцеловались, да и то не по-настоящему. Была суббота, и дождь лил как из ведра, а я сидел у них на веранде — у них была огромная застекленная веранда. Мы играли в шашки. Иногда я ее поддразнивал за то, что она не выводила дамки из последнего ряда. Но я ее не очень дразнил. Ее как-то дразнить не хотелось. Я-то ужасно люблю дразнить девчонок до слез, когда случай подвернется, но смешно вот что: когда мне девчонка всерьез нравится, совершенно не хочется ее дразнить. Иногда я думаю, что ей хочется, чтобы ее подразнили, я даже наверняка знаю, что хочется, но если ты с ней давно знаком и никогда ее не дразнил, то как-то трудно начать ее изводить. Так вот, я начал рассказывать про тот день, когда мы с Джейн поцеловались. Дождь лил как оголтелый, мы сидели у них на веранде, и вдруг этот пропойца, муж ее матери, вышел на веранду и спросил у Джейн, есть ли сигареты в доме. Я его мало знал, но он не из тех, кто будет с тобой разговаривать. Только если ему что-нибудь от тебя нужно. Отвратительный тип. А Джейн даже не ответила ему, когда он спросил, есть ли в доме сигареты. Он опять спросил, а она опять не ответила. Она даже глаз не подняла от доски. Потом он ушел в дом. А когда он ушел, я спросил Джейн, в чем дело. Она и мне не стала отвечать. Сделала вид, что обдумывает ход. И вдруг на доску капнула слеза. Прямо на красное поле, черт, я как сейчас вижу. А Джейн только размазала слезу пальцем по красному полю, и все. Не знаю почему, но я ужасно расстроился. Встал, подошел к ней и заставил ее потесниться, чтобы сесть с ней рядом, я чуть ли не на колени к ней уселся. И тут она расплакалась по-настоящему – и, прежде чем я мог сообразить, я уже целовал ее куда попало: в глаза, лоб, в нос, в брови, даже в уши. Только в губы не поцеловал, она как-то все время отводила губы. Во всяком случае, больше, чем в тот раз, мы никогда не целовались. Потом она встала, пошла в комнату и надела свой свитер, красный с белым, от которого я просто обалдел, и мы пошли в какое-то дрянное кино.

По дороге я ее спросил, не пристает ли к ней этот мистер Кюдехи – этот самый пьяница. Хотя она была еще маленькая, но фигура у нее была чудесная, и вообще я бы за эту сволочь, этого Кюдехи, не поручился. Она сказала – нет. Так я и не узнал, из-за чего она ревела.

Вы только не подумайте, что она была какая-нибудь ледышка, оттого что мы никогда не целовались и не обнимались. Вовсе нет. Например, мы с ней всегда держались за руки. Я понимаю, это не в счет, но с ней замечательно было держаться за руки. Когда с другими девчонками держишься за руки, у них рука как мертвая или они все время вертят рукой, будто боятся, что иначе тебе надоест. А Джейн была совсем другая. Придем с ней в какое-нибудь кино, и сразу возьмемся за руки, и не разнимаем рук, пока картина не кончится. И даже не думаем ни о чем, не шелохнемся. С Джейн я никогда не беспокоился, потеет у меня ладонь или нет. Просто с ней было хорошо. Удивительно хорошо.

И еще я вспомнил одну штуку. Один раз в кино Джейн сделала мне такое, что я просто обалдел. Шла кинохроника или еще что-то, и вдруг я почувствовал, что меня кто-то гладит по голове, – оказалось, Джейн. Удивительно странно все-таки. Ведь она была еще маленькая, а обычно женщины гладят кого-нибудь по голове, когда им уже лет тридцать, и гладят они своего мужа или ребенка. Я иногда глажу свою сестренку по голове – редко, конечно. А тут она, сама еще маленькая, и вдруг гладит тебя по голове. И это у нее до того мило вышло, что я просто очумел.

Словом, про все про это я и думал — сидел в этом поганом кресле в холле и думал. Да, Джейн. Как вспомню, что она сидела с этим подлым Стрэдлейтером в этой чертовой машине, так схожу с ума. Знаю, она ему ничего такого не позволила, но все равно я с ума сходил. По правде говоря, мне даже вспоминать об этом не хочется.

В холле уже почти никого не было. Даже все шлюховатые блондинки куда-то исчезли. Мне страшно хотелось убраться отсюда к чертям. Тоска ужасная. И я совсем не устал. Я пошел к себе в номер, надел пальто. Выглянул в окно посмотреть, что делают все эти психи, но света нигде не было. Я опять спустился в лифте, взял такси и велел везти себя к Эрни. Это такой ночной кабак в Гринич-Вилледж. Мой брат, Д.Б., ходил туда очень часто, пока не запродался в Голливуд. Он и меня несколько раз брал с собой. Сам Эрни — громадный негр, играет на рояле. Он ужасный сноб и не станет с тобой разговаривать, если ты не знаменитость и не важная шишка, но играет он здорово. Он так здорово играет, что иногда даже противно. Я не умею как следует объяснить, но это так. Я очень люблю слушать, как он играет, но иногда мне хочется перевернуть его проклятый рояль вверх тормашками. Наверно, это оттого, что иногда по его игре слышно, что он задается и не станет с тобой разговаривать, если ты не какая-нибудь шишка.

12

Такси было старое и воняло так, будто кто-то стравил тут свой ужин. Вечно мне попадаются такие тошнотворные такси, когда я езжу ночью. А тут еще вокруг было так тихо, так пусто, что становилось еще тоскливее. На улице ни души, хоть была суббота. Иногда пройдет какая-нибудь пара, обнявшись, или хулиганская компания с девицами, гогочут, как гиены, хоть, наверно, ничего смешного нет. Нью-Йорк вообще страшный, когда ночью пусто и кто-то гогочет. На сто миль слышно. И так становится тоскливо и одиноко. Ужасно хотелось вернуться домой, потрепаться с сестренкой. Но потом я разговорился с водителем. Звали его Горвиц. Он был гораздо лучше того первого шофера, с которым я ехал. Я и подумал, может быть, хоть он знает про уток.

– Слушайте, Горвиц, – говорю, – вы когда-нибудь проезжали мимо пруда в Центральном парке? Там, у Южного выхода?

– Что-что?

– Там пруд. Маленькое такое озерцо, где утки плавают. Да вы, наверно, знаете.

– Ну, знаю, и что?

– Видели, там утки плавают? Весной и летом. Вы случайно не знаете, куда они деваются зимой?

– Кто девается?

– Да утки! Может, вы случайно знаете? Может, кто-нибудь подъезжает на грузовике и увозит их или они сами улетают куда-нибудь на юг?

Тут Горвиц обернулся и посмотрел на меня. Он, как видно, был ужасно раздражительный, хотя, в общем, и ничего.

– Почем я знаю, черт возьми! – говорит. – За каким чертом мне знать всякие глупости?

– Да вы не обижайтесь, – говорю. Видно было, что он ужасно обиделся.

– А кто обижается? Никто не обижается.

Я решил с ним больше не заговаривать, раз его это так раздражает. Но он сам начал. Опять обернулся ко мне и говорит:

— Во всяком случае, рыбы никуда не деваются. Рыбы там и остаются. Сидят себе в пруду, и все.

— Так это большая разница, — говорю, — то рыбы, а я спрашиваю про уток.

— Где тут разница, где? Никакой разницы нет, — говорит Горвиц. И по голосу слышно, что он сердится. — Господи ты боже мой, да рыбам зимой еще хуже, чем уткам. Вы думайте головой, господи боже!

Я помолчал, помолчал, потом говорю:

— Ну ладно. А рыбы что делают, когда весь пруд промерзнет насквозь и по нему даже на коньках катаются?

Тут он как обернется да как заорет на меня:

— То есть как это — что рыбы делают? Сидят себе там, и все!

— Не могут же они не чувствовать, что кругом лед. Они же это чувствуют.

— А кто сказал, что не чувствуют? Никто не говорил, что они не чувствуют! — крикнул Горвиц. Он так нервничал, я даже боялся, как бы он не налетел на столб. — Да они живут в самом льду, понятно? Они от природы такие, черт возьми! Вмерзают в лед на всю зиму, понятно?

— Да? А что же они едят? Если они вмерзают, они же не могут плавать, искать себе еду!

— Да как же вы не понимаете, господи! Их организм сам питается, понятно? Там во льду водоросли, всякая дрянь. У них поры открыты, они через поры всасывают пищу. Их природа такая, господи боже мой! Вам понятно или нет?

— Угу. — Я с ним не стал спорить. Боялся, что он разобьет к черту машину. Раздражительный такой, с ним и спорить неинтересно. — Может быть, заедем куда-нибудь, выпьем? — спрашиваю.

— Некогда мне пить, братец мой! — говорит. — Кстати, сколько вам лет? Чего вы до сих пор спать не ложитесь?

— Не хочется.

Когда я вышел около Эрни и расплатился, старик Горвиц опять заговорил про рыб.

– Слушайте, – говорит, – если бы вы были рыбой, неужели мать-природа о вас не позаботилась бы? Что? Уж не воображаете ли вы, что все рыбы дохнут, когда начинается зима?

– Нет, не дохнут, но...

– Ага! Значит, не дохнут! – крикнул Горвиц и умчался как сумасшедший. В жизни не видел таких раздражительных типов. Что ему ни скажешь, на все обижается.

Даже в такой поздний час у Эрни было полным-полно. Больше всего – пижонов из школ и колледжей. Все школы рано кончают перед Рождеством, только мне не везет. В гардеробной номерков не хватало, так было тесно. Но стояла тишина – сам Эрни играл на рояле. Как в церкви, ей-богу: стоило ему сесть за рояль – сплошное благоговение, все на него молятся. А по-моему, ни на кого молиться не стоит. Рядом со мной какие-то пары ждали столиков, и все толкались, становились на цыпочки, лишь бы взглянуть на этого Эрни. У него над роялем висело огромное зеркало, и сам он был освещен прожектором, чтоб все видели его лицо, когда он играл. Рук видно не было – только его физиономия. Здорово заверчено. Не знаю, какую вещь он играл, когда я вошел, но он изгадил всю музыку. Пускал эти дурацкие показные трели на высоких нотах, вообще кривлялся так, что у меня живот заболел. Но вы бы слышали, что вытворяла толпа, когда он кончил. Вас бы, наверно, стошнило. С ума посходили. Совершенно как те идиоты в кино, которые гогочут, как гиены, в самых несмешных местах. Клянусь богом, если б я играл на рояле или на сцене и нравился этим болванам, я бы считал это личным оскорблением. На черта мне их аплодисменты? Они всегда не тому хлопают, чему надо.

Если бы я был пианистом, я бы заперся в кладовке и там играл. А когда Эрни кончил и все стали хлопать как одержимые, он повернулся на табурете и поклонился этаким деланным, смиренным поклоном. Притворился, что он, мол, не только замечательный пианист, но еще и скромный до чертиков. Все это была сплошная липа — он такой сноб, каких свет не видал. Но мне все-таки было его немножко жаль. По-моему, он сам уже не разбирается, хорошо он играет или нет. Но он тут ни при чем. Виноваты эти болваны, которые ему хлопают, — они кого угодно испортят, им только дай волю. А у меня от всего этого опять настроение стало ужасное, такое гнусное, что я чуть не взял пальто и не вернулся к себе в гостиницу, но было слишком рано и мне очень не хотелось оставаться одному.

Наконец мне дали этот паршивый стол, у самой стенки, за каким-то столбом — ничего оттуда видно не было. Столик был крохотный, угловой, за него можно было сесть, только если за соседним столом все встанут и пропустят тебя — да разве эти гады встанут? Я заказал виски с содовой, это мой любимый напиток после дайкири со льдом. У Эрни всем подавали, хоть шестилетним, там было почти темно, а кроме того, никому дела не было, сколько тебе лет. Даже на каких-нибудь наркоманов и то внимания не обращали.

Вокруг были одни подонки. Честное слово, не вру. У другого маленького столика, слева, чуть ли не на мне сидел ужасно некрасивый тип с ужасно некрасивой девицей. Наверно, мои ровесники — может быть, чуть постарше. Смешно было на них смотреть. Они старались пить свою порцию как можно медленнее. Я слушал, о чем они говорят, — все равно делать было нечего. Он рассказывал ей о каком-то футбольном матче, который он видел в этот день. Подробно, каждую минуту игры, честное слово. Такого скучного разговора я никогда не слыхал. И видно было, что его девицу ничуть не интересовал этот матч, но она была ужасно некрасивая, даже хуже его, так что ей ничего не оставалось, как слушать. Некрасивым девушкам очень плохо приходится. Мне их иногда до того жалко, что я даже смотреть на них не могу, особенно когда они сидят с каким-нибудь шизиком, который рассказывает им про свой идиотский футбол. А справа от меня разговор был еще хуже. Справа сидел такой йельский франт в сером фланелевом костюме и в очень стильной жилетке. Все эти хлюпики из аристократических землячеств похожи друг на дружку. Отец хочет отдать меня в Йель или в Принстон, но, клянусь, меня в эти аристократические колледжи никакими силами не заманишь, лучше умереть, честное слово. Так вот, с этим аристократишкой была изумительно красивая девушка. Просто красавица. Но вы бы послушали, о чем они разговаривали. Во-первых, оба слегка подвыпили. Он ее тискал под столом, а сам в это время рассказывал про какого-то типа из их общежития, который съел целую склянку аспирина и чуть не покончил с собой. Девушка все время говорила: «Ах какой ужас... Не надо, милый... Ну, прошу тебя... Только не здесь». Вы только представьте себе – тискать девушку и при этом рассказывать ей про какого-то типа, который собирался покончить с собой! Смех, да и только.

Я уже весь зад себе отсидел, скука была страшная. И делать нечего, только пить и курить. Правда, я велел официанту спросить самого Эрни, не выпьет ли он со мной. Я ему велел сказать, что я брат Д.Б. Но тот, помоему, даже не передал ничего. Разве эти скоты когданибудь передадут?

И вдруг меня окликнула одна особа:

– Холден Колфилд!

Звали ее Лилиан Симмонс. Мой брат, Д.Б., за ней когда-то приударял. Грудь у нее была необъятная.

– Привет, – говорю. Я, конечно, пытался встать, но это было ужасно трудно в такой тесноте. С ней пришел морской офицер, он стоял, как будто ему в зад всадили кочергу.

— Как я рада тебя видеть! — говорит Лилиан Симмонс. Врет, конечно. — А как поживает твой старший брат? — Это-то ей и надо было знать.

— Хорошо. Он в Голливуде.

— В Голливуде! Какая прелесть! Что же он там делает?

— Не знаю. Пишет, — говорю. Мне не хотелось распространяться. Видно было, что она считает огромной удачей, что он в Голливуде. Все так считают, особенно те, кто никогда не читал его рассказов. А меня это бесит.

— Как увлекательно! — говорит Лилиан и знакомит меня со своим моряком. Звали его капитан Блоп или что-то в этом роде. Он из тех, кто думает, что его будут считать бабой, если он не сломает вам все сорок пальцев, когда жмет руку. Фу, до чего я это ненавижу! — Ты тут один, малыш? — спрашивает Лилиан. Она загораживала весь проход, и видно было, что ей нравится никого не пропускать. Официант стоял и ждал, когда же она отойдет, а она и не замечала его. Удивительно глупо. Сразу было видно, что официанту она ужасно не нравилась; наверно, и моряку она не нравилась, хоть он и привел ее сюда. И мне она не нравилась. Никому она не нравилась. Даже стало немножко жаль ее.

— Разве у тебя нет девушки, малыш? — спрашивает.

Я уже встал, а она даже не потрудилась сказать, чтобы я сел. Такие могут часами продержать тебя на ногах.

— Правда, он хорошенький? — спросила она моряка. — Холден, ты с каждым днем хорошеешь!

Тут моряк сказал ей, чтобы она проходила. Он сказал, что она загородила весь проход.

— Пойдем сядем с нами, Холден, — говорит она. — Возьми свой стакан.

— Да я уже собираюсь уходить, — говорю я. — У меня свидание.

Видно было, что она ко мне подлизывается, чтобы я потом рассказал про нее Д.Б.

– Ах ты, чертенок! Ну, молодец! Когда увидишь своего старшего брата, скажи, что я его ненавижу!

И она ушла. Мы с моряком сказали, что очень рады были познакомиться.

Мне всегда смешно. Вечно я говорю «очень приятно с вами познакомиться», когда мне ничуть не приятно. Но если хочешь жить с людьми, приходится говорить всякое.

Мне ничего не оставалось делать, как только уйти – я ей сказал, что у меня свидание. Даже нельзя было остаться послушать, как Эрни играет что-то более или менее пристойное. Но не сидеть же мне с этой Лилиан Симмонс и с ее моряком – скука смертная! Я и ушел. Но я ужасно злился, когда брал пальто. Вечно люди тебе все портят.

13

Я пошел пешком до самого отеля. Сорок один квартал – не шутка! И не потому я пошел пешком, что мне хотелось погулять, а просто потому, что ужасно не хотелось опять садиться в такси. Иногда надоедает ездить в такси, даже подыматься на лифте и то надоедает. Вдруг хочется идти пешком, хоть и далеко или высоко. Когда я был маленький, я часто подымался пешком до самой нашей квартиры. На двенадцатый этаж.

Не похоже было, что недавно шел снег. На тротуарах его совсем не было. Но холод стоял жуткий, и я вытащил свою охотничью шапку из кармана и надел ее – мне было безразлично, какой у меня вид. Я даже наушники опустил. Эх, знал бы я, кто стащил мои перчатки в Пэнси! У меня здорово мерзли руки. Впрочем, даже если б я знал, я бы все равно ничего не сделал. Я по природе трус. Стараюсь не показывать, но я трус. Например, если бы я узнал в Пэнси, кто украл мои перчатки, я бы, наверно, пошел к этому жулику и сказал: «Ну-ка отдай мои перчатки!» А жулик, который их стащил, наверно, сказал бы самым невинным голосом: «Какие перчатки?» Тогда я, наверно, открыл бы его шкаф и нашел там где-нибудь свои перчатки. Они, наверно, были бы спрятаны в его поганых галошах. Я бы их вынул и показал этому типу и сказал: «Может быть, это твои перчатки?» А этот жулик, наверно, притворился бы этаким невинным младенцем и сказал: «В жизни не видел этих перчаток. Если они твои, бери их, пожалуйста, на черта они мне?»

А я, наверно, стоял бы перед ним минут пять. И перчатки держал бы в руках, а сам чувствовал бы — надо ему дать по морде, разбить ему морду, и все. А храбрости у меня не хватило бы. Я бы стоял и делал злое лицо. Может быть, я сказал бы ему что-нибудь ужасно обидное — это вместо того, чтобы разбить ему морду. Но возможно, что, если б я ему сказал что-нибудь обидное, он бы встал, подошел ко мне и сказал: «Слушай, Колфилд, ты, кажется, назвал меня жуликом?» И вместо того, чтобы сказать: «Да, назвал, грязная ты скотина, мерзавец!», я бы, наверно, сказал: «Я знаю только, что эти чертовы перчатки оказались в твоих галошах!» И тут он сразу понял бы, что я его бить не стану, и, наверно, сказал бы: «Слушай, давай начистоту: ты меня обзываешь вором, да?» И я ему, наверно, ответил бы: «Никто никого вором не обзывал. Знаю только, что мои перчатки оказались в твоих поганых галошах». И так до бесконечности.

В конце концов я, наверно, вышел бы из его комнаты и даже не дал бы ему по морде. А потом я, наверно, пошел бы в уборную, выкурил бы тайком сигарету и делал бы перед зеркалом свирепое лицо. В общем, я про это думал всю дорогу, пока шел в гостиницу. Неприятно быть трусом.

Возможно, что я не совсем трус. Сам не знаю. Может быть, я отчасти трус, а отчасти мне наплевать, пропали мои перчатки или нет. Это мой большой недостаток – мне плевать, когда у меня что-нибудь пропадает.

Мама просто из себя выходила, когда я был маленький. Другие могут целыми днями искать, если у них что-то пропало. А у меня никогда не было такой вещи, которую я бы пожалел, если б она пропала. Может быть, я поэтому и трусоват. Впрочем, нельзя быть трусом. Если ты должен кому-то дать в морду и тебе этого хочется, надо бить. Но я не могу. Мне легче было бы выкинуть человека из окошка или отрубить ему голову топором, чем ударить по лицу. Ненавижу кулачную расправу. Лучше уж пусть меня бьют – хотя мне это вовсе не по вкусу, сами понимаете, – но я ужасно боюсь бить человека по лицу, лица его боюсь. Не могу смотреть ему в лицо, вот беда. Если б хоть нам обоим завязать глаза, было бы не так противно. Странная трусость, если подумать, но все же это трусость. Я себя не обманываю.

И чем больше я думал о перчатках и о трусости, тем сильнее у меня портилось настроение, и я решил по дороге зайти куда-нибудь выпить. У Эрни я выпил всего три рюмки, да и то третью не допил. Одно могу сказать – пить я умею. Могу хоть всю ночь пить, и ничего не будет заметно, особенно если я в настроении. В Хуттонской школе мы с одним приятелем, с Раймондом Голдфарбом, купили пинту виски и выпили ее в капелле в субботу вечером, там нас никто не видел. Он был пьян в стельку, а по мне ничего не было заметно, я только держался очень независимо и беспечно. Меня стошнило, когда я ложился спать, но это я нарочно – мог бы и удержаться.

Словом, по дороге в гостиницу я совсем собрался зайти в какой-то захудалый бар, но оттуда вывалились двое совершенно пьяных и стали спрашивать, где метро. Один из них, настоящий испанец с виду, все время дышал мне в лицо вонючим перегаром, пока я объяснял, как им пройти. Я даже не зашел в этот гнусный бар, просто вернулся к себе в гостиницу.

В холле ни души, только застоялый запах пятидесяти миллионов сигарных окурков. Вонища. Спать мне не хотелось, но чувствовал я себя прескверно. Настроение убийственное. Жить не хотелось.

И тут я влип в ужасную историю.

Не успел я войти в лифт, как лифтер сказал:

– Желаете развлечься, молодой человек? А может, вам уже поздно?

– Вы о чем? – спрашиваю. Я совершенно не понял, куда он клонит.

– Желаете девочку на ночь?

– Я? – говорю. Это было ужасно глупо, но неловко, когда тебя прямо так и спрашивают.

– Сколько вам лет, шеф? – говорит он вдруг.

– А что? – говорю. – Мне двадцать два.

– Ага. Ну так как же? Желаете? Пять долларов на время, пятнадцать за ночь. – Он взглянул на часы. – До двенадцати дня. Пять на время, пятнадцать за ночь.

– Ладно, – говорю. Принципиально я против таких вещей, но меня до того тоска заела, что я даже не подумал. В том-то и беда: когда тебе скверно, ты даже думать не можешь.

– Что «ладно»? На время или на всю ночь?

– На время, – говорю.

– Идет. А в каком вы номере?

Я посмотрел на красный номерок на ключе.

– Двенадцать двадцать два, – говорю. Я уже жалел, что затеял все это, но отказываться было поздно.

– Ладно, пришлю ее минут через пятнадцать. – Он открыл дверь лифта, и я вышел.

– Эй, погодите, а она хорошенькая? – спрашиваю. – Мне старухи не надо.

– Какая там старуха! Не беспокойтесь, шеф!

– А кому платить?

– Ей, – говорит. – Пустите-ка, шеф! – И он захлопнул дверь прямо перед моим носом.

Я вошел в номер, примочил волосы, но я ношу ежик, его трудно как следует пригладить. Потом я попробовал, пахнет ли у меня изо рта от всех этих сигарет и от виски с содовой, которое я выпил у Эрни. Это просто: надо приставить ладонь ко рту и дыхнуть вверх, к носу. Пахло не очень, но я все-таки почистил зубы. Потом надел чистую рубашку.

Я не знал, надо ли переодеваться ради проститутки, но так хоть дело нашлось, а то я нервничал. Правда, я уже был немного возбужден и все такое, но все же что-то нервничал. Если уж хотите знать правду, так я девственник. Честное слово. Сколько раз представлялся случай потерять невинность, но так ничего и не вышло. Вечно что-нибудь мешает. Например, если ты у девчонки дома, так родители приходят не вовремя, вернее, боишься, что они придут. А если сидишь с девушкой в чьей-нибудь машине на заднем сиденье, так впереди обязательно сидит другая девчонка, все время оборачивается и смотрит, что у нас делается. Словом, всегда что-нибудь мешает. Все-таки раза два это чуть-чуть не случилось. Особенно один раз, это я помню. Но что-то помешало, только я уже забыл, что именно. Главное, что как только дойдет до этого, так девчонка, если она не проститутка или вроде того, обязательно скажет: «Не надо, перестань». И вся беда в том, что я ее слушаюсь. Другие не слушаются. А я не могу. Я слушаюсь. Никогда не знаешь — ей и вправду не хочется, или она просто боится, или она нарочно говорит «перестань», чтобы ты был виноват, если что случится, а не она. Словом, я сразу слушаюсь. Главное, мне их всегда жалко. Понимаете, девчонки такие дуры, просто беда. Их как начнешь целовать и все такое, они сразу теряют голову. Вы поглядите на девчонку, когда она как следует распалится, — дура дурой! Я и сам не знаю: они говорят «не надо», а я их слушаюсь. Потом жалеешь, когда проводишь ее домой, но все равно я всегда слушаюсь.

А тут, пока я менял рубашку, я подумал, что наконец представился случай. Подумал, раз она проститутка, так, может быть, я у нее хоть чему-нибудь научусь – а вдруг мне когда-нибудь придется жениться? Меня это иногда беспокоит. В Хуттонской школе я как-то прочитал одну книжку про одного ужасно утонченного, изящного и распутного типа. Его звали мсье Бланшар, как сейчас помню. Книжка гадостная, но этот самый Бланшар ничего. У него был здоровенный замок на Ривьере, в Европе, и в свободное время он главным образом лупил палкой каких-то баб. Вообще он был храбрый и все такое, но женщин он избивал до потери сознания. В одном месте он говорит, что тело женщины – скрипка и что надо быть прекрасным музыкантом, чтобы заставить его звучать. В общем, дрянная книжица – это я сам знаю, – но эта скрипка никак у меня не выходила из головы. Вот почему мне хотелось немножко подучиться на случай, если я женюсь. Колфилд и его волшебная скрипка, черт возьми! В общем, пошлятина, а может быть, и не совсем. Мне бы хотелось быть опытным во всяких таких делах. А то, по правде говоря, когда я с девчонкой, я и не знаю как следует, что с ней делать. Например, та девчонка, про которую я рассказывал, что мы с ней чуть не спутались, так я битый час возился, пока стащил с нее этот проклятый лифчик. А когда наконец стащил, она мне готова была плюнуть в глаза.

Ну так вот, я ходил по комнате и ждал, пока эта проститутка придет. Я все думал – хоть бы она была хорошенькая. Впрочем, мне было все равно. Лишь бы это поскорее кончилось. Наконец кто-то постучал, и я пошел открывать, но чемодан стоял на самой дороге, и я об него споткнулся и грохнулся так, что чуть не сломал ногу. Всегда я выбираю самое подходящее время, чтоб споткнуться обо что-нибудь.

Я открыл двери – и за ними стояла эта проститутка. Она была в спортивном пальто, без шляпы. Волосы у нее были светлые, но, видно, она их подкрашивала. И вовсе не старая.

— Здравствуйте! — говорю самым светским тоном, будь я неладен.

— Это про вас говорил Морис? — спрашивает. Вид у нее был не очень-то приветливый.

— Это лифтер?

— Лифтер, — говорит.

— Да, про меня. Заходите, пожалуйста! — говорю. Я разговаривал все непринужденней, ей-богу! Чем дальше, тем непринужденней.

Она вошла, сразу сняла пальто и швырнула его на кровать. На ней было зеленое платье. Потом она села как-то бочком в кресло у письменного стола и стала качать ногой вверх и вниз. Положила ногу на ногу и качает одной ногой то вверх, то вниз. Нервничает, даже не похоже на проститутку. Наверно, оттого, что она была совсем девчонка, ей-богу. Чуть ли не моложе меня. Я сел в большое кресло рядом с ней и предложил ей сигарету.

— Не курю, — говорит. Голос у нее был тонкий-претонкий. И говорит еле слышно. Даже не сказала спасибо, когда я предложил сигарету. Видно, ее этому не учили.

— Разрешите представиться, — говорю. — Меня зовут Джим Стил.

— Часы у вас есть? — говорит. Плевать ей было, как меня зовут. — Слушайте, — говорит, — а сколько вам лет?

— Мне? Двадцать два.

— Будет врать-то!

Странно, что она так сказала. Как настоящая школьница. Можно было подумать, что проститутка скажет: «Да как же, черта лысого!» или «Брось заливать!», а не по-детски: «Будет врать-то!»

— А вам сколько? — спрашиваю.

— Сколько надо! — говорит. Даже острит, подумайте! — Часы у вас есть? — спрашивает, потом вдруг встает и снимает платье через голову.

Мне стало ужасно не по себе, когда она сняла платье. Так неожиданно, честное слово. Знаю, если при тебе вдруг снимают платье через голову, так ты должен что-то испытывать, какое-то возбуждение или вроде того, но я ничего не испытывал. Наоборот – я только смутился и ничего не почувствовал.

– Часы у вас есть?

– Нет, нет, – говорю. Ох, как мне было неловко! – Как вас зовут? – спрашиваю. На ней была только одна розовая рубашонка. Ужасно неловко. Честное слово, неловко.

– Санни, – говорит. – Ну, давай-ка.

– А разве вам не хочется сначала поговорить? – спросил я. Ребячество, конечно, но мне было ужасно неловко. – Разве вы так спешите?

Она посмотрела на меня как на сумасшедшего.

– О чем тут разговаривать? – спрашивает.

– Не знаю. Просто так. Я думал, может быть, вам хочется поболтать.

Она опять села в кресло у стола. Но ей это не понравилось. Она опять стала качать ногой – очень нервная девчонка!

– Может быть, хотите сигарету? – спрашиваю. Забыл, что она не курит.

– Я не курю. Слушайте, если у вас есть о чем говорить – говорите. Мне некогда.

Но я совершенно не знал, о чем с ней говорить. Хотел было спросить, как она стала проституткой, но побоялся. Все равно она бы мне не сказала.

– Вы сами не из Нью-Йорка! – говорю. Больше я ничего не мог придумать.

– Нет, из Голливуда, – говорит. Потом встала и подошла к кровати, где лежало ее платье. – Плечики у вас есть? А то как бы платье не измялось. Оно только что из чистки.

– Конечно есть! – говорю.

Я ужасно обрадовался, что нашлось какое-то дело. Взял ее платье, повесил его в шкаф на плечики. Странное дело, но мне стало как-то грустно, когда я его вешал. Я себе представил, как она заходит в магазин, и покупает платье, и никто не подозревает, что она проститутка. Приказчик, наверно, подумал, что она просто обыкновенная девочка, и все. Ужасно мне стало грустно, сам не знаю почему.

Потом я опять сел, старался завести разговор. Но разве с такой собеседницей поговоришь?

– Вы каждый вечер работаете? – спрашиваю и сразу понял, что вопрос ужасный.

– Ага, – говорит. Она уже ходила по комнате. Взяла меню со стола, прочла его.

– А днем вы что делаете?

Она пожала плечами. А плечи худые-худые.

– Сплю. Хожу в кино. – Она положила меню и посмотрела на меня. – Слушай, чего ж это мы? У меня времени нет...

– Знаете что? – говорю. – Я себя неважно чувствую. День был трудный. Честное благородное слово. Я вам заплачу и все такое, но вы на меня не обидитесь, если ничего не будет? Не обидитесь?

Плохо было то, что мне ни черта не хотелось. По правде говоря, на меня тоска напала, а не какое-нибудь возбуждение. Она нагоняла на меня жуткую тоску. А тут еще ее зеленое платье висит в шкафу. Да и вообще, как можно этим заниматься с человеком, который полдня сидит в каком-нибудь идиотском кино? Не мог я, и все, честное слово.

Она подошла ко мне и так странно посмотрела, будто не верила.

– А в чем дело? – спрашивает.

– Да ни в чем, – говорю. Тут я и сам стал нервничать. – Но я совсем недавно перенес операцию.

– Ну? А что тебе резали?

– Это самое – ну, клавикорду!

– Да? А где же это такое?

– Клавикорда? – говорю. – Знаете, она фактически внутри, в спинномозговом канале. Очень, знаете, глубоко, в самом спинном мозгу.

– Да? – говорит. – Это скверно! – И вдруг плюхнулась ко мне на колени. – А ты хорошенький!

Я ужасно нервничал. Врал вовсю.

– И еще не совсем поправился, – говорю.

– Ты похож на одного артиста в кино. Знаешь? Ну, как его? Да ты знаешь. Как же его зовут?

– Не знаю, – говорю. А она никак не слезает с моих коленей.

– Да нет, знаешь! Он был в картине с Мельвином Дугласом. Ну, тот, который играл его младшего брата. Тот, что упал с лодки. Вспомнил?

– Нет, не вспомнил. Я вообще почти не хожу в кино.

Тут она вдруг стала баловаться. Грубо так, понимаете.

– Перестаньте, пожалуйста, – говорю. – Я не в настроении. Я же вам сказал – я только что перенес операцию.

Она с моих колен не встала, но вдруг покосилась на меня – а глаза злющие-презлющие.

– Слушай-ка, – говорит, – я уже спала, а этот чертов Морис меня разбудил. Что я, по-твоему...

– Да я же сказал, что заплачу вам. Честное слово, заплачу. У меня денег уйма. Но я только что перенес серьезную операцию, я еще не поправился.

– Так какого черта ты сказал этому дураку Морису, что тебе нужно девочку? Раз тебе оперировали эту твою, как ее там... Зачем ты сказал?

– Я думал, что буду чувствовать себя много лучше. Но я слишком преждевременно понадеялся. Серьезно говорю. Не обижайтесь. Вы на минутку встаньте, я только возьму бумажник. Встаньте на минуту!

Злая она была как черт, но все-таки встала с моих коленей, так что я смог подойти к шкафу и достать бумажник. Я вынул пять долларов и подал ей.

– Большое спасибо, – говорю. – Огромное спасибо.

– Тут пять. А цена – десять.

Видно было, она что-то задумала. Недаром я боялся, я был уверен, что так и будет.

– Морис сказал: пять, – говорю. – Он сказал: до утра пятнадцать, а на время пять.

– Нет, десять.

– Он сказал – пять. Простите, честное слово, но больше я не могу.

Она пожала плечами, как раньше, очень презрительно:

– Будьте так добры, дайте мне платье. Если только вам не трудно, конечно!

Жуткая девчонка. Говорит таким тонким голоском, и все равно с ней жутковато. Если бы она была толстая старая проститутка, вся намазанная, было бы не так жутко.

Достал я ее платье. Она его надела, потом взяла пальтишко с кровати.

– Ну, пока, дурачок! – говорит.

– Пока! – говорю. Я не стал ее благодарить. И хорошо, что не стал.

14

Она ушла, я сел в кресло и выкурил две сигареты подряд. За окном уже светало. Господи, до чего мне было плохо. Такая тощища, вы себе представить не можете. И я стал разговаривать вслух с Алли. Я с ним часто разговариваю, когда меня тоска берет. Я ему говорю – пускай возьмет свой велосипед и ждет меня около дома Бобби Феллона. Бобби Феллон жил рядом с нами в Мейне – еще тогда, давно. И случилось вот что: мы с Бобби решили ехать к озеру Седебиго на велосипедах. Собирались взять с собой завтрак и все, что надо, и наши мелкокалиберные ружья – мы были совсем мальчишки, думали, из мелкокалиберных можно настрелять дичи. В общем, Алли услыхал, как мы договорились, и стал проситься с нами, а я его не взял, сказал, что он еще маленький. А теперь, когда меня берет тоска, я ему говорю: «Ладно, бери велосипед и жди меня около Бобби Феллона. Только не копайся!»

И не то чтоб я его никогда не брал с собой. Нет, брал. Но в тот день не взял. А он ничуть не обиделся – он никогда не обижался, – но я всегда про это вспоминаю, особенно когда становится очень уж тоскливо.

Наконец я все-таки разделся и лег. Лег и подумал: помолиться, что ли? Но ничего не вышло. Не могу я молиться, даже когда мне хочется. Во-первых, я отчасти атеист. Христос мне, в общем, нравится, но вся остальная муть в Библии – не особенно. Взять, например, апостолов. Меня они, по правде говоря, раздражают до чертиков. Конечно, когда Христос умер, они вели себя ничего, но пока он жил, ему от них было пользы, как от дыры в башке. Все время они его подводили. Мне в Библии меньше всего нравятся эти апостолы. Сказать по правде, после Христа я больше всего люблю в Библии этого чудачка, который жил в пещере и все время царапал себя камнями и так далее. Я его, дурака несчастного, люблю в десять раз больше, чем всех этих апостолов. Когда я был в Хуттонской школе, я вечно спорил с одним типом на нашем этаже, с Артуром Чайлдсом. Этот Чайлдс был квакер и вечно читал Библию. Он был славный малый, я его любил, но мы с ним расходились во мнениях насчет Библии, особенно насчет апостолов. Он меня уверял, что, если я не люблю апостолов, значит, я и Христа не люблю. Он говорит, раз Христос сам выбрал себе апостолов, значит, надо их любить. А я говорил – знаю, да, он их выбрал, но выбрал-то он их случайно. Я говорил, что Христу некогда было в них разбираться и я вовсе Христа не виню. Разве он виноват, что ему было некогда? Помню, я спросил Чайлдса, как он думает: Иуда, который предал Христа, попал в ад, когда покончил с собой, или нет? Чайлдс говорит – конечно попал. И тут я с ним никак не мог согласиться. Я говорю: готов поставить тысячу долларов, что никогда Христос не отправил бы этого несчастного Иуду в ад! Я бы и сейчас прозакладывал тысячу долларов, если бы они у меня были. Апостолы – те, наверно, отправили бы Иуду в ад, и не задумались бы! А вот Христос – нет, головой ручаюсь. Этот Чайлдс говорил, что я так думаю потому, что не хожу в церковь. Что правда, то правда. Не хожу. Во-первых, мои родители разной веры, и все дети у нас в семье атеисты. Честно говоря, я священников просто терпеть не могу. В школах, где я учился, все священники как только начнут проповедовать, у них голоса становятся масленые, противные. Ох, ненавижу! Не понимаю, какого черта они не могут разговаривать нормальными голосами. До того кривляются, слушать невозможно.

Словом, когда я лег, мне никакие молитвы на ум не шли. Только начну припоминать молитву – тут же слышу голос этой Санни, как она меня обзывает дурачком. В конце концов я сел на постель и выкурил еще сигарету. Наверно, я выкурил не меньше двух пачек после отъезда из Пэнси.

И вдруг, только я лег и закурил, кто-то постучался. Я надеялся, что стучат не ко мне, но я отлично понимал, что это именно ко мне. Не знаю почему, но я сразу понял, кто это. Я очень чуткий.

– Кто там? – спрашиваю. Я здорово перепугался. В этих делах я трусоват.

Опять постучали. Только еще громче.

Наконец я встал в одной пижаме и открыл двери. Даже не пришлось включать свет – уже было утро. В дверях стояли эта Санни и Морис, прыщеватый лифтер.

– Что такое? – спрашиваю. – Что вам надо? – Голос у меня ужасно дрожал.

– Пустяк, – говорит этот Морис. – Всего пять долларов. – Он говорил за обоих, а девчонка только стояла разинув рот, и все.

– Я ей уже заплатил, – говорю. – Я ей дал пять долларов. Спросите у нее. – Ох, как у меня дрожал голос.

– Надо десять, шеф. Я вам говорил. Десять на время, пятнадцать до утра. Я же вам говорил.

– Неправда, не говорили. Вы сказали – пять на время. Да, вы сказали, что за ночь – пятнадцать, но я ясно слышал...

– Выкладывайте, шеф!

– За что? – спрашиваю. Господи, у меня так колотилось сердце, что вот-вот выскочит. Хоть бы я был одет. Невыносимо стоять в одной пижаме, когда случается такое.

– Ну, давайте, шеф, давайте! – говорит Морис. Да как толкнет меня своей грязной лапой – я чуть не грохнулся на пол, сильный он был, сукин сын. И не успел я оглянуться, они оба уже стояли в комнате. Вид у них был такой, будто это их комната. Санни уселась на подоконник. Морис сел в кресло и расстегнул ворот – на нем была лифтерская форма. Господи, как я нервничал! – Ладно, шеф, выкладывайте денежки! Мне еще на работу идти.

– Вам уже сказано, я больше ни цента не должен. Я же ей дал пятерку.

– Бросьте зубы заговаривать. Деньги на стол!

– За что я буду платить еще пять долларов? – говорю. А голос у меня все дрожит. – Вы хотите меня обжулить.

Морис расстегнул свою куртку до конца. Под ней был фальшивый воротничок без всякой рубашки. Живот у него был толстый, волосатый, здоровенный.

– Никто никого не собирается обжуливать, – говорит он. – Деньги давайте, шеф!

— Не дам!

Только я это сказал, как он встал и пошел на меня. Вид у него был такой, будто он ужасно, ужасно устал или ему все надоело. Господи, как я испугался. Хуже всего то, что я был в одной пижаме.

— Давайте деньги, шеф! — Он подошел ко мне вплотную. Он все время повторял одно и то же: — Деньги давайте, шеф! — Форменный кретин.

— Не дам.

— Шеф, вы меня доведете, придется с вами грубо обойтись. Не хочу вас обижать, а придется, как видно. Вы нам должны пять монет.

— Ничего я вам не должен, — говорю. — А если вы меня только тронете, я заору на всю гостиницу. Всех перебужу. Полицию, всех! — Сам говорю, а голос у меня дрожит как студень.

— Давай ори! Ори во всю глотку! Давай! Хочешь, чтоб твои родители узнали, что ты ночь провел с девкой! А еще из хорошей семьи. — Он был хитрый, этот сукин кот. Здорово хитрый.

— Оставьте меня в покое! Если бы вы сказали десять, тогда другое дело. А вы определенно сказали...

— Отдадите вы нам деньги или нет? — Он прижал меня к самой двери. Прямо навалился на меня своим пакостным волосатым животом.

— Оставьте меня! Убирайтесь из моей комнаты! — сказал я.

А сам скрестил руки, не двигаюсь. Господи, какое я ничтожество!

И вдруг Санни заговорила, а до того она молчала:

— Слушай, Морис, взять мне его бумажник? Он вон там, на этом самом...

— Вот-вот, бери!

— Уже взяла! — говорит Санни. И показывает мне пять долларов. — Видал? Больше не беру, только долг. Я не какая-нибудь воровка. Мы не воры!

И вдруг я заплакал. И не хочу, а плачу:

— Да, не воры! Украли пять долларов, а сами...

— Молчать! — говорит Морис и толкает меня.

— Брось его, слышишь, — говорит Санни. — Пошли, ну! Долг мы с него получили. Пойдем. Слышишь, пошли отсюда!

— Иду! — говорит Морис. А сам стоит.

— Слышишь, Морис, я тебе говорю. Оставь его!

— А кто его трогает? — отвечает он невинным голосом.

И вдруг как щелкнет меня по пижаме. Я не скажу, куда он меня щелкнул, но больно было ужасно. Я ему крикнул, что он грязный, подлый кретин.

— Что ты сказал? — говорит. И руку приставил к уху, как глухой. — Что ты сказал? Кто я такой?

А я стою и реву. Меня зло берет, взбесил он меня.

— Да, ты подлый, грязный кретин, — говорю. — Грязный кретин и жулик, а года через два будешь нищим, милостыню будешь просить на улице. Размажешь сопли по всей рубахе, весь вонючий, грязный...

Тут он мне как даст! Я даже не успел увернуться или отскочить — вдруг почувствовал жуткий удар в живот.

Я не потерял сознание, потому что помню — я посмотрел на них с пола и увидел, как они уходят и закрывают за собой двери. Я долго не вставал с пола, как тогда, при Стрэдлейтере... Но тут мне казалось, что я сейчас умру, честное слово. Казалось, что я тону, так у меня дыхание перехватило — никак не вздохнуть. А когда я встал и пошел в ванную, я даже разогнуться не мог, обеими руками держался за живот.

Но я, наверно, ненормальный. Да, клянусь богом, я сумасшедший.

По дороге в ванную я вдруг стал воображать, что у меня пуля в кишках. Я вообразил, что этот Морис всадил в меня пулю. А теперь я иду в ванную за добрым глотком старого виски, чтобы успокоить нервы и начать действовать. Я представил себе, как я выхожу из ванной — уже одетый, с револьвером в кармане, а сам слегка шатаюсь. И я иду по лестнице — в лифт я, конечно, не сяду. Иду, держусь за перила, а кровь капает у меня из уголка рта. Я бы спустился несколькими этажами ниже, держась за живот, а кровь так и лилась бы на пол, и потом вызвал бы лифт. И как только этот Морис открыл бы дверцы, он увидел бы меня с револьвером в руке и завизжал бы, закричал диким, перепуганным голосом, чтоб я его не трогал. Но я бы ему показал. Шесть пуль прямо в его жирный, волосатый живот! Потом я бросил бы свой револьвер в шахту лифта — конечно, сначала стер бы отпечатки пальцев. А потом дополз бы до своего номера и позвонил Джейн, чтоб она пришла и перевязала мне рану. И я представил себе, как она держит сигарету у моих губ и я затягиваюсь, а сам истекаю кровью.

Проклятое кино! Вот что оно делает с человеком. Сами понимаете...

Я просидел в ванной чуть ли не час, принял ванну, немного отошел. А потом лег в постель. Я долго не засыпал — я совсем не устал, но в конце концов уснул. Больше всего мне хотелось покончить с собой. Выскочить в окно. Я, наверно, и выскочил бы, если б я знал, что кто-нибудь сразу подоспеет и прикроет меня, как только я упаду. Не хотелось, чтобы какие-то любопытные идиоты смотрели, как я лежу весь в крови.

15

Спал я недолго; кажется, было часов десять, когда я проснулся. Выкурил сигарету и сразу почувствовал, как я проголодался. Последний раз я съел две котлеты, когда мы с Броссаром и Экли ездили в кино в Эгерстаун. Это было давно — казалось, что прошло лет пятьдесят. Телефон стоял рядом, и я хотел было позвонить вниз заказать завтрак в номер, но потом побоялся, что завтрак пришлют с этим самым лифтером Морисом, а если вы думаете, что я мечтал его видеть, вы глубоко ошибаетесь. Я полежал в постели, выкурил сигарету. Хотел звякнуть Джейн – узнать, дома ли она, но настроения не было.

Тогда я позвонил Салли Хейс. Она училась в пансионе Мэри Э. Удроф, и я знал, что она уже дома: я от нее получил письмо с неделю назад. Не то чтобы я был от нее без ума, но мы были знакомы сто лет, я по глупости думал, что она довольно умная. А думал я так потому, что она ужасно много знала про театры, про пьесы, вообще про всякую литературу. Когда человек начинен такими знаниями, так не скоро сообразишь, глуп он или нет. Я в этой Салли Хейс годами не мог разобраться. Наверно, я бы раньше сообразил, что она дура, если бы мы столько не целовались. Плохо то, что, если я целуюсь с девчонкой, я всегда думаю, что она умная. Никакого отношения одно к другому не имеет, а я все равно думаю.

Словом, я ей позвонил. Сначала подошла горничная, потом отец Салли. Наконец позвали ее.

– Это ты, Салли? – спрашиваю.

– Да, кто со мной говорит? – спрашивает она. Ужасная притворщица. Я же сказал ее отцу, кто ее спрашивает.

– Это Холден Колфилд. Как живешь?

– Ах, Холден! Спасибо, хорошо! А ты как?

– Чудно. Слушай, как же ты поживаешь? Как школа?

– Ничего, – говорит, – ну, сам знаешь.

– Чудно. Вот что я хотел спросить – ты свободна? Правда, сегодня воскресенье, но, наверно, есть утренние спектакли. Благотворительные, что ли? Хочешь пойти?

– Очень хочу, очень! Это будет изумительно!

«Изумительно»! Ненавижу такие слова! Что за пошлятина! Я чуть было не сказал ей, что мы никуда не пойдем. Потом мы немного потрепались по телефону. Верней, она трепалась, а я молчал. Она никому не даст слова сказать. Сначала она мне рассказала о каком-то пижоне из Гарварда – наверно, первокурсник, но этого она, конечно, не выдала, – будто он в лепешку расшибается. Звонит ей день и ночь. Да, день и ночь – я чуть не расхохотался. Потом еще про какого-то типа, кадета из Вест-Пойнта, – и этот готов из-за нее зарезаться. Страшное дело. Я ее попросил ждать меня под часами у отеля «Билтмор» ровно в два. Потому что утренние спектакли начинаются в половине третьего. А она вечно опаздывала. И попрощался. У меня от нее скулы сворачивало, но она была удивительно красивая.

Договорился с Салли, потом встал, оделся, сложил чемодан. Выйдя из номера, я заглянул в окошко, что там эти психи делают, но у них портьеры были опущены. Утром они скромнее скромного. Потом я спустился в лифте и рассчитался с портье. Мориса, к счастью, нигде не было. Да я и не старался его увидеть, подлеца.

У гостиницы взял такси, но понятия не имел, куда мне ехать. Ехать, оказывается, некуда. Было воскресенье, а домой я не мог возвратиться до среды, в крайнем случае до вторника. А идти в другую гостиницу, чтоб мне там вышибли мозги, – нет, спасибо. Я велел шоферу везти меня на Центральный вокзал. Это рядом с отелем «Билтмор», где я должен был встретиться с Салли, и я решил сделать так. Сдам вещи на хранение в такой шкафчик, от которого дают ключ, потом позавтракаю. Очень хотелось есть. В такси я вынул бумажник, пересчитал деньги. Не помню, сколько там оказалось, во всяком случае, не такое уж богатство. За какие-нибудь две недели я истратил чертову уйму. По натуре я ужасный мот. А что не проматываю, то теряю. Иногда я даже забываю взять сдачу в каком-нибудь ресторане или ночном кабаке. Мои родители просто приходят в бешенство. Я их понимаю. Хотя отец довольно богатый, не знаю, сколько он зарабатывает, — он вечно вкладывает деньги в какие-то постановки на Бродвее. Впрочем, эти постановки всегда проваливаются, и мама из себя выходит, когда отец с ними связывается. Вообще мама очень сдала после смерти Алли. Из-за этого я особенно боялся сказать ей, что меня опять выгнали.

Я отдал чемоданы на хранение и зашел в вокзальный буфет позавтракать. Съел я порядочно: апельсиновый сок, яичницу с ветчиной, тосты, кофе. Обычно я по утрам только выпиваю сок. Я очень мало ем, совсем мало. Оттого я такой худой. Мне прописали есть много мучного и всякой такой дряни, чтобы нагнать вес, но я и не подумал. Когда я где-нибудь бываю, я обычно беру бутерброд со швейцарским сыром и стакан солодового молока. Сущие пустяки, но зато в молоке много витаминов. Х.В. Колфилд. Холден Витамин Колфилд.

Я ел яичницу, когда вошли две монахини с чемоданишками и сумками — наверно, переезжали в другой монастырь и ждали поезда. Они сели за стойку рядом со мной. Они не знали, куда девать чемоданы, и я им помог. Чемоданы у них были плохонькие, дешевые — не кожаные, а так, из чего попало. Знаю, это роли не играет, но я терпеть не могу дешевых чемоданов. Стыдно сказать, но мне бывает неприятно смотреть на человека, если у него дешевые чемоданы. Вспоминается один случай. Когда я учился в Элктон-хилле, я жил в комнате с таким Диком Слеглом, и у него были дрянные чемоданы. Он их держал у себя под кроватью, а не на полке, чтобы никто не видел их рядом с моими чемоданами. Меня это расстраивало до черта, я готов был выкинуть свои чемоданы или даже обменяться с ним насовсем. Мои-то были куплены у Марка Кросса, настоящая кожа, со всеми онёрами, и стоили они черт знает сколько. Но вот что странно. Вышла такая история. Как-то я взял и засунул свои чемоданы под кровать, чтобы у старика Слегла не было этого дурацкого комплекса неполноценности. Знаете, что он сделал? Только я засунул свои чемоданы под кровать, он их вытащил и опять поставил на полку. Я только потом понял, зачем он это сделал: он хотел, чтобы все думали, что это его чемоданы! Да, да, именно так. Странный был тип. Он всегда издевался над моими чемоданами. Говорил, что они слишком новые, слишком мещанские. Это было его любимое слово. Где-то он его подхватил. Все, что у меня было, все он называл мещанским. Даже моя самопишущая ручка была мещанская. Он ее вечно брал у меня – и все равно считал мещанской. Мы жили вместе всего месяца два. А потом мы оба стали просить, чтобы нас расселили. И самое смешное, что, когда мы разошлись, мне его ужасно не хватало, потому что у него было настоящее чувство юмора и мы иногда здорово веселились. По-моему, он тоже без меня скучал. Сначала он только поддразнивал меня – называл мои вещи мещанскими, а я и внимания не обращал, даже смешно было. Но потом я видел, что он уже не шутит. Все дело в том, что трудно жить в одной комнате с человеком, если твои чемоданы настолько лучше, чем его, если у тебя по-настоящему отличные чемоданы, а у него нет. Вы, наверно, скажете, что если человек умен и у него есть чувство юмора, так ему наплевать. Оттого я и поселился с этой тупой скотиной, со Стрэдлейтером. По крайней мере, у него чемоданы были не хуже моих.

Словом, эти две монахини сели около меня, и мы как-то разговорились. У той, что сидела рядом со мной, была соломенная корзинка – монашки и девицы из «Армии спасения» обычно собирают в такие деньги под Рождество. Всегда они стоят на углах, особенно на Пятой авеню, у больших универмагов. Та, что сидела рядом, вдруг уронила свою корзинку на пол, а я нагнулся и поднял. Я спросил, собирает ли она на благотворительные цели. А она говорит – нет. Просто корзинка не поместилась в чемодан, пришлось нести в руках. Она так приветливо улыбалась, смотрит и улыбается. Нос у нее был длинный, и очки в какой-то металлической оправе, не очень-то красивые, но лицо ужасно доброе.

– Я только хотел сказать, если вы собираете деньги, я бы мог пожертвовать немножко, – говорю. – Вы возьмите, а когда будете собирать, и эти вложите.

– О, как мило с вашей стороны! – говорит она, а другая, ее спутница, тоже посмотрела на меня. Та, другая, пила кофе и читала книжку, похожую на Библию, только очень тоненькую. Но все равно книжка была вроде Библии. На завтрак они взяли только кофе с тостами. Я расстроился. Ненавижу есть яичницу с ветчиной и еще всякое, когда рядом пьют только кофе с тостами.

Они приняли у меня десять долларов. И все время спрашивали, могу ли я себе это позволить. Я им сказал, что денег у меня достаточно, но они как-то не верили. Но деньги все же взяли. И так они обе меня благодарили, что мне стало неловко. Я перевел разговор на общие темы и спросил их, куда они едут. Они сказали, что они учительницы, только что приехали из Чикаго и собираются преподавать в каком-то интернате, не то на Сто шестьдесят восьмой, не то на Сто восемьдесят шестой улице, – словом, где-то у черта на рогах. Та, что сидела рядом, в металлических очках, оказывается, преподавала английский, а ее спутница – историю и американскую конституцию. Меня так и разбирало любопытство – интересно бы узнать, как эта преподавательница английского могла быть монахиней и все-таки читать некоторые книжки по английской литературе. Не то чтобы непристойные книжки, я не про них, но те, в которых про любовь, про влюбленных, вообще про все такое.

Возьмите, например, Юстасию Вэй из «Возвращения на родину» Томаса Харди. Никаких особенных страстей в ней не было, и все-таки интересно, что думает монахиня, когда читает про эту самую Юстасию. Но я, конечно, ничего не спросил. Я только сказал, что по английской литературе учился лучше всего.

– Да что вы? Как приятно! – обрадовалась преподавательница английского, та, что в очках. – Что же вы читали в этом году? Мне очень интересно узнать!

Приветливая такая, добрая.

– Да как сказать, все больше англосаксов – знаете, Беовульф и Грендел и «Рэндал, мой сын», ну, все что попадается. Но нам задавали и домашнее чтение, за это ставили особые отметки. Я прочел «Возвращение на родину» Томаса Харди, «Ромео и Джульетту», «Юлия Це...».

– Ах, «Ромео и Джульетта»! Какая прелесть! Вам, наверно, очень понравилось? – Она говорила совсем не как монахиня.

– Да, очень. Очень понравилось. Кое-что мне не совсем понравилось, но в общем очень трогательно.

– Что же вам не понравилось? Вы не припомните, что именно?

По правде говоря, мне было как-то неловко обсуждать с ней «Ромео и Джульетту». Ведь в этой пьесе есть много мест про любовь и всякое такое, а она как-никак была монахиня, но она сама спросила, и пришлось рассказать.

– Знаете, я не в восторге от самих Ромео и Джульетты, – говорю, – то есть они мне нравятся, и все же... сам не знаю! Иногда просто досада берет. Я хочу сказать, что мне было гораздо жальче, когда убили Меркуцио, чем когда умерли Ромео с Джульеттой. Понимаете, Ромео мне как-то перестал нравиться после того, как беднягу Меркуцио проткнул шпагой этот самый кузен Джульетты – забыл, как его звали...

– Тибальд.

– Правильно, Тибальд. Всегда я забываю, как его зовут. А виноват Ромео. Мне он больше всех нравился, этот Меркуцио. Сам не знаю почему. Конечно, все эти Монтекки и Капулетти тоже ничего – особенно Джульетта, – но Меркуцио... нет, мне трудно объяснить. Он был такой умный, веселый. Понимаете, меня злость берет, когда таких убивают – таких веселых, умных, да еще по чужой вине. С Ромео и Джульеттой дело другое – они сами виноваты.

– В какой вы школе учитесь, дружок? – спрашивает она. Наверно, ей надоело разговаривать про Ромео и Джульетту.

Я говорю – в Пэнси. Оказывается, она про нее слышала. Сказала, что это отличная школа. Я промолчал. Тут ее спутница, та, что преподавала историю и конституцию, говорит, что им пора идти. Я взял их чеки, но они не позволили мне заплатить. Та, что в очках, отняла у меня чеки.

– Вы и так были слишком щедры, – говорит. – Вы удивительно милый мальчик. – Она сама была славная. Немножко напоминала мать Эрнеста Морроу, с которой я ехал в поезде. Особенно когда улыбалась. – Так приятно было с вами поговорить, – добавила она.

Я сказал, что мне тоже было очень приятно с ними поговорить. И я не притворялся. Но мне было бы еще приятнее с ними разговаривать, если б я не боялся, что они каждую минуту могут спросить, католик я или нет. Католики всегда стараются выяснить, католик ты или нет. Со мной это часто бывает, главным образом потому, что у меня фамилия ирландская, а коренные ирландцы почти все католики. Кстати, мой отец раньше тоже был католиком. А потом, когда женился на моей маме, бросил это дело. Но католики вообще всегда стараются выяснить, католик ты или нет, даже если не знают, какая у тебя фамилия. У меня был знакомый католик, Луи Горман, я с ним учился в Хуттонской школе. Я с ним там с первым познакомился. Мы сидели рядом в очереди на прием к врачу – был первый день занятий, мы ждали медицинского осмотра и разговорились про теннис. Он очень увлекался теннисом, и я тоже. Он рассказал, что каждое лето бывает на состязаниях в Форест-хилле, а я сказал, что тоже там бываю, а потом мы стали обсуждать, кто лучший игрок. Для своих лет он здорово разбирался в теннисе. Всерьез интересовался. И потом ни с того ни с сего посреди разговора спрашивает: «Ты знаешь, где тут католическая церковь?» Суть была в том, что по его тону я сразу понял: он хочет выяснить, католик я или нет. Узнать хочет. И дело не в том, что он предпочитал католиков, нет, ему просто хотелось узнать. Он с удовольствием разговаривал про теннис, но сразу было видно — ему этот разговор доставил бы еще больше удовольствия, если б он узнал, что я католик. Меня такие штуки просто бесят. Я не хочу сказать, что из-за этого весь наш разговор пошел к чертям, нет, разговор продолжался, но как-то не так. Вот почему я был рад, что монахини меня не спросили, католик я или нет. Может быть, это и не помешало бы нашему разговору, но все-таки было бы иначе. Я ничуть не обвиняю католиков. Может быть, если бы я был католик, я бы тоже стал спрашивать. В общем, это чем-то похоже на ту историю с чемоданами, про которую я рассказывал. Я только хочу сказать, что настоящему, хорошему разговору такие вещи только мешают. Вот и все.

А когда эти две монахини встали и собрались уходить, я вдруг сделал ужасно неловкую и глупую штуку. Я курил сигарету, и когда я встал, чтобы с ними проститься, я нечаянно пустил дым прямо им в глаза. Совершенно нечаянно. Я извинялся как сумасшедший, и они очень мило и вежливо приняли мои извинения, но все равно вышло страшно неловко.

Когда они ушли, я стал жалеть, что дал им только десять долларов на благотворительность. Но иначе нельзя было: я условился пойти с Салли Хейс на утренний спектакль, и нельзя было тратить все деньги. Но все равно я огорчился. Чертовы деньги. Вечно из-за них расстраиваешься.

16

Было около двенадцати, когда я кончил завтракать, а встретиться с Салли мы должны были только в два, и я решил подольше погулять. Эти две монахини не выходили у меня из головы. Я все вспоминал эту старую соломенную корзинку, с которой они ходили собирать лепту, когда у них не было уроков. Я старался представить себе, как моя мама или еще кто-нибудь из знакомых – тетя или эта вертихвостка, мать Салли Хейс, – стоят около универмага и собирают деньги для бедных в старые, потрепанные соломенные корзинки. Даже представить себе трудно. Мою маму еще можно себе представить, но тех двоих – никак. Хотя моя тетушка очень много занимается благотворительностью – тут и Красный Крест, и всякое другое, – но она всегда отлично одета, и, когда занимается благотворительностью, она тоже отлично одета, губы накрашены и все такое. Я не мог себе представить, что она могла бы заниматься благотворительными делами, если б пришлось надеть монашескую рясу и не красить губы. А мамаша Салли! Да она бы согласилась ходить с кружкой, собирать деньги, только если б каждый, кто дает деньги, рассыпался бы перед ней мелким бесом. А если бы люди просто опускали деньги в кружку и уходили, ничего не говоря, не обратив на нее внимания, так она через час уже отвалила бы. Ей бы сразу надоело. Отдала бы кружку и пошла завтракать в какой-нибудь шикарный ресторан. Оттого мне и понравились те монахини. Сразу можно сказать, что они-то никогда не завтракают в шикарных ресторанах. И мне стало грустно, когда я подумал, что они никогда не пойдут завтракать в шикарный ресторан. Я понимал, что это не так уж важно, но все равно мне стало грустно.

Пошел я на Бродвей просто ради удовольствия, я там сто лет не был. Кроме того, я искал магазин пластинок, открытый в воскресенье. Мне хотелось купить одну пластинку для Фиби – «Крошка Шерли Бинз». Эту пластинку было очень трудно достать. Там все про маленькую девочку, которая не хотела выходить из дому, потому что у нее выпали зубки и она стеснялась. Я слышал эту песню в Пэнси у одного мальчишки, он жил этажом выше. Хотел купить у него эту пластинку: знал, что моя Фиби просто с ума сойдет от нее, но он не продал. Пластинка была потрясающая, хоть и старая, ее напела лет двадцать назад певица-негритянка Эстелла Флетчер. Она ее пела по-южному, даже по-уличному, оттого выходило ничуть не слезливо и не слюняво. Если б пела обыкновенная белая певица, она, наверно, распустила бы слюни, а эта Эстелла Флетчер свое дело знала. Такой чудесной пластинки я в жизни не слышал. Я решил, что куплю пластинку в каком-нибудь магазине, где торгуют и по воскресеньям, а потом понесу в парк. В воскресенье Фиби часто ходит в парк – она там катается на коньках. Я знал, где она обычно бывает.

Стало теплее, чем вчера, но солнце не показывалось и гулять было не очень приятно. Мне только одно понравилось. Впереди меня шло целое семейство, очевидно из церкви, – отец, мать и мальчишка лет шести. Видно было, что они довольно бедные. На отце была светло-серая шляпа, такие всегда носят бедняки, когда хотят принарядиться. Он шел с женой и разговаривал с ней, а на мальчишку они совсем не обращали внимания. А мальчишка был мировой. Он шел не по тротуару, а вдоль него у самой обочины, по мостовой. Он старался идти точно по прямой, мальчишки любят так ходить. Идет и все время напевает себе под нос. Я нарочно подошел поближе, чтобы слышать, что он поет. Он пел такую песенку: «Если ты ловил кого-то вечером во ржи...» И голосишко у него был забавный. Пел он для собственного удовольствия, это сразу было видно. Машины летят мимо, тормозят так, что тормоза скрежещут, родители никакого внимания не обращают, а он идет себе по самому краю и распевает: «...вечером во ржи...» Мне стало веселее. Даже плохое настроение прошло.

На Бродвее все толкались, шумели. Было воскресенье, всего двенадцать часов, но все равно стоял шум. Все шли в кино – или в «Астор», в «Стрэнд», в «Капитолий» – в общем, в какую-нибудь толкучку. Все расфуфырились – воскресенье! И это было еще противнее. А противнее всего было то, что им не терпелось попасть в кино. Тошно было на них смотреть. Я еще понимаю, если ходят в кино, когда делать нечего, но мне просто противно думать, что люди бегут, торопятся пойти в кино, что им действительно хочется туда попасть. Особенно когда миллион народу стоит в длиннющей очереди на целый квартал за билетами – какое нужно терпение! Я дождаться не мог, так хотелось поскорее уйти с этого проклятого Бродвея.

Но мне повезло: в первом же магазине пластинок я нашел «Крошку Шерли Бинз». Содрали с меня пять монет, пластинка была редкая, но я не жалел. Я так вдруг обрадовался, что не мог дождаться: поскорее бы дойти до парка и отдать эту пластинку моей Фиби.

Я вышел из магазина – тут подвернулось кафе, и я зашел. Подумал – не звякнуть ли Джейн, может, она уже вернулась домой на каникулы. Я зашел в автомат и позвонил. К несчастью, подошла ее мать, пришлось повесить трубку. Не хотелось пускаться в длинные разговоры. Вообще не люблю разговаривать с матерями девчонок. Все-таки надо было спросить, дома ли Джейн. Я бы от этого не умер. Но что-то не хотелось. Для таких разговоров требуется настроение.

Однако надо было доставать эти проклятые билеты в театр, пришлось купить газету и посмотреть, где что идет. По случаю воскресенья шли только три пьесы. Я пошел и купил два билета в партер на «Я знаю любовь». Спектакль был благотворительный, в пользу чего-то. Мне не особенно хотелось смотреть эту пьесу, но я знал, что

Салли жить не может без кривлянья — обязательно распустит слюни, когда я ей скажу, что в пьесе участвуют Ланты[1]. Салли обожает пьесы, которые считаются изысканными и серьезными, с участием Лантов и все такое. А я не люблю. Вообще, по правде сказать, я не особенно люблю ходить в театр. Конечно, кино еще хуже, но и в театре ничего хорошего нет. Во-первых, я ненавижу актеров. Они ведут себя на сцене совершенно не похоже на людей. Только воображают, что похоже. Хорошие актеры иногда довольно похожи, но не настолько, чтобы было интересно смотреть. А кроме того, если актер хороший, сразу видно, что он сам это сознает, а это сразу все портит. Возьмите, например, сэра Лоуренса Оливье[2]. Я видел его в «Гамлете». Д.Б. водил меня и Фиби в прошлом году. Сначала он нас повел завтракать, а потом — в кино. Он уже видел «Гамлета» и так про это рассказывал за завтраком, что мне ужасно захотелось посмотреть. Но мне, в общем, не очень понравилось. Не понимаю, что особенного в этом Лоуренсе Оливье. Голос у него потрясающий, и красив он до чертиков, и на него приятно смотреть, когда он ходит или дерется на дуэли, но он был совсем не такой, каким, по словам Д.Б., должен быть Гамлет. Он был больше похож на какого-нибудь генерала, чем на такого чудака, немножко чокнутого. Больше всего мне в этом фильме понравилось то место, когда брат Офелии — тот, что под конец дерется с Гамлетом на дуэли, — уезжает, а отец ему дает всякие советы. Пока отец ему дает эти советы, Офелия все время балуется: то вытащит у него кинжал из ножен, то его подразнит, а он старается делать вид, что слушает дурацкие советы. Это было здорово. Мне очень понравилось. Но таких мест было мало. А моей сестренке Фиби по-

1 Ланты — Альфред Лант и его жена Линн Фонтанн, известные драматические актеры США. (*Примеч. пер.*)

2 Лоуренс Оливье — знаменитый английский актер, снимавшийся во многих фильмах. (*Примеч. пер.*)

нравилось, только когда Гамлет гладил собаку по голове. Она сказала – как смешно, какая хорошая собака, и собака вправду была хорошая. Все-таки придется мне прочитать «Гамлета». Плохо то, что я обязательно должен прочесть пьесу сам, про себя. Когда играет актер, я почти не могу слушать. Все боюсь, что сейчас он начнет кривляться и вообще делать все напоказ.

Билеты на спектакль с Лантами я купил, потом сел в такси и поехал в парк. Надо было бы сесть в метро, денег осталось мало, но очень хотелось поскорее убраться с этого треклятого Бродвея.

В парке было гнусно. Не очень холодно, но солнце так и не показывалось, и никого вокруг не было – одни собачьи следы, и плевки, и окурки сигар у скамеек, где сидели старики. Казалось, все скамейки совершенно сырые – промокнешь насквозь, если сядешь. Мне стало очень тоскливо, иногда неизвестно почему даже дрожь пробирала. Не похоже было, что скоро будет Рождество, вообще казалось, что больше ничего никогда не будет. Но я все-таки дошел до беговой дорожки – Фиби всегда туда ходит, она любит кататься поближе к оркестру. Смешно, что я тоже любил там кататься, когда был маленький.

Но когда я подошел к дорожке, ее там не было. Катались какие-то ребятишки, мальчики играли в мяч, но Фиби нигде не было. Тут я увидел девчушку ее лет, она сидела на скамейке одна и закрепляла конек. Я подумал, может быть, она знает Фиби и скажет мне, где ее искать, и я подошел, сел рядом и спросил:

– Ты, случайно, не знаешь Фиби Колфилд?

– Кого? – спрашивает. На ней были брючки и штук двадцать свитеров. Видно было, что свитеры ей вяжут дома: такие неуклюжие, большие.

– Фиби Колфилд. Живет на Семьдесят первой улице. Она в четвертом классе.

– А вы знаете Фиби?

— Ну да. Я ее брат. Ты не знаешь, где она?

— Она в классе мисс Кэллон? — спрашивает девочка.

— Не знаю. Кажется, да.

— Значит, они сейчас в музее. Наш класс ходил в прошлую субботу.

— В каком музее? — спрашиваю.

Она пожала плечами.

— Не знаю, — говорит. — Просто в музее.

— Я понимаю, но это музей, где картины, или музей, где индейцы?

— Где индейцы.

— Спасибо большое.

Я встал, хотел было идти, но вдруг вспомнил, что сегодня воскресенье.

— Да сегодня же воскресенье! — говорю я этой девчушке.

— Ага. Значит, их там нет.

Ей никак не удавалось закрепить конек. Перчаток у нее не было, лапы красные, замерзшие. Я ей помог привернуть конек. Черт, сто лет не держал ключа в руках. Но это ничего не значит. Можно и через пятьдесят лет дать мне в руки ключ от коньков, хоть ночью, в темноте, и я сразу узнаю, что это ключ от коньков. Девочка меня поблагодарила, когда я ей привернул конек. Вежливая такая девчушка, приветливая. Ужасно приятно, когда поможешь такой малышке закрепить конек, а она говорит тебе спасибо, так вежливо, мило. Малыши в общем все славные. Я ее спросил, не хочет ли она выпить горячего шоколада, но она ответила: «Спасибо, не хочется». Сказала, что ее ждет подруга. Этих маленьких вечно кто-нибудь дожидается. Умора.

Хоть было воскресенье, и Фиби со своим классом не пошла в музей, и хоть погода была мерзкая, сырая, я все равно пошел через весь парк в Музей этнографии. Это про него говорила девчушка с ключом. Я знал эти музейные экскурсии наизусть. Фиби училась в той же начальной школе, куда я бегал маленьким, и мы вечно ходили в этот музей. Наша учительница мисс Эглетингер водила нас туда чуть ли не каждую субботу. Иногда мы смотрели животных, иногда всякие древние индейские изделия: посуду, соломенные корзинки, много чего. С удовольствием вспоминаю музей даже теперь. Помню, как после осмотра этих индейских изделий нам показывали какой-нибудь фильм в большой аудитории. Про Колумба. Всегда почти нам показывали, как Колумб открыл Америку и как он мучился, пока не выцыганил у Фердинанда с Изабеллой деньги на корабль, а потом матросы ему устроили бунт. Никого особенно этот Колумб не интересовал, но ребята всегда приносили с собой леденцы и резинку, и в этой аудитории так хорошо пахло. Так пахло, как будто на улице дождь (хотя дождя, может, и не было), а ты сидишь тут, и это единственное сухое и уютное место на свете. Любил я этот дурацкий музей, честное слово. Помню, сначала мы проходили через индейский зал, а оттуда уже в аудиторию. Зал был длинный-предлинный, а разговаривать там надо было шепотом. Впереди шла учительница, а за ней весь класс. Шли парами, у меня тоже была пара. Обычно со мной ставили одну девочку, звали ее Гертруда Левина. Она всегда держалась за руку, а рука у нее была липкая или потная. Пол в зале был плиточный, и, если у тебя в руке были стеклянные шарики и ты их ронял, грохот подымался несусветный, и учительница останавливала весь класс и подходила посмотреть, в чем дело. Но она никогда не сердилась, наша мисс Эглетингер. Потом мы проходили мимо длинной-предлинной индейской лодки – длинней, чем три «Кадиллака», если их поставить один за другим. А в лодке сидели штук двадцать индейцев, один на веслах, другие просто стояли, вид у них был свирепый, и лица у всех раскрашенные. А на корме этой лодки сидел очень страшный человек в маске. Это был их колдун. У меня от него мурашки бегали по спине, но все-таки он мне нравился. А еще, когда проходишь по этому залу и тронешь что-нибудь, весло там или еще что, сразу хранитель говорит: «Дети, не надо ничего трогать!», но голос у него добрый, не то что у какого-нибудь полисмена. Дальше мы проходили мимо огромной стеклянной витрины, а в ней сидели индейцы, терли палочки, чтоб добыть огонь, а одна женщина ткала ковер. Эта самая женщина, которая ткала ковер, нагнулась, и видна была ее грудь. Мы все заглядывались на нее, даже девочки – они еще были маленькие, и у них самих еще никакой груди не было, как у мальчишек. А перед самой дверью в аудиторию мы проходили мимо эскимоса. Он сидел над озером, над прорубью, и ловил рыбу. У самой проруби лежали две рыбы, которые он поймал. Сколько в этом музее было таких витрин! А на верхнем этаже их было еще больше, там олени пили воду из ручьев и птицы летели зимовать на юг. Те птицы, что поближе, были чучела и висели на проволочках, а те, что позади, были просто нарисованы на стене, но казалось, что все они по-настоящему летят на юг, а если наклонить голову и посмотреть на них снизу вверх, то кажется, что они просто мчатся на юг. Но самое лучшее в музее было то, что там все оставалось на местах. Ничто не двигалось. Можно было сто тысяч раз проходить, и всегда эскимос ловил рыбу, и двух уже поймал, птицы всегда летели на юг, олени пили воду из ручья, и рога у них были все такие же красивые, а ноги такие же тоненькие, и эта индианка с голой грудью всегда ткала тот же самый ковер. Ничто не менялось. Менялся только ты сам. И не то чтобы ты сразу становился много старше. Дело не в этом. Но ты менялся, и все. То на тебе было новое пальто. То ты шел в паре с кем-нибудь другим, потому что прежний твой товарищ был болен скарлатиной. А то другая учительница вместо мисс Эглетингер приводила класс в музей. Или ты утром слышал, как отец с матерью ссорились в ванной. А может быть, ты увидел на улице лужу и по ней растеклись радужные пятна от бензина. Словом, ты уже чем-то стал не тот – я не умею как следует объяснить, чем именно. А может быть, и умею, но что-то не хочется.

На ходу я вытащил из кармана охотничью шапку и надел ее. Я знал, что не встречу никого из знакомых, а было очень сыро. Я шел и шел и все думал, как моя сестренка ходит по субботам в тот же музей, что и я. Я подумал – вот она смотрит на то же, на что я смотрел, а сама каждый раз становится другой. От этих мыслей у меня не то чтобы окончательно испортилось настроение, но веселого в них было маловато. Лучше бы некоторые вещи не менялись. Хорошо, если б их можно было поставить в застекленную витрину и не трогать. Знаю, что так нельзя, но это-то и плохо. Я все время об этом думал, пока шел по парку.

Проходя мимо площадки для игр, я остановился и посмотрел, как двое малышей качаются на доске. Один был толстяк, и я взялся рукой за тот конец, где сидел худенький, чтобы их уравновесить, но сразу понял, что я им мешаю, и отошел.

А потом случилась глупейшая штука. Я подошел к музею и сразу почувствовал, что ни за какие деньги туда не пойду. Не тянуло туда, и все, – а ведь я весь парк прошел и так ждал этого! Конечно, будь Фиби там, я, наверно, зашел бы, но ее там не было. И я взял такси у входа в музей и поехал в отель «Билтмор». Ехать не хотелось, но я уже назначил там встречу с Салли.

17

Я приехал в отель слишком рано, сел на кожаный диван под часами и стал разглядывать девчонок. Во многих пансионах и колледжах уже начались каникулы, и в холле толпились тысячи девчонок, ждали, пока за ними зайдут их кавалеры. Одни девчонки сидели скрестив ноги, другие держались прямо, у одних девчонок ноги были мировые, у других – безобразные, одни девчонки с виду были хорошие, а по другим сразу было видно, что они дрянь, стоит их только поближе узнать. Вообще смотреть на них было приятно, вы меня понимаете. Приятно и вместе с тем как-то грустно, потому что все время думалось: а что с ними со всеми будет? Ну, окончат они свои колледжи, пансионы. Я подумал, что большинство, наверно, выйдут замуж за каких-нибудь гнусных типов. За таких типов, которые только и знают, что хвастать, сколько миль они могут сделать на своей дурацкой машине, истратив всего галлон горючего. За таких типов, которые обижаются как маленькие, когда их обыгрываешь не только в гольф, но и в какую-нибудь дурацкую игру вроде пинг-понга. За очень подлых типов. За типов, которые никогда ни одной книжки не читают. За ужасно нудных типов. Впрочем, это понятие относительное, кого можно считать занудой, а кого – нет. Я ничего в этом не понимаю. Серьезно, не понимаю. Когда я учился в Элктон-хилле, я месяца два жил в комнате с одним мальчишкой, его звали Гаррис Маклин. Он был очень умный и все такое, но большего зануды свет не видал. Голос у него был ужасно скрипучий, и он все время говорил не умолкая. Все время говорил, и самое ужасное то, что он никогда не говорил о чем-нибудь интересном. Но одно он здорово умел. Этот черт умел свистеть, как никто. Оправляет свою постель или вешает вещи в шкаф – он всегда развешивал свои вещи в шкафу, доводил меня до бешенства, – словом, что-нибудь делает, а сам свистит, если только не долбит тебя своим скрипучим голосом. Он даже умел насвистывать классическую музыку, но лучше всего насвистывал джаз. Насвистывает какую-нибудь ужасно лихую джазовую песню вроде «Блюз на крыше», пока развешивает свои манатки, и так легко, так славно свистит, что просто радуешься. Конечно, я ему никогда не говорил, что он замечательно свистит. Не станешь же человеку говорить прямо в глаза: «Ты замечательно свистишь!» Но хотя я от него чуть не выл – до того он был нудный, – я прожил с ним в одной комнате целых два месяца, и все из-за того, что такого замечательного свистуна никогда в жизни не слыхал. Так что еще вопрос, кто зануда, кто – нет. Может быть, нечего слишком жалеть, если какая-нибудь хорошая девчонка выйдет замуж за нудного типа, – в общем они довольно безобидные, а может быть, они втайне здорово умеют свистеть или еще что-нибудь. Кто ж его знает, не мне судить.

Наконец моя Салли появилась на лестнице, и я спустился ей навстречу. До чего же она была красивая! Честное слово! В черном пальто и в каком-то черненьком беретике. Обычно она ходит без шляпы, но берет ей шел удивительно. Смешно, что, как только я ее увидел, мне захотелось на ней жениться. Нет, я все-таки ненормальный. Она мне даже не очень нравилась, а тут я вдруг почувствовал, что я влюблен и готов на ней жениться. Ей-богу, я ненормальный, сам сознаю!

– Холден! – говорит она. – Как я рада! Сто лет не виделись! – Голос у нее ужасно громкий, даже неловко, когда где-нибудь с ней встречаешься. Ей-то все сходило с рук, потому что она была такая красивая, но у меня от смущения все кишки переворачивало.

– Рад тебя видеть, – сказал я, и не врал, ей-богу. – Ну, как живешь?

– Изумительно, чудно! Я не опоздала?

Нет, говорю, но на самом деле она опоздала минут на десять. Но мне было наплевать. Вся эта чепуха, всякие там карикатуры в «Сатердей ивнинг пост», где изображают, как парень стоит на углу с несчастной физиономией, оттого что его девушка опоздала, – все это выдумки. Если девушка приходит на свидание красивая – кто будет расстраиваться, что она опоздала? Никто!

— Надо ехать, — говорю, — спектакль начинается в два сорок.

Мы спустились по лестнице к стоянке такси.

— Что мы будем смотреть? — спросила она.

— Не знаю. Лантов. Больше я никуда не мог достать билеты.

— Ах, Ланты! Какая прелесть!

Я же вам говорил — она с ума сойдет, когда услышит про Лантов.

Мы немножко целовались по дороге в театр, в такси. Сначала она не хотела, потому что боялась размазать губную помаду, но я вел себя как настоящий соблазнитель, и ей ничего другого не оставалось. Два раза, когда машина тормозила перед светофорами, я чуть не падал. Проклятые шоферы, никогда не смотрят, что делают. Клянусь, они ездить не умеют. Но хотите знать, до чего я сумасшедший? Только мы обнялись покрепче, я ей вдруг говорю, что я ее люблю и все такое. Конечно, это было вранье, но соль в том, что я сам в ту минуту был уверен в этом. Нет, я ненормальный! Клянусь богом, я сумасшедший!

— Ах, милый, я тебя тоже люблю! — говорит она и тут же одним духом добавляет: — Только обещай, что ты отпустишь волосы. Теперь ежики уже выходят из моды, а у тебя такие чудные волосики!

«Волосики» — лопнуть можно!

Спектакль был не такой дрянной, как те, что я раньше видел. Но в общем дрянь. Про каких-то старых супругов, которые прожили пятьсот тысяч лет вместе. Начинается, когда они еще молодые и родители девушки не позволяют ей выйти за этого типа, но она все равно выходит. А потом они стареют и стареют. Муж уходит на войну, а у жены брат — пьяница. В общем, неинтересно. Я хочу сказать, что мне было все равно — помирал там у них кто-нибудь в семье или не помирал. Ничего там не было — одно актерство. Правда, муж и жена были славные старики — остроумные и все такое, но они меня тоже не трогали. Во-первых, все время, на протяжении всей пьесы, люди пили чай или еще что-то. Только откроется занавес — лакей уже подает кому-нибудь чай или жена кому-нибудь наливает. И все время кто-нибудь входит и выходит — голова кружилась оттого, что какие-то люди непрестанно вставали и садились. Альфред Лант и Линн Фонтанн играли старых супругов, они очень хорошо играли, но мне не понравилось. Я понимал, что они не похожи на остальных актеров. Они вели себя и не как обыкновенные люди, и не как актеры, мне трудно это объяснить. Они так играли, как будто все время понимали, что они знаменитые. Понимаете, они хорошо играли, только слишком хорошо. Понимаете — один еще не успевает договорить, а другой уже быстро подхватывает. Как будто настоящие люди разговаривают, перебивая друг дружку, и так далее. Все портило то, что все это слишком было похоже, как люди разговаривают и перебивают друг дружку в жизни. Они играли свои роли почти так же, как тот Эрни в Гринич-Вилледж играл на рояле. Когда что-нибудь делаешь слишком хорошо, то, если не следить за собой, начинаешь выставляться напоказ. А тогда уже не может быть хорошо. Ну, во всяком случае, в этом спектакле они одни — я говорю про Лантов — еще были похожи на людей, у которых башка варит, это надо признать.

После первого акта мы со всеми другими пижонами пошли курить. Ну и картина! Никогда в жизни не видел столько показного ломанья. Курят вовсю, а сами нарочно громко говорят про пьесу, чтобы все слыхали, какие они умные. Какой-то липовый киноактер стоял рядом с нами и тоже курил. Не знаю его фамилии, но в военных фильмах он всегда играет того типа, который трусит перед самым боем. С ним стояла сногсшибательная блондинка, и оба они делали безразличные лица, притворялись, что не замечали, как на них смотрят. Скромные, черти! Мне смешно стало. А моя Салли почти не разговаривала, только восторгалась Лантами, ей было некогда: она всем строила глазки, ломалась. Вдруг она увидела в другом конце курилки какого-то знакомого пижона в темно-сером костюме, в клетчатом жилете. Светский лев. Аристократ. Стоит, накурился до одури, а у самого вид такой скучающий, презрительный. Салли все повторяет:

– Где-то я с ним познакомилась, я его знаю!

Всегда она всех знала. До того мне надоело, что она все время говорит одно и то же, что я ей сказал:

– Знаешь что, ну и ступай целуйся с ним, он, наверно, обрадуется.

Она страшно обиделась на меня. Наконец этот пижон ее узнал, подошел к нам и поздоровался. Вы бы видели, как они здоровались! Как будто двадцать лет не виделись. Можно было подумать, что их детьми купали в одной ванночке. Такие друзья, что тошно смотреть. Самое смешное, что они, наверно, только один раз и встретились на какой-нибудь идиотской вечеринке. Наконец, когда они перестали пускать пузыри от радости, Салли нас познакомила. Звали его Джордж, не помню, как дальше, он учился в Эндовере. Да-да, аристократ! Вы бы на него посмотрели, когда Салли спросила его, нравится ли ему пьеса. Такие, как он, все делают напоказ, они даже место себе расчищают, прежде чем ответить на вопрос. Он сделал шаг назад – и наступил прямо на ногу даме, стоявшей сзади. Наверно, отдавил ей всю ногу! Он изрек, что пьеса сама по себе не шедевр, но, конечно, Ланты – «сущие ангелы». Ангелы, черт его дери! Ангелы! Подохнуть можно.

Потом он и Салли стали вспоминать всяких знакомых. Такого ломанья я еще в жизни не видел. Наперебой называли какой-нибудь город и тут же вспоминали, кто там живет из общих знакомых. Меня уже тошнило от них, когда кончился антракт. А в следующем антракте они опять завели эту волынку. Опять вспоминали какие-то места и каких-то людей. Хуже всего, что у этого пижона был такой притворный, аристократический голос, такой, знаете, утомленный снобистский голосишко. Как у девчонки. И не постеснялся, мерзавец, отбивать у меня девушку. Я даже думал, что он сядет с нами в такси – он после спектакля квартала два шел с нами вместе, – но он должен был встретиться с другими пижонами в коктейльной. Я себе представил, как они сидят в каком-нибудь баре в своих пижонских клетчатых жилетках и критикуют спектакли, и книги, и женщин, а голоса у них такие усталые, снобистские. Сдохнуть можно от этих типов.

Мне и на Салли тошно было смотреть, когда мы сели в такси: зачем она десять часов слушала этого подонка из Эндовера? Я решил было отвезти ее домой – честное слово! – но она вдруг сказала:

– У меня гениальная мысль! – Вечно у нее гениальные мысли. – Знаешь что, – говорит, – когда тебе надо домой обедать? Ты очень спешишь или нет? Тебя дома ждут к определенному часу?

– Меня? Нет-нет, никто меня не ждет! – говорю. И это была истинная правда. – А что?

– Давай поедем кататься на коньках в Радио-сити.

Вот какие у нее гениальные мысли!

– Кататься в Радио-сити? Как, прямо сейчас?

– Хоть на часок, не больше. Тебе не хочется? Конечно, если тебе неохота...

– Разве я сказал, что не хочу? – говорю. – Пожалуйста. Если тебе так хочется.

– Ты правда хочешь? Если не хочешь – не надо. Мне решительно все равно.

Оно и видно!

– Там дают напрокат такие чудные короткие юбочки, – говорит Салли. – Дженнет Кальц на прошлой неделе брала.

Вот почему ей не терпелось туда пойти. Хотела покрасоваться в этой юбчонке, которая еле-еле прикрывает зад.

Словом, мы туда пошли, и нам сначала выдали коньки, а потом Салли надела такую синенькую юбочку, в которой только задом и вертеть. Но это ей дьявольски шло, надо сознаться. И не думайте, что она этого не понимала. Нарочно шла впереди меня, чтоб я видел, какой у нее красивый круглый задик. Надо сознаться, он и вправду ничего.

Но самое смешное, что на всем этом проклятом катке мы катались хуже всех. Да-да, хуже всех! Ужас, что творилось! У Салли лодыжки так подворачивались, что терлись прямо об лед. И не только вид был дурацкий, наверно, ей и больно было до черта. По крайней мере, у меня все болело. Я чуть не умер. Вы бы нас видели! И противнее всего, что сотни две зевак стояли и смотрели – делать им больше было нечего, только смотреть, как люди падают.

– Может, хочешь пойти в бар, возьмем столик, выпьем чего-нибудь? – сказал я ей наконец.

– Вот это ты гениально придумал! – говорит. Она просто замучилась. Бесчеловечно так себя мучить, мне ее даже стало жалко.

Мы сняли эти подлые коньки и пошли в бар, где можно выпить, посидеть в одних чулках и посмотреть издали на конькобежцев. У столика Салли сняла перчатки, и я дал ей сигарету. Вид у нее был довольно несчастный. Подошел официант, я заказал для нее кока-колу, а для себя виски с содовой, только этот подлец отказался подать мне виски, пришлось тоже пить кока-колу. Потом я стал зажигать спички. Я часто это делаю, когда находит настроение. Даю спичке сгореть до конца, так что держать нельзя, и бросаю в пепельницу. Нервная привычка.

Вдруг ни с того ни с сего Салли спрашивает:

– Слушай, мне надо точно знать, придешь ты к нам в Сочельник убирать елку или нет? Мне надо знать заранее.

Видно, она злилась, оттого что ноги болели после этих коньков.

– Я даже тебе писал, что приду. Ты меня раз двадцать спрашивала. Конечно приду.

– Понимаешь, мне надо знать наверняка, – говорит. А сама озирается, смотрит, нет ли тут знакомых.

Вдруг я перестал жечь спички, наклонился к ней через весь стол. Мне надо было о многом с ней поговорить.

– Слушай, Салли! – говорю.

– Что? – спрашивает. А сама смотрит на какую-то девчонку в другом конце зала.

– С тобой случается, что вдруг все осточертевает? – спрашиваю. – Понимаешь, бывает с тобой так, что тебе кажется – все провалится к чертям, если ты чего-нибудь не сделаешь, бывает тебе страшно? Скажи, ты любишь школу, вообще все?

– Нет, конечно, там скука смертная.

– Но ты ее ненавидишь или нет? Я знаю, что это скука смертная, – но ты ненавидишь все это или нет?

– Как тебе сказать? Не то что ненавижу. Всегда както приходится...

– А я ненавижу. Господи, до чего я все это ненавижу. И не только школу. Все ненавижу. Ненавижу жить в Нью-Йорке. Такси ненавижу, автобусы, где кондуктор орет на тебя, чтоб выходил через заднюю площадку, ненавижу знакомиться с ломаками, которые называют Лантов «ангелами», ненавижу ездить в лифтах, когда просто хочется выйти на улицу, ненавижу мерить без конца костюмы у Брукса, когда тебе...

– Не кричи, пожалуйста! – перебила Салли.

Глупо, я и не думал кричать.

— Например, машины, — сказал я ужасно тихим голосом. — Смотри, как люди сходят с ума по машинам. Для них трагедия, если на их машине хоть малейшая царапина, а они вечно рассказывают, на сколько миль хватает галлона бензина, а как только купят новую машину, сейчас же начинают ломать голову, как бы им обменять ее на самую новейшую марку. А я даже старые машины не люблю. Понимаешь, мне не интересно. Лучше бы я себе завел лошадь, черт побери. В лошадях хоть есть что-то человеческое. С лошадью хоть поговорить можно.

— Не понимаю, о чем ты... Ты так перескакиваешь...

— Знаешь, что я тебе скажу? — сказал я. — Если бы не ты, я бы сейчас не сидел в Нью-Йорке. Если бы не ты, я бы, наверно, сейчас удрал к черту на рога. Куда-нибудь в леса или еще подальше. Ты единственное, из-за чего я торчу здесь.

— Какой ты милый! — говорит. Но сразу было видно, что ей хочется переменить разговор.

— Ты бы поучилась в мужской школе. Попробовала бы! — говорю. — Сплошная липа. И учатся только для того, чтобы стать какими-нибудь пронырами, заработать на какой-нибудь треклятый «Кадиллак», да еще вечно притворяются, что им очень важно, проиграет их футбольная команда или нет. А целые дни только и разговору что про выпивку, девочек и что такое секс, и у всякого своя компания, какая-нибудь гнусная мелкая шайка. У баскетбольных игроков — своя шайка, у католиков — своя, у этих треклятых интеллектуалов — своя, у игроков в бридж — своя компания. Даже у абонентов этого дурацкого Книжного клуба — своя шайка. Попробуй с кем-нибудь поговорить по-настоящему.

— Нет, это неверно! — сказала Салли. — Многим мальчикам школа куда больше дает.

— Согласен! Согласен, что многим школа дает больше. А мне — ничего! Понятно? Я про это и говорю. Именно про это, черт побери! Мне вообще ничто ничего не дает. Я в плохом состоянии. Я в ужасающем состоянии!

– Да, ты в ужасном состоянии.

И вдруг мне пришла в голову мысль.

– Слушай! – говорю. – Вот какая у меня мысль. Хочешь удрать отсюда ко всем чертям? Вот что я придумал. У меня есть один знакомый в Гринич-Вилледж, я у него могу взять машину недельки на две. Он учился в нашей школе и до сих пор должен мне десять долларов. Мы можем сделать вот что. Завтра утром мы можем поехать в Массачусетс, в Вермонт, объездить там всякие места. Красиво там до черта, понимаешь? Удивительно красиво! – Чем больше я говорил, тем больше я волновался. Я даже наклонился и схватил Салли за руку, идиот проклятый! – Нет, кроме шуток! – говорю. – У меня есть около ста восьмидесяти долларов на книжке. Завтра утром, как только откроют банк, я их возьму, а потом можно поехать и взять машину у этого парня. Кроме шуток. Будем жить в туристских лагерях и во всяких таких местах, пока деньги не кончатся. А когда кончатся, я могу достать работу, будем жить где-нибудь у ручья, а потом когда-нибудь мы с тобой поженимся, все как надо. Я сам буду рубить для нас дрова зимой. Честное слово, нам так будет хорошо, так весело! Ну как? Ты поедешь? Поедешь со мной? Поедешь, да?

– Да как же можно? – говорит Салли. Голос у нее был злой.

– А почему нельзя? Почему, черт подери?

– Не ори на меня, пожалуйста! – говорит. И главное, врет, ничуть я на нее не орал.

– Почему нельзя? Ну почему?

– Потому что нельзя, и все! Во-первых, мы с тобой, в сущности, еще дети. Ты подумал, что мы будем делать, когда деньги кончатся, а работу ты не достанешь? Мы с голоду умрем. И вообще, все это такие фантазии, что и говорить не...

– Неправда. Это не фантазии! Я найду работу! Не беспокойся! Тебе об этом нечего беспокоиться! В чем же дело? Не хочешь со мной ехать? Так и скажи!

– Не в том дело. Вовсе не в том, – говорит Салли. Я чувствовал, что начинаю ее ненавидеть. – У нас уйма времени впереди, тогда все будет можно. Понимаешь, после того как ты окончишь университет и мы с тобой поженимся, мы сможем поехать в тысячу чудных мест. А теперь ты...

– Нет, не сможем. Никуда мы не сможем поехать, ни в какую тысячу мест. Все будет по-другому, – говорю. У меня совсем испортилось настроение.

– Что? Я не слышу. То ты на меня орешь, то бормочешь под нос...

– Я говорю – нет, никуда мы не поедем, ни в какие «чудные места», когда я кончу университет, и все такое. Ты слушай ушами! Все будет по-другому. Нам придется спускаться в лифте с чемоданами и кучей вещей. Нам придется звонить всем родственникам по телефону, прощаться, а потом посылать им открытки из всяких гостиниц. Я буду работать в какой-нибудь конторе, зарабатывать уйму денег, и ездить на работу в машине или в автобусах по Мэдисон-авеню, и читать газеты, и играть в бридж все вечера, ходить в кино, смотреть дурацкие короткометражки, и рекламу боевиков, и кинохронику. Кинохронику. Ох, мать честная! Сначала какие-то скачки, потом дама разбивает бутылку над кораблем, потом шимпанзе в штанах едет на велосипеде. Нет, это все не то! Да ты все равно ни черта не понимаешь!

– Может быть, не понимаю! А может быть, ты сам ничего не понимаешь! – говорит Салли. Мы уже ненавидели друг друга до визга. Видно было, что с ней бессмысленно разговаривать по-человечески. Я был ужасно зол на себя, что затеял этот разговор.

– Ладно, давай сматываться отсюда! – говорю. – И вообще, катись-ка ты знаешь куда...

Ох и взвилась же она, когда я это сказал! Знаю, не надо было так говорить, и я никогда бы не выругался, если б она меня не довела. Обычно я при девочках никогда в жизни не ругаюсь. Уж и взвилась она! Я извинялся как ошалелый, но она и слушать не хотела. Даже расплакалась. По правде говоря, я немножко испугался, я испугался, что она пойдет домой и пожалуется своему отцу, что я ее обругал. Отец у нее был такой длинный, молчаливый, он вообще меня недолюбливал, подлец. Он сказал Салли, что я очень шумный.

– Нет, серьезно, прости меня! – Я очень ее уговаривал.

– Простить! Тебя простить! Странно! – говорит. Она все еще плакала, и вдруг мне стало как-то жалко, что я ее обидел.

– Пойдем, я тебя провожу домой. Серьезно.

– Я и сама доберусь, спасибо! Если ты думаешь, что я тебе позволю провожать меня, значит, ты дурак. Ни один мальчик за всю мою жизнь при мне так не ругался.

Что-то в этом было смешное, если подумать, и я вдруг сделал то, чего никак не следовало делать. Я захохотал. А смех у меня ужасно громкий и глупый. Понимаете, если бы я сидел сам позади себя в кино или еще где-нибудь, я бы, наверно, наклонился и сказал самому себе, чтобы так не гоготал. И тут Салли совсем взбесилась.

Я не уходил, все извинялся, просил у нее прощения, но она никак не хотела меня простить. Все твердила – уходи, оставь меня в покое. В конце концов я и ушел. Забрал свои башмаки и одежду и ушел без нее. Не надо было ее бросать, но мне уже все осточертело.

А по правде говоря, я и сам не понимал, зачем ей все это наговорил. Насчет поездки в Массачусетс, в Вермонт, вообще все. Наверно, я не взял бы ее с собой, даже если б она сама напрашивалась. Разве с такими, как она, можно путешествовать? Но самое страшное, что я искренне предлагал ей ехать со мной. Это самое страшное. Нет, я все-таки ненормальный, честное слово!

18

Мне захотелось есть, когда я вышел с катка, и я забежал в буфет, съел бутерброд с сыром и выпил молока, а потом зашел в телефонную будку. Я подумал – может быть, все-таки звякнуть Джейн еще раз, узнать, приехала она домой или нет. Ведь у меня весь вечер был свободен, и я подумал – звякну ей, и, если она уже дома, я ее приглашу куда-нибудь потанцевать. Я ни разу с ней не танцевал за все наше знакомство. Это было четвертого июля в клубе. Тогда мы еще были мало знакомы и я не решился отбить ее у кавалера. Она была с отвратительным типом, с Элом Пайком, который учился в Чоуте. Я его тоже мало знал, только он вечно вертелся около бассейна. Он носил такие белые нейлоновые плавки и вечно прыгал с вышки. Целыми днями прыгал каким-то дурацким стилем. Больше он ничего не умел, но, видно, считал себя классным спортсменом. Сплошные мускулы – и никаких мозгов. Словом, Джейн в тот вечер танцевала с ним. Мне это было непонятно. Когда мы с ней подружились, я ее спросил, как она могла встречаться с таким заносчивым гадом, как этот Эл Пайк. Но Джейн сказала, что он вовсе не задается. Она сказала, что у него, наоборот, этот самый комплекс неполноценности. Вообще видно было, что ей его жаль, да она и не притворялась. Она всерьез его жалела. Странные люди эти девчонки. Каждый раз, когда упоминаешь какого-нибудь чистокровного гада – очень подлого или очень самовлюбленного, – каждый раз, как про него заговоришь с девчонкой, она непременно скажет, что у него «комплекс неполноценности». Может быть, это и верно, но это не мешает ему быть гадом. Да, девчонки. Никогда не поймешь, что им взбредет в голову. Один раз я познакомил подругу Роберты Уолш с одним моим приятелем. Его звали Боб Робинсон, вот у него по-настоящему был комплекс неполноценности. Сразу было видно, что он стеснялся своих родителей, потому что они говорили «хочут» и «хочете», и все в таком роде, а кроме того, они были довольно бедные. Но сам он был вовсе не из худших. Очень славный малый, но подруге Роберты Уолш он совершенно не понравился. Она сказала Роберте, что он задается, а решила она, что он задается, потому, что он случайно назвал себя капитаном команды дискуссионного клуба. Такая мелочь – и она уже решила, что он задается! Вся беда с девчонками в том, что, если им мальчик нравится, будь он хоть сто раз гадом, они непременно скажут, что у него комплекс неполноценности, а если им мальчик не нравится, будь он хоть самый славный малый на свете, с самым настоящим комплексом, они все равно скажут, что он задается. Даже с умными девчонками так бывает.

В общем, я опять позвонил старушке Джейн, но никто не подошел, и пришлось повесить трубку. Я стал просматривать свою записную книжку, искать, с кем бы мне провести вечер. К несчастью, у меня в книжке было записано только три телефона: Джейн, мистера Антолини – он был моим учителем в Элктон-хилле – и потом служебный телефон отца. Вечно я забываю записывать телефоны. В конце концов пришлось позвонить одному типу, Карлу Льюсу. Он окончил Хуттонскую школу, когда я уже оттуда ушел. Он был старше меня года на три, и я его не особенно любил, но он был ужасно умный – у него был самый высокий показатель умственного развития во всей школе, – и я подумал, может быть, он пообедает со мной и мы поговорим о чем-нибудь умном. Иногда он интересно рассказывал. Я решил ему звякнуть. Он уже учился в Колумбийском университете, но жил на Шестьдесят пятой улице, и я знал, что он дома. Когда я до него дозвонился, он сказал, что в обед занят, но может встретиться со мной в десять вечера в Викер-баре, на Пятьдесят четвертой. По-моему, он очень удивился, когда услышал мой голос. Один раз я его обозвал толстозадым ломакой.

До десяти часов надо было как-то убить время, и я пошел в кино в Радио-сити. Хуже нельзя было ничего придумать, но я был рядом и совершенно не знал, куда деваться.

Я вошел, когда начался дивертисмент. Труппа «Рокетт» выделывала бог знает что – знаете, как они танцуют, все в ряд, обхватив друг дружку за талию. Публика хлопала как бешеная, и какой-то тип за мной все время повторял: «Знаете, как это называется? Математическая точность!» Убил. А после труппы «Рокетт» выкатился на роликах человек во фраке и стал нырять под маленькие столики и при этом острить. Катался он здорово, но мне было скучновато, потому что я все время представлял себе, как он целыми днями тренируется, чтобы потом кататься по сцене на роликах. Глупое занятие. А после него началась рождественская пантомима, ее каждый год ставят в Радио-сити на Рождество. Вылезли всякие ангелы из ящиков, потом какие-то типы таскали на себе распятия по всей сцене, а потом они хором во все горло пели «Приидите, верующие!». Здорово запущено! Знаю, считается, что все это ужасно религиозно и красиво, – но где же тут религия и красота, черт меня дери, когда кучка актеров таскает распятия по сцене? А когда они кончили петь и стали расходиться по своим местам, видно было, что им не терпится уйти к чертям, покурить, передохнуть. В прошлом году я видел это представление с Салли Хейс, и она все восторгалась – ах, какая красота, ах, какие костюмы! А я сказал, что бедного Христа, наверно, стошнило бы, если б он посмотрел на эти маскарадные тряпки. Салли сказала, что я богохульник и атеист. Наверно, так оно и есть. А вот одна штука Христу, наверно, понравилась бы – это ударник из оркестра.

Я его помню с тех пор, как мне было лет восемь. Когда родители водили сюда меня с братом, с Алли, мы всегда пересаживались к самому оркестру, чтобы смотреть на этого ударника. Лучше его я никого не видал. Правда, за весь номер ему всего раза два удавалось стукнуть по этой штуке, и все-таки у него никогда не было скуки на лице, пока он ждал. Но уж когда он наконец ударит, у него это выходит так хорошо, так чисто, даже по лицу видно, как он старается. Когда мы с отцом ездили в Вашингтон, Алли послал этому ударнику открытку, но, наверно, тот ее не получил. Мы толком не знали, как написать адрес.

Наконец рождественская пантомима закончилась и запустили этот треклятый фильм. Он был до того гнусный, что я глаз не мог отвести. Про одного англичанина, Алека, не помню, как дальше. Он был на войне и в госпитале потерял память. Выходит из госпиталя с палочкой, хромает по всему городу, по Лондону, и не знает, где он. На самом деле он герцог, но этого не помнит. Потом встречается с такой некрасивой, простой, честной девушкой, когда она лезет в автобус. У нее слетает шляпка, он ее подхватывает, а потом они вдвоем забираются на верхотуру и начинают разговор про Чарлза Диккенса. Оказывается, это их любимый писатель. Он даже носит с собой «Оливера Твиста», и она тоже. Меня чуть не стошнило. В общем, они тут же влюбляются друг в друга, потому что оба помешаны на Чарлзе Диккенсе, и он ей помогает наладить работу в издательстве. Забыл сказать, эта девушка – издатель. Но у нее работа идет неважно, потому что брат у нее пьяница и все деньги пропивает. Он очень ожесточился, этот самый брат, потому что на войне он был хирургом, а теперь уже не может делать операции, нервы у него ни к черту, вот он и пьет как лошадь, день и ночь, хотя в общем он довольно умный. Словом, Алек пишет книжку, а девушка ее издает, и они загребают кучу денег. Они совсем было собрались пожениться, но тут появляется другая девушка, некая Марсия. Эта Марсия была невестой Алека до того, как он потерял память, и она его узнает, когда он надписывает в магазине свою книжку любителям автографов. Марсия говорит бедняге Алеку, что он на самом деле герцог, но он ей не верит и не желает идти с ней в гости к своей матери. А мать у него слепая как крот. Но та, другая девушка, некрасивая, заставляет его пойти. Она ужасно благородная и все такое. Он идет, но все равно память к нему не возвращается, даже когда его огромный датский дог прыгает на него как сумасшедший, а мать хватает его руками за лицо и приносит ему плюшевого мишку, которого он обцеловывал в раннем детстве. Но в один прекрасный день ребята играли на лужайке в крикет и огрели этого Алека мячом по башке. Тут к нему сразу возвращается память, он бежит домой и целует свою мать в лоб. Он опять становится настоящим герцогом и совершенно забывает ту простую девушку, у которой свое издательство. Я бы рассказал вам, как было дальше, но боюсь, что меня стошнит. Дело не в том, что я боюсь испортить вам впечатление, там и портить нечего. Словом, все кончается тем, что Алек женится на этой простой девушке, а ее брат, хирург, который пьет, приводит свои нервы в порядок и делает операцию мамаше Алека, чтобы она прозрела, и тут этот бывший пьяница и Марсия влюбляются друг в друга. А в последних кадрах показано, как все сидят за длиннющим столом и хохочут до колик, потому что датский дог вдруг притаскивает кучу щенков. Все думали, что он кобель, а оказывается, это сука. В общем, могу одно посоветовать: если не хотите, чтоб вас стошнило прямо на соседей, не ходите на этот фильм.

Но кого я никак не мог понять, так это даму, которая сидела рядом со мной и всю картину проплакала. И чем больше там было липы, тем она горше плакала. Можно было бы подумать, что она такая жалостливая, добрая, но я сидел рядом и видел, какая она добрая. С ней был маленький сынишка, ему было скучно до одури, и он все скулил, что хочет в уборную, а она его не вела. Все время говорила – сиди смирно, веди себя прилично. Волчица и та, наверно, добрее. Вообще, если взять десять человек из тех, кто смотрит липовую картину и ревет в три ручья, так поручиться можно, что из них девять окажутся в душе самыми прожженными сволочами. Я вам серьезно говорю.

Когда картина кончилась, я пошел к Викер-бару, где должен был встретиться с Карлом Льюсом, и, пока шел, все думал про войну. Военные фильмы всегда наводят на такие мысли. Наверно, я не выдержал бы, если бы пришлось идти на войну. Вообще не страшно, если бы тебя просто отправили куда-нибудь и там убили, но ведь надо торчать в армии бог знает сколько времени. В этом все несчастье. Мой брат, Д.Б., четыре года как проклятый торчал в армии. Он и на войне был, участвовал во Втором фронте и все такое – но, по-моему, он ненавидел армейскую службу больше, чем войну. Я был еще совсем маленький, но помню, когда он приезжал домой в отпуск, он все время лежал у себя на кровати. Он даже в гостиную выходил редко. Потом он попал в Европу, на войну, но не был ранен, и ему даже не пришлось ни в кого стрелять. Целыми днями он только и делал, что возил какого-то ковбойского генерала в штабной машине. Он как-то сказал нам с Алли, что, если б ему пришлось стрелять, он не знал бы, в кого пустить пулю. Он сказал, что в армии полно сволочей, не лучше, чем фашисты. Помню, как Алли его спросил – может быть, ему полезно было побывать на войне, потому что он писатель и теперь ему есть о чем писать. А он заставил Алли принести ему бейсбольную рукавицу со стихами и потом спросил: кто лучше писал про войну – Руперт Брук или Эмили Дикинсон? Алли говорит – Эмили Дикинсон. Я про это ничего сказать не могу – стихов я почти не читаю, но я твердо знаю одно: я бы наверняка спятил, если б мне пришлось служить в армии с типами вроде Экли, Стрэдлейтера и того лифтера, Мориса, маршировать с ними, жить вместе. Как-то я целую неделю был бойскаутом, и меня уже мутило, когда я смотрел в затылок переднему мальчишке. А нас все время заставляли смотреть в затылок переднему. Честное слово, если будет война, пусть меня лучше сразу выведут и расстреляют. Я и сопротивляться бы не стал. Но одно меня возмущает в моем старшем брате: ненавидит войну, а сам прошлым летом дал мне прочесть эту книжку — «Прощай, оружие!». Сказал, что книжка потрясающая. Вот чего я никак не понимаю. Там этот герой, этот лейтенант Генри. Считается, что он славный малый. Не понимаю, как это Д.Б. ненавидит войну, ненавидит армию и все-таки восхищается этим ломакой. Не могу я понять, почему ему нравится такая липа и в то же время нравится и Ринг Ларднер, и «Великий Гэтсби».

Он на меня обиделся, Д.Б., когда я ему это сказал, заявил, что я еще слишком мал, чтобы оценить «Прощай, оружие!», но, по-моему, это неверно. Я ему говорю — нравится же мне Ринг Ларднер и «Великий Гэтсби». Особенно «Великий Гэтсби». Да, Гэтсби. Вот это человек. Сила!

В общем, я рад, что изобрели атомную бомбу. Если когда-нибудь начнется война, я усядусь прямо на эту бомбу. Добровольно сяду, честное благородное слово!

19

Может быть, вы не жили в Нью-Йорке и не знаете, что Викер-бар находится в очень шикарной гостинице — «Сетонотель». Раньше я там бывал довольно часто, но потом перестал. Совсем туда не хожу. Считается, что это ужасно изысканный бар, и все пижоны туда так и лезут. А три раза за вечер там выступали эти француженки, Тина и Жанин, играли на рояле и пели. Одна играла на рояле совершенно мерзко, а другая пела песни либо непристойные, либо французские. Та, которая пела, Жанин, сначала выйдет к микрофону и прошепелявит, прежде чем запоет. Скажет: «А теперь ми вам спойём маленки песенка "Вуле ву Франсэ". Этот песенка про ма-аленки франсуски дэвюшка, котори приехаль в ошен болшой город, как Нуу-Йорк, и влюблял в ма-аленки малшику из Бруклин. Ми увэрен, что вам ошен понравиль!» Посюсюкает, пошепелявит, а потом споет дурацкую песню наполовину по-английски, наполовину по-французски, а все пижоны начинают с ума сходить от восторга. Посидели бы вы там подольше, послушали бы, как эти подонки аплодируют, вы бы весь свет возненавидели, клянусь честью. А сам хозяин бара тоже скотина. Ужасающий сноб. Он с вами ни слова не скажет, если вы не какая-нибудь важная шишка или знаменитость. А уж если ты знаменитость, тут он в лепешку расшибется, смотреть тошно. Подойдет, улыбнется этак широко, простодушно – смотрите, какой я чудный малый! – спросит: «Ну, как там у вас, в Коннектикуте?» или: «Ну, как там у вас во Флориде?» Гнусный бар, кроме шуток. Я туда почти что совсем перестал ходить.

Было еще довольно рано, когда я туда добрался. Я сел у стойки – народу было много – и выпил виски с содовой, не дождавшись Льюса. Я вставал с табуретки, когда заказывал: пусть видят, какой я высокий, и не принимают меня за несовершеннолетнего. Потом я стал рассматривать всех пижонов. Тот, что сидел рядом со мной, повсякому обхаживал свою девицу. Все уверял, что у нее аристократические руки. Меня смех разбирал. А в другом конце бара собрались психи. Вид у них, правда, был не слишком психоватый – ни длинных волос, ничего такого, но сразу можно было сказать, кто они такие. И наконец явился сам Льюс.

Льюс – это тип. Таких поискать. Когда мы учились в Хуттонской школе, он считался моим репетитором-старшеклассником. Но он только и делал, что вел всякие разговоры про секс поздно ночью, когда у него в комнате собирались ребята. Он здорово знал про всякое такое, особенно про всяких извращенцев, которые гоняются за овцами или зашивают в подкладку шляп женские трусики. Этот Льюс наизусть знал, кто педераст, а кто лесбиянка, чуть ли не по всей Америке. Назовешь какую-нибудь фамилию, чью угодно, – и Льюс тут же тебе скажет, педераст тот или нет. Просто иногда трудно поверить, что все эти люди – киноактеры и прочее – либо педерасты, либо лесбиянки. А ведь многие из них были женаты. Черт его знает, откуда он это выдумал. Сто раз его переспросишь: «Да неужели Джо Блоу тоже из этих? Джо Блоу, такая громадина, такой силач, тот, который всегда играет гангстеров и ковбоев, – неужели и он?» И Льюс отвечал: «Безусловно!» Он говорил, что никакого значения не имеет, женат человек или нет. Говорил, что половина женатых людей извращенцы и сами этого не подозревают. Говорил – каждый может вдруг стать таким, если есть задатки. Пугал нас до полусмерти. Я иногда ночь не спал, все боялся – вдруг я тоже стану психом? Но самое смешное, что, по-моему, сам Льюс был не совсем нормальный. Вечно он трепался бог знает о чем, а в коридоре жал из тебя масло, пока ты не задохнешься. И всегда оставлял двери из уборной в умывалку открытыми: ты чистишь зубы или умываешься, а он с тобой оттуда разговаривает. По-моему, это тоже какое-то извращение, ей-богу. В школах я часто встречал настоящих психов, и вечно они выкидывали такие фокусы. Потому я и подозревал, что Льюс сам такой. Но он ужасно умный, кроме шуток.

Он никогда не здоровается, не говорит «привет». И сейчас он сразу заявил, что пришел на одну минутку. Сказал, что у него свидание. Потом велел подать себе сухой мартини. Сказал, чтобы бармен поменьше разбавлял и не клал маслину.

– Слушай, я для тебя присмотрел хорошего психа, – говорю. – Вон, в конце стойки. Ты пока не смотри. Я его приметил для тебя.

– Как остроумно! – говорит. – Все тот же прежний Колфилд. Когда же ты вырастешь?

Видно было, что я его раздражаю. А мне стало смешно. Такие типы меня всегда смешат.

– Ну, как твоя личная жизнь? – спрашиваю. Он ненавидел, когда его об этом спрашивали.

– Перестань, – говорит он, – ради бога, сядь спокойно и перестань трепаться.

– А я сижу спокойно, – говорю. – Как Колумбия? Нравится тебе там?

– Безусловно. Очень нравится. Если бы не нравилось, я бы туда не пошел, – говорит. Он тоже иногда раздражал меня.

– А какую специальность ты выбрал? – спрашиваю. – Изучаешь всякие извращения? – Мне хотелось подшутить на ним.

– Ты, кажется, пытаешься острить? – говорит он.

– Да нет, я просто так, – говорю. – Слушай, Льюс, ты очень умный малый, образованный. Мне нужен твой совет. Я попал в ужасное...

Он громко застонал:

– Ох, Колфилд, перестань! Неужто ты не можешь посидеть спокойно, поговорить...

– Ладно, ладно, – говорю. – Не волнуйся!

Видно было, что ему не хочется вести со мной серьезный разговор. Беда с этими умниками. Никогда не могут серьезно поговорить с человеком, если у них нет настроения. Пришлось завести с ним разговор на общие темы.

– Нет, я серьезно спрашиваю, как твоя личная жизнь? По-прежнему водишься с той же куклой – помнишь, ты с ней водился в Хуттоне? У нее еще такой огромный...

– О господи, разумеется нет!

– Как же так? Где она теперь?

– Ни малейшего представления. Если хочешь знать, она, по-моему, стала чем-то вроде нью-гемпширской блудницы.

– Это свинство! Если она тебе столько позволяла, так ты по крайней мере не должен говорить про нее гадости!

– О черт! – сказал Льюс. – Неужели начнется типичный колфилдовский разговор? Ты бы хоть предупредил меня.

– Ничего не начнется, – сказал я, – и все-таки это свинство. Если она так хорошо относилась к тебе, что позволяла...

– Неужто надо продолжать эти невыносимые тирады?

Я ничего не сказал. Испугался, что, если я не замолчу, он встанет и уйдет. Пришлось заказать еще одну порцию виски. Мне вдруг до чертиков захотелось напиться.

– С кем же ты сейчас водишься? – спрашиваю. – Можешь мне рассказать? Если хочешь, конечно!

– Ты ее не знаешь.

– А вдруг знаю? Кто она?

– Одна особа из Гринич-Вилледж. Скульпторша, если уж непременно хочешь знать.

– Ну? Серьезно? А сколько ей лет?

– Бог мой, да разве я ее спрашивал!

– Ну приблизительно сколько?

– Да, наверно, лет за тридцать, – говорит Льюс.

– За тридцать? Да? И тебе это нравится? – спрашиваю. – Тебе нравятся такие старые? – Я его расспрашивал главным образом потому, что он действительно разбирался в этих делах. Не многие так разбирались, как он. Он потерял невинность в четырнадцать лет, в Нантакете, честное слово!

– Ты хочешь знать, нравятся ли мне зрелые женщины? Безусловно!

– Вот как? Почему? Нет, правда, разве с ними лучше?

– Слушай, я тебе еще раз повторяю: прекрати эти колфилдовские расспросы хотя бы на сегодняшний вечер. Я отказываюсь отвечать. Когда же ты наконец станешь взрослым, черт побери?

Я ничего не ответил. Решил помолчать минутку. Потом Льюс заказал еще мартини и велел совсем не разбавлять.

– Слушай, все-таки скажи, ты с ней давно живешь, с этой скульпторшей? – Мне и на самом деле было интересно. – Ты был с ней знаком в Хуттонской школе?

– Нет. Она недавно приехала в Штаты, несколько месяцев назад.

– Да? Откуда же она?

– Представь себе – из Шанхая.

– Не ври! Китаянка, что ли?

– Безусловно!

– Врешь! И тебе это нравится? То, что она китаянка?

– Безусловно, нравится.

– Но почему? Честное слово, мне интересно знать – почему?

– Просто меня восточная философия больше удовлетворяет, чем западная, если тебе непременно надо знать.

– Какая философия? Сексуальная? Что, разве у них в Китае это лучше? Ты про это?

– Да я не про Китай. Я вообще про Восток. Бог мой! Неужели надо продолжать этот бессмысленный разговор?

– Слушай, я тебя серьезно спрашиваю, – говорю я. – Я не шучу. Почему на Востоке все это лучше?

– Слишком сложно объяснять, понимаешь? – говорит Льюс. – Просто они считают, что любовь – это общение не только физическое, но и духовное. Да зачем я тебе стану...

– Но я тоже так считаю! Я тоже считаю, что это – как ты сказал? – и духовное, и физическое. Честное слово, я тоже так считаю. Но все зависит от того, с кем у тебя любовь. Если с кем-нибудь, кого ты вовсе...

– Да не ори ты так, ради бога! Если не можешь говорить тихо, давай прекратим этот...

– Хорошо, хорошо, только ты выслушай! – говорю. Я немножко волновался и действительно говорил слишком громко. Бывает, что я очень громко говорю, когда волнуюсь. – Понимаешь, что я хочу сказать: я знаю, что общение должно быть и физическое, и духовное, и красивое, – словом, всякое такое. Но ты пойми, не может так быть с каждой – со всеми девчонками, с которыми целуешься, – не может! А у тебя может?

– Давай прекратим этот разговор, – говорит Льюс. – Не возражаешь?

– Ладно, но ты все-таки выслушай! Возьмем тебя и эту китаянку. Что у вас с ней особенно хорошего?

– Я сказал – прекрати!

Конечно, не надо было так вмешиваться в его личную жизнь. Я это понимаю. Но у Льюса была одна ужасно неприятная черта. Когда мы учились в Хуттоне, он заставлял меня описывать самые тайные мои переживания, а как только спросишь его самого, он злится. Не любят эти умники вести умный разговор, они только сами любят разглагольствовать. Считают, что если он замолчал, так ты тоже молчи, если он ушел в свою комнату, так и ты уходи. Когда я учился в Хуттоне, Льюс просто ненавидел, если мы начинали сами разговаривать после того, как он нам рассказывал всякие вещи. Даже если мы собирались в другой комнате, я и мои товарищи, Льюс просто не выносил этого. Он всегда требовал, чтобы все разошлись по своим комнатам и сидели там, раз он перестал разглагольствовать. Все дело было в том, что он боялся – вдруг кто-нибудь скажет что-либо умнее, чем он. Все-таки он уморительный тип.

– Наверно, придется ехать в Китай, – говорю. – Моя личная жизнь ни к черту не годится.

– Это естественно. У тебя незрелый ум.

– Верно. Это очень верно, сам знаю, – говорю. – Но понимаешь, в чем беда? Не могу я испытать настоящее возбуждение – понимаешь, настоящее, – если девушка мне не нравится. Понимаешь, она должна мне нравиться. А если не нравится, так я ее и не хочу, понимаешь? Господи, вся моя личная жизнь из-за этого идет псу под хвост. Дерьмо, а не жизнь!

– Ну конечно, черт возьми! Я тебе уже в прошлый раз говорил, что тебе надо сделать.

– Пойти к психоаналитику, да? – сказал я. В прошлый раз он мне это советовал. Отец у него психоаналитик.

– Да это твое дело, бог мой! Мне-то какая забота, что ты с собой сделаешь?

Я ничего не сказал. Я думал.

– Хорошо, предположим, я пойду к твоему отцу и попрошу его пропсихоанализировать меня, – сказал я. – А что он со мной будет делать? Скажи, что он со мной сделает?

– Да ни черта он с тобой не сделает. Просто поговорит, и ты с ним поговоришь. Что ты, не понимаешь, что ли? Главное, он тебе поможет разобраться в строе твоих мыслей.

– В чем, в чем?

– В строе твоих мыслей. Ты запутался в сложностях... О черт! Что я, курс психоанализа должен тебе читать, что ли? Если угодно, запишись к отцу на прием, не угодно – не записывайся! Откровенно говоря, мне это глубоко безразлично.

Я положил руку ему на плечо. Мне стало очень смешно.

– А ты настоящий друг, сукин ты сын! – говорю. – Ты это знаешь?

Он посмотрел на часы.

— Надо бежать! — говорит он и встает. — Рад был повидать тебя. — Он позвал бармена и велел подать счет.

— Слушай-ка! — говорю. — А твой отец тебя психоанализировал?

— Меня? А почему ты спрашиваешь?

— Просто так. Психоанализировал или нет?

— Как сказать. Не совсем. Просто он помог мне приспособиться к жизни, но глубокого анализа не понадобилось. А почему ты спрашиваешь?

— Просто так. Интересно.

— Ну, прощай! Счастливо! — сказал он. Он положил чаевые и собрался уходить.

— Выпей со мной еще! — говорю. — Прошу тебя. Меня тоска заела. Серьезно, останься!

Он сказал, что не может. Сказал, что и так опаздывает, и ушел.

Да, Льюс — это тип. Конечно, он зануда, но запас слов у него гигантский. Из всех учеников нашей школы у него оказался самый большой запас слов. Нам устраивали специальные тесты.

20

Я сидел и пил без конца, а сам ждал, когда же наконец выйдут Тина и Жанин со своими штучками, но их, оказывается, уже не было. Какой-то женоподобный тип с завитыми волосами стал играть на рояле, а потом новая красотка, Валенсия, вышла и запела. Ничего хорошего в ней не было, но, во всяком случае, она была лучше, чем Тина с Жанин, — по крайней мере, она хоть песни пела хорошие. Рояль был у самой стойки, где я сидел, и эта самая Валенсия стояла почти что около меня. Я ей немножко подмигнул, но она сделала вид, что даже не замечает меня. Наверно, я не стал бы ей подмигивать, но я уже был пьян как сапожник. Она допела и так быстро смылась, что я не успел пригласить ее выпить со мной. Я позвал метрдотеля и велел ему спросить старушку Валенсию, не хочет ли она выпить со мной. Он сказал, что спросит непременно, но, наверно, даже не передал мою просьбу. Никто никогда не передает, если просишь.

Просидел я в этом проклятом баре чуть ли не до часу ночи, напился там как сукин сын. Совершенно окосел. Но одно я твердо помнил — нельзя шуметь, нельзя скандалить. Не хотелось, чтобы на меня обратили внимание да еще спросили бы, чего доброго, сколько мне лет. Но до чего я окосел — ужас! А когда я окончательно напился, я опять стал выдумывать эту дурацкую историю, будто у меня в кишках сидит пуля. Я сидел один в баре, с пулей в животе. Все время я держал руку под курткой, чтобы кровь не капала на пол. Я не хотел подавать виду, что я ранен. Скрывал, что меня, дурака, ранили. И тут опять ужасно захотелось звякнуть Джейн по телефону, узнать, вернулась она наконец домой или нет. Я расплатился и пошел к автоматам. Иду, а сам прижимаю руку к ране, чтобы кровь не капала. Вот до чего я напился!

Но когда я очутился в телефонной будке, у меня прошло настроение звонить Джейн. Наверно, я был слишком пьян. Вместо этого я позвонил Салли.

Я накрутил, наверно, номеров двадцать, пока не набрал правильно. Фу, до чего я был пьян!

— Алло! — крикнул я, когда кто-то подошел к этому треклятому телефону. Даже не крикнул, а заорал, до того я был пьян.

— Кто говорит? — спрашивает ледяной женский голос.

— Это я. Холден Колфилд. Пжалста, пзовите Салли...

— Салли уже спит. Говорит ее бабушка. Почему вы звоните так поздно, Холден? Вы знаете, который час?

— Знаю! Мне надо поговорить с Салли. Очень важно. Дайте ее сюда!

— Салли спит, молодой человек. Позвоните завтра. Спокойной ночи!

— Разбудите ее! Эй, разбудите ее! Слышите?

И вдруг заговорил другой голос:

— Холден, это я. — Оказывается, Салли. — Это еще что за выдумки?

— Салли? Это ты?

— Да-да! Не ори, пожалуйста! Ты пьян?

— Ага! Слушай! Слушай, эй! Я приду в Сочельник, ладно? Уберу с тобой эту чертову елку. Идет? Эй, Салли, идет?

— Да. Ты ужасно пьян. Иди спать. Где ты? С кем ты?

— Салли? Я приду убирать елку, ладно? Слышишь? Ладно? А?

— Да-да. А теперь иди спать. Где ты? Кто с тобой?

— Никого. Я, моя персона и я сам. — Ох, до чего я был пьян! Стою и держусь за живот. — Меня подстрелили! Банда Рокки меня прикончила. Слышишь, Салли? Салли, ты меня слышишь?

— Я ничего не понимаю. Иди спать. Мне тоже надо спать. Позвони завтра.

— Слушай, Салли! Хочешь, я приду убирать елку? Хочешь? А?

— Да-да! Спокойной ночи!

И повесила трубку.

— Спокойной ночи. Спокойной ночи, Салли, миленькая! Солнышко мое, девочка моя милая! — говорю. Представляете себе, до чего я был пьян?

Потом я повесил трубку. И подумал, что она, наверно, только что вернулась из гостей. Вдруг вообразил, что она где-то веселится с этими Лантами и с этим пшютом из Эндовера. Будто все они плавают в огромном чайнике и разговаривают такими нарочно изысканными голосами, кокетничают напоказ, выламываются. Я уже проклинал себя, что звонил ей. Но когда я напьюсь, я как ненормальный.

Простоял я в этой треклятой будке довольно долго. Вцепился в телефон, чтобы не потерять сознание.

Чувствовал я себя, по правде сказать, довольно мерзко. Наконец я все-таки выбрался из будки, пошел в мужскую уборную, шатаясь, как идиот, там налил в умывальник холодной воды и опустил голову до самых ушей. А потом и вытирать не стал. Пускай, думаю, с нее каплет к чертям собачьим. Потом подошел к радиатору у окна и сел на него. Он был такой теплый, уютный. Приятно было сидеть, потому что я дрожал как щенок. Смешная штука, но стоит мне напиться, как меня трясет лихорадка.

Делать было нечего, я сидел на радиаторе и считал белые плитки на полу. Я страшно промок. Вода с головы лилась за шиворот, весь галстук промок, весь воротник, но мне было наплевать. Тут вошел этот малый, который аккомпанировал Валенсии, этот женоподобный фертик с завитыми волосами, и стал приглаживать свои златые кудри. Мы с ним разговорились, пока он причесывался, хотя он был со мной не особенно приветлив.

– Слушайте, вы увидите эту самую Валенсию, когда вернетесь в зал? – спрашиваю.

– Это не лишено вероятности! – отвечает. Острит, болван. Везет мне на остроумных болванов.

– Слушайте, передайте ей от меня привет. Спросите, передал ей этот подлый метрдотель привет от меня, ладно?

– Почему ты не идешь домой, Мак? Сколько тебе, в сущности, лет?

– Восемьдесят шесть. Слушайте, передайте ей от меня приветик! Передадите?

– Почему не идешь домой, Мак?

– Не пойду! Ох и здорово вы играете на рояле, черт возьми!

Я ему нарочно льстил. По правде говоря, играл он на рояле мерзко.

– Вам бы выступать на радио, – говорю. – Вы же красавец. Златые кудри и все такое. Вам нужен импресарио, а?

— Иди домой, Мак. Будь умницей, иди домой и ложись спать.

— Нет у меня никакого дома. Кроме шуток — нужен вам импресарио?

Он даже не ответил. Вышел, и все. Расчесал свои кудри, прилизал их и ушел. Вылитый Стрэдлейтер. Все эти смазливые ублюдки одинаковы. Причешутся, прилижутся — и бросают тебя одного.

Когда я наконец встал с радиатора и пошел в гардеробную, я разревелся. Без всякой причины — шел и ревел. Наверно, оттого, что мне было очень уж одиноко и грустно. А когда я подошел к гардеробу, я не мог найти свой номер. Но гардеробщица оказалась очень славной. Отдала пальто без номера. И пластинку «Крошка Шерли Бинз», я ее так и носил с собой. Хотел дать гардеробщице доллар за то, что она такая славная, но она не взяла. Все уговаривала, чтобы я шел домой и лег спать. Я попытался было назначить ей свидание, но она не захотела. Сказала, что годится мне в матери. А я показываю свои седые волосы и говорю, что мне уже сорок четыре года — в шутку, конечно. Она была очень хорошая. Ей даже понравилась моя дурацкая охотничья шапка. Велела мне надеть ее, потому что у меня волосы были совсем мокрые. Славная женщина.

На воздухе с меня слетел весь хмель. Стоял жуткий холод, и у меня зуб на зуб не попадал. Весь дрожу, никак не могу удержаться. Я пошел к Мэдисон-авеню и стал ждать автобуса; денег у меня почти что совсем не оставалось, и нельзя было тратить на такси. Но ужасно не хотелось лезть в автобус. А кроме того, я и сам не знал, куда мне ехать. Я взял и пошел в парк. Подумал, не пойти ли мне мимо того прудика, посмотреть, где эти чертовы утки, там они или нет. Я так и не знал — там они или их нет. Парк был недалеко, а идти мне все равно было некуда — я даже не знал, где я буду ночевать, — я и пошел туда. Усталости я не чувствовал, вообще ничего не чувствовал, кроме жуткой тоски.

И вдруг, только я зашел в парк, случилась страшная вещь. Я уронил сестренкину пластинку. Разбилась на тысячу кусков. Как была в большом конверте, так и разбилась. Я чуть не разревелся, до того мне стало жалко, но я только вынул осколки из конверта и сунул в карман.

Толку от них никакого не было, но выбрасывать не хотелось. Я пошел по парку. Темень там стояла жуткая.

Всю жизнь я прожил в Нью-Йорке и знаю Центральный парк как свои пять пальцев – с самого детства я там и на роликах катался и на велосипеде, – и все-таки я никак не мог найти этот самый прудик. Я отлично знал, что он у Южного выхода, а найти не мог. Наверно, я был пьянее, чем казалось. Я шел и шел, становилось все темнее и темнее, все страшней и страшней. Ни одного человека не встретил – и слава богу, наверно, я бы подскочил от страха, если бы кто-нибудь попался навстречу. Наконец пруд отыскался. Он наполовину замерз, а наполовину нет. Но никаких уток там не было. Я обошел весь пруд, раз я даже чуть в него не упал, но ни одной-единственной утки не видел. Я подумал было, что они, может быть, спят на берегу, в кустах, если они вообще тут есть.

Вот тут я чуть и не свалился в воду, но никаких уток не нашел.

Наконец я сел на скамейку, где было не так темно. Трясло меня как проклятого, а волосы на затылке превратились в мелкие сосульки, хотя на мне была охотничья шапка. Я испугался. А вдруг у меня начнется воспаление легких и я умру? Я представил себе, как миллион притворщиков явятся на мои похороны. И дед приедет из Детройта – он всегда выкрикивает названия улиц, когда с ним едешь в автобусе, – и тетки сбегутся – у меня одних теток штук пятьдесят, – и все эти мои двоюродные подонки. Толпища, ничего не скажешь. Они все прискакали, когда Алли умер, вся их свора. Мне Д.Б. рассказывал, что одна дура тетка – у нее вечно изо рта пахнет – все умилялась, какой он лежит безмятежный. Меня там не было, я лежал в больнице. Пришлось лечиться – я очень порезал руку.

А теперь я вдруг стал думать, как я заболею воспалением легких – волосы у меня совершенно обледенели – и как я умру. Мне было жалко родителей. Особенно маму, она все еще не пришла в себя после смерти Алли. Я себе представил, как она стоит и не знает, куда девать мои костюмы и мой спортивный инвентарь. Одно меня утешало – сестренку на мои дурацкие похороны не пустят, потому что она еще маленькая. Единственное утешение. Но тут я представил себе, как вся эта гоп-компания зарывает меня на кладбище, кладет на меня камень с моей фамилией и все такое. А кругом одни мертвецы. Да, стоит только умереть, они тебя сразу же упрячут! Одна надежда, что, когда я умру, найдется умный человек и вышвырнет мое тело в реку, что ли. Куда угодно – только не на это треклятое кладбище. Еще будут приходить по воскресеньям, класть тебе цветы на живот. Вот тоже чушь собачья! На кой черт мертвецу цветы? Кому они нужны?

В хорошую погоду мои родители часто ходят на кладбище, кладут нашему Алли цветы на могилу. Я с ними раза два ходил, а потом перестал. Во-первых, не очень-то весело видеть его на этом гнусном кладбище. Лежит, а вокруг одни мертвецы и памятники. Когда солнце светит, это еще ничего, но два раза – да, два раза подряд! – когда мы там были, вдруг начинался дождь. Это было нестерпимо. Дождь шел прямо на чертово надгробье, прямо на траву, которая растет у него на животе. Лило как из ведра. И все посетители кладбища вдруг помчались как сумасшедшие к своим машинам. Вот что меня взорвало. Они-то могут сесть в машины, включить радио и поехать в какой-нибудь хороший ресторан обедать – все могут, кроме Алли. Невыносимое свинство.

Знаю, там, на кладбище, только его тело, а его душа на небе, и всякая такая чушь, но все равно мне было невыносимо. Так хотелось, чтобы его там не было. Вот вы его не знали, а если бы знали, вы бы меня поняли. Когда солнце светит, еще не так плохо, но солнце-то светит, только когда ему вздумается.

И вдруг, чтобы не думать про воспаление легких, я вытащил свои деньги и стал их пересчитывать, хотя от уличного фонаря света почти не было. У меня осталось всего три доллара: я целое состояние промотал с отъезда из Пэнси. Тогда я подошел к пруду и стал пускать монетки по воде, там, где не замерзло. Не знаю, зачем я это делал, наверно, чтобы отвлечься от всяких мыслей про воспаление легких и смерть. Но не отвлекся.

Опять я стал думать, что будет с Фиби, когда я заболею воспалением легких и умру. Конечно, ребячество об этом думать, но я уже не мог остановиться. Наверно, она очень расстроится, если я умру. Она ко мне хорошо относится. По правде говоря, она меня любит по-настоящему. Я никак не мог выбросить из головы эти дурацкие мысли и наконец решил сделать вот что: пойти домой и повидать ее на случай, если я и вправду заболею и умру. Ключ от квартиры у меня был с собой, и я решил сделать так: проберусь потихоньку в нашу квартиру и перекинусь с Фиби хоть словечком. Одно меня беспокоило – наша парадная дверь скрипит как оголтелая. Дом у нас довольно старый, хозяйский управляющий ленив как дьявол, во всех квартирах двери скрипят и пищат. Я боялся: вдруг мои родители услышат, что я пришел. Но все-таки решил попробовать.

Я тут же выскочил из парка и пошел домой. Всю дорогу шел пешком. Жили мы не очень далеко, а я совсем не устал, и хмель прошел. Только холод стоял жуткий, и кругом ни души.

21

Мне давно так не везло: когда я пришел домой, наш постоянный ночной лифтер, Пит, не дежурил. У лифта стоял какой-то новый, совсем незнакомый, и я сообразил, что, если сразу не напорюсь на кого-нибудь из родителей, я смогу повидаться с сестренкой, а потом удрать, и никто не узнает, что я приходил. Повезло, ничего не скажешь. А к тому же этот новый был какой-то придурковатый. Я ему небрежно бросил, что мне надо к Дикстайнам. А Дикстайны жили на нашем этаже. Охотничью шапку я уже снял, чтобы вид был не слишком подозрительный, и вскочил в лифт, как будто мне очень к спеху.

Он уже закрыл дверцы и хотел было нажать кнопку, но вдруг обернулся и говорит:

– А их дома нет. Они в гостях на четырнадцатом этаже.

– Ничего, – говорю, – мне велено подождать. Я их племянник.

Он посмотрел на меня тупо и подозрительно:

– Так подождите лучше внизу, в холле, молодой человек!

– Я бы с удовольствием! Конечно, это было бы лучше, – говорю, – но у меня нога больная, ее надо держать в определенном положении. Лучше я посижу в кресле у их дверей.

Он даже не понял, о чем я, только сказал: «Ну-ну!» – и поднял меня наверх. Неплохо вышло. Забавная штука: достаточно наплести человеку что-нибудь непонятное, и он сделает так, как ты хочешь.

Я вышел на нашем этаже – хромал я как собака – и пошел к дверям Дикстайнов. А когда хлопнула дверца лифта, я повернул к нашим дверям. Все шло отлично. Хмель как рукой сняло. Я достал ключ и отпер входную дверь тихо, как мышь. Потом очень-очень осторожно прикрыл двери и вошел в прихожую. Вот какой гангстер во мне пропадает!

В прихожей было темно, как в аду, а свет, сами понимаете, я включить не мог. Нужно было двигаться очень осторожно, не натыкаться на вещи, чтобы не поднять шум. Но я чувствовал, что я дома. В нашей передней свой, особенный запах, нигде так не пахнет. Сам не знаю чем – не то едой, не то духами, – не разобрать, но сразу чувствуешь, что ты дома. Сначала я хотел снять пальто и повесить в шкаф, но там было полно вешалок, они гремят как сумасшедшие, когда открываешь дверцы, и я остался в пальто. Потом тихо-тихо, на цыпочках, пошел к Фибиной комнате. Я знал, что наша горничная меня не услышит, потому что у нее была только одна барабанная перепонка: ее брат проткнул ей соломинкой ухо еще в детстве, она мне сама рассказывала. Она совсем ничего не слышала. Но зато у моих родителей, вернее, у мамы, слух, как у хорошей ищейки. Я пробирался мимо их спальни как можно осторожнее. Я даже старался не дышать. Отец еще ничего – его хоть креслом стукнуть по голове, он все равно не проснется, – а вот мама – тут только кашляни где-нибудь в Сибири, она все равно услышит. Нервная она, как не знаю кто. Вечно по ночам не спит, курит без конца.

Я чуть ли не целый час пробирался к Фибиной комнате. Но ее там не оказалось. Совершенно забыл, из памяти вылетело, что она спит в кабинете Д.Б., когда он уезжает в Голливуд или еще куда-нибудь. Она любит спать в его комнате, потому что это самая большая комната в нашей квартире. И еще потому, что там стоит этот огромный старый стол сумасшедшей величины, Д.Б. купил его у какой-то алкоголички в Филадельфии. И кровать там тоже гигантская – миль десять в ширину, десять – в длину. Не знаю, где он откопал такую кровать. Словом, Фиби любит спать в комнате Д.Б., когда его нет, да он и не возражает. Вы бы посмотрели, как она делает уроки за этим дурацким столом – он тоже величиной с кровать. Фиби почти не видно, когда она за ним делает уроки. А ей это нравится. Она говорит, что свою комнатку не любит за то, что там тесно. Говорит, что любит «распространяться». Просто смех – куда ей там распространяться, дурочке?

Я потихоньку пробрался в комнату Д.Б. и зажег лампу на письменном столе. Моя Фиби даже не проснулась. Я долго смотрел на нее при свете. Она крепко спала, подвернув уголок подушки. И рот приоткрыла. Странная штука: если взрослые спят открыв рот, у них вид противный, а у ребятишек – нисколько. С ребятишками все по-другому. Даже если у них слюнки текут во сне – и то на них смотреть не противно.

Я ходил по комнате очень тихо, посмотрел, что и как. Настроение у меня вдруг стало совсем хорошее. Я даже не думал, что заболею воспалением легких. Просто мне стало совсем весело. На стуле около кровати лежало платье Фиби. Она очень аккуратная для своих лет. Понимаете, она никогда не разбрасывает вещи куда попало, как другие ребята. Никакого неряшества. На спинке стула висела светло-коричневая жакетка от костюма, который мама ей купила в Канаде. Блузка и все прочее лежали на сиденье, а туфли со свернутыми носками внутри стояли рядышком под стулом. Я эти туфли еще не видел, они были новые. Темно-коричневые, мягкие, у меня тоже есть такие. Они очень шли к костюму, который мама ей купила в Канаде. Мама ее хорошо одевает, очень хорошо. Вкус у моей мамы потрясающий – не во всем, конечно. Коньки, например, она покупать не умеет, но зато в остальном у нее вкус безукоризненный. На Фиби всегда такие платьица – умереть можно! А возьмите других малышей – на них всегда какая-то жуткая одежда, даже если их родители вполне состоятельные. Вы бы посмотрели на нашу Фиби в костюме, который мама купила ей в Канаде! Приятно смотреть, ей-богу.

Я сел за письменный стол брата и посмотрел, что на нем лежит. Фиби разложила там свои тетрадки и учебники. Много учебников. Наверху лежала книжка под названием «Занимательная арифметика». Я ее открыл и увидел на первой странице надпись:

Фиби Уэзерфилд Колфилд 4Б-1

Я чуть не расхохотался. Ее второе имя – Джозефина, а вовсе не Уэзерфилд! Но ей это имя не нравится. И она каждый раз придумывает себе новое второе имя.

Под «Арифметикой» лежала «География», а под «Географией» – учебник правописания. Она отлично пишет. Вообще она очень хорошо учится, но пишет она лучше всего. Под «Правописанием» лежала целая куча блокнотов – у нее их тысяч пять, если не больше. Никогда я не видел, чтоб у такой малышки было столько блокнотов. Я раскрыл верхний блокнот и прочел запись на первой странице:

Бернис жди меня в переменку надо сказать ужасно важную вещь.

На этой странице больше ничего не было. Я перевернул страничку, и на ней было вот что:

Почему в юговосточной аляске столько консервенных заводов?

Потому что там много семги.

Почему там ценная дривисина?

Потому что там подходящий климат.

Что сделало наше правительство чтобы облегчить жизнь аляскинским эскимосам?

Выучить на завтра.

Фиби Уэзерфилд Колфилд.

Фиби У. Колфилд

Г-жа Фиби Уэзерфилд Колфилд
Передай Шерли!!!!
Шерли ты говоришь твоя планета сатурн, но это всего-навсего марс принеси коньки когда зайдешь за мной.

Я сидел за письменным столом Д.Б. и читал всю записную книжку подряд.

Прочел я быстро, но вообще я могу читать эти ребячьи каракули с утра до вечера, все равно чьи. Умора, что они пишут, эти ребята. Потом я закурил сигарету – последнюю из пачки. Я, наверно, выкурил пачек тридцать за этот день. Наконец я решил разбудить Фиби. Не мог же я всю жизнь сидеть у письменного стола, а кроме того, я боялся, что вдруг явятся родители, а мне хотелось повидаться с ней наедине. Я и разбудил ее.

Она очень легко просыпается. Не надо ни кричать над ней, ни трясти ее. Просто сесть на кровать и сказать: «Фиб, проснись!» Она – гоп! – и проснется.

– Холден! – Она сразу меня узнала. И обхватила меня руками за шею. Она очень ласковая. Такая малышка – и такая ласковая. Иногда даже слишком. Я ее чмокнул, а она говорит: – Когда ты приехал? – Обрадовалась она мне до чертиков. Сразу было видно.

– Тише! Сейчас приехал. Ну, как ты?

– Чудно! Получил мое письмо? Я тебе написала целых пять страниц.

– Да-да. Не шуми. Получил, спасибо.

Письмо я получил, но ответить не успел. Там все было про школьный спектакль, в котором она участвовала. Она писала, чтобы я освободил себе вечер в пятницу и непременно пришел на спектакль.

– А как ваша пьеса? – спрашиваю. – Забыл название!

– «Рождественская пантомима для американцев», – говорит. – Пьеса дрянь, но я играю Бенедикта Арнольда. У меня самая большая роль! – И куда только сон девался! Она вся раскраснелась, видно, ей было очень интересно рассказывать. – Понимаешь, начинается, когда я при смерти. Сочельник, приходит дух и спрашивает, не стыдно ли мне и так далее. Ну, ты знаешь, не стыдно ли, что предал родину, и все такое. Ты придешь? – Она даже подпрыгнула на кровати. – Я тебе про все писала. Придешь?

– Конечно приду! А то как же!

– Папа не может прийти. Ему надо лететь в Калифорнию. – Минуты не прошло, а сна ни в одном глазу! Привстала на коленки, держит меня за руку. – Послушай, – говорит, – мама сказала, что ты приедешь только в среду. Да-да, в среду!

– Раньше отпустили. Не шуми. Ты всех перебудишь.

– А который час? Мама сказала, что они вернутся очень поздно. Они поехали в гости в Норуолк, в Коннектикут. Угадай, что я делала сегодня днем? Знаешь, какой фильм видела? Угадай!

– Не знаю. Слушай-ка, а они не сказали, в котором часу...

– «Доктор» – вот! Это особенный фильм, его показывали в Листеровском обществе. Один только день – только один день, понимаешь? Там про одного доктора из Кентукки, он кладет одеяло девочке на лицо, она калека, не может ходить. Его сажают в тюрьму и все такое. Чудная картина!

– Да погоди ты! Они не сказали, в котором часу...

– А доктору ее ужасно жалко. Вот он и кладет ей одеяло на голову, чтоб она задохнулась. Его на всю жизнь посадили в тюрьму, но эта девочка, которую он придушил одеялом, все время является ему во сне и говорит спасибо за то, что он ее придушил. Оказывается, это милосердие, а не убийство. Но все равно он знает, что заслужил тюрьму, потому что человек не должен брать на себя то, что полагается делать Богу. Нас повела мать одной девочки из моего класса, Алисы Голмборг. Она моя лучшая подруга. Она одна из всего класса умеет...

– Да погоди же ты, слышишь? Я тебя спрашиваю: они не сказали, в котором часу вернутся домой?

– Нет, не сказали, мама говорила – очень поздно. Папа взял машину, чтобы не спешить на поезд. А у нас в машине радио! Только мама говорит, что нельзя включать, когда большое движение.

Я как-то успокоился. Перестал волноваться, что меня накроют дома. И вообще подумал: накроют – ну и черт с ним!

Вы бы посмотрели на нашу Фиби. На ней была синяя пижама, а по воротнику – красные слоники. Она обожает слонов.

– Значит, картина хорошая, да? – спрашиваю.

– Чудесная, но только у Алисы был насморк и ее мама все время приставала к ней, не знобит ли ее. Тут картина идет – а она спрашивает. Как начнется самое интересное, так она перегибается через край и спрашивает: «Тебя не знобит?» Она мне действовала на нервы.

Тут я вспомнил про пластинку.

– Знаешь, я купил тебе пластинку, но по дороге разбил. – Я достал осколки из кармана и показал ей. – Пьян был.

– Отдай мне эти куски, – говорит. – Я их собираю. – Взяла обломки и тут же спрятала их в ночной столик. Умора!

– Д.Б. приедет домой на Рождество? – спрашиваю.

– Мама сказала, может, приедет, а может, нет. Зависит от работы. Может быть, ему придется остаться в Голливуде и написать сценарий про Аннаполис.

– Господи, почему про Аннаполис?

– Там и про любовь, и про все. Угадай, кто там будет сниматься? Какая кинозвезда? Вот и не угадаешь!

– Мне не интересно. Подумать только – про Аннаполис! Да что он знает про Аннаполис, господи боже! Какое отношение это имеет к его рассказам? – Фу, просто обалдеть можно от этой чуши! Проклятый Голливуд! –

А что у тебя с рукой? – спрашиваю. Увидел, что у нее на локте наклеен липкий пластырь. Пижама у нее без рукавов, потому я и увидел.

– Один мальчишка из нашего класса, Кэртис Вайнтрауб, он меня толкнул, когда я спускалась по лестнице в парке. Хочешь, покажу? – И начала сдирать пластырь с руки.

– Не трогай! А почему он тебя столкнул с лестницы?

– Не знаю. Кажется, он меня ненавидит, – говорит Фиби. – Мы с одной девочкой, с Сельмой Эттербери, измазали ему весь свитер чернилами.

– Это нехорошо. Что ты – маленькая, что ли?

– Нет, но он всегда за мной ходит. Как пойду в парк – он за мной. Он мне действует на нервы.

– А может быть, ты ему нравишься. Нельзя человеку за это мазать свитер чернилами.

– Не хочу я ему нравиться, – говорит она. И вдруг смотрит на меня очень подозрительно: – Холден, послушай! Почему ты приехал до среды?

– Что?

Да, с ней держи ухо востро. Если вы думаете, что она дурочка, вы сошли с ума.

– Как это ты приехал до среды? – повторяет она. – Может быть, тебя опять выгнали?

– Я же тебе объяснил. Нас отпустили раньше. Весь класс...

– Нет, тебя выгнали! Выгнали! – повторила она. И как ударит меня кулаком по коленке. Она здорово дерется, если на нее найдет. – Выгнали! Ой, Холден! – Она зажала себе рот руками. Честное слово, она ужасно расстроилась.

– Кто тебе сказал, что меня выгнали? Никто тебе не...

– Нет, выгнали! Выгнали! – И опять как даст мне кулаком по коленке. Если вы думаете, что было не больно, вы ошибаетесь. – Папа тебя убьет! – говорит. И вдруг шлепнулась на кровать животом вниз и навалила себе подушку на голову. Она часто так делает. Просто с ума сходит, честное слово.

– Да брось! – говорю. – Никто меня не убьет. Никто меня пальцем не... ну перестань, Фиб, сними эту дурацкую подушку. Никто меня не подумает убивать.

Но она подушку не сняла. Ее не переупрямишь никакими силами. Лежит и твердит:

– Папа тебя убьет, убьет. – Сквозь подушку еле было слышно.

– Никто меня не убьет. Не выдумывай. Во-первых, я уеду. Знаешь, что я сделаю? Достану себе работу на каком-нибудь ранчо, хоть на время. Я знаю одного парня, у его дедушки есть ранчо в Колорадо. Может, мне там дадут работу. Я тебе буду писать оттуда, если только я уеду. Ну перестань! Сними эту чертову подушку. Слышишь, Фиб, брось! Ну прошу тебя! Брось, слышишь?

Но она держит подушку – и все. Я хотел было стянуть с нее подушку, но эта девчонка сильная как черт. С ней драться устанешь. Уж если она себе навалит подушку на голову, она ее не отдаст.

– Ну, Фиби, пожалуйста. Вылезай, слышишь? – прошу я ее. – Ну брось... Эй, Уэзерфилд, вылезай, ну!

Нет, не хочет. С ней иногда невозможно договориться. Наконец я встал, пошел в гостиную, взял сигареты из ящика на столе и сунул в карман. Устал я ужасно.

22

Когда я вернулся, она уже сняла подушку с головы – я знал, что так и будет, – и легла на спину, но на меня и смотреть не хотела. Я подошел к кровати, сел, а она сразу отвернулась и не смотрит. Бойкотирует меня к черту, не хуже этих ребят из фехтовальной команды Пэнси, когда я забыл все их идиотское снаряжение в метро.

– А как поживает твоя Кисела Уэзерфилд? – спрашиваю. – Написала про нее еще рассказ? Тот, что ты мне прислала, лежит в чемодане. Хороший рассказ, честное слово!

– Папа тебя убьет.

Вдолбит себе что-нибудь в голову, так уж вдолбит!

– Нет, не убьет. В крайнем случае, накричит опять, а потом отдаст в военную школу. Больше он мне ничего не сделает. А во-вторых, меня тут не будет. Я буду далеко. Я уже буду где-нибудь далеко – наверно, в Колорадо, на этом самом ранчо.

– Не болтай глупостей. Ты даже верхом ездить не умеешь.

– Как это не умею? Умею! Чего тут уметь? Там тебя за две минуты научат, – говорю. – Не смей трогать пластырь! – Она все время дергала пластырь на руке. – А кто тебя так остриг? – спрашиваю. Я только сейчас заметил, как ее по-дурацки остригли. Просто обкорнали.

– Не твое дело! – говорит. Она иногда так обрежет. Свысока, понимаете. – Наверно, ты опять провалился по всем предметам, – говорит она тоже свысока. Мне стало смешно. Разговаривает как какая-нибудь учительница, а сама еще только вчера из пеленок.

– Нет, не по всем, – говорю. – По английскому выдержал. – И тут я взял и ущипнул ее за попку. Лежит на боку калачиком, а зад у нее торчит из-под одеяла. Впрочем, у нее сзади почти что ничего нет. Я ее не больно ущипнул, но она хотела ударить меня по руке и промахнулась.

И вдруг она говорит:

– Ах, зачем, зачем ты опять? – Она хотела сказать – зачем я опять вылетел из школы. Но она так это сказала, что мне стало ужасно тоскливо.

– О господи, Фиби, хоть ты меня не спрашивай! – говорю. – Все спрашивают, выдержать невозможно. Зачем, зачем... По тысяче причин! В такой гнусной школе я еще никогда не учился. Все напоказ. Все притворство. Или подлость. Такого скопления подлецов я в жизни не встречал. Например, если сидишь треплешься в компании с ребятами и вдруг кто-то стучит, хочет войти – его ни за что не впустят, если он какой-нибудь придурковатый, прыщавый. Перед носом у него захлопнут двери. Там еще было это треклятое тайное общество – я тоже из трусости в него вступил. И был там один такой зануда, с прыщами, Роберт Экли, ему тоже хотелось в это общество. А его не приняли. Только из-за того, что он зануда и прыщавый. Даже вспоминать противно. Поверь моему слову, такой вонючей школы я еще не встречал.

Моя Фиби молчит и слушает. Я по затылку видел, что она слушает. Она здорово умеет слушать, когда с ней разговариваешь. И самое смешное, что она все понимает, что ей говорят. По-настоящему понимает. Я опять стал рассказывать про Пэнси, хотел все выложить.

– Было там несколько хороших учителей, и все равно они тоже притворщики, – говорю. – Взять этого старика, мистера Спенсера. Жена его всегда угощала нас горячим шоколадом, вообще они оба милые. Но ты бы посмотрела, что с ними делалось, когда старый Термер, наш директор, приходил на урок истории и садился на заднюю скамью. Вроде как бы инкогнито, что ли. Посидит-посидит, а потом начинает перебивать старика Спенсера своими кретинскими шуточками. А старик Спенсер из кожи лезет вон – подхихикивает ему, весь расплывается, будто этот Термер какой-нибудь гений, черт бы его удавил!

– Не ругайся, пожалуйста!

– Тебя бы там стошнило, ей-богу! – говорю. – А возьми День выпускников. У них установлен такой день, называется День выпускников, когда все подонки, окончившие Пэнси чуть ли не с 1776 года, собираются в школе и шляются по всей территории со своими женами и детками. Ты бы посмотрела на одного старикашку лет пятидесяти. Зашел прямо к нам в комнату – постучал, конечно, и спрашивает, нельзя ли ему пройти в уборную. А уборная в конце коридора, мы так и не поняли, почему он именно у нас спросил. И знаешь, что он нам сказал? Говорит – хочу посмотреть, сохранились ли мои инициалы на дверях уборной. Понимаешь, он лет сто назад вырезал свои унылые, дурацкие, бездарные инициалы на дверях уборной и хотел проверить, целы ли они или нет. И нам с товарищами пришлось проводить его до уборной и стоять там, пока он искал свои кретинские инициалы на всех дверях. Ищет, а сам все время распространяется, что годы, которые он провел в Пэнси, – лучшие годы его жизни, и дает нам какие-то идиотские советы на будущее. Господи, меня от него такая взяла тоска! И не то чтоб он был особенно противный – ничего подобного. Но вовсе и не нужно быть особенно противным, чтоб нагнать на человека тоску, – хороший человек тоже может вконец испортить настроение. Достаточно надавать кучу бездарных советов, пока ищешь свои инициалы на дверях уборной, – и все! Не знаю, может быть, у меня не так испортилось бы настроение, если б этот тип еще не задыхался. Он никак не мог отдышаться после лестницы. Ищет эти свои инициалы, а сам все время отдувается, сопит носом. И жалко, и смешно, да к тому же еще долбит нас со Стрэдлейтером, чтобы мы извлекли из Пэнси все, что можно. Господи, Фиби! Не могу тебе объяснить. Мне все не нравилось в Пэнси. Не могу объяснить!

Тут Фиби что-то сказала, но я не расслышал. Она так уткнулась лицом в подушку, что ничего нельзя было расслышать.

– Что? – говорю. – Повернись сюда. Не слышу я ничего, когда ты говоришь в подушку.

– Тебе вообще ничего не нравится!

Я еще больше расстроился, когда она так сказала.

– Нет, нравится. Многое нравится. Не говори так. Зачем ты так говоришь?

– Потому что это правда. Ничего тебе не нравится. Все школы не нравятся, все на свете тебе не нравится. Не нравится, и все!

– Неправда! Тут ты ошибаешься – вот именно, ошибаешься! Какого черта ты про меня выдумываешь? – Я ужасно расстроился от ее слов.

– Нет, не выдумываю! Назови хоть что-нибудь одно, что ты любишь!

– Что назвать? То, что я люблю? Пожалуйста!

К несчастью, я никак не мог сообразить. Иногда ужасно трудно сосредоточиться.

– Ты хочешь сказать, что я очень люблю? – переспросил я.

Она не сразу ответила. Отодвинулась от меня бог знает куда, на другой конец кровати, чуть ли не на сто миль.

– Ну, отвечай же! Что назвать-то, что я люблю или что мне вообще нравится?

– Что ты любишь.

– Хорошо, – говорю. Но я никак не мог сообразить. Вспомнил только двух монахинь, которые собирают деньги в потрепанные соломенные корзинки. Особенно вспомнилась та, в стальных очках. Вспомнил я еще мальчика, с которым учился в Элктон-хилле. Там со мной в школе был один такой, Джеймс Касл, он ни за что не хотел взять обратно свои слова – он сказал одну вещь про ужасного воображалу, про Фила Стейбла. Джеймс Касл назвал его самовлюбленным остолопом, и один из этих мерзавцев, дружков Стейбла, пошел и донес ему. Тогда Стейбл с шестью другими гадами пришел в комнату к Джеймсу Каслу, запер двери и пытался заставить его взять свои слова обратно, но Джеймс отказался. Тогда они за него принялись. Я не могу сказать, что они с ним сделали – ужасную гадость! – но он все-таки не соглашался взять свои слова обратно, вот он был какой, этот Джеймс Касл. Вы бы на него посмотрели: худой, маленький, руки – как карандаши. И в конце концов знаете что он сделал, вместо того чтобы отказаться от своих слов? Он выскочил из окна. Я был в душевой и даже оттуда услыхал, как он грохнулся. Я подумал, что из окна что-то упало – радиоприемник или тумбочка, но никак не думал, что это мальчик. Тут я услыхал, что все бегут по коридору и вниз по лестнице. Я накинул халат и тоже помчался по лестнице, а там на ступеньках лежит наш Джеймс Касл. Он уже был мертвый, кругом кровь, зубы у него вылетели, все боялись к нему подойти. А на нем был свитер, который я ему дал поносить. Тем гадам, которые заперлись с ним в комнате, ничего не сделали, их только исключили из школы. Даже в тюрьму не посадили.

Больше я ничего вспомнить не мог. Двух монахинь, с которыми я завтракал, и этого Джеймса Касла, с которым я учился в Элктон-хилле. Самое смешное, говоря по правде, – это то, что я почти не знал этого Джеймса Касла. Он был очень тихий парнишка. Мы учились в одном классе, но он сидел в другом конце и даже редко выходил к доске отвечать. В школе всегда есть ребята, которые редко выходят отвечать к доске. Да и разговаривали мы с ним, по-моему, всего один раз, когда он попросил у меня этот свитер. Я чуть не умер от удивления, когда он меня попросил, до того это было неожиданно. Помню, я чистил зубы в умывалке, а он подошел, сказал, что его кузен повезет его кататься. Я даже не думал, что он знает, что у меня есть теплый свитер. Я про него вообще знал только одно – что в классном журнале он стоял как раз передо мной: Кайбл Р., Кайбл У., Касл, Колфилд – до сих пор помню. А если уж говорить правду, так я чуть не отказался дать ему свитер. Просто потому, что почти не знал его.

– Что? – спросила Фиби, и до этого она что-то говорила, но я не слышал. – Не можешь ничего назвать – ничего!

– Нет, могу. Могу.

– Ну назови!

— Я люблю Алли, — говорю. — И мне нравится вот так сидеть тут, с тобой разговаривать и вспоминать всякие штуки.

— Алли умер — ты всегда повторяешь одно и то же! Раз человек уже умер и попал на небо, значит, нельзя его любить по-настоящему.

— Знаю, что он умер! Что ж, по-твоему, я не знаю, что ли? И все равно я могу его любить! Оттого что человек умер, его нельзя перестать любить, черт побери, особенно если он был лучше всех живых, понимаешь?

Тут Фиби ничего не сказала. Когда ей сказать нечего, она всегда молчит.

— Да и сейчас мне нравится тут, — сказал я. — Понимаешь, сейчас, тут. Сидеть с тобой, болтать про всякое...

— Ну нет, это совсем не то!

— Как не то? Конечно, то! Почему не то, черт побери? Вечно люди про все думают, что это не то. Надоело мне это до черта!

— Перестань чертыхаться! Ладно, назови еще что-нибудь. Назови, кем бы тебе хотелось стать. Ну, ученым, или адвокатом, или еще кем-нибудь.

— Какой из меня ученый? Я к наукам не способен.

— Ну, адвокатом — как папа.

— Адвокатом, наверное, неплохо, но мне все равно не нравится, — говорю. — Понимаешь, неплохо, если они спасают жизнь невинным людям и вообще занимаются такими делами, но в том-то и штука, что адвокаты ничем таким не занимаются. Если стать адвокатом, так будешь просто гнать деньги, играть в гольф, в бридж, покупать машины, пить сухие коктейли и ходить этаким франтом. И вообще, даже если ты все время спасал бы людям жизнь, откуда бы ты знал, ради чего ты это делаешь — ради того, чтобы на самом деле спасти жизнь человеку, или ради того, чтобы стать знаменитым адвокатом, чтобы тебя все хлопали по плечу и поздравляли, когда ты выиграешь этот треклятый процесс, — словом, как в кино, в дрянных фильмах. Как узнать, делаешь ты все это напоказ или по-настоящему, липа все это или не липа? Нипочем не узнать!

Я не очень был уверен, понимает ли моя Фиби, что я плету. Все-таки она еще совсем маленькая. Но она хоть слушала меня внимательно. А когда тебя слушают, это уже хорошо.

– Папа тебя убьет, он тебя просто убьет, – говорит она опять.

Но я ее не слушал. Мне пришла в голову одна мысль – совершенно дикая мысль.

– Знаешь, кем бы я хотел быть? – говорю. – Знаешь, кем? Если б я мог выбрать то, что хочу, черт подери!

– Перестань чертыхаться! Ну, кем?

– Знаешь такую песенку – «Если ты ловил кого-то вечером во ржи...»

– Не так! Надо «Если кто-то звал кого-то вечером во ржи». Это стихи Роберта Бернса!

– Знаю, что это стихи Бернса.

Она была права. Там действительно «Если кто-то звал кого-то вечером во ржи». Честно говоря, я забыл.

– Мне казалось, что там «ловил кого-то вечером во ржи», – говорю. – Понимаешь, я себе представил, как маленькие ребятишки играют вечером в огромном поле, во ржи. Тысячи малышей, и кругом ни души, ни одного взрослого, кроме меня. А я стою на самом краю скалы, над пропастью, понимаешь? И мое дело – ловить ребятишек, чтобы они не сорвались в пропасть. Понимаешь, они играют и не видят, куда бегут, а тут я подбегаю и ловлю их, чтобы они не сорвались. Вот и вся моя работа. Стеречь ребят над пропастью во ржи. Знаю, это глупости, но это единственное, чего мне хочется по-настоящему. Наверно, я дурак.

Фиби долго молчала. А потом только повторила:

– Папа тебя убьет.

– Ну и пускай, плевать мне на все! – Я встал с постели, потому что решил позвонить одному человеку, моему учителю английского языка из Элктон-хилла. Его звали мистер Антолини, теперь он жил в Нью-Йорке. Он ушел из Элктон-хилла и получил место преподавателя английского в Нью-Йоркском университете. – Мне надо позвонить по телефону, – говорю я. – Сейчас вернусь. Ты не спи, слышишь? – Мне очень не хотелось, чтобы она заснула, пока я буду звонить по телефону. Я знал, что она не уснет, но все-таки попросил ее не спать.

Я подошел к двери, но тут она меня окликнула:

– Холден! – И я обернулся.

Она сидела на кровати, хорошенькая, просто прелесть.

– Одна девочка, Филлис Маргулис, научила меня икать! – говорит она. – Вот послушай!

Я послушал, но ничего особенного не услыхал.

– Неплохо! – говорю.

И пошел в гостиную звонить по телефону своему бывшему учителю мистеру Антолини.

23

Позвонил я очень быстро, потому что боялся – вдруг родители явятся, пока я звоню. Но они не пришли. Мистер Антолини был очень приветлив. Сказал, что я могу прийти хоть сейчас. Наверное, я разбудил их обоих, потому что никто долго не подходил к телефону. Первым делом он меня спросил, что случилось, а я ответил – ничего особенного. Но все-таки я ему рассказал, что меня выставили из Пэнси. Все равно кому-нибудь надо было рассказать. Он сказал:

– Господи, помилуй нас, грешных! – Все-таки у него было настоящее чувство юмора. Велел хоть сейчас приходить, если надо.

Он был самым лучшим из всех моих учителей, этот мистер Антолини. Довольно молодой, немножко старше моего брата, Д.Б., и с ним можно было шутить, хотя все его уважали. Он первый поднял с земли того парнишку, который выбросился из окна, Джеймса Касла, я вам про него рассказывал. Мистер Антолини пощупал у него пульс, потом снял с себя куртку, накрыл Джеймса Касла и понес его на руках в лазарет. И ему было наплевать, что вся куртка пропиталась кровью.

Я вернулся в комнату Д.Б., а моя Фиби там уже включила радио. Играли танцевальную музыку. Радио было приглушено, чтоб не разбудить нашу горничную. Вы бы посмотрели на Фиби. Сидит посреди кровати на одеяле, поджав ноги, словно какой-нибудь йог, и слушает музыку. Умора!

– Вставай! – говорю. – Хочешь, потанцуем?

Я сам научил ее танцевать, когда она еще была совсем крошкой. Она здорово танцует. Вообще я ей только показал немножко, а выучилась она сама. Нельзя выучить человека танцевать по-настоящему, это он только сам может.

– На тебе башмаки, – говорит.

– Ничего, я сниму. Вставай!

Она как спрыгнет с кровати. Подождала, пока я сниму башмаки, а потом мы с ней стали танцевать. Очень уж здорово она танцует. Вообще я не терплю, когда взрослые танцуют с малышами, вид ужасный. Например, какой-нибудь папаша в ресторане вдруг начинает танцевать со своей маленькой дочкой. Он так неловко ее ведет, что у нее вечно платье сзади подымается, да и танцевать она совсем не умеет, – словом, вид жалкий. Но я никогда не стал бы танцевать с Фиби в ресторане. Мы только дома танцуем, и то не всерьез. Хотя она – дело другое, она очень здорово танцует. Она слушается, когда ее ведешь. Только надо ее держать покрепче, тогда не мешает, что у тебя ноги во сто раз длиннее. Она ничуть не отстает. С ней и переходы можно делать, и всякие повороты, даже джиттербаг – она никогда не отстанет. С ней даже танго можно танцевать, вот как!

Мы протанцевали четыре танца. А в перерывах она до того забавно держится, просто смех берет. Стоит и ждет. Не разговаривает, ничего. Заставляет стоять и ждать, пока оркестр опять не вступит. А мне смешно. Но она даже смеяться не позволяет.

Словом, протанцевали мы четыре танца, и я выключил радио. Моя Фиби нырнула под одеяло и спросила:

– Хорошо я стала танцевать?

– Еще как! – говорю. Я сел к ней на кровать. Я здорово задыхался. Наверно, курил слишком много. А она хоть бы чуть запыхалась!

– Пощупай мой лоб! – говорит она вдруг.

– Зачем?

– Ну пощупай! Приложи руку! – Я приложил ладонь, но ничего не почувствовал. – Сильный у меня жар? – говорит.

– Нет. А разве у тебя жар?

– Да, я его сейчас нагоняю. Потрогай еще раз!

Я опять приложил руку и опять ничего не почувствовал, но все-таки сказал:

– Как будто начинается. – Не хотелось, чтобы у нее развилось что-то вроде этого самого комплекса неполноценности.

Она кивнула:

– Я могу нагнать даже на тернометре!

– На тер-мо-мет-ре. Кто тебе показал?

– Алиса Голмборг меня научила. Надо скрестить ноги и думать про что-нибудь очень-очень жаркое. Например, про радиатор. И весь лоб начинает так гореть, что кому-нибудь можно обжечь руку!

Я чуть не расхохотался. Нарочно отдернул от нее руку, как будто боялся обжечься.

– Спасибо, что предупредила! – говорю.

– Нет, я бы тебя не обожгла! Я бы остановилась заранее – тс-с! – И она вдруг привскочила на кровати.

Я страшно испугался:

– Что такое?

– Дверь входная! – говорит она громким шепотом. – Они!

Я вскочил, подбежал к столу, выключил лампу. Потом потушил сигарету, сунул окурок в карман. Помахал рукой, чтоб развеять дым, – и зачем я только курил тут, черт бы меня драл! Потом схватил башмаки, забрался в стенной шкаф и закрыл дверцы. Сердце у меня колотилось как проклятое. Я услышал, как вошла мама.

– Фиби! – говорит. – Перестань притворяться! Я видела у тебя свет, моя милая!

– Здравствуй! – говорит Фиби. – Да, я не могла заснуть. Весело вам было?

– Очень, – сказала мама, но слышно было, что это неправда. Она совершенно не любит ездить в гости. – Почему ты не спишь, разреши узнать? Тебе не холодно?

– Нет, мне тепло. Просто не спится.

– Фиби, ты, по-моему, курила? Говори правду, милая моя!

– Что? – спрашивает Фиби.

– Ты слышишь, что я спросила?

– Да, я на минутку закурила. Один-единственный разок затянулась. А потом выбросила в окошко.

– Зачем же ты это сделала?

– Не могла уснуть.

– Ты меня огорчаешь, Фиби, очень огорчаешь! – сказала мама. – Дать тебе второе одеяло?

– Нет, спасибо! Спокойной ночи! – сказала Фиби. Видно было, что она старается поскорей от нее избавиться.

– А как было в кино? – спрашивает мама.

– Чудесно. Только Алисина мать мешала. Все время перегибалась через меня и спрашивала, знобит Алису или нет. А домой ехали в такси.

– Дай-ка я пощупаю твой лоб.

– Нет, я не заразилась. Она совсем здорова. Это ее мама выдумала.

– Ну, спи с богом. Какой был обед?

– Гадость! – сказала Фиби.

– Ты помнишь, что папа тебе говорил: нельзя называть еду гадостью. И почему «гадость»? Тебе дали чудную баранью котлетку. Я специально ходила на Лексингтон-авеню.

– Котлета была вкусная, но Чарлина всегда дышит на меня, когда подает еду. И на еду дышит, и на все.

– Ну ладно, спи! Поцелуй маму. Ты прочла молитвы?

– Да, я в ванной помолилась. Спокойной ночи!

– Спокойной ночи! Засыпай скорей! У меня дико болит голова! – говорит мама. У нее очень часто болит голова. Здорово болит.

– А ты прими аспирин, – говорит Фиби. – Холден приедет в среду?

– Насколько мне известно, да. Ну, укройся получше. Вот так.

Я услыхал, как мама вышла из комнаты и закрыла двери. Подождал минутку, потом вышел из шкафа. И тут же стукнулся о сестренку – она вскочила с постели и шла меня вызволять, а было темно, как в аду.

– Я тебя ушиб? – спрашиваю. Приходилось говорить шепотом, раз все были дома. – Надо бежать! – говорю. Нащупал в темноте кровать, сел и стал надевать ботинки. Нервничал я здорово, не скрываю.

– Не уходи! – зашептала Фиби. – Подожди, пока они уснут.

– Нет. Надо идти. Сейчас самое время. Она пошла в ванную, а папа сейчас включит радио, будет слушать последние известия. Самое время.

Я не мог даже шнурки завязать как следует, до того я нервничал.

Конечно, они бы не убили меня, если б застали дома, но было бы страшно неприятно.

– Да где же ты? – спрашиваю Фиби. Я ее в темноте не мог видеть.

– Вот я. – Она стояла совсем рядом. А я ее не видел.

– Мои чемоданы на вокзале, – говорю. – Скажи, Фиб, есть у тебя какие-нибудь деньги? У меня ни черта не осталось.

– Есть, на рождественские подарки. Я еще ничего не покупала.

– Ах, только! – Я не хотел брать ее подарочные деньги.

– Я тебе немножко одолжу! – говорит. И я услышал, как она роется в столе у Д.Б. – открывает ящик за ящиком и шарит там. Темнота стояла в комнате, ни зги не видно. – Если ты уедешь, ты меня не увидишь на сцене, – говорит, а у самой голос дрожит.

– Как не увижу? Я не уеду, пока не увижу. Думаешь, я пропущу такой спектакль? – спрашиваю. – Знаешь, что я сделаю? Я побуду у мистера Антолини, скажем, до вторника, до вечерка. А потом вернусь домой. Если удастся, я тебе позвоню.

– Возьми! – говорит. Она мне протягивала какие-то деньги, но не могла найти мою руку. – Где ты? – Нашла мою руку, сунула деньги.

– Эй, да мне столько не нужно! – говорю. – Дай два доллара, и все. Честное слово, забирай обратно!

Я ей совал деньги в руку, а она не брала.

– Возьми, возьми все! Потом отдашь! Принесешь на спектакль.

– Да сколько у тебя тут, господи?

– Восемь долларов и восемьдесят пять центов. Нет, шестьдесят пять. Я уже много истратила.

И тут я вдруг заплакал. Никак не мог удержаться. Стараюсь, чтоб никто не услышал, а сам плачу и плачу.

Фиби перепугалась до смерти, когда я расплакался, подошла ко мне, успокаивает, но разве сразу остановишься? Я сидел на краю постели и ревел, а она обхватила мою шею лапами, я ее тоже обнял и реву, никак не могу остановиться. Казалось, сейчас задохнусь от слез. Фиби, бедняга, испугалась ужасно. Окно было открыто, и я чувствовал, как она дрожит в одной пижаме. Хотел ее уложить в постель, укрыть, но она не ложилась. Наконец я перестал плакать.

Но я долго, очень долго не мог успокоиться. Потом застегнул доверху пальто, сказал, что непременно дам ей знать. Она сказала, что лучше бы я лег спать тут, у нее в комнате, но я сказал – нет, меня уже ждет мистер Антолини. Потом я вынул из кармана охотничью шапку и подарил ей. Она ужасно любит всякие дурацкие шапки. Сначала она не хотела брать, но я ее уговорил. Даю слово, она, наверно, так и уснула в этой шапке. Она любит такие штуки. Я ей еще раз обещал звякнуть, если удастся, и ушел.

Уйти из дому было почему-то гораздо легче, чем войти. Во-первых, мне было плевать, поймают меня или нет. Честное слово. Я подумал: поймают так поймают. Откровенно говоря, мне даже хотелось, чтоб поймали.

Вниз я спускался пешком, а не в лифте. Я шел по черной лестнице. Чуть не сломал шею – там этих мусорных бачков миллионов десять, – но наконец выбрался. Лифтер меня даже не видел. Наверно, до сих пор думает, что я сижу у этих Дикстайнов.

24

Мистер и миссис Антолини жили в очень шикарной квартире на Саттон-плейс, там у них в гостиной был даже собственный бар – надо было только спуститься вниз на две ступеньки. Я был у них несколько раз, потому что, когда я ушел из Элктон-хилла, мистер Антолини приезжал к нам домой узнать, как я живу, и часто у нас обедал. Тогда он не был женат. А когда он женился, я часто играл в теннис с ним и с миссис Антолини на Лонг-Айленде, в форест-хиллском теннисном клубе. Миссис Антолини – член этого клуба, денег у нее до черта. Она старше мистера Антолини лет на сто, но они, кажется, очень любят друг друга. Во-первых, они оба очень образованные, особенно мистер Антолини, хотя, когда он с кем-нибудь разговаривает, он больше шутит, чем говорит про умное, вроде нашего Д.Б. Миссис Антолини – та была серьезнее. У нее бывали припадки астмы. Они оба читали все рассказы Д.Б. – она тоже, – и, когда Д.Б. собрался ехать в Голливуд, мистер Антолини позвонил ему и уговаривал не ехать. Но Д.Б. все равно уехал. Мистер Антолини говорил, что если человек умеет писать, как Д.Б., то ему в Голливуде делать нечего. И я говорил то же самое в точности.

Я дошел бы до их дома пешком, потому что не хотелось зря тратить Фибины подарочные деньги, но, когда я вышел из дому, мне стало не по себе. Головокружение какое-то. Пришлось взять такси. Не хотелось, но пришлось. Еще еле нашел машину.

Мистер Антолини сам открыл мне двери, когда я позвонил, – лифтер, мерзавец, никак меня не впускал. На нем были халат и туфли, а в руках бокал. Человек он был утонченный, но пил как лошадь.

– Холден, мой мальчик! – говорит. – Господи, да он вырос чуть ли не на полметра. Рад тебя видеть!

– А как вы, мистер Антолини? Как миссис Антолини?

– О, у нас все чудесно! Давай-ка свою куртку. – Он взял мою куртку, повесил ее. – А я думал, что ты явишься с новорожденным младенцем на руках. Деваться некуда. На ресницах снежинки тают.

Он вообще любил острить. Потом повернулся и заорал в кухню:

— Лилиан! Как там кофе? — Его жену зовут Лилиан.

— Готов! — кричит. — Это Холден? Здравствуй, Холден!

— Здравствуйте, миссис Антолини!

У них дома всегда приходится орать, потому что они постоянно торчат в разных комнатах. Странно, конечно.

— Садись, Холден, — сказал мистер Антолини. Видно было, что он немножко на взводе. Комната выглядела так, будто только что ушли гости. Везде стаканы, блюда с орехами. — Прости за беспорядок, — говорит мистер Антолини. — Мы принимали друзей миссис Антолини из Барбизона... Бизоны из Барбизона!

Я рассмеялся, а миссис Антолини прокричала мне что-то из кухни, но я не расслышал.

— Что она сказала? — спрашиваю.

— Говорит — не смотри на нее, когда она войдет. Она встала с постели. Хочешь сигарету? Ты куришь?

— Спасибо. — Я взял сигарету из ящичка. — Иногда курю, но очень умеренно.

— Верю, верю. — Он дал мне прикурить от огромной зажигалки. — Так. Значит, ты и Пэнси разошлись, как в море корабли.

Он любит так высокопарно выражаться. Иногда мне смешно, а иногда ничуть. Перехватывает он часто. Я не могу сказать, что он не остроумный, нет, он очень остроумный, но иногда мне действуют на нервы, когда непрестанно говорят фразы вроде «Разошлись, как в море корабли!». Д.Б. тоже иногда перехватывает.

— В чем же дело? — спрашивает мистер Антолини. — Как у тебя с английским? Если бы ты провалился по английскому, я тебя тут же выставил бы за дверь. Ты же у нас по сочинениям был первым из первых.

— Нет, английский я сдал хорошо. Правда, мы больше занимались литературой. Но я провалился по устной речи. У нас был такой курс — устная речь. Я по ней провалился.

— Почему?

— Сам не знаю, — говорю. Мне не хотелось рассказывать. Чувствовал я себя плохо, а тут еще страшно разболелась голова. Ужасно разболелась. Но ему, как видно, очень хотелось все узнать, и я стал рассказывать. — Понимаете, на этих уроках каждый должен был встать и произнести речь. Ну, вы знаете, вроде импровизации на тему и все такое. А если кто отклонялся от темы, все сразу кричали: «Отклоняешься!» Меня это просто бесило. Я и получил кол.

— Но почему же?

— Да сам не знаю. Действует на нервы, когда все орут «Отклоняешься!». А вот я почему-то люблю, когда отклоняются от темы. Гораздо интереснее.

— Разве ты не хочешь, чтобы человек придерживался того, о чем он тебе рассказывает?

— Нет, хочу, конечно. Конечно, я хочу, чтобы мне рассказывали по порядку. Но я не люблю, когда рассказывают все время только про одно. Сам не знаю. Наверно, мне скучно, когда все время говорят про одно и то же. Конечно, ребята, которые все время придерживались одной темы, получали самые высокие оценки — это справедливо. Но у нас был один мальчик — Ричард Кинселла. Он никак не мог говорить на тему, и вечно ему кричали: «Отклоняешься от темы!» Это было ужасно, прежде всего потому, что он был страшно нервный — понимаете, страшно нервный малый, и у него даже губы тряслись, когда его вызывали, и говорил он так, что ничего не было слышно, особенно если сидишь сзади. Но когда у него губы немножко переставали дрожать, он рассказывал интереснее всех. Но он тоже фактически провалился.

А все потому, что ребята все время орали: «Отклоняешься от темы!»

Например, он рассказывал про ферму, которую его отец купил в Вермонте.

Он говорит, а ему все время кричат: «Отклоняешься!», а наш учитель, мистер Винсон, влепил ему кол за то, что он не рассказал, какой там животный и растительный мир у них на ферме. А он, этот самый Ричард Кинселла, он так рассказывал: начнет про эту ферму, что там было, а потом вдруг расскажет про письмо, которое мать получила от его дяди, и как этот дядя в сорок четыре года перенес полиомиелит и никого не пускал к себе в госпиталь, потому что не хотел, чтобы его видели калекой. Конечно, к ферме это не имело никакого отношения, согласен, – но зато интересно. Интересно, когда человек рассказывает про своего дядю. И свинство орать «Отклоняешься от темы!», когда он только-только разговорится, оживет... Не знаю... Трудно мне это объяснить.

Мне и не хотелось объяснять. Уж очень у меня болела голова. Я только мечтал, чтобы миссис Антолини поскорее принесла кофе. Меня до смерти раздражает, когда кричат, что кофе готов, а его все нет.

– Слушай, Холден... Могу я задать тебе короткий, несколько старомодный педагогический вопрос: не думаешь ли ты, что всему свое время и свое место? Не считаешь ли ты, что, если человек начал рассказывать про отцовскую ферму, он должен придерживаться своей темы, а в другой раз уже рассказать про болезнь дяди? А если болезнь дяди столь увлекательный предмет, то почему бы оратору не выбрать именно эту тему, а не ферму?

Неохота было думать, неохота отвечать. Ужасно болела голова, и чувствовал я себя гнусно. По правде говоря, у меня и живот болел.

– Да, наверно. Наверно, это так. Наверно, надо было взять темой дядю, а не ферму, раз ему про дядю интересно. Но понимаете, чаще всего ты сам не знаешь, что тебе интереснее, пока не начнешь рассказывать про неинтересное. Бывает, что это от тебя не зависит. Но, по-моему, надо дать человеку выговориться, раз он начал интересно рассказывать и увлекся. Очень люблю, когда человек с увлечением рассказывает. Это хорошо. Вы не знали этого учителя, этого Винсона. Он вас тоже довел бы до бешенства, он и эти ребята в классе. Понимаете, он все долбил – надо обобщать, надо упрощать. А разве можно все упростить, все обобщить? И вообще, разве по чужому желанию можно обобщать и упрощать? Нет, вы этого мистера Винсона не знаете. Конечно, сразу было видно, что он образованный и все такое, но мозгов у него определенно не хватало.

– Вот вам наконец и кофе, джентльмены! – сказала миссис Антолини. Она внесла поднос с кофе, печеньем и всякой едой. – Холден, не надо на меня смотреть! Я в ужасном виде!

– Здравствуйте, миссис Антолини! – говорю. Я хотел встать, но мистер Антолини схватил меня за куртку и потянул вниз. У миссис Антолини вся голова была в этих железных штучках для завивки и губы не намазаны, вообще вид неважный. Старая какая-то.

– Я вам все тут поставлю. Сами угощайтесь, – сказала она. Потом поставила поднос на курительный столик, отодвинула стаканы. – Как твоя мама, Холден?

– Ничего, спасибо. Я ее уже давно не видел, но в последний раз...

– Милый, все, что Холдену может понадобиться, лежит в бельевом шкафу. На верхней полке. Я ложусь спать. Устала предельно, – сказала миссис Антолини. По ней это было видно. – Мальчики, вы сумеете сами постелить постель?

– Все сделаем. Ложись-ка скорее! – сказал мистер Антолини. Он поцеловал жену, она попрощалась со мной и ушла в спальню. Они всегда целовались при других.

Я выпил полчашки кофе и съел печенье, твердое как камень. А мистер Антолини опять выпил виски. Видно было, что он почти не разбавляет. Он может стать настоящим алкоголиком, если не удержится.

– Я завтракал с твоим отцом недели две назад, – говорит он вдруг. – Ты об этом знал?

— Нет, не знал.

— Но тебе, разумеется, известно, что он чрезвычайно озабочен твоей судьбой?

— Да, конечно. Конечно, известно.

— Очевидно, перед тем как позвонить мне, он получил весьма тревожное письмо от твоего бывшего директора о том, что ты не прилагаешь никаких стараний к занятиям. Пропускаешь лекции, совершенно не готовишь уроки, вообще абсолютно ни в чем...

— Нет, я ничего не пропускал. Нам запрещалось пропускать занятия. Иногда я не ходил, например, на эту устную речь, но вообще я ничего не пропускал.

Очень не хотелось разговаривать о моих делах. От кофе немного перестал болеть живот, но голова просто раскалывалась.

Мистер Антолини закурил вторую сигарету. Курил он как паровоз. Потом сказал:

— Откровенно говоря, черт его знает, что тебе сказать, Холден.

— Понимаю. Со мной трудно разговаривать. Я знаю.

— Мне кажется, что ты несешься к какой-то страшной пропасти. Но, честно говоря, я и сам не знаю... да ты меня слушаешь?

— Да.

Видно было, что он очень старается сосредоточиться.

— Может быть, ты дойдешь до того, что в тридцать лет станешь завсегдатаем какого-нибудь бара и будешь ненавидеть каждого, кто с виду похож на чемпиона университетской футбольной команды. А может быть, ты станешь со временем достаточно образованным и будешь ненавидеть людей, которые говорят: «Мы вроде вместе переживали...» А может быть, ты будешь служить в какой-нибудь конторе и швырять скрепками в не угодившую тебе стенографистку — сам не знаю. Ты понимаешь, о чем я говорю?

– Да, конечно, – сказал я. И я его отлично понимал. – Но вы не правы насчет того, что я всех буду ненавидеть. Всяких футбольных чемпионов и так далее. Тут вы не правы. Я очень мало кого ненавижу. Бывает, что я вдруг кого-нибудь возненавижу, как, скажем, этого Стрэдлейтера, с которым я был в Пэнси, или того, другого парня, Роберта Экли. Бывало, конечно, что я их страшно ненавидел, сознаюсь, но всегда ненадолго, понимаете? Иногда не видишь его долго, он не заходит в комнату или в столовой его не встречаешь, и без него становится скучно. Понимаете, даже скучаю без него.

Мистер Антолини долго молчал, потом встал, положил кусок льда в виски и опять сел. Видно было, что он задумался. Лучше бы он продолжал разговор утром, а не сейчас, но его уже разобрало. Людей всегда разбирает желание спорить, когда у тебя нет никакого настроения.

– Хорошо... Теперь выслушай меня внимательно. Может быть, я сейчас не смогу достаточно четко сформулировать свою мысль, но я через день-два напишу тебе письмо. Тогда ты все уяснишь себе до конца. Но пока что выслушай меня.

Я видел, что он опять старается сосредоточиться.

– Пропасть, в которую ты летишь, – ужасная пропасть, опасная. Тот, кто в нее падает, никогда не почувствует дна. Он падает, падает без конца. Это бывает с людьми, которые в какой-то момент своей жизни стали искать то, чего им не может дать их привычное окружение. Вернее, они думали, что в привычном окружении они ничего для себя найти не могут. И они перестали искать. Перестали искать, даже не делая попытки что-нибудь найти. Ты следишь за моей мыслью?

– Да, сэр.

– Правда?

– Да.

Он встал, налил себе еще виски. Потом опять сел. И долго молчал, очень долго.

– Не хочу тебя пугать, – сказал он наконец, – но я совершенно ясно себе представляю, как ты благородно жертвуешь жизнью за какое-нибудь пустое, нестоящее дело. – Он посмотрел на меня странными глазами. – Скажи, если я тебе напишу одну вещь, обещаешь прочесть внимательно? И сберечь?

– Да, конечно, – сказал я. Я и на самом деле сберег листок, который он мне тогда дал. Этот листок и сейчас у меня.

Он подошел к своему письменному столу и, не присаживаясь, что-то написал на клочке бумаги. Потом вернулся и сел, держа листок в руке:

– Как ни странно, написал это не литератор, не поэт. Это сказал психоаналитик по имени Вильгельм Штекель. Вот что он... да ты меня слушаешь?

– Ну конечно.

– Вот что он говорит: «Признак незрелости человека – то, что он хочет благородно умереть за правое дело, а признак зрелости – то, что он хочет смиренно жить ради правого дела».

Он наклонился и подал мне бумажку. Я прочел еще раз, а потом поблагодарил его и сунул листок в карман. Все-таки с его стороны было очень мило, что он так ради меня старался. Жалко, что я никак не мог сосредоточиться. Здорово я устал, по правде говоря.

А он ничуть не устал. Главное, он порядочно выпил.

– Настанет день, – говорит он вдруг, – и тебе придется решать, куда идти. И сразу надо идти туда, куда ты решил. Немедленно. Ты не имеешь права терять ни минуты. Тебе это нельзя.

Я кивнул головой, потому что он смотрел прямо мне в глаза, но я не совсем понимал, о чем он говорит. Немножко я соображал, но все-таки не был уверен, что я правильно понимаю. Уж очень я устал.

– Не хочется повторять одно и то же, – говорит он, – но я думаю, что, как только ты для себя определишь свой дальнейший путь, тебе придется первым делом серьезно отнестись к школьным занятиям, да, придется. Ты мыслящий человек, нравится тебе это название или нет. Ты тянешься к науке. И мне кажется, что, когда ты преодолеешь всех этих мистеров Виндси и их «устную композицию», ты...

– Винсонов, – сказал я. Он, наверно, думал про мистеров Винсонов, а не Виндси. Но все-таки зря я его перебил.

– Хорошо, всех этих мистеров Винсонов. Когда ты преодолеешь всех мистеров Винсонов, ты начнешь все ближе и ближе подходить – разумеется, если захочешь, если будешь к этому стремиться, ждать этого, – подойдешь ближе к тем знаниям, которые станут очень, очень дороги твоему сердцу. И тогда ты обнаружишь, что ты не первый, в ком люди и их поведение вызывали растерянность, страх и даже отвращение. Ты поймешь, что не один ты так чувствуешь, и это тебя обрадует, поддержит. Многие, очень многие люди пережили ту же растерянность в вопросах нравственных, душевных, какую ты переживаешь сейчас. К счастью, некоторые из них записали свои переживания. От них ты многому научишься – если, конечно, захочешь. Так же, как другие когда-нибудь научатся от тебя, если у тебя будет что им сказать. Взаимная помощь – это прекрасно. И она не только в знаниях. Она в поэзии. Она в истории.

Он остановился, отпил глоток из бокала и опять заговорил. Вот до чего он увлекся. Хорошо, что я его не прерывал, не останавливал.

– Не хочу внушать тебе, что только люди ученые, образованные могут внести ценный вклад в жизнь, – продолжал он. – Это не так. Но я утверждаю, что образованные и ученые люди при условии, что они вместе с тем люди талантливые, творческие – что, к сожалению, встречается редко, – эти люди оставляют после себя гораздо более ценное наследие, чем люди просто талантливые и творческие. Они стремятся выразить свою мысль как можно яснее, они упорно и настойчиво доводят свой замысел до конца. И что самое важное, в десяти случаях из десяти люди науки гораздо скромнее, чем люди неученые, хотя и мыслящие. Ты понимаешь, о чем я говорю?

– Да, сэр.

Он молчал довольно долго. Не знаю, бывало с вами так или нет, но ужасно трудно сидеть и ждать, пока человек, который о чем-то задумался, опять заговорит. Ей-богу, трудно. Я изо всех сил старался не зевнуть. И не то чтобы мне было скучно слушать, вовсе нет, но на меня вдруг напала жуткая сонливость.

– Есть еще одно преимущество, которое тебе даст академический курс. Если ты достаточно углубишься в занятия, ты получишь представление о возможностях твоего разума. Что ему показано, а что – нет. И через какое-то время ты поймешь, какой образ мысли тебе подходит, а какой – нет. И это поможет тебе не затрачивать много лишнего времени на то, чтобы прилаживать к себе какой-нибудь образ мышления, который тебе совершенно не годится, не идет тебе. Ты узнаешь свою истинную меру и по ней будешь подбирать одежду своему уму.

И тут вдруг я зевнул во весь рот. Грубая скотина, знаю, – но что я мог сделать? Но мистер Антолини только рассмеялся.

– Ладно! – сказал он, вставая. – Давай стелить тебе постель!

Я пошел за ним к шкафу, он попробовал было достать мне простыни и одеяла с верхней полки, но ему мешал бокал в руке. Тогда он его допил, поставил на пол, а уж потом достал все, что надо. Я ему помог дотащить все это до дивана. Мы вместе стали стелить постель. Нельзя сказать, что он проявил особую ловкость. Ничего не умел как следует заправить. Но мне было все равно. Я готов был спать хоть стоя, до того я устал.

– А как твои увлечения?

– Ничего. – Собеседник я был никудышный, но уж очень не хотелось разговаривать.

– Как поживает Салли? – Он знал Салли Хейс. Я их как-то познакомил.

– Хорошо. Мы с ней виделись сегодня днем. – Черт, мне показалось, что с тех пор прошло лет двадцать! – Но у нас теперь с ней мало общего.

– Удивительно красивая девочка. А как та, другая? Помнишь, ты рассказывал, ты с ней познакомился в Мейне...

– А-а, Джейн Галлахер. Она ничего. Я ей, наверно, завтра звякну по телефону.

Наконец мы постелили постель.

– Располагайся! – говорит мистер Антолини. – Не знаю, куда ты денешь свои длинные ноги!

– Ничего, я привык к коротким кроватям. Большое вам спасибо, сэр. Вы с миссис Антолини действительно спасли мне сегодня жизнь!

– Где ванная, ты знаешь. Если что понадобится – позови. Я еще посижу в кухне. Свет не помешает?

– Нет, что вы! Огромное спасибо!

– Брось! Ну, спокойной ночи, дружище!

– Спокойной ночи, сэр! Огромное спасибо!

Он вышел в кухню, а я пошел в ванную, разделся, умылся. Зубы я не чистил, потому что не взял с собой зубную щетку. И пижамы у меня не было, а мистер Антолини забыл мне дать. Я вернулся в гостиную, потушил лампочку над диваном и забрался под одеяло в одних трусах. Диван был коротковат, слов нет, но я мог бы спать хоть стоя – и глазом бы не моргнул. Секунды две я лежал, думал о том, что говорил мистер Антолини. Насчет образа мышления и все такое. Он очень умный, честное слово. Но глаза у меня сами закрывались, и я уснул.

Потом случилась одна вещь. По правде говоря, и рассказывать неохота.

Я вдруг проснулся. Не знаю, который был час, но я проснулся. Я почувствовал что-то у себя на лбу, чью-то руку. Господи, как я испугался! Оказывается, это была рука мистера Антолини. Он сидел на полу рядом с диваном и не то пощупал мне лоб, не то погладил по голове. Честное слово, я подскочил на тысячу метров!

– Что вы делаете?

– Ничего! Просто гляжу на тебя... любуюсь...

– Нет, что это вы тут делаете? – говорю я опять. Я совершенно не знал, что сказать, растерялся, как болван.

– Тише, что ты! Я просто подошел взглянуть...

– Мне все равно пора идти, – говорю. Господи, как я испугался! Я стал натягивать в темноте брюки, никак не мог попасть, до того я нервничал. Насмотрелся я в школах всякого, столько мне пришлось видеть этих проклятых психов, как никому; при мне они совсем распсиховывались.

– Куда тебе пора идти? – спросил мистер Антолини. Он старался говорить очень спокойно и холодно, но видно было, что он растерялся. Можете мне поверить.

– Я оставил чемоданы на вокзале. Пожалуй, надо съездить забрать их. Там все мои вещи.

– Вещи никуда до утра не убегут. Ложись, пожалуйста, спи. Я тоже ухожу спать. Не понимаю, что с тобой творится?

– Ничего не творится, просто у меня в чемоданах все вещи и все деньги. Я сейчас вернусь. Возьму такси и вернусь. – Черт, я чуть себе башку не свернул в темноте. – Дело в том, что деньги не мои. Они мамины, и мне надо...

– Не глупи, Холден. Ложись спать. Я тоже ухожу спать. Никуда твои деньги до утра не денутся...

– Нет-нет, мне надо идти, честное слово.

Я уже почти оделся, только галстук не нашел. Никак не мог вспомнить, куда я девал этот проклятый галстук. Я надел куртку – уйду без галстука. А мистер Антолини сел в кресло поодаль и смотрел на меня. Было темно, я его плохо видел, но чувствовал, как он наблюдает за мной. А сам пьет. Так и не выпустил из рук свой верный бокал.

– Ты удивительно странный мальчик, очень, очень странный!

– Знаю, – сказал я. Я даже не стал искать галстук. Так и пошел без него. – До свидания, сэр! – говорю. – И большое спасибо, честное слово.

Он шел за мной до самых дверей, а когда я стал вызывать лифт, он остановился на пороге. И опять повторил, что я очень, очень странный мальчик. Да, странный, как бы не так! Он дожидался, пока не пришел этот треклятый лифт. Никогда в жизни я столько не ждал лифта, черт бы его побрал. Целую вечность, клянусь богом!

Я даже не знал, о чем говорить, пока я ждал лифт, а он стоял в дверях, и я сказал:

– Начну читать хорошие книжки, правда, начну! – Надо же было что-то сказать. Вообще неловко вышло.

– А ты забирай свои чемоданы и лети обратно сюда! Я оставлю дверь открытой.

– Большое спасибо! – говорю. – До свидания.

Лифт наконец пришел. Я закрыл двери, стал спускаться. Господи, как меня трясло! И пот прошиб. Когда со мной случаются всякие такие пакостные штуки, меня пот прошибает. А в школе я сталкивался с этими гадостями раз двадцать. С самого детства. Ненавижу!

25

Когда я вышел на улицу, начинало светать. Стоял сильный холод, но мне было приятно, потому что я так вспотел.

Куда идти, я совершенно не знал. Брать номер в гостинице на сестренкины деньги я не хотел. В конце концов я пошел пешком к Лексингтону и сел в метро до

Центрального вокзала. Чемоданы были на вокзале, и я решил выспаться в зале ожидания, там, где натыканы эти дурацкие скамейки. Так я и сделал. Сначала было ничего, народу немного, можно было прилечь, положить ноги на скамью. Но я не хочу об этом рассказывать. Довольно противное ощущение. Лучше не ходите туда. Я серьезно говорю! Тоска берет!

Спал я часов до девяти, а там хлынул миллион народу, пришлось убрать ноги. А я не могу спать, когда ноги висят. Я сел. Голова болела по-прежнему. Даже сильнее. А настроение было до того скверное, никогда в жизни у меня не было такого скверного настроения.

Не хотелось думать про мистера Антолини, но я не мог не думать, что же он скажет своей жене, когда она увидит, что я у них не ночевал. Но меня не это беспокоило, я отлично знал, что мистер Антолини не дурак, сообразит, что ей сказать. Скажет, что я уехал домой, и все. Это меня не очень беспокоило. А мучило другое – то, как я проснулся оттого, что он погладил меня по голове. Понимаете, я вдруг подумал – должно быть, я зря вообразил, что он хотел ко мне пристать. Должно быть, он просто хотел меня погладить по голове, может, он любит гладить ребят по голове, когда они спят. Разве можно сказать наверняка? Никак нельзя! Я даже подумал – надо было мне взять чемоданы и вернуться к ним в дом, как я обещал. Понимаете, я стал думать, что даже если бы он был со странностями, так ко мне-то он отнесся замечательно. Не рассердился, когда я его разбудил среди ночи, сказал – приезжай хоть сейчас, если надо. И как он старался, давал мне всякие советы насчет образа мыслей и прочее, и как он один из всех не побоялся подойти к этому мальчику, к Джеймсу Каслу, когда тот лежал мертвый, помните, я вам рассказывал. Я сидел и думал про все про это. И чем больше думал, тем настроение становилось хуже. Мучила меня мысль, что надо было вернуться к ним домой. Наверно, он действительно погладил меня по голове просто так. И чем больше я об этом думал, тем больше мучился и расстраивался. А тут еще у меня вдруг разболелись глаза. Болят, горят как проклятые, оттого что я не выспался. И потом начался насморк, а носового платка не было. В чемодане лежали платки, но не хотелось доставать чемодан из хранения да еще открывать его у всех на виду.

Рядом со мной на скамейке кто-то забыл журнал, и я начал читать. Может быть, перестану думать о мистере Антолини и о всякой чепухе, хоть на время забуду. Но от этой проклятой статьи мне стало в сто раз хуже. Там было про всякие гормоны. Описывалось, какой у вас должен быть вид, какие глаза, лицо, если у вас все гормоны в порядке, а у меня вид был как раз наоборот: у меня был точно такой вид, как у того типа, которого описывали в статье, у него все гормоны были нарушены. Я стал ужасно беспокоиться, что с моими гормонами. А потом я стал читать вторую статью — как заранее обнаружить, есть ли у тебя рак или нет. Там говорилось, что если во рту есть ранки, которые долго не заживают, значит, ты, по всей вероятности, болен раком. А у меня на губе внутри была ранка уже недели две!!! Я и подумал — видно, у меня начинается рак. Да, веселенький журнальчик, ничего не скажешь! Я его бросил и пошел прогуляться. Я высчитал, что, раз у меня рак, я через два-три месяца умру. Серьезно, я так думал. Я был твердо уверен, что умру. И настроение от этого не улучшалось, сами понимаете.

Как будто начинался дождь, но я все равно пошел гулять. Во-первых, надо было позавтракать. Есть не хотелось, но я подумал, что все-таки надо подкрепиться. Съесть, по крайней мере, что-нибудь витаминозное. Я пошел к восточным кварталам, где дешевые рестораны: не хотелось тратить много денег.

По дороге я увидел, как двое сгружали с машины огромную елку. И один все время кричал другому:

– Держи ее, чертову куклу, крепче держи, так ее и так! – Очень красиво говорить так про рождественскую елку!

Но мне почему-то стало смешно, и я расхохотался. Хуже ничего быть не могло – меня сразу начало мутить. Я чуть не стравил, но потом прошло, сам не знаю как. И ведь я ничего несвежего не ел, да и вообще желудок у меня выносливый.

Словом, пока что все прошло, и я решил – надо поесть. Я зашел в очень дешевый ресторанчик и заказал пышки и кофе. Только пышки я есть не стал, не мог проглотить ни куска. Когда ты чем-нибудь очень расстроен, глотать очень трудно. Но официант был славный. Он унес пышки и ничего с меня не взял. Я только выпил кофе. И пошел по направлению к Пятой авеню.

Был понедельник, подходило Рождество, и магазины торговали вовсю.

На Пятой авеню было совсем не плохо. Чувствовалось рождественское настроение. На всех углах стояли бородатые Санта-Клаусы, звонили в колокольчики, и женщины из «Армии спасения», те, что никогда не красят губы, тоже звонили в колокольчики. Я все искал этих двух монахинь, с которыми я накануне завтракал, но их нигде не было. Впрочем, я так и знал, потому что они мне сами сказали, что приехали в Нью-Йорк учительствовать, но все-таки я их искал. Во всяком случае, настроение вдруг стало совсем рождественское. Миллионы ребятишек с матерями выходили из автобусов, выходили и выходили из магазинов. Как было бы хорошо, если бы Фиби была со мной. Не такая она маленькая, чтобы глазеть на игрушки до обалдения, но любит смотреть на толпу и вытворять всякие глупости. Прошлым Рождеством я ее взял с собой в город за покупками. Чего мы только не выделывали! По-моему, это было у Блумингдейла. Мы зашли в обувной отдел и сделали вид, что ей, сестренке, нужна пара этих высоченных горных ботинок, знаете, которые зашнуровываются на миллион дырочек. Мы чуть с ума не свели этого несчастного продавца. Моя Фиби перемерила пар двадцать, и каждый раз ему, бедняге, приходилось зашнуровывать ей один башмак до самого колена. Свинство, конечно, но Фиби просто умирала от смеха. В конце концов мы купили пару домашних туфель и попросили прислать на дом. Продавец оказался очень славный. По-моему, он понимал, что мы балуемся, потому что Фиби все время покатывалась со смеху.

Я шел по Пятой авеню без галстука, шел и шел все дальше. И вдруг со мной приключилась жуткая штука. Каждый раз, когда я доходил до конца квартала и переходил с тротуара на мостовую, мне вдруг начинало казаться, что я никак не смогу перейти на ту сторону. Мне казалось, что я вдруг провалюсь вниз, вниз, вниз и больше меня так и не увидят. Ох, до чего я перепугался, вы даже вообразить не можете. Я весь вспотел, вся рубаха и белье, все промокло насквозь. И тут я стал проделывать одну штуку. Только дойду до угла, сразу начинаю разговаривать с моим братом, с Алли. Я ему говорю: «Алли, не дай мне пропасть! Алли, не дай мне пропасть! Алли, не дай мне пропасть! Алли, прошу тебя!» А как только благополучно перейду на другую сторону, я ему говорю спасибо. И так на каждом углу – все сначала. Но я не останавливался. Кажется, я боялся остановиться – по правде сказать, я плохо помню. Знаю только, что я дошел до самой Шестидесятой улицы, мимо зоопарка, бог знает куда. Тут я сел на скамью. Я задыхался, пот с меня лил градом. Просидел я на этой скамье, наверно, около часа. Наконец я решил, что мне надо делать. Я решил уехать. Решил, что не вернусь больше домой и ни в какие школы не поступлю. Решил, что повидаюсь с сестренкой, отдам ей деньги, а потом выйду на шоссе и буду голосовать, пока не уеду далеко на Запад. Я решил – сначала доеду до Холленд-Таннел, оттуда проголосую и поеду дальше, потом опять проголосую и опять – так, чтобы через несколько дней оказаться далеко на Западе, где тепло и красиво и где меня никто не знает. И там я найду себе работу. Я подумал, что легко найду работу на какой-нибудь заправочной станции у бензоколонки, буду обслуживать проезжих. В общем, мне было все равно, какую работу делать, лишь бы меня никто не знал и я никого не знал. Я решил сделать вот что: притвориться глухонемым. Тогда не надо будет ни с кем заводить всякие ненужные глупые разговоры. Если кто-нибудь захочет со мной поговорить, ему придется писать на бумажке и показывать мне. Им это так в конце концов осточертеет, что я на всю жизнь избавлюсь от разговоров. Все будут считать, что я несчастный глухонемой дурачок, и оставят меня в покое. Я буду заправлять их дурацкие машины, получать за это жалованье и потом построю себе на скопленные деньги хижину и буду там жить до конца жизни. Хижина будет стоять на опушке леса – только не в самой чаще, я люблю, чтобы солнце светило на меня во все лопатки. Готовить еду я буду сам, а позже, когда мне захочется жениться, я, может быть, встречу какую-нибудь красивую глухонемую девушку, и мы поженимся. Она будет жить со мной в хижине, а если захочет что-нибудь сказать – пусть тоже пишет на бумажке. Если пойдут дети, мы их от всех спрячем. Купим много книжек и сами выучим их читать и писать.

Я просто загорелся, честное слово. Конечно, глупо было выдумывать, что я притворяюсь глухонемым, но мне все равно нравилось представлять себе, как это будет. И я твердо решил уехать на Запад. Надо было только попрощаться с Фиби. Я вскочил и понесся как сумасшедший через улицу – чуть не попал под машину, если говорить правду, – и прямо в писчебумажный магазин, где купил блокнот и карандаш. Я решил, что напишу ей записку, где нам с ней встретиться, чтобы я мог с ней проститься и отдать ей подарочные деньги, отнесу эту записку в школу, а там попрошу кого-нибудь из канцелярии передать Фиби. Но пока что я сунул блокнот и карандаш в карман и почти бегом побежал к ее школе – слишком я волновался, чтобы писать записку в магазине. Шел я ужасно быстро: надо было успеть передать ей записку, пока она не ушла домой на завтрак, а времени оставалось совсем мало.

Школу я знал хорошо, потому что сам туда бегал, когда был маленьким. Когда я вошел во двор, мне стало как-то странно. Я не думал, что помню, как все было, но, оказывается, я все помнил. Все осталось совершенно таким, как при мне. Тот же огромный гимнастический зал внизу, где всегда было темновато, те же проволочные сетки на фонарях, чтоб не разбить мячом. На полу – те же белые круги для всяких игр. И те же баскетбольные кольца без сеток – только доска и кольцо.

Нигде никого не было – наверно, потому, что шли занятия и большая перемена еще не начиналась. Я только увидел одного малыша – цветного мальчугана, он бежал в уборную. У него из кармана торчал деревянный номерок, нам тоже выдавали такие в доказательство, что нам разрешили выйти из класса.

Я все еще потел, но уже не так сильно. Вышел на лестницу, сел на нижнюю ступеньку и достал блокнот и карандаш. Лестница пахла совершенно так же, как при мне. Как будто кто-то там намочил. В начальных школах лестницы всегда так пахнут. Словом, я сел и написал записку:

Милая Фиби!

Не могу ждать до среды, поэтому сегодня же вечером начну пробираться на Запад. Жди меня в музее, у входа, в четверть первого, если сможешь, и я отдам тебе твои подарочные деньги. Истратил я совсем мало.

Целую. Холден

Музей был совсем рядом со школой, ей все равно надо было идти мимо после завтрака, и я знал, что она меня встретит.

Я поднялся по лестнице в канцелярию директора, чтобы попросить отнести мою записку сестренке в класс. Я сложил листок в десять раз, чтобы никто не прочитал. В этих чертовых школах никому доверять нельзя. Но я знал, что записку от брата ей передадут непременно.

Когда я подымался по лестнице, меня опять начало мутить, но потом обошлось. Я только присел на минутку и почувствовал себя лучше.

Но тут я увидел одну штуку, которая меня взбесила. Кто-то написал на стене похабщину. Я просто взбесился от злости. Только представить себе, как Фиби и другие малыши увидят и начнут спрашивать, что это такое, а какой-нибудь грязный мальчишка им начнет объяснять – да еще по-дурацки, – что это значит, и они начнут думать о таких вещах и расстраиваться. Я готов был убить того, кто это написал. Я представил себе, что какой-нибудь мерзавец, развратник залез в школу поздно ночью за нуждой, а потом написал на стене эти слова. И вообразил, как я его ловлю на месте преступления и бью головой о каменную лестницу, пока он не издохнет, обливаясь кровью. Но я подумал, что не хватит у меня на это смелости. Я себя знаю. И от этого мне стало еще хуже на душе. По правде говоря, у меня даже не хватало смелости стереть эту гадость. Я испугался – а вдруг кто-нибудь из учителей увидит, как я стираю надпись, и подумает, что это я написал. Но потом я все-таки стер. Стер и пошел в канцелярию директора.

Директора нигде не было, но за машинкой сидела старушка лет под сто. Я сказал, что я брат Фиби Колфилд из четвертого «Б» и очень прошу передать ей эту записку. Я сказал, что это очень важно, потому что мама нездорова и не приготовила завтрак для Фиби и что я должен встретить Фиби и накормить ее завтраком в закусочной. Старушка оказалась очень милая. Она взяла у меня записку, позвала какую-то женщину из соседней комнаты, и та пошла отдавать записку Фиби. Потом мы с этой столетней старушкой немножко поговорили. Она была очень приветливая, и я ей рассказал, что в эту школу ходили мы все – и я, и мои братья. Она спросила, где я теперь учусь, и я сказал – в Пэнси, и она сказала, что Пэнси – очень хорошая школа. Если б я даже хотел вправить ей мозги, у меня духу не хватило бы. Хочет думать, что Пэнси хорошая школа, пусть думает. Глупо внушать новые мысли человеку, когда ему скоро стукнет сто лет. Да они этого и не любят. Потом я попрощался и ушел. Она завопила мне вдогонку: «Счастливого пути!» – совершенно как старик Спенсер, когда я уезжал из Пэнси. Господи, до чего я ненавижу эту привычку – вопить вдогонку «счастливого пути». У меня от этого настроение портится.

Спустился я по другой лестнице и опять увидел на стенке похабщину.

Попробовал было стереть, но на этот раз слова были нацарапаны ножом или еще чем-то острым. Никак не стереть. Да и бесполезно. Будь у человека хоть миллион лет в распоряжении, все равно ему не стереть всю похабщину со всех стен на свете. Невозможное дело.

Я посмотрел на часы в гимнастическом зале, было всего без двадцати двенадцать, ждать до перемены оставалось долго. Но я все-таки пошел прямо в музей. Все равно больше идти было некуда. Я подумал, не звякнуть ли Джейн Галлахер из автомата, перед тем как податься на Запад, но настроения не было. Да я и не был уверен, что она уже приехала домой на каникулы. Я зашел в музей и стал там ждать.

Пока я ждал Фиби у самого входа в музей, подошли двое ребятишек и спросили меня, не знаю ли я, где мумии. У того мальчишки, который спрашивал, штаны были расстегнуты. Я ему велел застегнуться.

И он стал застегиваться прямо передо мной, не стесняясь, даже не зашел за колонну или за угол. Умора. Я, наверно, расхохотался бы, но побоялся, что меня опять начнет мутить, и сдержался.

— Где эти мумии, а? — повторял мальчишка. — Вы знаете, где они?

Я решил их поддразнить.

— Мумии? — спрашиваю. — А что это такое?

— Ну, сами знаете. Мумии, мертвяки. Их еще хоронят в пираминах.

В пираминах! Вот умора. Это он про пирамиды.

— А почему вы не в школе, ребята? — спрашиваю.

— Нет занятий, — говорит тот, что все время разговаривал. Я видел, что он врет, подлец. Но мне все равно нечего было делать до прихода Фиби, и я повел их туда, где лежали мумии. Раньше я точно знал, где они лежат, только я тут лет сто не был.

— А вам интересно посмотреть мумии? — спрашиваю.

— Ага.

— А твой приятель немой, что ли?

— Он мне не приятель, он мой братишка.

— Разве он не умеет говорить? — спрашиваю я. — Ты что, говорить не умеешь?

— Умею, — отвечает. — Только не хочу.

Наконец мы нашли вход в галерею, где лежали мумии.

— А вы знаете, как египтяне хоронили своих мертвецов? — спрашиваю я разговорчивого мальчишку.

— Не-е-е...

— А надо бы знать. Это очень интересно. Они закутывали им головы в такие ткани, которые пропитывались особым секретным составом. И тогда можно было их хоронить хоть на тысячу лет, и все равно головы у них не сгнивали. Никто не умел это делать, кроме египтян. Современная наука и то не знает, как это делается.

Чтобы увидеть мумии, надо было пройти по очень узкому переходу, выложенному плитами, взятыми прямо с могилы фараона. Довольно жуткое место, и я видел, что эти два молодца, которых я вел, здорово трусили. Они прижимались ко мне, как котята, а неразговорчивый даже вцепился в мой рукав.

– Пойдем домой, – сказал он вдруг. – Я уже все видел. Пойдем скорее! – Он повернулся и побежал.

– Он трусишка, всего боится! – сказал другой. – Пока! – И тоже побежал за первым.

Я остался один среди могильных плит. Мне тут нравилось – тихо, спокойно. И вдруг я увидел на стене – догадайтесь, что? Опять похабщина! Красным карандашом, прямо под стеклянной витриной, на камне.

В этом-то и все несчастье. Нельзя найти спокойное, тихое место – нет его на свете. Иногда подумаешь – а может, есть, но, пока ты туда доберешься, кто-нибудь прокрадется перед тобой и напишет похабщину прямо перед твоим носом. Проверьте сами. Мне иногда кажется – вот я умру, попаду на кладбище, поставят надо мной памятник, напишут «Холден Колфилд», и год рождения, и год смерти, а под всем этим кто-нибудь нацарапает похабщину. Уверен, что так оно и будет.

Я вышел из зала, где лежали мумии, и пошел в уборную. У меня началось расстройство, если уж говорить всю правду. Но этого я не испугался, а испугался другого. Когда я выходил из уборной, у самой двери я вдруг потерял сознание. Счастье еще, что я удачно упал. Мог разбить себе голову об пол, но просто грохнулся на бок. Странное это ощущение. Но после обморока я как-то почувствовал себя лучше. Рука, правда, болела, но не так кружилась голова.

Было уже десять минут первого, и я пошел к выходу и стал ждать мою Фиби. Я подумал, может, я вижусь с ней в последний раз. И вообще никого из родных больше не увижу. То есть, конечно, когда-нибудь я с ними, наверно, увижусь, но только не скоро. Может быть, я приеду домой, когда мне будет лет тридцать пять, если кто-нибудь из них вдруг заболеет и захочет меня повидать перед смертью, это единственное, из-за чего я еще смогу бросить свою хижину и вернуться домой. Я даже представил себе, как я вернусь. Знаю, мама начнет ужасно волноваться, и плакать, и просить меня остаться дома и не возвращаться к себе в хижину, но я все-таки уеду. Я буду держаться неприступно, как дьявол. Успокою мать, отойду в другой конец комнаты, выну портсигар и закурю с ледяным спокойствием. Я их приглашу навещать меня, если им захочется, но настаивать не буду. Но я обязательно устрою, чтобы Фиби приезжала ко мне гостить на лето, и на Рождество, и на пасхальные каникулы.

Д.Б. тоже пускай приезжает, пусть живет у меня, когда ему понадобится тихий, спокойный угол для работы. Но никаких сценариев в моей хижине я писать не позволю, только рассказы и книги. У меня будет такое правило — никакой липы в моем доме не допускать. А чуть кто попробует разводить липу, пусть лучше сразу уезжает.

Вдруг я посмотрел на часы в гардеробной и увидел, что уже без двадцати пяти час. Я перепугался — вдруг старушка из канцелярии велела той, другой, женщине не передавать Фиби записку. Я испугался, а вдруг она велела сжечь мою записку или выкинуть. Здорово перепугался. Мне очень хотелось повидать сестренку, перед тем как уехать бог знает куда. А тут еще у меня были ее деньги.

И вдруг я ее увидел. Увидел через стеклянную дверь. А заметил ее потому, что на ней была моя дикая охотничья шапка — ее за десять миль видно, эту шапку.

Я вышел на улицу и стал спускаться по каменной лестнице навстречу Фиби. Одного я не понимал — зачем она тащит огромный чемодан. Она как раз переходила Пятую авеню и тащила за собой громадный нелепый чемодан. Еле-еле тащила. Когда я подошел ближе, я понял, что это мой старый чемодан, он у меня был еще в Хуттонской школе. Я никак не мог понять, на кой черт он ей понадобился.

– Ау! – сказала она, подойдя поближе. Она совсем запыхалась от этого дурацкого чемодана.

– Я думал, ты уже не придешь, – говорю я. – А на кой черт ты притащила чемодан? Мне ничего не надо. Я еду налегке. Даже с хранения чемоданы не возьму. Чего ты туда напихала?

Она поставила чемодан.

– Мои вещи, – говорит. – Я еду с тобой. Можно, да? Возьмешь меня?

– Что?! – Я чуть не упал, когда она это сказала. Честное слово, у меня голова пошла кругом, вот-вот упаду в обморок.

– Я все стащила по черной лестнице, чтобы Чарлина не увидела. Он не тяжелый. В нем только два платья, туфли, белье, носки и всякие мелочи. Ты попробуй подними. Он совсем легкий, ну подними... Можно мне с тобой, Холден? Можно, да? Пожалуйста, можно мне с тобой?

– Нет, нельзя. Замолчи!

Я чувствовал, что сейчас упаду замертво. Я вовсе не хотел кричать «Замолчи!», но мне казалось, что я сейчас потеряю сознание.

– Почему нельзя? Пожалуйста, возьми меня с собой... Ну, Холден, пожалуйста! Я не буду мешать – я только поеду с тобой, и все! Если хочешь, я и платьев не возьму, только захвачу...

– Ничего ты не захватишь. И не поедешь. Я еду один. Замолчи!

– Ну, Холден, пожалуйста! Я буду очень, очень, очень – ты даже не заметишь...

– Никуда ты не поедешь. Замолчи, слышишь! Отдай чемодан.

Я взял у нее чемодан. Ужасно хотелось ее отшлепать. Еще минута – и я бы ее шлепнул. Серьезно говорю.

Но тут она расплакалась.

– А я-то думал, что ты собираешься играть в спектакле. Я думал, что ты собираешься играть Бенедикта Арнольда в этой пьесе, – говорю я. Голос у меня стал злой, противный. – Что же ты затеяла, а? Не хочешь играть в спектакле, что ли?

Тут она еще сильнее заплакала, и я даже обрадовался. Вдруг мне захотелось, чтобы она все глаза себе выплакала. Я был ужасно зол на нее. По-моему, я был на нее так зол за то, что она готова была отказаться от роли в спектакле и уехать со мной.

– Идем, – говорю. Я опять стал подниматься по лестнице в музей. Я решил, что сдам в гардероб этот дурацкий чемодан, который она притащила, а в три часа, на обратном пути из школы, она его заберет. Я знал, что в школу его взять нельзя. – Ну, идем, – говорю.

Но она не пошла в музей. Не захотела идти со мной. Я пошел один, сдал чемодан в гардероб и опять спустился на улицу. Она все еще стояла на тротуаре, но, когда я подошел, она повернулась ко мне спиной. Это она умеет. Повернется к тебе спиной, и все.

– Никуда я не поеду. Я передумал. Перестань реветь, слышишь? – Глупо было так говорить, потому что она уже не ревела. Но я все-таки сказал «Перестань реветь!» на всякий случай. – Ну, пойдем. Я тебя отведу в школу. Пойдем скорее. Ты опоздаешь.

Она мне даже не ответила. Я попытался было взять ее за руку, но она ее выдернула. И все время отворачивалась от меня.

– Ты позавтракала? – спрашиваю. – Ты уже завтракала?

Не желает отвечать. И вдруг сняла мою охотничью шапку и швырнула ее мне чуть ли не в лицо. А сама опять отвернулась. Мне стало смешно, я промолчал. Только поднял шапку и сунул в карман.

– Ладно, пойдем. Я тебя провожу до школы.

– Я в школу больше не пойду.

Что я ей мог сказать на это? Постоял, помолчал, потом говорю:

– Нет, в школу ты обязательно должна пойти. Ты же хочешь играть в этом спектакле, правда? Хочешь быть Бенедиктом Арнольдом?

– Нет.

– Неправда, хочешь. Еще как хочешь! Ну перестань, пойдем! Во-первых, я никуда не уезжаю. Я тебе правду говорю. Я вернусь домой. Только провожу тебя в школу – и сразу пойду домой. Сначала пойду на вокзал, заберу чемоданы, а потом поеду прямо...

– А я тебе говорю – в школу я больше не пойду. Можешь делать все, что тебе угодно, а я в школу ходить не буду. И вообще заткнись!

Первый раз в жизни она мне сказала «заткнись». Грубо, просто страшно. Страшно было слушать. Хуже, чем услышать площадную брань. И не смотрит в мою сторону, а как только я попытался тронуть ее за плечо, взять за руку, она вырвалась.

– Послушай, хочешь погулять? – спрашиваю. – Хочешь пройтись со мной в зоопарк? Если я тебе позволю сегодня больше не ходить в школу и возьму тебя в зоопарк, перестанешь дурить? – Не отвечает, а я повторяю свое: – Если я позволю тебе пропустить вечерние занятия и возьму погулять, ты перестанешь выкамаривать? Будешь умницей, пойдешь завтра в школу?

– Захочу – пойду, не захочу – не пойду! – говорит и вдруг бросилась на ту сторону, даже не посмотрела, идут машины или нет. Иногда она просто с ума сходит.

Однако я за ней не пошел. Я знал, что она-то за мной пойдет как миленькая, и потихоньку направился к зоопарку по одной стороне улицы, а она пошла туда же, только по другой стороне. Делает вид, что не глядит в мою сторону, а сама косится сердитым глазом, смотрит, куда я иду. Так мы и шли всю дорогу до зоосада. Я только беспокоился, когда проезжал двухэтажный автобус, потому что он заслонял ту сторону и я не видел, куда ее понесло.

Но когда мы подошли к зоопарку, я ей крикнул:

– Эй, Фиби! Я иду в зоосад! Иди сюда!

Она и не взглянула на меня, но я догадался, что она услышала: когда я стал спускаться по ступенькам в зоопарк, я повернулся и увидел, как она переходит улицу и тоже идет за мной.

Народу в зоопарке было мало, погода скверная, но вокруг бассейна, где плавали морские львы, собралась кучка зрителей. Я прошел было мимо, но моя Фиби остановилась и стала смотреть, как морских львов кормят – им туда швыряли рыбу, – и тоже вернулся. Я подумал, сейчас я к ней подойду и все такое. Подошел, стал у нее за спиной и положил ей руки на плечи, но она присела и выскользнула из-под моих рук – она тебя так оборвет, если захочет! Смотрит, как кормят морских львов, а я стою сзади. Но руки ей на плечи класть не стал, вообще не трогал ее – боялся, вдруг она от меня удерет. Странные они, эти ребята. С ними надо быть начеку.

Идти рядом со мной она не захотела – мы уже отошли от бассейна, – но все-таки шла неподалеку. Держится одной стороны дорожки, а я – другой. Тоже не особенно приятно, но уж лучше, чем идти за милю друг от друга, как раньше. Пошли посмотреть медведей на маленькой горке, но там смотреть было нечего. Только один медведь вылез – белый, полярный. А другой, бурый, забрался в свою дурацкую берлогу и не выходил. Рядом со мной стоял мальчишка в ковбойской шляпе по самые уши и все время повторял:

– Пап, заставь его выйти! Пап, заставь его!

Я смотрел на Фиби, но она даже не засмеялась. Знаете, как ребята обижаются. Они даже смеяться не станут, ни в какую.

От медведей мы пошли к выходу, перешли через улочку в зоопарке, потом вышли через маленький тоннель, где всегда воняет. Через него проходят к каруселям. Моя Фиби все еще не разговаривала, но уже шла совсем рядом со мной. Я взялся было за хлястик у нее на пальто, но она не позволила.

– Убери, пожалуйста, руки! – говорит. Все еще дулась на меня. Но мы все ближе и ближе подходили к каруселям, и уже было слышно, как играет эта музыка – там всегда играли «О Мэри!». Они эту песню играли уже лет пятьдесят назад, когда я был маленьким. Это самое лучшее в каруселях – музыка всегда одна и та же.

– А я думала, карусель зимой закрыта! – говорит вдруг Фиби. В первый раз со мной заговорила. Наверно, забыла, что обиделась.

– Должно быть, потому, что скоро Рождество, – говорю.

Она ничего не ответила. Вспомнила, наверно, что обиделась на меня.

– Хочешь прокатиться? – спрашиваю. Я знаю, что ей очень хочется. Когда она была совсем кроха и мы с Алли и с Д.Б. водили ее в зоопарк, она с ума сходила по каруселям. Бывало, никак ее не оттащишь.

– Я уже большая, – говорит. Я думал, она не ответит, но она ответила.

– Глупости! Садись! Я тебя подожду! Ступай! – сказал я. Мы уже подошли к самым каруселям. На них катались несколько ребят, совсем маленьких, а родители сидели на скамейке и ждали. Я подошел к окошечку, где продавались билеты, и купил своей Фиби билетик. Купил и отдал ей. Она уже стояла совсем рядом со мной. – Вот, – говорю, – нет, погоди минутку, забери-ка свои подарочные деньги, все забирай! – Хотел отдать ей все деньги.

– Нет, ты их держи. Ты их держи у себя, – говорит и вдруг добавляет: – Пожалуйста! Прошу тебя!

Как-то неловко, когда тебя так просят, особенно когда это твоя собственная сестренка. Я даже расстроился. Но деньги пришлось сунуть в карман.

– А ты будешь кататься? – спросила она и посмотрела на меня как-то чудно. Видно было, что она уже совсем не сердится.

– Может быть, в следующий раз. Сначала на тебя посмотрю. Билет у тебя?

– Да.

– Ну, ступай, а я посижу тут на скамейке, посмотрю на тебя.

Я сел на скамейку, а она подошла к карусели. Обошла все кругом.

То есть она сначала обошла всю карусель кругом. Потом выбрала самую большую лошадь – потрепанную такую, старую, грязно-бурую.

Тут карусель закружилась, и я увидел, как она поехала. С ней ехали еще несколько ребятишек – штук пять-шесть, а музыка играла «Дым застилает глаза». Весело так играла, забавно. И все ребята старались поймать золотое кольцо, и моя Фиби тоже, я даже испугался – вдруг упадет с этой дурацкой лошади, но нельзя было ничего ни сказать, ни сделать. С ребятами всегда так: если уж они решили поймать золотое кольцо, не надо им мешать. Упадут так упадут, но говорить им под руку никогда не надо.

Когда круг кончился, она слезла с лошади и подошла ко мне.

– Теперь ты прокатись! – говорит.

– Нет, я лучше посмотрю на тебя, – говорю. Я ей дал еще немножко из ее денег. – Пойди возьми еще билет.

Она взяла деньги.

– Я на тебя больше не сержусь, – говорит.

– Вижу. Беги – сейчас завертится!

И вдруг она меня поцеловала. Потом вытянула ладонь:

– Дождь! Сейчас пойдет дождь!

– Вижу.

Знаете, что она тут сделала, – я чуть не сдох! Залезла ко мне в карман, вытащила красную охотничью шапку и нахлобучила мне на голову.

– А ты разве не наденешь? – спрашиваю.

– Сначала ты ее поноси! – говорит.

– Ладно. Ну, беги, а то пропустишь круг. И лошадь твою займут.

Но она не отходила от меня:

– Ты мне правду говорил? Ты на самом деле никуда не уедешь? Ты на самом деле вернешься домой?

– Да, – сказал я. И не соврал: на самом деле вернулся домой. – Ну, скорее же! – говорю. – Сейчас начнется!

Она побежала купила билет и в последнюю секунду вернулась к карусели. И опять обежала все кругом, пока не нашла свою прежнюю лошадь. Села на нее, помахала мне, и я ей тоже помахал.

И тут начало лить как сто чертей. Форменный ливень, клянусь богом.

Все матери и бабушки – словом, все, кто там был, встали под самую крышу карусели, чтобы не промокнуть насквозь, а я так и остался сидеть на скамейке. Ужасно промок, особенно воротник и брюки. Охотничья шапка еще как-то меня защищала, но все-таки я промок до нитки.

А мне было все равно. Я вдруг стал такой счастливый, оттого что Фиби кружилась на карусели. Чуть не ревел от счастья, если уж говорить правду. Сам не понимаю почему. До того она была милая, до того весело кружилась в своем синем пальтишке. Жалко, что вы ее не видели, ей-богу.

26

Вот и все, больше я ничего рассказывать не стану. Конечно, я бы мог рассказать, что было дома, и как я заболел, и в какую школу меня собираются отдать с осени, когда выпишут отсюда, но не стоит об этом говорить. Неохота, честное слово. Не интересно.

Многие люди, особенно этот психоаналитик, который бывает тут в санатории, меня спрашивают, буду ли я стараться, когда поступлю осенью в школу. По-моему, это удивительно глупый вопрос. Откуда человеку заранее знать, что он будет делать? Ничего нельзя знать заранее! Мне кажется, что буду, – но почем я знаю? И спрашивать глупо, честное слово!

Д.Б. не такой, как все, но он тоже задает разные вопросы. В субботу он приезжал ко мне с этой англичаночкой, которая будет сниматься в его картине. Ломается она здорово, но зато красивая. И вот когда она ушла в дамскую комнату в другом конце коридора, Д.Б. меня спросил, что же я думаю про то, что случилось, про то, о чем я вам рассказывал. Я совершенно не знал, как ему ответить. По правде говоря, я и сам не знаю, что думать. Жаль, что я многим про это разболтал. Знаю только, что мне как-то не хватает тех, о ком я рассказывал. Например, Стрэдлейтера или даже этого Экли. Иногда кажется, что этого подлеца Мориса и то не хватает. Странная штука. И вы лучше тоже никому ничего не рассказывайте. А то расскажете про всех – и вам без них станет скучно.

Повести

Выше стропила, плотники

Лет двадцать тому назад, когда в громадной нашей семье вспыхнула эпидемия свинки, мою младшую сестренку Фрэнни вместе с колясочкой перенесли однажды вечером в комнату, где я жил со старшим братом Симором и где предположительно микробы не водились. Мне было пятнадцать, Симору – семнадцать.

Часа в два ночи я проснулся от плача нашей новой жилицы. Минуту я лежал, прислушивался к крику, но соблюдал полный нейтралитет, а потом услыхал – вернее, почувствовал, что рядом на кровати зашевелился Симор. В то время на ночном столике между нашими кроватями лежал электрический фонарик – на всякий пожарный случай, хотя, насколько мне помнится, никаких таких случаев не бывало. Симор щелкнул фонариком и встал.

– Мама сказала – бутылочка на плите, – объяснил я ему.

– А я только недавно ее кормил, – сказал Симор, – она сыта.

В темноте он подошел к стеллажу с книгами и медленно стал шарить лучом фонарика по полкам.

Я сел.

– Что ты там делаешь? – спросил я.

– Подумал, может, почитать ей что-нибудь, – сказал Симор и снял с полки книгу.

– Слушай, балда, ей же всего десять месяцев! – сказал я.

– Знаю, – сказал Симор, – но уши-то у них есть. Они все слышат.

В ту ночь при свете фонарика Симор прочел Фрэнни свой любимый рассказ – то была даосская легенда. И до сих пор Фрэнни клянется, будто помнит, как Симор ей читал:

«Князь Му, повелитель Цзинь, сказал Бо Лэ: “Ты обременен годами. Может ли кто-нибудь из твоей семьи служить мне и выбирать лошадей вместо тебя?” Бо Лэ отвечал: “Хорошую лошадь можно узнать по ее виду и движениям. Но несравненный скакун – тот, что не касается праха и не оставляет следа, – это нечто таинственное и неуловимое, неосязаемое, как утренний туман. Таланты моих сыновей не достигают высшей ступени: они могут отличить хорошую лошадь, посмотрев на нее, но узнать несравненного скакуна они не могут. Однако есть у меня друг по имени Цзю Фангао, торговец хворостом и овощами, – он не хуже меня знает толк в лошадях. Призови его к себе”.

Князь так и сделал. Вскоре он послал Цзю Фангао на поиски коня. Спустя три месяца тот вернулся и доложил, что лошадь найдена. “Она теперь в Шаю”, – добавил он. “А какая это лошадь?” – спросил князь. “Гнедая кобыла”, – был ответ. Но когда послали за лошадью, оказалось, что это черный, как ворон, жеребец.

Князь в неудовольствии вызвал к себе Бо Лэ.

– Друг твой, которому я поручил найти коня, совсем осрамился. Он не в силах отличить жеребца от кобылы! Что он понимает в лошадях, если даже масть назвать не сумел?

Бо Лэ вздохнул с глубоким облегчением.

– Неужели он и вправду достиг этого? – воскликнул он. – Тогда он стоит десяти тысяч таких, как я. Я не осмелюсь сравнить себя с ним. Ибо Гао проникает в строение духа. Постигая сущность, он забывает несущественные черты; прозревая внутренние достоинства, он теряет представление о внешнем. Он умеет видеть то, что нужно видеть, и не замечать ненужного. Он смотрит туда, куда следует смотреть, и пренебрегает тем, на что смотреть не стоит. Мудрость Гао столь велика, что он мог бы судить и о более важных вещах, чем достоинства лошадей.

И когда привели коня, оказалось, что он поистине не имеет себе равных».

Я привел этот отрывок не только потому, что я всегда неизменно и настойчиво рекомендую родителям и старшим братьям десятимесячных младенцев чтение хорошей прозы как успокоительное средство, но и по совершенно другой причине. Сейчас вы прочтете рассказ об одной свадьбе, которая состоялась в 1942 году. По моему мнению, это вполне законченный рассказ — в нем есть свое начало, свой конец и даже предчувствие смерти. Так как мне известны дальнейшие факты, считаю себя обязанным сообщить, что сейчас, в 1955 году, жениха уже нет в живых. Он покончил с собой в 1948 году, когда отдыхал с женой во Флориде... Но главным образом мне хочется сказать вот что: с тех пор как жених навсегда сошел со сцены, я не нахожу ни одного человека, которому я мог бы вместо него доверить поиски скакуна.

* * *

В мае 1942 года мы все семеро — потомство Леса и Бесси (урожденной Галлахер) Гласс, бывших комических актеров странствующей труппы, — были, говоря пышным слогом, разбросаны во все концы Соединенных Штатов. Например, я, второй по старшинству, лежал в военном госпитале в Форт-Беннинге, штат Джорджия, с плевритом — памяткой трехмесячного обучения пехотной премудрости. Близнецы Уолт и Уэйкер разлучились еще год назад. Уэйкера посадили в лагерь отказчиков в Мэриленде, а Уолт воевал на Тихом океане или направлялся туда с частями полевой артиллерии. (Мы никогда точно не знали, где находится Уолт. Писать письма он не любил, а после его смерти мы очень мало, почти что ничего о нем не узнали. Он погиб по нелепейшей случайности в Японии в 1945 году.)

Моя старшая сестра Бу-Бу (хронологически она приходится между мной и близнецами) служила мичманом в женских морских вспомогательных частях на военно-морской базе в Бруклине. Всю весну и лето того года сестра прожила в маленькой нью-йоркской квартирке, которая все еще числилась за мной и Симором после призыва в армию. Двое младших ребят, Зуи (мальчик) и Фрэнни (девочка), жили с нашими родителями в Лос-Анджелесе, где отец выискивал талантливых актеров для киностудии. Зуи было тринадцать, а Фрэнни – восемь. Каждую неделю они оба выступали по радио в детской передаче вопросов и ответов под типичным для американского радио ироническим названием «Умный ребенок». Пожалуй, здесь надо сказать, что почти все время – вернее, из года в год – все дети нашей семьи выступали в качестве платных «гостей» в программе «Умный ребенок». Мы с Симором выступали первыми – в 1927 году, когда ему было десять, а мне – восемь, и «вещали» мы из гостиной старого отеля «Маррхилл». Мы все семеро, начиная с Симора и кончая Фрэнни, выступали под псевдонимами. Может быть, это покажется в высшей степени противоречивым: ведь мы как-никак дети эстрадных актеров, людей, ни в коей мере не пренебрегающих рекламой, но моя мать однажды прочла в журнале статью о том, какой крест вынуждены нести маленькие профессионалы, как они изолированы от обыкновенных детей, чье общество, очевидно, весьма для них полезно, – и она с железной непоколебимостью поставила на своем и ни разу, ни одного-единственного разу не отступила. (Здесь совсем не место разбираться, нужно ли объявить вне закона всех или большинство детей-«профессионалов», окружить их жалостью или без всяких сантиментов просто изничтожить как нарушителей общественного спокойствия. Замечу только, что наш общий заработок в программе «Умный ребенок» дал шестерым из нас возможность окончить колледж, да и седьмой учится на те же средства.)

Наш старший брат Симор – а о нем главным образом здесь и пойдет речь – служил капралом в войсках, которые тогда, в 1942 году, еще назывались военно-воздушные силы. Жил он на базе бомбардировщиков «Б-17» в Калифорнии – насколько мне известно, он исполнял обязанности ротного писаря. Добавлю мимоходом, хотя это и важно, что из всех нас он меньше всего любил писать письма. Кажется, за всю жизнь он мне не написал и пяти писем.

В то утро, двадцать второго, а может быть, двадцать третьего мая (наша семья никогда не ставила число на письмах), мне положили в ноги, на койку военного госпиталя в Форт-Беннинге, письмо от моей сестры Бу-Бу – в это время мне стягивали диафрагму липким пластырем (это мероприятие медики обычно проделывают над больными плевритом – по-видимому, для того, чтобы они не рассыпались на кусочки от кашля). Когда прекратили это мучение, я прочел письмо Бу-Бу. Оно сохранилось, и я привожу его дословно:

«*Милый Бадди!*

Собираюсь в дорогу и страшно тороплюсь, поэтому пишу тебе кратко, но внушительно. Адмирал Щипозад решил, что ему для победы над врагами необходимо уехать к черту на рога в неизвестном направлении и взять с собой свою секретаршу (если я буду вести себя хорошо). Я страшно расстроена. Не говоря уже о Симоре, придется мерзнуть в палатках, выносить глупые приставания наших доблестных бойцов и травить на самолете в эти гнусные бумажные мешки. Но главное вот что: Симор женится — понимаешь, женится! — так что, прошу тебя, отнесись к этому внимательно. Я приехать не могу. Уезжаю неизвестно на сколько, от полутора до двух месяцев. Невесту я видела. По-моему, она пустое место, но хороша собой необычайно. Конечно, я не знаю, такое ли она ничтожество, как мне показалось. Она и двух слов не сказала в тот вечер. Сидит, улыбается, курит, так что, может быть, я к ней несправедлива. Об их романе ничего не знаю, кажется, они познакомились прошлой зимой, когда часть Симора была расквартирована в Монмауте. Но мамаша у нее — дальше ехать некуда: ковыряется во всех искусствах и дважды в неделю ходит к известному психоаналитику, ученику Юнга; в тот вечер, когда мы познакомились, она два раза спросила меня, подвергалась ли я психоанализу. Сказала, что ей хотелось бы, чтобы Симор был больше похож на других людей. Но тут же заявила, что он все-таки ей ужасно нравится и так далее и тому подобное и что она благоговейно слушала его все годы, когда он выступал по радио. Вот все, что я о них знаю, но самое главное — тебе непременно надо быть на свадьбе. Я тебе никогда не прощу, если не поедешь, честное слово! Маме и папе приехать с побережья никак нельзя. Кроме всего, у Фрэнни корь. Кстати, слыхал ли ты ее по радио на прошлой неделе? Она долго и красиво рассказывала, как она в четыре с половиной года летала по своей квартире, когда никого не было дома. Новый комментатор куда хуже Гранта, пожалуй, он даже хуже тогдашнего Салливена, если только можно быть хуже. Он сказал, что ей, наверное, приснилось, как она летала. Но наша кроха с ангельским терпением стояла на своем. Она сказала — нет, она знает точно, что умеет летать, потому что, когда она спускалась, пальцы у нее всегда были в пыли от электрических лампочек. Ужасно хочу ее видеть. И тебя тоже. Во всяком случае, на свадьбу ты должен попасть непременно. Дезертируй, если надо, только поезжай, очень тебя прошу. Свадьба в три часа, четвертого июня. Очень светская и современная, на квартире у ее бабушки, на Шестьдесят третьей улице. Венчает их какой-то судья. Номера дома не помню, но это через два дома от той квартиры, где Карл и Эми утопали в роскоши и богатстве. Уолту дам телеграмму, но, кажется, его транспорт уже ушел. Пожалуйста, поезжай туда, Бадди! Он похож на заморенного котенка, лицо восторженное, говорить с ним немыслимо. Может быть, все обойдется, но я ненавижу сорок второй год и, должно быть, буду из принципа ненавидеть до самой смерти. Целую тебя крепко, увидимся, когда вернусь.

Бу-Бу»

Дня через три после получения письма меня выписали из госпиталя, выдав, так сказать, на поруки трем метрам липкого пластыря, обхватившего мои ребра. Потом началась напряженнейшая недельная кампания – надо было получить отпуск на свадьбу. Наконец я добился своего путем настойчивого заискивания перед командиром роты, человеком, по его собственному определению, книжным, чей любимый писатель, к счастью, оказался и моим любимцем: это был некий Л. Меннинг Вайнс. Нет, кажется, Хайндс. Но, несмотря на столь прочные духовные узы, связывавшие нас, я добился всего лишь трехдневного отпуска, то есть в лучшем случае времени хватало только на то, чтобы доехать поездом до Нью-Йорка, побыть на свадьбе, наспех где-то пообедать и вернуться в Джорджию в поту и в мыле.

В «сидячих» вагонах поездов сорок второго года вентиляция, насколько помнится, была чисто условная, все было битком набито военной охраной, пахло апельсиновым соком, молоком и скверным виски. Всю ночь я прокашлял, сидя над комиксом, который кто-то дал мне почитать из жалости. Когда поезд подошел к Нью-Йорку в десять минут третьего, в день свадьбы, я был весь искашлявшийся, измученный, потный и мятый, кожа под липким пластырем зверски зудела. Жара в Нью-Йорке стояла неописуемая. Зайти на квартиру было некогда, и свой багаж, состоявший из весьма неприглядного парусинового саквояжика на «молнии», я оставил в стальном шкафчике на Пенсильванском вокзале. И как нарочно, в ту минуту, как я брел мимо магазинов готового платья, ища такси, младший лейтенант службы связи, которому я, очевидно, забыл отдать честь, переходя Седьмую авеню, вдруг вынул самописку и под любопытными взглядами кучки прохожих записал мою фамилию, номер части и адрес.

В такси я совсем размяк. Водителю я дал указание довезти меня хотя бы до дома, где когда-то «утопали в роскоши» Карл и Эми. Но когда мы доехали до этого квартала, все оказалось очень просто. Надо было только идти вслед за толпой. Там был даже полотняный балдахин. Через несколько минут я вошел в огромнейший старый каменный дом, где меня встретила очень красивая дама с бледно-лиловыми волосами, которая спросила, чей я знакомый – жениха или невесты. Я сказал – жениха.

– О-о, – сказала она, – знаете, тут у нас все перемешалось. – Она засмеялась слишком громко и указала на складной стул – последний свободный стул в огромной, переполненной до отказа гостиной.

В моей памяти за тринадцать лет произошло полное затмение – подробностей, касающихся это комнаты, я не помню. Кроме того, что она была битком набита и что было невыносимо жарко, я припоминаю только две детали: орган играл прямо за моей спиной, а женщина, сидевшая справа, обернулась ко мне и восторженным театральным шепотом сказала: «Я Элен Силсберн!» По расположению наших мест я понял, что это не мать невесты, но на всякий случай я заулыбался, и закивал изо всех сил, и уже собрался было представиться ей, но она церемонно приложила палец к губам, и мы оба посмотрели вперед. Было приблизительно три часа. Я закрыл глаза и стал несколько настороженно ждать, пока органист не перестанет играть разные разности и не загремит свадебным маршем из «Лоэнгрина».

Я не очень ясно представляю себе, как прошел следующий час с четвертью, кроме того важного факта, что марш из «Лоэнгрина» так и не загремел. Помню, что какие-то незнакомые люди то и дело оборачивались отовсюду, чтобы взглянуть исподтишка, кто это так кашляет. И помню, что женщина справа еще раз заговорила со мной тем же несколько приподнятым шепотом.

— Очевидно, какая-то задержка, — сказала она. — Вы когда-нибудь видели судью Ренкера? У него лицо святого!

Помню, как органная музыка неожиданно и даже в каком-то отчаянии вдруг перешла с Баха на раннего Роджерса и Харта. Но главным образом я как бы сочувственно стоял над собственной больничной койкой, жалея себя за то, что приходилось подавлять припадки кашля. Все время, пока я сидел в этой гостиной, изредка мелькала трусливая мысль, что, несмотря на корсет из липкого пластыря, у меня хлынет горлом кровь или вот-вот лопнет ребро.

* * *

В двадцать минут пятого, или, грубо говоря, через двадцать минут после того, как последняя надежда исчезла, невенчанная невеста, опустив голову, неверным шагом под двусторонним конвоем родителей проследовала вниз по длинной каменной лестнице на улицу. Там, словно передавая с рук на руки, ее наконец поместили в первую из лакированных черных машин, ожидавших двойными рядами у тротуара. Момент был чрезвычайно живописный — настоящая иллюстрация из журнала, — и, как полагается на таких иллюстрациях, в нее попало положенное число свидетелей: свадебные гости (в том числе и я), хотя и пытаясь соблюдать приличия, уже стали толпами высыпать из дому и жадно, чтобы не сказать, выпучив глаза, уставились на невесту. И если что-то хоть немного смягчило картину, то благодарить за это надо было погоду. Июньское солнце палило и жгло с беспощадностью тысячи фотовспышек, так что лицо невесты, в полуобмороке спускавшейся с каменной лестницы, плыло в каком-то мареве, а это было весьма кстати.

Когда свадебный экипаж, так сказать, физически исчез со сцены, выжидательное напряжение на тротуаре — особенно под самым полотняным балдахином, где околачивался и я, — превратилось в обычную толчею, и, если бы этот дом был церковью, а день — воскресеньем, можно было подумать, что просто прихожане, толпясь, расходятся после службы. Внезапно с подчеркнутой настойчивостью стали передавать якобы от имени невестиного дяди Эла, что машины поступают в р а с п о р я ж е н и е гостей, даже если прием не состоится и планы изменятся. Судя по реакции окружавших меня людей, это было принято как «beau geste»[1]. Но при этом было сказано, что машины поступят «в распоряжение» только после того, как внушительный отряд весьма почтенных людей, называемых «ближайшими родственниками невесты», будет вполне обеспечен всем транспортом, который окажется необходим, чтобы и они могли сойти со сцены. И после несколько непонятной, как мне показалось, толкотни (во время которой меня зажали как в тиски и приковали к месту) вдруг действительно начался исход «ближайших родственников»: они размещались по шесть-семь человек в машине, хотя иногда садились и по трое, и по четверо. Зависело это, как я понял, от возраста, поведения и ширины бедер первого, кто садился в машину.

1 Широкий жест (*фр.*).

Вдруг по чьему-то указанию, брошенному вскользь, но весьма четко, я очутился у обочины, около самого балдахина, и стал подсаживать гостей в машины.

Не мешало бы поразмыслить, почему на эту ответственную должность выбрали именно меня. Насколько я понял, неизвестный пожилой деятель, распорядившийся мною таким образом, не имел ни малейшего понятия о том, что я брат жениха. Поэтому логика подсказывает, что выбрали меня по другим, гораздо менее лирическим причинам. Шел сорок второй год. Мне было двадцать три года, я только что попал в армию. Убежден, что лишь мой возраст, военная форма и тускло-защитная аура несомненной услужливости, исходившая от меня, рассеяли все сомнения в моей полной пригодности для роли швейцара.

Но я был не только двадцатитрехлетним юнцом, но и сильно отстал для своих лет. Помню, что, подсаживая людей в машины, я не проявлял даже самой элементарной ловкости. Напротив, я проделывал это с какой-то притворной школьнической старательностью, создавая видимость выполнения важного долга. Честно говоря, я уже через несколько минут отлично понял, что приходится иметь дело с поколением гораздо более старшим, хорошо упитанным и низкорослым, и моя роль поддерживателя под локоток и закрывателя дверей свелась к чисто показным проявлениям дутой мощи. Я вел себя как исключительно светский, полный обаяния юный великан, одержимый кашлем.

Но страшная духота, мягко говоря, угнетала меня, и никакая награда за мои старания не маячила впереди. И хотя толпа «ближайших родственников» едва только начинала редеть, я вдруг втиснулся в одну из свежезагруженных машин, уже трогавшуюся со стоянки. При этом я с громким стуком (как видно, в наказание) ударился головой о крышу. Среди пассажиров машины оказалась та самая шептунья, Элен Силсберн, которая тут же стала выражать мне свое неограниченное сочувствие. Грохот удара, очевидно, разнесся по всей машине. Но в двадцать три года я принадлежал к тому сорту молодых людей, которые, претерпев на людях любое увечье, кроме разбитого черепа, издают лишь глухой, нечеловеческий смешок.

Машина пошла на запад и словно въехала прямо в раскаленную печь предзакатного неба. Так она проехала два квартала, до Мэдисон-авеню, и резко повернула на север. Мне казалось, что только необычайная ловкость какого-то безвестного, но опытного водителя спасла нас от гибели в раскаленном солнечном горне.

Первые четыре или пять кварталов по Мэдисон-авеню на север мы проехали под обычный обмен фразами вроде: «Я вас не очень стесняю?» или: «Никогда в жизни не видала такой жары!». Дама, никогда в жизни не видавшая такой жары, оказалась, как я подслушал, еще стоя у обочины, невестиной подружкой. Это была мощная особа лет двадцати четырех или пяти, в розовом шелковом платье, с венком искусственных незабудок на голове. В ней явно чувствовалось нечто атлетическое, словно год или два назад она сдала экзамен в колледже на инструктора по физическому воспитанию. Даже букет гардений, лежавший у нее на коленях, походил на опавший волейбольный мяч. Она сидела сзади, зажатая между своим мужем и крошечным старичком во фраке и цилиндре, с незажженной гаванской сигарой светлого табака в руке. Миссис Силсберн и я, непорочно касаясь друг друга коленями, занимали откидные места. Дважды без всякого предлога, просто из чистого восхищения я оглядывался на крошечного старичка. В ту первую минуту, когда я только начал загружать машину и открыл перед ним дверцу, у меня мелькнуло желание подхватить его на руки и осторожно всадить через открытое окошко. Он был такой маленький, ростом никак не больше четырех футов и девяти-десяти дюймов, и, однако, не казался ни карликом, ни лилипутом. В машине он сидел прямо и весьма сурово глядел вперед. Обернувшись во второй раз, я заметил, что у него на лацкане фрака было пятно, очень похожее на застарелые следы жирного соуса. Заметил я также, что его цилиндр не доходил до крыши машины дюйма на четыре, а то и на все пять... Однако в первые минуты нашей поездки меня больше всего интересовало состояние собственного моего здоровья. Кроме плеврита и шишки на голове, меня донимало пессимистическое предчувствие начинающейся ангины. Тайком я пытался завести язык как можно дальше и обследовать подозрительные места в глотке. Помню, что я сидел, уставившись прямо в затылок водителя, который представлял собой рельефную карту шрамов от залеченных фурункулов, как вдруг моя соседка по откидной скамеечке спросила меня:

– А как поживает ваша милая мамочка? Ведь вы Дикки Бриганза, да?

Язык у меня в эту минуту был занят обследованием мягкого нёба и завернут далеко назад. Я его развернул, проглотил слюну и посмотрел на соседку. Ей было лет под пятьдесят, одета она была модно и элегантно. На лице толстым блином лежал густой грим.

Я ответил, что – нет, я не он.

Она, слегка прищурившись, посмотрела на меня и сказала, что я как две капли воды похож на сына Селии Бриганза. Особенно рот. Я попытался выражением лица показать, что людям, мол, свойственно ошибаться. И снова уставился в затылок водителю. В машине наступило молчание. Для разнообразия я посмотрел в окно.

– Вам нравится служить в армии? – спросила миссис Силсберн мимоходом, лишь бы что-то сказать.

Но именно в эту минуту на меня напал кашель. Когда приступ прошел, я обернулся к ней и со всей доступной мне бодростью сказал, что у меня в армии много товарищей. Ужасно трудно было поворачиваться к ней – очень давил на диафрагму липкий пластырь.

Она закивала.

— Я считаю, что вы все просто чудо! — сказала она несколько двусмысленно. — Скажите, а вы друг невесты или жениха? — вдруг в упор спросила она.

— Видите ли, я не то чтобы друг...

— Лучше м о л ч и т е, если вы друг жениха! — прервал меня голос невестиной подружки за спиной. — Ох, попадись он мне в руки хоть на две минуты. Всего на д в е минутки — больше мне не потребуется!

Миссис Силсберн обернулась круто, в полный оборот, чтобы улыбнуться говорившей. И снова — полный поворот на месте. Мы с ней крутнулись почти одновременно. Поворот был мгновенный. И улыбка, которой она одарила невестину подружку, была чудом эквилибристики. В живости этой улыбки выражалась симпатия ко всему молодому поколению во всем мире и особенно к данной представительнице этой молодежи — такой смелой, такой откровенной, — впрочем, она еще мало с ней знакома.

— Кровожадное существо! — сказал со смешком мужской голос.

Миссис Силсберн и я опять обернулись. Заговорил муж невестиной подружки. Он сидел прямо за моей спиной, слева от жены. Мы с ним обменялись беглым недружелюбным взглядом, каким в тот недоброй памяти 1942 год могли обменяться только офицер с простым солдатом. На нем, старшем лейтенанте службы связи, была очень забавная фуражка летчика военно-воздушных сил — с огромным козырьком и тульей, из которой была вынута проволока, что обычно придавало владельцу фуражки какой-то, очевидно заранее задуманный, беззаветно-храбрый вид. Но в данном случае фуражка своей роли никак не выполняла. Она главным образом работала на то, чтобы мой собственный, положенный по форме и несколько великоватый для меня головной убор выглядел как шутовской колпак, впопыхах вытащенный кем-то из мусоропровода.

Вид у лейтенанта был болезненный и загнанный. Он ужасно потел – откуда только бралось столько влаги на лбу, на верхней губе, даже на кончике носа, – говорят, в таких случаях надо принимать солевые таблетки.

– Женат на самом кровожадном существе во всем штате! – сказал он миссис Силсберн с мягким смешком, явно рассчитанным на публику. Из автоматического почтения к его чину я тоже чуть было не издал что-то вроде смешка – и этот коротенький, бессмысленный смешок чужака и младшего чина ясно показал бы, что и я на стороне лейтенанта и всех пассажиров такси и вообще я не против, а за.

– Нет, я не шучу! – сказала невестина подружка. – На две минутки, братцы, мне бы на две минутки! Ох, я бы собственными своими ручками...

– Ладно, ладно, не шуми, не волнуйся! – сказал ее муж, очевидно, обладавший неиссякаемым запасом семейного долготерпения. – Не волнуйся – дольше проживешь.

Миссис Силсберн снова обернулась назад и одарила невестину подружку почти ангельской улыбкой.

– А кто-нибудь видел его родных на свадьбе? – спросила она мягко и вполне воспитанно, подчеркивая личное местоимение.

В ответе невестиной подружки была взрывчатая сила.

– Нет! Они все не то на Западном побережье, не то еще где-то. Да, хотела бы я на них посмотреть!

Ее муж опять засмеялся.

– А что бы ты сделала, милуша? – спросил он и беззастенчиво подмигнул мне.

– Не знаю, но что-нибудь я бы о б я з а т е л ь н о сделала, – сказала она. Лейтенант засмеялся громче. – Обязательно! – настойчиво повторила она. – Я бы им в с е сказала! И вообще, боже мой! – Она говорила со все возрастающим апломбом, словно решив, что не только ее муж, но и все остальные слушатели восхищаются ее прямотой, ее несколько вызывающим чувством справедливости, пусть даже в нем есть что-то детское, наивное. – Не знаю, что я им сказала бы. Наверно, несла бы всякую чепуху. Но господи ты боже! Честное слово, не могу видеть, как людям спускают форменные преступления! У меня кровь кипит!

Она подавила благородное волнение ровно настолько, чтобы миссис Силсберн успела поддержать ее взглядом, выражающим нарочито подчеркнутое сочувствие. Мы с миссис Силсберн уже окончательно и сверхобщительно обернулись назад.

– Да, вот именно, преступление! – продолжала невестина подружка. – Нельзя с ходу врезаться в жизнь, ранить людей, так, походя, оскорблять их лучшие чувства.

– К сожалению, я мало что знаю про этого молодого человека, – мягко сказала миссис Силсберн. – Я не видела его никогда. Только услышала, что Мюриель обручена...

– Никто его не видел, – резко бросила невестина подружка. – Даже я и то с ним незнакома. Два раза мы репетировали свадебную церемонию, и каждый раз бедному папе Мюриель приходилось заменять его только из-за того, что его идиотский самолет не мог вылететь. А во вторник он должен был вечером прилететь сюда на каком-то идиотском военном самолете, но в каком-то идиотском месте, не то в Аризоне, не то в Колорадо, случилось какое-то идиотство, снег пошел, что ли, и он прилетел только вчера в час ночи! И в такой час он как сумасшедший вызывает Мюриель по телефону откуда-то с Лонг-Айленда и просит встретиться с ним в холле какой-то жуткой гостиницы – ему, видите ли, надо с ней поговорить. – Невестина подружка красноречиво передернула плечами. – Но вы же знаете Мюриель, с таким ангелом каждый встречный-поперечный может выкомаривать что ему вздумается. Меня это просто бесит. Таких, как она, всегда обижают... И представьте, она одевается, мчится в такси и сидит в каком-то жутком холле, разговаривает до половины пятого утра! – Невестина подружка выпустила из рук букет и сжала оба кулака на коленях: – Ох, я просто взбесилась!

– А в какой гостинице? – спросил я ее. – Вы не знаете, в какой?

Я старался говорить небрежно, как будто трест гостиниц принадлежит, скажем, моему отцу и я с понятным сыновним интересом хочу узнать, где же останавливаются в Нью-Йорке приезжие. Но, в сущности, мой вопрос ничего не значил. Я просто думал вслух. Мне показался любопытным самый факт, что брат просил свою невесту приехать к нему в какую-то гостиницу, а не в свою пустую квартиру. Правда, с моральной стороны такое приглашение было вполне в его характере, но все-таки мне было любопытно.

– Не знаю, в какой гостинице, – раздраженно сказала невестина подружка. – В какой-то гостинице – и все. – Она вдруг пристально посмотрела на меня: – А вам-то зачем? Вы его приятель, что ли?

В ее взгляде была явная угроза. Казалось, в ней одной воплотилась целая толпа женщин и в другое время при случае она сидела бы с вязаньем у самой гильотины. А я всю жизнь больше всего боялся толпы.

– Мы с ним выросли вместе, – сказал я еле внятно.

– Смотри, какой счастливчик!

– Ну, ну, не надо! – сказал ее муж.

– Ах, виновата! – сказала невестина подружка, обращаясь к нему, хотя относилось это ко всем нам. – Но вы не видели, как эта бедная девочка битых два часа плакала, не осушая глаз. Ничего смешного тут нет – не думайте, пожалуйста! Слыхали мы про струсивших женихов. Но не в последнюю же минуту! Понимаете, так не поступают, не ставят в неловкое положение целое общество, нельзя порядочных людей доводить чуть ли не до припадка, сводить девочку с ума. Если он передумал, почему он ей не написал, почему не порвал с ней, как джентльмен, скажите ради бога? Заранее, пока не заварил всю эту кашу!

– Ну ладно, успокойся, успокойся! – сказал ее муж. Он все еще посмеивался, но смех звучал довольно натянуто.

– Нет, я серьезно! Почему он не мог ей написать и все объяснить как м у ж ч и н а, предупредить эту трагедию и все такое? – Она метнула в меня взглядом. – Кстати, вы случайно не знаете, где он? – спросила она с металлом в голосе. – Если вы друзья д е т с т в а, вы бы должны...

– Да я всего два часа как приехал в Нью-Йорк, – сказал я робко. Теперь не только невестина подружка, но и ее муж, и миссис Силсберн уставились на меня. – Я даже до телефона не успел добраться.

Помню, что именно в эту минуту на меня напал приступ кашля. Кашель был вполне непритворный, но должен сознаться, что я не приложил никаких усилий, чтобы его унять или ослабить.

– Вы лечились от кашля, солдат? – спросил лейтенант, когда я перестал кашлять.

Но тут у меня снова начался кашель и, как ни странно, опять без всякого притворства. Я все еще сидел в пол- или в четверть оборота к задней скамье, но старался отвернуться так, чтобы кашлять по всем правилам приличия и гигиены.

* * *

Может быть, я нарушу порядок повествования, но мне кажется, что тут надо сделать небольшое отступление, чтобы ответить на некоторые заковыристые вопросы. И первый из них: почему я не вышел из машины? Кроме всяких побочных соображений, я точно знал, что машина везет всю компанию на квартиру к родителям невесты. И если бы я даже мог получить какие-то ценные сведения через убитую горем невенчанную невесту или через ее обеспокоенных (и наверняка разгневанных) родителей, ничто не могло бы загладить неловкость моего появления в их квартире. Почему же я сиднем сидел в машине? Почему не выскочил, скажем, тогда, когда машина останавливалась перед светофором? И, наконец, самое непонятное: почему я вообще сел в эту машину?..

Возможно, что найдется с десяток ответов на все эти вопросы, и все они хотя бы в общих чертах будут вполне удовлетворительны. Но мне кажется, что можно ответить на все сразу, напомнив, что шел 1942 год, что мне было двадцать три года и я только что был призван в армию, только что обучен стадному чувству необходимости держаться скопом, и, что важнее всего, мне было очень одиноко. А в таких случаях, как я понимаю, человек просто прыгает в машину к другим людям и уже оттуда не вылезает.

Но, возвращаясь к изложению событий, я вспоминаю, что в то время, как все трое – невестина подружка, ее супруг и миссис Силсберн – не отрываясь смотрели, как я кашляю, я сам поглядывал назад, на маленького старичка. Он по-прежнему сидел, уставившись вперед. С чувством какой-то благодарности я заметил, что его ножки не доходят до полу. Мне они показались старыми добрыми друзьями.

– А чем этот человек вообще занимается? – спросила меня невестина подружка, когда окончился приступ кашля.

– Вы про Симора? – сказал я. Сначала по ее тону мне померещилось, что она подозревает его в чем-то особенно подлом. Но вдруг – чисто интуитивно – я сообразил, что, может быть, она втайне собрала самые разнообразные биографические данные о Симоре, то есть все те мелкие, к сожалению весьма драматические, факты, дающие, по моему мнению, в самой своей основе ложное представление о нем. Например, что он лет в шесть, еще мальчишкой, был знаменитым по всей стране радиогероем. Или, с другой стороны, что он поступил в Колумбийский университет, едва только ему исполнилось пятнадцать лет.

– Вот именно, про Симора, – сказала невестина подружка. – Чем он занимался до военной службы?

И снова во мне искоркой вспыхнуло интуитивное ощущение, что она знала про него куда больше, чем по каким-то причинам считала нужным открыть. По всей вероятности, ей, например, отлично было известно, что до призыва Симор преподавал английский язык, что он был преподавателем, да, преподавателем колледжа. И в какой-то момент, взглянув на нее, я испытал неприятное ощущение: а может быть, ей даже известно, что я брат Симора. Но думать об этом не стоило. И я только взглянул на нее исподлобья и сказал:

– Он был мозольным оператором. – И тут же, резко отвернувшись, стал смотреть в окошко. Машина стояла уже несколько минут, но я только сейчас услышал воинственный грохот барабанов, который доносился издали, со стороны Лексингтонской или Третьей авеню.

– Парад! – сказала миссис Силсберн. Она тоже обернулась.

Мы оказались в районе Восьмидесятых улиц. Посреди Мэдисон-авеню стоял полисмен и задерживал все движение и на север, и на юг. Насколько я мог понять, он его просто останавливал, не направляя ни на восток, ни на запад. Три или четыре машины и один автобус ждали, пока их пропустят на юг, но наша машина была единственной, направлявшейся в северную часть города. На ближнем углу и на видимой мне из машины боковой улице, ведущей к Пятой авеню, люди столпились на тротуаре и у обочины, очевидно выжидая, пока отряд солдат, или сестер милосердия, или бойскаутов, или еще кого двинется со сборного пункта на Лексингтон-авеню и промарширует мимо них.

– О боже! Этого еще не хватало! – сказала невестина подружка.

Я обернулся, и мы чуть не стукнулись лбами. Она наклонилась вперед, почти что втиснувшись между мной и миссис Силсберн. Та с выражением сочувственного огорчения тоже повернулась к ней.

– Мы тут можем проторчать целый месяц! – сказала невестина подружка, вытягивая шею, чтобы поглядеть в ветровое стекло. – А мне надо быть там *сейчас*. Я сказала Мюриель и ее маме, что я приеду в одной из первых машин, буду у них через пять минут. О боже! Неужели ничего нельзя сделать?

– И мне надо быть там поскорее! – торопливо сказала миссис Силсберн.

– Да, но я ей *обещала*. В квартиру набьются всякие сумасшедшие дяди и тетки, всякий посторонний народ, и я ей обещала, что стану на страже, выставлю десять штыков, чтобы дать ей хоть немножко побыть одной, немного... – Она перебила себя: – О боже! Какой ужас!

Миссис Силсберн натянуто засмеялась.

– Боюсь, что я одна из этих сумасшедших теток, – сказала она. Она явно обиделась.

Невестина подружка покосилась на нее.

– Ах, простите! Я не про вас, – сказала она. Потом откинулась на спинку заднего сиденья. – Я только хотела сказать, что у них квартирка такая тесная, и, если туда начнут переть все кому не лень, – сами понимаете!

Миссис Силсберн промолчала, а я не смотрел на нее и не мог судить, насколько серьезно ее обидело замечание невестиной подружки. Помню только, что на меня произвел какое-то особое впечатление тон, с каким невестина подружка извинилась за свою неловкую фразу про «сумасшедших дядей и теток». Извинилась она искренне, но без всякого смущения, больше того, без всякой униженности, и у меня внезапно мелькнуло чувство, что, несмотря на показную строптивость и наигранный задор, в ней действительно было что-то прямое, как штык, что-то почти вызывавшее восхищение. (Скажу сразу и с полной откровенностью, что мое мнение в данном случае малого стоит. Слишком часто меня неумеренно влечет к людям, которые не рассыпаются в извинениях.) Но вся суть в том, что в эту минуту во мне впервые зашевелилось некоторое предубеждение против жениха, правда, самое чуточное, едва заметный зародыш порицания за его необъяснимое злонамеренное отсутствие.

– Ну-ка, попробуем что-нибудь сделать, – сказал муж невестиной подружки. Это был голос человека, сохраняющего спокойствие и под огнем неприятеля. Я почувствовал, как он собирается с силами у меня за спиной, и вдруг его голова просунулась в довольно ограниченное пространство между мной и миссис Силсберн. – Водитель! – сказал он властным голосом и умолк в ожидании ответа. Водитель не замедлил откликнуться, после чего голос лейтенанта стал куда покладистей и демократичнее: – Как по-вашему, долго нас тут будут задерживать?

Водитель обернулся.

– А кто его знает, Мак, – сказал он и снова стал смотреть вперед. Он был весь поглощен тем, что происходило на перекрестке. За минуту до того какой-то мальчуган с наполовину опавшим красным воздушным шариком выскочил в запретную зону, очищенную от прохожих. Его только что поймал отец и потащил по тротуару, ткнув его раза два в спину кулаком. Толпа в справедливом негодовании встретила этот поступок криками.

– Вы видели, как этот человек обращается с ребенком? – спросила миссис Силсберн, взывая ко всем. Никто ей не ответил.

– Может быть, спросить полисмена, сколько нас тут продержат? – сказал водителю лейтенант. Он все еще сидел, наклонясь далеко вперед. Очевидно, его не удовлетворил лаконический ответ водителя на его первый вопрос. – Видите ли, мы все несколько торопимся. Не могли бы вы спросить у него, надолго ли нас тут задержат?

Не оборачиваясь, водитель дерзко передернул плечами. Но все же он выключил зажигание и вышел из машины, грохнув тяжелой дверцей лимузина. Он был неряшлив, хамоват с виду, в неполной шоферской форме: в черном костюме, но без фуражки.

Медленно и весьма независимо, чтобы не сказать – нахально, он прошел несколько шагов до перекрестка, где дежурный полисмен управлял движением. Они стали переговариваться бесконечно долго. Я услыхал, как невестина подружка застонала позади меня. И вдруг оба, полисмен с шофером, разразились громовым хохотом. Можно было подумать, что они ни о чем не беседовали, а просто накоротке обменивались непристойными шутками. Потом наш водитель, все еще смеясь про себя, дружески помахал полисмену рукой и очень медленно пошел к машине. Он сел, грохнув дверцей, вытащил сигарету из пачки, лежавшей на полочке над распределительным щитком, засунул сигарету за ухо и потом, только потом обернулся к нам и доложил.

– Он сам не знает, – сказал он. – Надо ждать, пока пройдет парад. – Он мельком оглядел всех нас. – Тогда можно и ехать. – Он отвернулся, вытащил сигарету из-за уха и закурил.

С задней скамьи послышался горестный вздох – это невестина подружка таким образом выразила обиду и разочарование. Наступила полная тишина. Впервые за последние несколько минут я взглянул на маленького старичка с незажженной сигарой. Задержка в пути явно не трогала его. Очевидно, он установил для себя твердые нормы поведения на заднем сиденье машины – все равно какой: стоящей, движущейся, а может быть, даже –

кто его знает? – летящей с моста в реку. Все было чрезвычайно просто. Надо только сесть очень прямо, сохраняя расстояние от верхушки цилиндра до потолка примерно в четыре-пять дюймов, и сурово смотреть вперед, на ветровое стекло. И если Смерть – а она, по всей вероятности, все время сидела впереди, на капоте, – так вот, если Смерть каким-то чудом проникнет сквозь стекло и придет за тобой, то ты встанешь и пойдешь за ней сурово, но спокойно. Не исключалось, что можно будет взять с собой сигару, если это светлая гавана.

– Что же мы будем делать? Просто *сидеть* тут, и все? – спросила невестина подружка. – Я умираю от жары.

Миссис Силсберн и я обернулись как раз вовремя, чтобы поймать ее взгляд, брошенный мужу впервые за все время, что они сидели в машине.

– Неужели ты не можешь хоть чуть-чуть подвинуться? – сказала она ему. – Я просто задыхаюсь, так меня сдавили.

Лейтенант засмеялся и выразительно развел руками.

– Да я уже сижу чуть ли не на крыле, заинька! – сказал он.

Она перевела взгляд, полный негодования и любопытства, на другого своего соседа: тот, словно ему хотелось хотя бы немного поднять мое настроение, занимал гораздо больше места, чем ему требовалось. Между его правым бедром и низом подлокотника было добрых два дюйма. Невестина подружка, несомненно, видела это, но, несмотря на весь металл в голосе, она все же никак не могла решиться попрекнуть этого устрашающего своим видом маленького человечка. Она опять повернулась к мужу.

– Ты можешь достать сигареты? – раздраженно спросила она. – Мне до моих никак не добраться, до того меня сдавили.

При слове «сдавили» она повернула голову и метнула беглый, но чрезвычайно красноречивый взгляд на маленького виновника преступления, захватившего пространство, которое по праву должно было принадлежать ей. Но тот остался в высшей степени неуязвимым. Подружка невесты посмотрела на миссис Силсберн и выразительно подняла брови. Миссис Силсберн, в свою очередь, выразила на лице полное понимание и сочувствие. Тем временем лейтенант перенес всю тяжесть тела на левую, ближайшую к окну ягодицу и вытащил из правого кармана парадных форменных брюк пачку сигарет и картоночку спичек. Его жена взяла сигарету, и он тут же дал ей прикурить. Миссис Силсберн и я смотрели, как зажглась спичка, словно зачарованные каким-то необычным явлением.

– О, простите! – сказал лейтенант и протянул пачку миссис Силсберн.

– Очень вам благодарна, но я не курю! – торопливо проговорила миссис Силсберн почти с сожалением.

– А вы, солдат? – И лейтенант после едва заметного колебания протянул пачку и мне. Скажу откровенно, что хотя мне и понравилось, как он заставил себя предложить сигарету и как в нем простая вежливость победила кастовые предрассудки, но все-таки сигарету я не взял.

– Можно взглянуть на ваши спички? – спросила миссис Силсберн необыкновенно нежным, почти как у маленькой девочки, голоском.

– Эти? – сказал лейтенант. Он с готовностью передал картонку со спичками миссис Силсберн.

Миссис Силсберн стала рассматривать спички, и я тоже посмотрел на них с выражением интереса. На откидной крышечке золотыми буквами по красному фону были напечатаны слова: «Эти спички украдены из дома Боба и Эди Бервик».

– Преле-е-стно! – протянула миссис Силсберн, качая головой. – Нет, правда, п р е л е с т н о!

Я попытался выражением лица показать, будто не могу прочесть надпись без очков, и бесстрастно прищурился. Миссис Силсберн явно не хотелось возвращать спички их хозяину. Когда она их отдала и лейтенант спрятал их в нагрудный карман, она сказала:

– По-моему, я такого никогда не видела. – И, сделав почти полный оборот на своем откидном сиденье, она с нежностью стала разглядывать нагрудный карман лейтенанта.

– В прошлом году мы заказали их целую кучу! – сказал лейтенант. – Вы не поверите, как это экономит спички.

Но тут жена посмотрела – вернее, надвинулась на него.

– Мы не для того их заказывали! – сказала она и, бросив на миссис Силсберн взгляд, говорящий «Ох уж эти мне мужчины», – добавила: – Не знаю, мне просто показалось, что это занятно. По́шло, но все-таки занятно. Сама не знаю...

– Нет, это прелестно. По-моему, я нигде...

– В сущности, это и не оригинально. Теперь все так делают. Кстати, эту мысль мне подали родители Мюриель, ее мама с папой. У них в доме всегда такие спички. – Она глубоко затянулась сигаретой и, продолжая говорить, выпускала маленькие, как будто односложные клубочки дыма: – Слушайте, они потрясающие люди! Оттого меня просто у б и в а е т вся эта история. Почему такие вещи не случаются со всякой швалью, нет, непременно попадаются п о р я д о ч н ы е люди! Вот чего я не могу понять! – И она посмотрела на миссис Силсберн, словно ожидая разъяснения.

Улыбка миссис Силсберн была одновременно загадочной, светской и печальной, насколько я помню, это была улыбка как бы некой Джоконды Откидного Сиденья.

– Да, я и сама часто думала... – вполголоса произнесла она. И потом несколько двусмысленно добавила: – Ведь мать Мюриель – младшая сестрица моего покойного мужа.

— А-а! — с интересом сказала невестина подружка. — Значит, вы все сами знаете! — И, протянув неестественно длинную левую руку через своего мужа, она стряхнула пепел сигареты в пепельницу у дверцы. — Честное слово, таких по-настоящему б л е с т я щ и х людей я за всю свою жизнь почти не встречала. Понимаете, она читала в с е н а с в е т е! Бог мой, да если бы я могла прочесть хоть десятую часть того, что эта женщина прочла и забыла, это было бы для меня счастье! Понимаете, она и п р е п о д а в а л а, она и в газете работала, она с а м а шьет себе платья, она все хозяйство ведет сама! Готовит она как бог! Нет, честно скажу, по-моему, она просто чудо, черт возьми!

— А она одобряла этот брак? — перебила миссис Силсберн. — Понимаете, я спрашиваю только потому, что я несколько месяцев пробыла в Детройте. Моя золовка внезапно скончалась, и я...

— Она слишком хорошо воспитана, чтобы вмешиваться, — сухо объяснила невестина подружка. — Поймите меня, она слишком — ну, как бы это сказать? — деликатна, что ли. — Она немного помолчала. — В сущности, только сегодня утром я впервые услышала, как она возмутилась по этому поводу. Да и то лишь потому, что очень расстроилась из-за бедняжки Мюриель.

Она снова протянула руку и стряхнула пепел с сигареты.

— А что она говорила сегодня утром? — с жадностью спросила миссис Силсберн.

Невестина подружка, казалось, что-то припоминала.

— Да, в общем, ничего особенного, — сказала она, — я хочу сказать — ничего злого или по-настоящему обидного, словом, ничего такого! Она только сказала, что, по ее мнению, этот Симор — потенциальный гомосексуалист и что он, в сущности, испытывает страх перед браком. Понимаете, в ее словах не было никакой злобы или еще чего-нибудь. Она просто высказалась, вы понимаете, мудро. Понимаете, она сама проходит курс психоанализа вот уже много-много лет подряд. – Невестина подружка взглянула на миссис Силсберн: – Никакого секрета тут нет. Я знаю, что миссис Феддер сама рассказала бы вам, так что я ничьих секретов не выдаю!

– Знаю, знаю, – торопливо сказала миссис Силсберн. – Она ни за что на свете...

– Понимаете, – продолжала невестина подружка, – не тот она человек, чтобы говорить такие вещи наобум, она знает, что говорит. И никогда, н и к о г д а она не сказала бы ничего подобного, если бы бедняжка Мюриель не была в таком состоянии: просто как убитая, понимаете. – Она мрачно тряхнула головой. – Бог мой, вы бы видели эту несчастную крошку!

Несомненно, надо бы мне тут прервать рассказ и описать, как я мысленно отреагировал на основные высказывания невестиной подружки. Но, пожалуй, лучше пока что об этом промолчать, и, надеюсь, читатель на меня не обидится.

– А что она еще говорила? – спросила миссис Силсберн. – Что говорила Рэа? Она еще что-нибудь сказала?

Я не смотрел на нее – я не сводил глаз с невестиной подружки, но мне вдруг на миг показалось, что миссис Силсберн готова всей тяжестью навалиться на нее.

– Да нет. Пожалуй, нет. Почти ничего. – Невестина подружка раздумчиво покачала головой. – Понимаете, как я уже говорила, она в о о б щ е ничего бы не сказала, особенно при таком количестве людей, если бы бедняжка Мюриель не была бы так безумно расстроена... – Она снова стряхнула пепел с сигаретки. – Она только добавила, что этот Симор, безусловно, шизоидный тип и что если правильно воспринимать события, то для Мюриель даже лучше, что все так обернулось. Конечно, м н е это вполне понятно, но не уверена, что Мюриель тоже так понимает. Он до такой степени ее о х м у р и л, что она не понимает, на каком она свете. Вот почему это меня так...

Но тут ее прервали. Прервал я. Насколько помню, голос у меня дрожал — так со мной бывает всегда, когда я серьезно расстроен.

— Что же привело миссис Феддер к выводу, что Симор — потенциальный гомосексуалист и шизоидный тип?

Все взгляды, нет, все прожекторы — взгляд невестиной подружки, взгляд миссис Силсберн, даже взгляд лейтенанта — сразу скрестились на мне.

— Что? — спросила невестина подружка резко, пожалуй, даже враждебно. И снова у меня мелькнуло неопределенное, смутное чувство: она знает, что я брат Симора.

— Почему миссис Феддер думает, что Симор — потенциальный гомосексуалист и шизоидный тип?

Невестина подружка уставилась на меня, потом выразительно фыркнула. Она обернулась и воззвала к миссис Силсберн с подчеркнутой иронией:

— Как по-вашему, может нормальный человек выкинуть такую штуку, как он сегодня? — Она подняла брови и подождала ответа. — Как по-вашему? — переспросила она тихо-тихо. — Только честно. Я вас спрашиваю. Пусть этот джентльмен слышит.

Ответ миссис Силсберн был сама деликатность, сама честность.

— По-моему, нет, конечно! — сказала она.

Меня охватило внезапно безудержное желание выскочить из машины и броситься бегом, со всех ног куда попало. Но, насколько я помню, я все еще не двинулся с места, когда невестина подружка снова обратилась ко мне.

— Послушайте, — сказала она тем деланно терпеливым тоном, каким учительница говорила бы с ребенком не только умственно отсталым, но и вечно сопливым. — Не знаю, насколько вы разбираетесь в людях. Но какой человек в здравом уме накануне того дня, когда он собирается жениться, всю ночь не дает покоя своей невесте и без конца плетет какую-то чушь, что он, мол, слишком *счастлив* и потому венчаться не может и что ей придется *отложить* свадьбу, пока он не *успокоится*, не то он никак не сможет явиться. А когда невеста ему объясняет, как *ребенку*, что все уже договорено и устроено давным-давно, что ее отец пошел на *невероятные* расходы и хлопоты, чтобы устроить прием и все, что полагается, что ее родственники и друзья съедутся со всех концов *страны*, он после этих объяснений заявляет ей, что страшно огорчен, но, пока он так безумно *счастлив*, свадьба состояться не может, ему надо успокоиться – словом, какой-то идиотизм! Вы сами подумайте, если только у вас голова работает. Похоже это на *нормального* человека? Похоже это на человека *в своем уме*? – В ее голосе уже появились визгливые нотки. – Или так поступает человек, которого надо бы засадить за решетку? – Она строго уставилась на меня, а когда я промолчал и не стал ни защищаться, ни сдаваться, она тяжело откинулась на спинку сиденья и сказала мужу: – Дай-ка мне еще сигаретку, пожалуйста. А то я сейчас обожгусь. – Она передала ему обгоревший окурок, и он потушил его. Потом вынул пачку.

– Нет, ты сам раскури, – сказала она, – у меня сил не хватает.

Миссис Силсберн откашлялась:

– По-моему, это просто неожиданное счастье, что все вышло так...

– Нет, я *вас* спрашиваю, – со свежими силами обратилась к ней невестина подружка, беря из рук мужа зажженную сигарету. – Разве так, по-вашему, поступает нормальный человек, нормальный *мужчина*? Или это поступки человека совершенно *невзрослого*, а может быть, и буйно помешанного, форменного психопата?

– Господи, я даже не знаю, что сказать. По-моему, им просто повезло, что все так...

Вдруг невестина подружка резко выпрямилась и выпустила дым из ноздрей.

– Ну ладно, не в этом дело, замолчите на минуту, мне не до того, – сказала она. Обращалась она к миссис Силсберн, но на самом деле ее слова относились ко мне, так сказать, через посредника. – Вы когда-нибудь видели... в кино? – спросила она.

Она назвала театральный псевдоним уже и тогда известной, а теперь, в 1955 году, очень знаменитой киноактрисы.

– Да, – быстро и оживленно сказала миссис Силсберн и выжидательно замолчала.

Невестина подружка кивнула.

– Хорошо, – сказала она, – а вы когда-нибудь случайно не замечали, что улыбается она чуть-чуть криво? Вроде как бы только одним углом рта? Это очень заметно, если внимательно...

– Да, да, замечала, – сказала миссис Силсберн.

Невестина подружка затянулась сигаретой и взглянула – совсем мельком – в мою сторону.

– Так вот, оказывается, это у нее что-то вроде частичного п а р а л и ч а, – сказала она, выпуская клубочки дыма при каждом слове. – А знаете отчего? Этот ваш н о р м а л ь н ы й Симор, говорят, ударил ее, и ей наложили девять швов на лицо. – Она опять протянула руку (возможно, ввиду отсутствия более удачных режиссерских указаний) и стряхнула пепел с сигареты.

– Разрешите спросить, где вы это слыхали? – сказал я. Губы у меня тряслись как два дурака.

– Разрешаю, – сказала она, глядя не на меня, а на миссис Силсберн. – Мать Мюриель случайно упомянула об этом часа два назад, когда Мюриель чуть глаза не выплакала. – Она взглянула на меня. – Вас это удовлетворяет? – И она вдруг переложила букет гардений из правой руки в левую. Это было единственное проявление нервозности, какое я за ней заметил. – Кстати, для вашего сведения, – сказала она, глядя на меня, – знаете, кто вы, по-моему, такой? По-моему, вы брат этого самого Симора. – Она сделала коротенькую паузу, а когда я промолчал, добавила: – Вы даже похожи на него, если судить по его дурацкой фотографии, и я знаю, что его брат должен был приехать на свадьбу. Кто-то, кажется, его сестра, сказал об этом Мюриель. – Она не спускала с меня глаз. – Вы брат? – резко спросила она.

Голос у меня, наверно, сорвался, когда я отвечал.

– Да, – сказал я. Лицо у меня горело. Но в каком-то смысле я чувствовал себя куда больше самим собой, чем днем, в том состоянии обалдения, в каком я сошел с поезда.

– Так я и знала, – сказала невестина подружка. – Не такая уж я дура, уверяю вас. Как только вы сели в машину, я сразу поняла, кто вы. – Она обернулась к мужу. – Разве я не сказала, что он его брат, в ту самую минуту, как он сел в машину? Не сказала?

Лейтенант уселся поудобнее.

– Да, ты сказала, что он, должно быть... да, да, сказала, – проговорил он. – Да, ты сказала.

Даже не глядя на миссис Силсберн, можно было понять, как внимательно она следит за ходом событий. Я мельком взглянул мимо нее, назад, на пятого пассажира, маленького старичка, проверяя, остается ли он все таким же безучастным. Нет, ничего не изменилось. Редко безучастность человека доставляла мне такое удовольствие.

Но тут невестина подружка снова взялась за меня:

– Кстати, для вашего сведения, я знаю также, что ваш братец вовсе не мозольный оператор. И нечего острить. Я прекрасно знаю, что он лет сто подряд играл роль Билли Блэка в программе «Умный ребенок».

Тут миссис Силсберн внезапно вмешалась в разговор.

– Это ведь на радио? – спросила она, и я почувствовал, что она смотрит и на меня с новым, более глубоким интересом.

Невестина подружка ей не ответила.

– А вы кем были? – спросила она меня. – Наверно, вы – Джорджи Блэк? – Смесь любопытства и грубой прямоты в ее голосе показалась мне не только забавной – меня она совсем обезоружила.

– Нет, Джорджи Блэком был мой брат Уолт, – сказал я, отвечая только на второй ее вопрос.

Она обратилась к миссис Силсберн:

– Кажется, это с е к р е т, что ли, но этот человек и его братец Симор выступали по радио под вымышленными именами. Семейство Блэк!

– Успокойся, детка, успокойся, – сказал лейтенант с некоторой тревогой.

Его жена обернулась к нему.

– Нет, не успокоюсь! – сказала она, и опять вопреки рассудку где-то во мне зашевелилось нечто похожее на восхищение – такой у нее был металл в голосе, не важно, какой он пробы. – Братец у него, говорят, умен как дьявол, – сказала она, – поступил в университет чуть ли не в четырнадцать лет. Но если считать его умным после всего, что он сделал сегодня с этой девочкой, так я – Махатма Ганди! Тут меня не собьешь! Это возмутительно – и все!

Мне стало еще больше не по себе. Кто-то пристально изучал левую, наименее защищенную сторону моей физиономии. Это была миссис Силсберн. Она подалась назад, когда я сердито взглянул на нее.

– Скажите, пожалуйста, это вы были Бадди Блэк? – спросила она, и по уважительной нотке в ее голосе мне показалось, что сейчас она протянет мне авторучку и маленький альбом для автографов в сафьяновом переплете. От этой мысли мне стало неловко, особенно потому, что был сорок второй год и прошло добрых десять лет после расцвета моей весьма прибыльной карьеры.

— Я спрашиваю только потому, что мой муж ни одного-единственного разу не пропускал вашу передачу...

— А если хотите знать, — перебила ее невестина подружка, — для меня это была самая ненавистная радиопрограмма. Я таких вундеркиндов просто ненавижу. Если бы мой ребенок хоть раз...

Но конца этой фразы мы так и не услышали. Внезапно и решительно ее прервал самый пронзительный, самый оглушающий, самый фальшивый трубный вой в до мажоре, какой можно себе представить. Ручаюсь, что мы все разом подскочили в самом буквальном смысле слова. И тут показался духовой оркестр с барабанами, состоящий из сотни, а то и больше морских разведчиков, начисто лишенных слуха. С почти преступной развязностью они терзали национальный гимн «Звездное знамя». Миссис Силсберн сразу нашлась — она заткнула уши.

Казалось, уже целую вечность длится этот невыразимый грохот. Только голос невестиной подружки смог бы его перекрыть, да никто другой, пожалуй, не осмелился бы. А она осмелилась, и всем показалось, что она кричит нам что-то во весь голос бог знает откуда, из-под трибун стадиона «Янки».

— Я больше не могу! — крикнула она. — Уйдем отсюда, поищем телефон. Я должна позвонить Мюриель, сказать, что мы задержались, не то она там с ума сойдет!

Миссис Силсберн и я в это время смотрели, как наступает местный Армагеддон, но тут мы снова повернулись на наших откидных сиденьях, лицом к нашему вождю, а может быть, и спасителю.

— На Семьдесят девятой есть кафе Шрафта, — заорала она в лицо миссис Силсберн. — Пойдем выпьем содовой, я оттуда позвоню, там хоть вентиляция есть.

Миссис Силсберн восторженно закивала и губами изобразила слово «да».

— И вы тоже! — крикнула мне невестина подружка.

Помнится, я с необъяснимой, неожиданной для себя готовностью крикнул ей в ответ непривычное для меня слово:

— Чудесно!

(Мне до сих пор не ясно, почему она включила меня в список покидающих корабль. Может быть, ею руководила естественная любовь прирожденного вождя к порядку. Может, она чувствовала смутную, но настойчивую необходимость высадить на берег всех без исключения. Мое непонятно быстрое согласие на это приглашение можно объяснить куда проще. Хочется думать, что это был обыкновенный религиозный порыв. В некоторых буддийских монастырях секты Дзен есть нерушимое и, пожалуй, единственное непреложное правило поведения: если один монах крикнет другому: «Эй!», тот должен без размышлений отвечать: «Эй!»)

Тут невестина подружка обернулась и впервые за все время заговорила с маленьким старичком. Я буду век ему благодарен за то, что он по-прежнему смотрел вперед, словно для него вокруг ничего ни на йоту не изменилось. И по-прежнему он двумя пальцами держал незажженную гаванскую сигару. Оттого ли, что он явно не замечал, какой страшный грохот издает проходящий оркестр, оттого ли, что нам заведомо была известна непреложная истина: всякий старик после восьмидесяти либо глух как пень, либо слышит совсем плохо, — словом, невестина подружка, почти касаясь губами его уха, прокричала ему, вернее, в него:

— Мы сейчас выходим из машины! Поищем телефон, может быть, выпьем чего-нибудь. Хотите с нами?

Старичок откликнулся мгновенно и просто неподражаемо: он взглянул на невестину подружку, потом на всех нас и расплылся в улыбке. Улыбка ничуть не стала менее ослепительной оттого, что в ней не было ни малейшего смысла, да и оттого, что зубы у старичка были явно и откровенно вставные. Он снова вопросительно взглянул на невестину подружку, чудом сохраняя все ту же неугасимую улыбку. Вернее, он посмотрел на нее, как мне показалось, с надеждой, словно ожидая, что она или кто-то из нас тут же мило передаст ему корзину со всякими яствами.

— По-моему, душенька, он тебя не слышит! — крикнул лейтенант.

Его жена кивнула и снова поднесла губы, как мегафон, к самому уху старичка. Громовым голосом, достойным всяких похвал, она повторила приглашение вместе с нами выйти из машины. И снова, по всей видимости, старичок выразил полнейшую готовность на что угодно — хоть пробежаться к реке и немножко поплавать. Но все же создавалось впечатление, что он ни единого слова не слышал. И вдруг он подтвердил это. Озарив нас всех широчайшей улыбкой, он поднял руку с сигарой и одним пальцем многозначительно похлопал себя сначала по губам, потом по уху. Жест был такой, будто дело шло о первоклассной шутке, которой он решил с нами поделиться.

В эту минуту миссис Силсберн чуть не подпрыгнула рядом со мной, показывая, что она все поняла. Она схватила невестину подружку за розовый шелковый рукав и крикнула:

— Я знаю, кто он такой! Он глух и нем! Это глухонемой дядя отца Мюриель!

Губы невестиной подружки сложились буквой «о». Она резко повернулась к мужу и заорала:

— Есть у тебя карандаш с бумагой?

Я тронул ее рукав и крикнул, что у меня есть. Торопясь, как будто по неизвестной причине нам была дорога каждая секунда, я достал из внутреннего кармана куртки маленький блокнот и огрызок чернильного карандаша, недавно реквизированный из ящика стола в ротной канцелярии форта Беннинг.

Преувеличенно четким почерком я написал на листке: «Парад задерживает нас на неопределенное время. Мы хотим поискать телефон и выпить чего-нибудь холодного. Не угодно ли с нами?» И, сложив листок, передал его невестиной подружке. Она развернула его, прочла и передала маленькому старичку. Он тоже прочел, заулыбался, посмотрел на меня и усиленно закивал головой. На миг я решил, что это вполне красноречивый и полный ответ, но он вдруг помахал мне рукой, и я понял, что он просит дать ему блокнот и карандаш. Я подал блокнот, не глядя на невестину подружку, от которой волнами шло нетерпение. Старичок очень аккуратно пристроил блокнот и карандаш на коленях, на минуту застыл все с той же неослабевающей улыбкой, подняв карандаш и явно собираясь с мыслями. Карандаш стал очень неуверенно двигаться. В конце концов появилась аккуратная точка. Затем блокнот и карандаш были возвращены мне лично, в собственные руки, сопровождаемые исключительно сердечным и теплым кивком. Еще не совсем просохшие буквы изображали два слова: «Буду счастлив». Невестина подружка, прочтя это через мое плечо, издала звук, похожий на фырканье, но я сразу посмотрел в глаза великому писателю, пытаясь изобразить на своем лице, насколько все мы, его спутники, понимаем, что такое истинная поэма, и как мы бесконечно ему благодарны.

Поодиночке, друг за другом, мы высадились из машины — с покинутого корабля, посреди Мэдисон-авеню, в море раскаленного, размякшего асфальта. Лейтенант на минуту задержался, чтобы сообщить водителю о бунте команды. Отлично помню, что оркестр все еще продолжал маршировать и грохот не стихал ни на миг.

Невестина подружка и миссис Силсберн возглавляли шествие к кафе Шрафта. Они маршировали рядом, почти как передовые разведчики по восточной стороне Мэдисон-авеню, в южном направлении. Окончив свой доклад водителю, лейтенант догнал их. Вернее, почти догнал. Он немножко отстал, чтобы незаметно вынуть бумажник и проверить, сколько у него с собой денег.

Мы с дядюшкой невестиного отца замыкали шествие. То ли он интуитивно чувствовал, что я ему друг, то ли просто потому, что я был владельцем блокнота и карандаша, но он как-то подтянулся, а не подошел ко мне, и мы зашагали вместе. Донышко его превосходного шелкового цилиндра едва достигало мне до плеча. Я пошел сравнительно медленно, приноравливаясь к его коротким шажкам. Через квартал-другой мы значительно отстали от всех. Но, кажется, нас это не особенно беспокоило. Помню, как мы иногда смотрели друг на друга с идиотским выражением радости и благодарности за компанию.

Когда мы с моим спутником дошли наконец до вращающейся двери кафе Шрафта на Семьдесят девятой улице, лейтенант, его жена и миссис Силсберн уже стояли там. Они ждали нас, как мне показалось, тесно сплоченным и довольно воинственно настроенным отрядом. Когда наша не по росту подобранная пара подошла, они оборвали разговор. Не так давно, в машине, когда гремел военный оркестр, какое-то общее неудобство, я бы сказал общая беда, создало в нашей маленькой компании видимость дружеской связи, как бывает в группе туристов Кука, попавших под страшный ливень на развалинах Помпеи. Но когда мы с маленьким старичком подошли к дверям кафе, мы с беспощадной ясностью поняли, что ливень кончился.

Мы обменялись взглядами, словно узнав друг друга, но никак не обрадовавшись.

— Закрыто на ремонт, — сухо объявила невестина подружка, глядя на меня. Неофициально, но вполне отчетливо она снова дала мне понять, что я тут чужой, лишний, и в эту минуту без всякой особой причины я вдруг испытал такое одиночество, такую оторванность от всех, какой еще не чувствовал за весь день. И тут же – об этом стоит сказать – на меня с новой силой напал кашель. Я вынул носовой платок из кармана. Невестина подружка повернулась к своему мужу и миссис Силсберн.

– Где-то тут кафе «Лонгшан», – сказала она, – но где, не знаю.

– Я тоже не знаю, – сказала миссис Силсберн. Казалось, она сейчас заплачет. Пот просочился даже сквозь толстый слой грима на лбу и на верхней губе. Левой рукой она прижимала к себе черную лакированную сумку. Она держала ее, как любимую куклу, и сама походила на очень несчастную, неумело накрашенную, напудренную девочку, убежавшую из дому.

– Сейчас ни за какие деньги не достать такси, – уныло сказал лейтенант. Он тоже здорово полинял. Его залихватская фуражка героя-летчика казалась жестокой насмешкой над бедной, потной, отнюдь не лихой физиономией, и я припоминаю, что у меня возникло побуждение сдернуть эту фуражку у него с головы или хотя бы поправить ее, придать ей не такой нахальный излом, – побуждение, вполне родственное тому, какое испытываешь на детском празднике, где обязательно попадается ужасно некрасивый малыш в бумажном колпаке, изпод которого вылезает одно, а то и оба уха.

– О боже, что за день! – во всеуслышание объявила невестина подружка. Веночек из искусственных незабудок уже совсем сбился набок, и она вся взмокла, но мне показалось, что по-настоящему пострадала только самая, так сказать, незначительная принадлежность ее особы – букет из гардений. Она все еще рассеянно держала его в руке. Но он явно не выдержал испытания. – Что же нам делать? – спросила она с не свойственным ей отчаянием. – Не идти же туда пешком. Они живут чуть ли не около Ривердейла. Может, кто-нибудь посоветует?

Она посмотрела сперва на миссис Силсберн, потом на мужа и наконец, как видно, с отчаяния, на меня.

— У меня тут неподалеку квартира, — сказал я вдруг, очень волнуясь. — Всего в каком-нибудь квартале отсюда, не больше.

Помнится, что я сообщил эти сведения чересчур громким голосом. Может быть, я даже кричал, кто его знает.

— Это квартира моя и брата. Пока мы в армии, там живет наша сестра, но сейчас ее нет дома. Она служит в женском морском отряде и куда-то уехала. — Я посмотрел на невестину подружку, вернее, мимо нее. — Можете оттуда позвонить, если хотите, — сказал я, — и там хорошая система вентиляции. Можно остыть, передохнуть.

Несколько оправившись от потрясения, все трое, лейтенант, его жена и миссис Силсберн, устроили что-то вроде переговоров — правда, только глазами, но никаких видимых результатов не последовало.

Первой решила действовать невестина подружка. Напрасно она пыталась узнать по глазам мнение остальных. Пришлось обратиться прямо ко мне.

— Вы сказали, там есть телефон? — спросила она.

— Да. Если сестра не велела его выключить, только вряд ли она это сделала.

— А почем мы знаем, что там нет вашего б р а т ц а? — сказала невестина подружка.

В моем воспаленном мозгу такая мысль и возникнуть не могла.

— Нет, не думаю, — сказал я. — Конечно, всякое бывает, ведь квартира и его тоже, только не думаю, что он там, не может этого быть.

Невестина подружка уставилась на меня: она глядела очень пристально, но, как ни странно, довольно вежливо, — если ребенок не спускает с тебя глаз, это нельзя считать невежливостью. Потом, обернувшись к мужу и миссис Силсберн, она сказала:

— Пожалуйста, пойдем. Оттуда хоть позвонить можно.

Они кивнули в знак согласия. Миссис Силсберн, та даже припомнила правила из учебника хорошего тона – как отвечать на приглашения у дверей кафе. Сквозь расплывающийся под солнцем грим мне навстречу пробилась слабенькая улыбочка вполне хорошего тона. Помнится, что я ей очень обрадовался.

– Ну, пошли, уйдем от этого солнца! – сказала наша руководительница. – А что делать с этим? – И, не дожидаясь ответа, она подошла к обочине и без всяких сантиментов вышвырнула увядший букет гардений в канавку.

– Ладно, веди нас, Макдуфф, – сказала она мне. – Пойдем за вами. Одно только скажу: лучше бы его там не было. Не то я убью этого ублюдка. – Она поглядела на миссис Силсберн. – Простите, что я так выразилась, но я не шучу.

Повинуясь приказу, я почти весело пошел вперед. Через минуту в воздухе, слева около меня, и довольно низко, материализовался шелковый цилиндр, и мой личный, неофициальный, но постоянный спутник заулыбался мне снизу – в первый миг мне даже показалось, что сейчас он сунет ручонку мне в руку.

Трое моих гостей и мой единственный друг ждали на площадке, пока я бегло осматривал квартиру.

Все окна были закрыты. Оба вентилятора были выключены, и, когда я вдохнул воздух, показалось, что я глубоко дышу, сидя в кармане старой меховой шубы. Тишину нарушало только прерывистое мурлыканье престарелого холодильника, купленного нами по случаю. Моя сестрица Бу-Бу по своей девичьей, военно-морской рассеянности забыла его выключить. По беспорядку в квартире сразу было видно, что ее занимала молодая морячка. Нарядный синий кителек мичмана вспомогательной женской службы валялся подкладкой вниз на кушетке. На низком столике перед кушеткой стояла полупустая коробка шоколада – из всех оставшихся конфет, очевидно ради эксперимента, начинка была понемножку выдавлена. На письменном столе, в рамке, красовалась фотография весьма решительного юноши, которого я никогда раньше не видел. И все пепельницы в доме расцвели пышным цветом, до отказа забитые окурками в губной помаде и мятыми бумажными салфетками. Я не стал заходить на кухню, в спальню и в ванную, а только быстро открывал двери, проверяя, не спрятался ли где-нибудь Симор. Во-первых, я разомлел и ослаб. Во-вторых, мне было некогда – пришлось поднять шторы, включить вентиляционную систему, опорожнить переполненные пепельницы. А кроме того, вся остальная компания тут же ввалилась за мной следом.

– Да тут жарче, чем на улице! – сказала вместо приветствия невестина подружка, заходя в комнату.

– Сейчас, одну минутку, – сказал я. – Никак не включу этот вентилятор.

Кнопку включения заело, и я никак не мог с ней справиться.

Пока я, даже не сняв, как помнится, фуражки, возился с вентилятором, остальные подозрительно осматривали комнату. Я искоса поглядывал на них. Лейтенант подошел к письменному столу и уставился на три с лишним фута стены над столом, где мы с братом из сентиментальных побуждений с вызовом прикнопили множество блестящих фотографий, восемь на десять. Миссис Силсберн села, как и следовало ожидать, подумал я, в то единственное кресло, которое облюбовал для спанья мой покойный бульдожка; подлокотники, обитые грязным вельветом, были насквозь прослюнены и прожеваны во время ночных его кошмаров. Дядюшка невестиного папы, мой верный друг, куда-то скрылся без следа. И невестина подружка тоже исчезла.

– Сейчас я приготовлю что-нибудь выпить, – сказал я растерянно, все еще возясь с кнопкой вентилятора.

– Я бы выпила чего-нибудь холодного, – произнес знакомый голос. Я повернулся и увидел, что она растянулась на кушетке, а потому и пропала из моего поля зрения. – Сейчас я буду звонить по вашему телефону, – предупредила она меня, – но в таком состоянии я и рта раскрыть не могу. Все пересохло. Даже язык высох.

С жужжанием заработал вентилятор, и я прошел на середину комнаты между кушеткой и креслом, в котором сидела миссис Силсберн.

– Не знаю, что тут есть выпить, – сказал я, – я еще не смотрел в холодильнике, но я думаю, что...

– Несите что угодно, – прервала меня с кушетки наша неутомимая ораторша, – лишь бы мокрое. И холодное.

Каблуки ее туфель лежали на рукаве сестриного кителя. Руки она скрестила на груди, под голову примостила диванную подушку.

– Не забудьте лед, если есть, – сказала она и прикрыла глаза. Я бросил на нее короткий, но убийственный взгляд, потом нагнулся и как можно тактичнее вытащил китель Бу-Бу у нее из-под ног. Я уже хотел выйти по своим хозяйским обязанностям, но, только я шагнул к дверям, со мной заговорил лейтенант, стоявший у письменного стола.

– Где достали картинки? – спросил он.

Я подошел к нему. На голове у меня все еще сидела огромная армейская фуражка с нелепым козырьком. Я как-то не догадался ее снять. Я встал рядом с лейтенантом, хотя и чуть позади него, и посмотрел на фотографии. Я объяснил, что по большей части это фотографии детей, выступавших в программе «Умный ребенок» в те дни, когда мы с Симором участвовали в этой передаче.

Лейтенант взглянул на меня:

– А что это за передача? Никогда не слыхал. Детская передача, что ли? Ответы на вопросы?

Я не ошибся: в его тон незаметно и настойчиво вкрался легкий оттенок армейского превосходства. И он слегка покосился на мою фуражку.

Я снял фуражку и сказал:

– Да нет, не совсем. – Во мне вдруг заговорила фамильная гордость. – Так было, пока мой брат Симор не принимал участия. И все стало примерно по-старому, когда он ушел с радио. Но при нем все было иначе, вся программа. Он вел ее как беседу ребят за круглым столом.

Лейтенант поглядел на меня с несколько повышенным интересом.

– А вы тоже участвовали? – спросил он.

– Да.

С другого конца комнаты из невидимого пыльного убежища на кушетке раздался голос его жены:

– Посмотрела бы я, как м о е г о ребенка заставили бы участвовать в этом идиотизме, – сказала она, – или играть на сцене. Вообще выступать. Я бы скорее у м е р л а, чем допустила, чтобы мой ребенок в ы с т а в л я л с я перед публикой. У таких вся жизнь бывает исковеркана. Уж одно то, что они вечно на виду, вечно их рекламируют, – да вы спросите любого психиатра. Разве тут может быть н о р м а л ь н о е детство, я вас спрашиваю?

Ее голова, с веночком набекрень, вдруг вынырнула на свет божий. Словно отрубленная, она выскочила из-за спинки кушетки и уставилась на нас с лейтенантом.

– Вот и ваш братец такой, – сказала голова. – Если у человека детство начисто изуродовано, он никогда не становится по-настоящему взрослым. Он никогда не научится приспосабливаться к нормальным людям, к нормальной жизни. Миссис Феддер именно так и говорила там, в чьей-то дурацкой спальне. Именно так. Ваш братец никогда не научится приспосабливаться к другим людям. Очевидно, он только и умеет доводить людей до того, что им приходится накладывать швы на физиономии. Он абсолютно не приспособлен ни к браку, ни вообще к сколько-нибудь нормальной жизни. Миссис Феддер именно так и говорила. – Тут голова сверкнула глазами на лейтенанта. – Права я, Боб? Говорила она или нет? Скажи правду!

Но тут подал голос не лейтенант, а я. У меня пересохло во рту, в паху прошиб пот. Я сказал, что мне в высокой степени наплевать, что миссис Феддер натрепала про Симора. И вообще, что про него треплют всякие профессиональные дилетантки или любительницы, вообще всякие сукины дочки. Я сказал, что с десяти лет Симора обсуждали все, от дипломированных Мыслителей до Интеллектуальных служителей мужских уборных по всем штатам. Я сказал, что все это было бы законно, если бы Симор задирал нос оттого, что у него способности выше среднего. Но он ненавидел выставляться. Он и на эти выступления по средам ходил, как на собственные похороны. Едет с тобой в автобусе или в метро и молчит как про́клятый, клянусь богом. Я сказал, что вся эта дешевка – разные критики и фельетонисты – только и знали, что похлопывать его по плечу, но ни один черт так и не понял, какой он на самом деле. А он поэт, черт их дери. Понимаете, настоящий поэт. Да если бы строчки не написал, так и то он бы всех вас одной левой перекрыл, только бы захотел.

Тут я, слава богу, остановился. Сердце у меня колотилось, как не знаю что, и, будучи неврастеником, я со страхом подумал, что именно «из таких речей рождаются инфаркты»[1]. До сих пор я понятия не имею, как мои гости реагировали на эту вспышку, на поток жестоких обвинений, которые я на них вылил. Первый звук извне, заставивший меня очнуться, был общепонятный шум спускаемой воды. Он шел с другого конца квартиры. Я внезапно осмотрел комнату, взглянул на моих гостей, мимо них, даже сквозь них.

1 Перефразированная цитата из «Гамлета».

— А где старик? — спросил я. — Где старичок? — Голос у меня стал ангельски кротким.

Как ни странно, ответил мне лейтенант, а не его жена.

— По-моему, он в уборной, — сказал он. Он заявил это с особой прямотой, как бы подчеркивая, что принадлежит к тем людям, которые без всякого стеснения говорят о гигиенических функциях организма.

— А-а, — сказал я. В некоторой растерянности я обвел глазами комнату. Не помню, да и не хочу вспоминать, старался ли я нарочно не замечать грозных взглядов невестиной подружки или нет. На одном из стульев я обнаружил шелковый цилиндр дяди невестиного отца. Я чуть было не сказал ему вслух: «Привет!» — Сейчас принесу выпить чего-нибудь холодного, — сказал я. — Одну минуту.

— Можно позвонить от вас по телефону? — вдруг спросила невестина подружка, когда я проходил мимо кушетки. И она спустила ноги на пол.

— Да, да, конечно, — сказал я. И тут же перевел взгляд на миссис Силсберн и лейтенанта. — Пожалуй, сделаю всем по «Тому Коллинзу», конечно, если найду лимоны или апельсины. Подходит?

Ответ лейтенанта удивил меня неожиданно компанейским тоном.

— Давай! Давай! — сказал он, потирая руки, как заправский пьянчуга.

Миссис Силсберн перестала рассматривать фотографии над столом, чтобы дать мне последние указания:

— Для меня, пожалуйста, только самую чуточку джина в питье, самую чуточную чуточку, пожалуйста! Одну капельку, если вам не трудно!

Как видно, за то короткое время, что мы провели в квартире, она уже немного отошла. По-видимому, тут помогло и то, что она стояла почти под самым вентилятором, который я включил, и на нее шел прохладный воздух. Я пообещал сделать питье, как она просила, и оставил ее у фотографий мелких «знаменитостей», выступавших по радио в тридцатых, даже в конце двадцатых годов, среди ушедших теней нашего с Симором отрочества. Лейтенант же не нуждался в моем обществе: заложив руки за спину, он с видом одинокого знатока-любителя уже направлялся к книжным полкам. Невестина подружка пошла за мной, громко зевнув во весь рот, и даже не сочла нужным ни подавить, ни прикрыть свой зевок.

А когда мы с ней подходили к спальне – телефон стоял там, – навстречу нам из дальнего конца коридора показался дядюшка невестиного отца. На лице его было то же суровое спокойствие, которое так обмануло меня в машине, но, приблизившись к нам, он сразу переменил маску: теперь его мимика выражала наивысшую приветливость и радость. Я почувствовал, что сам расплываюсь до ушей и киваю ему в ответ, как болванчик. Видно было, что он только что расчесал свои жиденькие седины, казалось, что он даже вымыл голову, найдя где-то в глубине квартиры карликовую парикмахерскую. Мы разминулись, но что-то заставило меня оглянуться, и я увидел, как он мне машет ручкой, этаким широким жестом: мол, доброго пути, возвращайся поскорее! Мне стало весело до чертиков.

– Что это он? Спятил? – сказала невестина подружка. Я выразил надежду, что она права, и открыл перед ней двери спальни.

Она тяжело плюхнулась на одну из кроватей – кстати, это была кровать Симора. Телефон стоял на ночном столике посередине. Я сказал, что сейчас принесу ей выпить.

– Не беспокойтесь, я сама приду, – сказала она. – И закройте, пожалуйста, двери, если не возражаете... Я не потому, а просто не могу говорить по телефону при открытых дверях.

Я сказал, что этого я тоже не люблю, и собрался уйти. Но, проходя мимо кровати, я увидел на диванчике у окна парусиновый саквояжик. В первую минуту я подумал, что это мой собственный багаж, неизвестно как добравшийся своим ходом на квартиру с Пенсильванского вокзала. Потом я подумал, что его оставила Бу-Бу. Я подошел к саквояжику. «Молния» была расстегнута, и с одного взгляда на то, что лежало сверху, я понял, кто его законный владелец. Вглядевшись пристальней, я увидел поверх двух глаженых форменных рубашек то, что ни в коем случае нельзя было оставить в одной комнате с невестиной подружкой. Я вынул эту вещь, сунул ее под мышку, по-братски помахал рукой невестиной подружке, уже вложившей палец в первую цифру на диске в ожидании, когда я наконец уберусь, и закрыл за собой двери.

Я немного постоял за дверью в благословенном одиночестве, обдумывая, что же мне делать с дневником Симора, который, спешу сказать, и был предметом, обнаруженным в саквояжике. Первая конструктивная мысль была – надо его спрятать, пока не уйдут гости. Потом мне подумалось, что правильнее отнести дневник в ванную и спрятать в корзину с грязным бельем. Однако, серьезно обмозговав эту мысль, я решил отнести дневник в ванную, там почитать его, а уж *потом* спрятать в корзину с бельем.

Весь этот день, видит бог, был не только днем каких-то внезапных предзнаменований и символических явлений, но он был весь построен на широчайшем использовании письменности как средства общения. Ты прыгал в переполненную машину, а судьба уже окольными путями позаботилась о том, чтобы у тебя нашелся блокнот и карандаш на тот случай, если один из спутников окажется глухонемым. Ты прокрадывался в ванную комнату и сразу смотрел, не появились ли высоко над раковиной какие-нибудь слегка загадочные или же ясные письмена.

Много лет подряд все наше многочисленное семейство – семь человек детей при одной ванной комнате – пользовалось немного липким, но очень удобным способом общения – писать друг другу на зеркале аптечки мокрым обмылком. Обычно в нашей переписке содержались весьма выразительные поучения, а иногда и неприкрытые угрозы: «Бу-Бу, после ванны не смей швырять мочалку на пол. Целую. Симор». «Уолт, твоя очередь гулять с З. и Фр. Я гулял вчера. Угадай – кто». «В среду – годовщина их свадьбы. Не ходи в кино, не торчи в студии после передачи, не нарвись на штраф. Бадди, это относится к тебе». «Мама жаловалась, что Зуи чуть не съел все слабительное. Не оставляйте всякие вредности на раковине, он может дотянуться и все съесть».

Это примеры из нашего детства, но и много позже, когда мы с Симором, во имя независимости, что ли, отпочковались и наняли отдельную квартиру, мы с ним только номинально отреклись от старых семейных обычаев. Я хочу сказать, что обмылков мы не выбрасывали.

Когда я забрался в ванную с дневником Симора под мышкой и тщательно запер за собой двери, я тут же увидал послание на зеркале. Но почерк был не Симора, это явно писала моя сестрица Бу-Бу. А почерк у нее был страшно мелкий, едва разборчивый, все равно – писала она обмылком или чем-нибудь еще. И тут она ухитрилась уместить на зеркале целое послание: «Выше стропила, плотники! Входит жених, подобный Арею, выше самых высоких мужей[1]. Привет. Некто Сафо, бывший сценарист киностудии "Элизиум".

Будь счастлив, счастлив, счастлив со своей красавицей Мюриель. Это приказ. По рангу я всех вас выше».

Надо заметить, что «киносценарист», упомянутый в тексте, был любимым автором – в разное время и в разной очередности – всех юных членов нашего семейства

1 Стихи Сафо. Эпиталама (фрагмент 100).

главным образом из-за неограниченного влияния Симора в вопросах поэзии на всех нас. Я читал и перечитывал цитату, потом сел на край ванны и открыл дневник Симора.

Дальше идет точная копия тех страниц из дневника Симора, которые я прочел, сидя на краю ванны. Мне кажется, что можно опустить день и число. Достаточно сказать, что все записи, по-моему, сделаны в форте Монмаут в конце 1941 года и в начале 1942 года, за несколько месяцев до того, как был назначен день свадьбы.

* * *

«Во время вечерней поверки было очень холодно, и все-таки в одном только нашем взводе шестерым стало дурно, пока оркестр без конца играл “Звездное знамя”. Должно быть, человеку с нормальным кровообращением непереносимо стоять в неестественной позе по команде “Смирно!”, особенно если держишь винтовку на караул. У меня, наверно, нет ни кровообращения, ни пульса. В неподвижности я как дома. Темп “Звездного знамени” созвучен мне в высшей степени. Для меня это ритм романтического вальса.

После поверки получили увольнительные до полуночи. В семь часов встретился с Мюриель в отеле “Балтимор”. Две рюмочки, два буфетных бутерброда с рыбой. Потом ей захотелось посмотреть какой-то фильм с участием Грир Гарсон. Смотрел на нее в темноте, когда самолет сына Грир Гарсон не вернулся на базу. Рот полуоткрыт. Поглощена, встревожена. Полное отождествление себя с этой метро-голдвин-майеровской трагедией. Мне было и радостно, и жутко. Как я люблю ее, как мне нужно ее бесхитростное сердце. Она взглянула на меня, когда дети в фильме принесли матери котенка. М. восхищалась котенком, хотела, чтобы я тоже восхищался им. Даже в темноте я чувствовал ее обычную отчужденность, это всегда так, когда я не могу беспрекословно восхищаться тем же, чем она. Потом, когда мы что-то пили в буфете на вокзале, она спросила меня: “Правда, котенок – прелесть?” Она уже больше не говорит “чудненький”. И когда это я успел так напугать ее, что она изменила своей обычной лексике? А я, педант несчастный, стал объяснять, как Р.-Г. Блайтс определяет, что такое сентиментальность: мы сентиментальны, когда уделяем какому-то существу больше нежности, чем ему уделил Господь Бог. И я добавил (поучительно?), что Бог, несомненно, любит котят, но, по всей вероятности без калошек на лапках, как в цветных фильмах. Эту художественную деталь он предоставляет сценаристам. М. подумала, как будто согласилась со мной, но ей эта “мудрость” была не очень-то по душе. Она сидела, помешивая ложечкой питье, и чувствовала себя отчужденной. Она тревожится, когда ее любовь ко мне то приходит, то уходит, то появляется, то исчезает. Она сомневается в ее реальности просто потому, что эта любовь не всегда весела и приятна, как котенок. Один бог знает, как мне это грустно. Как человек ухитряется словами обесценить все на свете».

* * *

«Обедал сегодня у Федденов. Очень вкусно. Телятина, пюре, фасоль, отличный свежий салат с уксусом и оливковым маслом. Сладкое Мюриель приготовила сама: что-то вроде пломбира со сливками и сверху малина. У меня слезы выступили на глазах. (Сайгё[1] пишет: “Не знаю почему, //Но благодарность // Всегда слезами светлыми течет”.) Около меня на стол поставили бутылку кетчупа. Видно, Мюриель рассказала миссис Феддер, что я все поливаю кетчупом. Я готов отдать многое, лишь бы подслушать, как Мюриель воинственно заявляет своей

1 Сайгё – японский поэт.

маме, что да, он даже зеленый горошек поливает кетчупом. Девочка моя дорогая....

После обеда миссис Феддер заставила нас слушать ту самую радиопередачу. Ее энтузиазм, ее увлечение этими передачами, особенно тоска по тем дням, когда выступали мы с Бадди, вызывает во мне чувство неловкости. Сегодня вечером программу передавали с какой-то морской базы, чуть ли не из Сан-Диего. Слишком много педантичных вопросов и ответов. У Фрэнни голос насморочный. Зуи слегка рассеян, но блистателен. Конферансье заставил их говорить про жилищное строительство, и маленькая дочка Берков сказала, что она ненавидит одинаковые дома – она говорила про те длинные ряды стандартных домиков, какие строят по плану. Зуи сказал, что они "очень милые". Он сказал, что было бы очень мило прийти домой и оказаться не в том домике. И по ошибке пообедать не с теми людьми, и спать не в той кроватке, и утром со всеми попрощаться, думая, что это твое семейство. Он сказал, что ему даже хотелось бы, чтобы все люди на свете выглядели совершенно одинаково. Тогда каждый думал бы, что вон идет его жена, или его мама, или папа, и люди все время обменивались бы и целовались без конца, и это было бы "очень мило".

Весь вечер я был невыносимо счастлив. Когда мы сидели в гостиной, я восхищался простотой отношений Мюриель с матерью. Это так прекрасно. Они знают слабости друг друга, в особенности слабости в светской беседе, и глазами подают друг другу знаки. Миссис Феддер предостерегает Мюриель взглядом, если она в разговоре проявляет не тот "литературный" вкус, а Мюриель следит, чтобы мать не слишком ударялась в многословие и пышный слог. Споры не грозят перейти в постоянный разлад, потому что они Мать и Дочь. Это такое потрясающее, такое прекрасное явление. Но бывают минуты, когда я сижу словно околдованный и вдруг начинаю мечтать, чтобы мистер Феддер тоже принял участие в разговоре. Подчас мне это просто необходимо. А то, когда я вхожу в их дом, мне, по правде сказать, иногда кажется, что я попал в какой-то светский женский монастырь на две персоны, где царит вечный беспорядок. Иногда перед уходом у меня появляется такое чувство, будто М. и ее мама напихали мне полные карманы всяких флакончиков, тюбиков с губной помадой, румян, всяких сеточек для волос, кремов от пота и так далее. Я чувствую себя бесконечно им обязанным, но не знаю, что делать с этими воображаемыми дарами».

* * *

«Сегодня нам не сразу выдали увольнительные после вечерней поверки, потому что кто-то выронил винтовку, когда нас инспектировал приезжий британский генерал. Я пропустил поезд 5.52 и на час опоздал на свидание с Мюриель. Обед в китайском ресторане на Пятьдесят восьмой улице. Мюриель раздражена, весь обед чуть не плачет – видно, по-настоящему напугана и расстроена. Ее мать считает, что я шизоидный тип. Очевидно, она говорила обо мне со своим психоаналитиком, и он с ней полностью согласен. Миссис Феддер просила Мюриель деликатно осведомиться, нет ли в нашей семье психически больных. Думаю, что Мюриель была настолько наивна, что рассказала ей, откуда у меня шрамы на руках. Бедная моя, славная крошка. Однако из слов Мюриель я понял, что не это беспокоит ее мать, а совсем другое. Особенно три вещи. Одну я упоминать не стану – это даже рассказать невозможно. Другая – это то, что во мне, безусловно, есть какая-то "ненормальность", раз я еще не соблазнил Мюриель. И, наконец, третье: уже несколько дней миссис Феддер преследуют мои слова, что я хотел бы быть дохлой кошкой. На прошлой неделе она спросила меня за обедом, что я собираюсь делать после военной службы. Собираюсь ли я преподавать в том же колледже? Вернусь ли я к преподавательской работе вообще? Не думаю ли я вернуться на радио хотя бы в роли комментатора? Я ответил, что сейчас мне кажется, будто войне никогда не будет конца, и что я знаю только одно: если наступит мир, я хочу быть дохлой кошкой. Миссис Феддер решила, что это я сострил. Тонко сострил. По словам Мюриель, она меня считает тонкой штучкой. Она приняла мои серьезнейшие слова за одну из тех шуток, на которые надо ответить легким музыкальным смехом. А меня этот смех немного сбил с толку, и я забыл ей объяснить, что я хотел сказать. Только сегодня вечером я объяснил Мюриель, что в буддийской легенде секты Дзен рассказывается, как одного учителя спросили, что самое ценное на свете, и тот ответил – дохлая кошка, потому что ей цены нет. М. успокоилась, но я видел, что ей не терпится побежать домой и уверить мать в полной безопасности моих слов. Она подвезла меня на такси к вокзалу. Она была такая милая, настроение у нее стало много лучше. Она пыталась научить меня улыбаться и растягивала мне губы пальцами. Какой у нее чудесный смех! О господи, до чего я счастлив с ней! Только бы она была так же счастлива со мной. Я все время стараюсь ее позабавить, кажется, ей нравится мое лицо, и руки, и затылок, и она с гордостью рассказывает подружкам, что обручена с Билли Блэком, с тем самым, который столько лет выступал в программе "Умный ребенок". По-моему, ее ко мне влечет и материнское, и чисто женское чувство. Но в общем дать ей счастье я, наверно, не смогу. Господи, Господи, помоги мне! Единственное, довольно грустное утешение для меня том, что моя любимая безоговорочно и навеки влюблена в самый институт брака. В ней живет примитивный инстинкт вечной игры в свое гнездышко. То, чего она ждет от брака, и нелепо, и трогательно. Она хотела бы подойти к клерку в каком-нибудь роскошном отеле, вся загорелая, красивая, и спросить, взял ли ее Супруг почту. Ей хочется покупать занавески.

Ей хочется покупать себе платья “для дамы в интересном положении”. Ей хочется, сознает она это или нет, уйти из родительского дома, несмотря на привязанность к матери. Ей хочется иметь много детей — красивых детей, похожих на нее, а не на меня. И еще я чувствую, что ей хочется каждый год открывать свою коробку с елочными украшениями, а не материнскую».

* * *

«Сегодня получил удивительно смешное письмо от Бадди, он только что отбыл наряд по камбузу. Пишу о Мюриель и всегда думаю о нем. Он презирал бы ее за то, из-за чего ей хочется выйти замуж, я про это уже писал. Но разве за это можно презирать? В каком-то отношении, вероятно, да, но мне все это кажется таким человечным, таким прекрасным, что даже сейчас я не могу писать без глубокого, глубокого волнения. Бадди отнесся бы с неодобрением и к матери Мюриель. Она ужасно раздражает своей безапелляционностью, а Бадди таких женщин не выносит. Не знаю, понял ли бы он, какая она на самом деле. Она человек, навеки лишенный всякого понимания, всякого вкуса к главному потоку поэзии, который пронизывает все в мире. Неизвестно, зачем такие живут на свете. А она живет, забегает в гастрономический магазин, ходит к своему психоаналитику, каждый вечер проглатывает роман, затягивается в корсет, заботится о здоровье Мюриель, о ее благополучии. Я люблю Мюриель. Я считаю ее бесконечно мужественной».

* * *

«Вся рота сегодня без отпуска. Целый час стоял в очереди к телефону в канцелярии, чтобы позвонить Мюриель. Она как будто обрадовалась, что я не приеду сегодня вечером. Меня это забавляет и восхищает. Всякая другая девушка, если бы даже она на самом деле хотела провести вечер без своего жениха, непременно выразила бы по телефону хотя бы сожаление. А когда я сказал Мюриель, что не могу приехать, она только протянула: "А-а!" Как я боготворю эту ее простоту, ее невероятную честность! Как я надеюсь на нее!»

* * *

«3.30 утра. Сижу в дежурке. Не мог заснуть. Накинул шинель на пижаму и пришел сюда. Дежурит Эл Аспези. Он спит на полу. Могу сидеть тут, если буду вместо него подходить к телефону. Ну и вечерок! К обеду явился психоаналитик миссис Феддер, допрашивал меня с перерывами до половины двенадцатого. Иногда очень хитро, очень неглупо. Раза два я ему даже поддался. По-видимому, он старый поклонник, мой и Бадди. Кажется, он лично и профессионально заинтересовался, почему меня в шестнадцать лет сняли с программы. Он сам слышал передачу о Линкольне, но у него создалось впечатление, будто я сказал в эфир, что геттисбургская речь Линкольна "вредна для детей". Это неправда. Я ему объяснил, что я сказал, что детям вредно заучивать эту речь наизусть в школе. У него еще создалось впечатление, будто я сказал, что это нечестная речь. Я ему объяснил, что под Геттисбургом было убито и ранено 51 112 человек и что если уж кому-то пришлось выступать в годовщину этого события, так он должен был выйти, погрозить кулаком всем собравшимся и уйти, конечно, если оратор до конца честный человек. Он не возражал мне, но как будто решил, что у меня какой-то комплекс стремления к совершенству. Он много и вполне умно говорил о ценности простой, непритязательной жизни, о том, как надо принимать и свои, и чужие слабости. Я с ним согласен, но только теоретически. Я сам буду защищать всяческую терпимость до конца дней на том основании, что она залог здоровья, залог какого-то очень реального, завидного счастья. В чистом виде это и есть путь Дао — несомненно, самый высокий путь. Но человеку взыскательному для достижения таких высот надо было бы отречься от поэзии, уйти за поэзию. Потому что он никак не мог бы научиться или заставить себя отвлеченно любить плохую поэзию, уж не говорю — равнять ее с хорошей. Ему пришлось бы совсем отказаться от поэзии. И я сказал, что сделать это очень нелегко. Доктор Симс сказал, что я слишком резко ставлю вопрос, — так, по его словам, может говорить только человек, ищущий совершенства во всем. А разве я это отрицаю?

Должно быть, миссис Феддер с тревогой рассказала ему, откуда у Шарлотты девять швов. Наверно, я необдуманно говорил с Мюриель про эти давно минувшие дела. Она тут же, по горячему следу, все выкладывает матери. Без сомнения, я должен был бы протестовать, но не могу. М., бедняжка, и меня слышит только тогда, когда все слышит ее мама. Но я не собирался пережевывать историю про Шарлоттины швы с мистером Симсом. Во всяком случае, не за рюмкой виски».

* * *

«Сегодня на вокзале я более или менее твердо обещал Мюриель, что обращусь на днях к психоаналитику. Симс говорил, что у нас на базе есть отличный врач. Очевидно, они с миссис Феддер не раз устраивали конференцию на эту тему. И почему это меня не злит? А вот не злит, и все. Очень странно. Наоборот, это меня как-то греет, неизвестно почему. Даже к традиционным тещам из юмористических журналов я чувствую смутную симпатию. Во всяком случае, меня не убудет, если я пойду к психоаналитику. К тому же тут, в армии, это бесплатно. М. любит меня, но никогда она не почувствует ко мне настоящую близость, никогда не будет со мной своей, домашней, легкомысленной, пока меня слегка не прочистят.

Но если я когда-нибудь и обращусь к психоаналитику, так дай бог, чтобы он заранее пригласил на консультацию дерматолога. Специалиста по болезням рук. У меня на руках остаются следы от прикосновения к некоторым людям. Однажды в парке, когда мы еще возили Фрэнни в колясочке, я положил руку на ее пушистое темечко и, видно, продержал слишком долго. И еще раз, когда я сидел с Зуи в кино на Семьдесят второй улице и там шел страшный фильм. Зуи было лет семь, и он спрятался под стул, чтобы не видеть какую-то жуткую сцену. Я положил руку ему на голову. От некоторых голов, от волос определенного цвета, определенной фактуры у меня навсегда остаются следы. И не только от волос. Один раз Шарлотта убежала от меня – это было около студии, – и я схватил ее за платьице, чтобы она не убегала, не уходила от меня. Платьице было светло-желтое, ситцевое, мне оно понравилось, потому что было ей сшито на вырост. И до сих пор у меня на правой ладони осталось светло-желтое пятно. Господи, если я и вправду какой-то клинический случай, то, наверно, я параноик наоборот. Я подозреваю, что люди вступают в сговор, чтобы сделать меня счастливым».

* * *

Помню, что я закрыл дневник, даже захлопнул его на слове «счастливым». Некоторое время я сидел, сунув дневник под мышку, пока не ощутил некоторое неудобство от долгого сидения на краю ванны. Я встал такой разгоряченный, словно вылез из ванны, а не просто посидел на ней. Я подошел к корзине с грязным бельем, поднял крышку и почти со злобой буквально швырнул дневник Симора в простыни и наволочки, лежавшие на самом дне. Потом, за отсутствием более конструктивных мыслей, я снова сел на край ванны. Минуту-другую я смотрел на зеркало аптечки, перечитывал послание Бу-Бу, потом встал и, выходя из ванной, так хлопнул дверью, будто можно было силой закрыть это помещение на веки веков.

Следующим этапом была кухня. К счастью, двери оттуда выходили в коридор, так что можно было попасть на кухню, не проходя мимо гостей. Пробравшись туда и закрыв двери, я снял куртку, то есть гимнастерку, и бросил ее на полированный столик. Казалось, вся моя энергия ушла на снятие куртки, и я постоял в одной рубашке, отдыхая перед геркулесовым подвигом приготовления коктейлей. Потом резким движением, словно за мной кто-то следил сквозь невидимый глазок в стене, я открыл шкаф и холодильник в поисках ингредиентов для коктейля «Том Коллинз». Все оказалось под рукой, вместо лимонов нашлись апельсины, и вскоре у меня был готов целый кувшин довольно приторного питья. Я взял из шкафа пять стаканов и стал искать поднос. А искать поднос – дело сложное, и я так завозился, что под конец уже с еле слышными тихими стонами открывал и закрывал всякие шкафы и шкафчики.

Но в тот момент, как я уже в куртке, неся поднос с кувшином и стаканами, выходил из кухни, над моей головой вдруг словно вспыхнула воображаемая электрическая лампочка – так на карикатурах изображают, что персонажу пришла в голову блестящая мысль. Я поставил поднос на пол. Я вернулся к шкафчику с напитками и взял початую бутылку виски. Я взял стакан и налил себе, пожалуй нечаянно, по крайней мере пальца на четыре этого виски. Бросив на стакан молниеносный, хотя и укоризненный взгляд, я, как истинный прожженный герой ковбойского фильма, одним махом опрокинул стакан. Скажу прямо, что об этом деле я до сих пор без содрогания вспомнить не могу. Конечно, мне было всего двадцать три года, и я поступил так, как в данных условиях поступил бы любой другой здоровый балбес двадцати трех лет. Но суть вовсе не в этом. Суть в том, что я, как говорится, н е п ь ю щ и й. От одной унции виски меня либо начинает выворачивать наизнанку, либо я начинаю искать еретиков среди присутствующих. Бывало, что после двух унций я сваливался замертво.

Но этот день был, выражаясь крайне мягко, не совсем обычным, и я помню, что, когда я взял поднос и стал выходить из кухни, я никакой внезапной метаморфозы в себе не заметил. Казалось только, что в желудке данного субъекта начинается сверхъестественная генерация тепла, и все.

Когда я внес поднос в комнату, я не заметил никаких особых изменений и в поведении гостей, кроме ободряющего факта, что дядюшка невестиного отца присоединился к ним. Он утопал в глубоком кресле, когда-то облюбованном моим покойным бульдогом. Его маленькие ножки были скрещены, волосы прилизаны, жирное пятно на лацкане также заметно, и – чудо из чудес! – его сигара дымилась. Мы приветствовали друг друга еще более пылко, чем всегда, словно наши периодические расставания были слишком долгими и терпеть их никакого смысла нет.

Лейтенант все еще стоял у книжной полки. Он перелистывал какую-то книжку и, по-видимому, был совершенно поглощен ею. (Я так и не узнал, что это была за книга.) Миссис Силсберн уже явно пришла в себя, вид у нее был свежий, а толстый слой грима нанесен заново. Она сидела на кушетке, отодвинувшись в самый угол от дядюшки невестиного отца. Она перелистывала журнал.

– О, какая прелесть! – сказала она «гостевым» голосом, увидев поднос, который я только что поставил на столик. Она улыбнулась мне со светской любезностью.

– Я налил только чуточку джина, – соврал я, размешивая питье в кувшине.

– Тут стало так прохладно, так чудесно, – сказала миссис Силсберн. – Кстати, можно вам задать один вопрос?

И она отложила журнал, встала и, обойдя кушетку, подошла к письменному столу. Подняв руку, она коснулась кончиком пальца одной из фотографий.

– Кто этот очаровательный ребенок? – спросила она.

Под мерным непрерывным воздействием кондиционированного воздуха, в свеженаложенном гриме она уже больше не походила на измученного заблудившегося ребенка, каким она казалась под жарким солнцем у дверей кафе на Семьдесят девятой улице. Теперь она разговаривала со мной с тем сдержанным изяществом, которое было ей свойственно, когда мы сели в машину около дома невестиной бабушки, тогда она еще спросила, не я ли Дикки Бриганза.

Я перестал мешать коктейль и подошел к ней. Она уперлась лакированным ноготком в фотографию, вернее, в девочку из группы ребят, выступавших по радио в 1929 году. Мы, всемером, сидели у круглого стола; перед каждым стоял микрофон.

– В жизни не видела такого очаровательного ребенка, – сказала миссис Силсберн, – знаете, на кого она немножко похожа? Особенно глаза и ротик.

Именно в эту минуту виски – не все, а примерно с один палец – уже начало на меня действовать, и я чуть не ответил: «На Дикки Бриганзу», – но инстинктивная осторожность взяла верх. Я кивнул головой и назвал имя той самой киноактрисы, о которой невестина подружка еще раньше упоминала в связи с девятью хирургическими швами.

Миссис Силсберн удивленно посмотрела на меня.

– Разве она тоже участвовала в программе «Умный ребенок»?

– Ну как же. Два года подряд. Господи боже, конечно, участвовала. Только под настоящей своей фамилией. Шарлотта Мэйхью.

Теперь и лейтенант стоял позади меня, справа, и тоже смотрел на фотографию. Услыхав театральный псевдоним Шарлотты, он отошел от книжной полки – взглянуть на фотографию.

— Но я не знала, что она в детстве выступала по радио! — сказала миссис Силсберн. — Совершенно не знала! Неужели она и в детстве была так талантлива?

— Нет, она больше шалила. Но пела не хуже, чем сейчас. И потом, она удивительно умела подбадривать остальных. Обычно она сидела рядом с моим братом, с Симором, у стола с микрофонами, и, как только ей нравилась какая-нибудь его реплика, она наступала ему на ногу. Вроде как пожимают руку, только она пожимала ногу.

Во время этого краткого доклада я опирался на спинку стула, стоявшего у письменного стола. И вдруг мои руки соскользнули — так иногда соскальзывает локоть, опирающийся на стол или на стойку в баре. Я потерял было равновесие, но сразу выпрямился, и ни миссис Силсберн, ни лейтенант ничего не заметили. Я сложил руки на груди.

— Случалось, что в те вечера, когда Симор был особенно в форме, он даже шел домой прихрамывая. Честное слово! Ведь Шарлотта не просто пожимала его ногу, она наступала ему на пальцы изо всей силы. А ему хоть бы что. Он любил, когда ему наступали на ноги. Он любил шаловливых девчонок.

— Ах, как интересно! — сказала миссис Силсберн. — Но я понятия не имела, что она тоже участвовала в радиопередачах.

— Это Симор ее втянул, — сказал я. — Она дочка остеопата, жили они в нашем доме, на Риверсайд-Драйв. — Я снова оперся на спинку стула и всей тяжестью навалился на нее отчасти для сохранения равновесия, отчасти чтобы принять позу старого мечтателя у садовой ограды. Звук моего голоса был удивительно приятен мне самому. — Мы как-то играли в мячик... Вам интересно послушать?

— Да! — сказала миссис Силсберн.

— Как-то после школы мы с Симором бросали мяч об стенку дома, и вдруг кто-то — потом оказалось, что это была Шарлотта, — стал кидать в нас с двенадцатого этажа мраморными шариками. Так мы и познакомились. На той же неделе мы привели ее на радио. Мы даже не знали, что она умеет петь. Нам просто понравился ее прекрасный нью-йоркский выговор. У нее было произношение обитателей Дикман-стрит.

Миссис Силсберн засмеялась тем музыкальным смехом, который наповал убивает любого чуткого рассказчика, и трезвого как стеклышко, и не совсем трезвого. Очевидно, она только и ждала, чтобы я кончил, — ей не терпелось задать лейтенанту мучивший ее вопрос.

— Скажите, на кого она похожа? — спросила она настойчиво. — Особенно рот и глаза. Кого она напоминает?

Лейтенант посмотрел на нее, потом на фотографию.

— Вы хотите сказать — на этой фотографии? В детстве? Или теперь, в кино? О чем вы говорите?

— Да, пожалуй, и тогда, и теперь. Но особенно на этой фотографии.

Лейтенант рассматривал фотографию довольно сурово, как мне показалось, словно он никоим образом не одобрял, что миссис Силсберн — женщина, и притом невоеннообязанная, — заставила его изучать какую-то фотографию.

— На Мюриель, — сказал он отрывисто. — Похожа тут на Мюриель. И волосы, и все.

— Вот именно! — сказала миссис Силсберн. Она обернулась ко мне. — Да, именно на нее! — повторила она. — Вы знакомы с Мюриель? Я хочу сказать — вы ее видели в такой прическе, знаете, волосы заколоты таким пышным...

— Я только сегодня впервые увидел Мюриель, — сказал я.

– Тогда просто поверьте мне на слово. – И миссис Силсберн выразительно постучала по фотографии указательным пальцем. – Эта девочка могла бы быть двойником Мюриель в те годы. Как две капли воды.

Виски упорно одолевало меня, и я никак не мог воспринять эту информацию полностью и, уж конечно, не мог предугадать все возможные выводы из нее. Я вернулся к столику – чересчур, должно быть, стараясь идти по прямой – и снова стал перемешивать коктейль. Когда я очутился по соседству с дядей невестиного отца, он, стараясь привлечь мое внимание, приветствовал мой приход, но я был настолько поглощен высказанным предположением о сходстве Мюриель с Шарлоттой, что не ответил ему. Кроме того, у меня немного кружилась голова. Появилось неудержимое желание смешивать коктейль, сидя на полу, но я удержался.

Минуты две спустя, когда я начал разливать напиток, миссис Силсберн снова обратилась ко мне с вопросом. Она почти что пропела его, так мелодично прозвучал ее голос:

– Скажите, а это будет очень-очень нехорошо с моей стороны, если я спрошу про тот случай, о котором упоминала миссис Бервик? Я про те девять швов, помните, она рассказывала? Ваш брат, наверно, нечаянно толкнул ее или как?

Я поставил кувшин – он мне показался необычайно тяжелым и неудобным – и посмотрел на нее. Как ни странно, несмотря на легкое головокружение, я чувствовал, что даже дальние предметы ничуть не туманятся в глазах. Наоборот, миссис Силсберн, стоявшая в центре комнаты, назойливо, словно в фокусе, выделялась из всего окружающего.

– Кто такая миссис Бервик? – спросил я.

– Моя жена, – ответил лейтенант несколько отрывисто. Он смотрел на меня, словно комиссия из одного человека, призванная проверить, почему я так медленно наливаю коктейль.

– Да, да, конечно, – сказал я.

– Что это было – несчастный случай? – настаивала миссис Силсберн. – Он ведь не нарочно? Или нарочно?

– Что за чушь, миссис Силсберн!

– Как вы сказали? – холодно бросила она.

– Простите. Не обращайте внимания. Я немного опьянел. Выпил на кухне лишнее, минут пять назад.

Я вдруг оборвал себя и резко повернулся. В коридоре под знакомыми решительными шагами загудел не покрытый ковром пол. Шаги стремительно двигались, надвигались на нас – и через миг невестина подружка влетела в комнату.

Она ни на кого не взглянула.

– Дозвонилась наконец, – сказала она удивительно ровным голосом, без малейшего нажима, – чуть ли не час дозванивалась. – Лицо у нее напряглось, покраснело – вот-вот лопнет. – Холодное? – спросила она и, не останавливаясь, не ожидая ответа, подошла к столику. Она схватила тот единственный стакан, который я успел налить, и жадно, залпом выпила его. – В жизни не бывала в такой жаркой комнате, – сказала она, ни к кому не обращаясь и ставя пустой стакан. Она тут же схватила кувшин и снова налила стакан до половины, громко звякая кубиками льда.

Миссис Силсберн сразу оказалась у столика.

– Что они сказали? – нетерпеливо спросила она. – Вы говорили с Рэей?

Невестина подружка сначала выпила, поставила стакан и потом сказала:

– Я *со всеми* говорила. – И слова «со всеми» она подчеркнула сердито, хотя и без обычной для нее театральности. Взглянув сначала на миссис Силсберн, потом на меня, а потом – на лейтенанта, она добавила: – Можете успокоиться – все хорошо и благополучно.

— Что это значит? Что случилось? — строго спросила миссис Силсберн.

— А то и значит. Жених уже не страдает от счастья.

В голосе невестиной подружки снова появились привычные ударения.

— Как это? С кем ты говорила? — спросил лейтенант. — Ты говорила с миссис Феддер?

— Я же сказала: я разговаривала со всеми. Со всеми, кроме этой прелестной невесты. Она сбежала с женихом. — Невестина подружка посмотрела на меня. — Сколько сахару вы плюхнули в это питье? — раздраженно спросила она. — Вкус такой, будто...

— Сбежала? — ахнула миссис Силсберн, прижимая руки к груди.

Невестина подружка только взглянула на нее:

— А вам-то что? Не волнуйтесь, дольше проживете!

Миссис Силсберн безвольно опустилась на кушетку. И я, кстати сказать, тоже. Я не спускал глаз с невестиной подружки, и миссис Силсберн тоже неотрывно глядела на нее.

— Видно, он тоже сидел у них на квартире, когда они туда приехали. Мюриель вдруг схватила чемоданчик, и они тут же уехали, вот и все. — Невестина подружка выразительно пожала плечами. Взяв стакан, она допила его до дна. — Во всяком случае, всех нас приглашают на свадьбу. Или как это там называется, когда жених с невестой уже скрылись. Насколько я поняла, там уже целая куча народу. И у всех по телефону голоса такие веселые.

— Ты сказала, что говорила с миссис Феддер. Она-то что тебе сказала? — спросил лейтенант.

Невестина подружка довольно загадочно покачала головой:

— Она изумительна! Боже, какая женщина! Говорила совершенно спокойным голосом. Насколько я поняла по ее словам, этот самый Симор обещал посоветоваться с психоаналитиком, чтобы как-то выправиться. — Она снова пожала плечами. — Кто его знает? Может, все и утрясется. Я слишком обалдела, не могу думать. — Она смотрела на мужа. — Пойдем отсюда. Где твоя шапчонка?

Не успел я опомниться, как невестина подружка, лейтенант и миссис Силсберн гуськом пошли к выходу, а я, хозяин дома, замыкал шествие. Я уже сильно пошатывался, но никто не обернулся, а потому они и не заметили, в каком я состоянии.

Я услыхал, как миссис Силсберн спросила невестину подружку:

— Вы заедете туда?

— Право, не знаю, — услышал я ответ, — если и заедем, так только на минуту.

Лейтенант вызвал лифт, и все трое, как каменные, уставились на шкалу указателя. Казалось, слова стали лишними. Я стоял в дверях квартиры, в нескольких шагах от лифта, бессмысленно глядя вперед. Дверцы лифта открылись, я громко сказал «до свидания!», и все трое разом повернули головы. «До свидания! До свидания!» — проговорили они, а невестина подружка крикнула: «Спасибо за угощенье!» — и дверца захлопнулась.

* * *

Неверными шагами я возвратился в свою квартиру, пытаясь на ходу расстегнуть куртку или как-нибудь стянуть ее.

Мое возвращение в комнату восторженно приветствовал единственный оставшийся гость — я совсем забыл про него. Когда я вошел, он поднял мне навстречу до краев налитый стакан. Более того, он буквально помахал стаканом, кивая при этом головой в мою сторону и ухмыляясь, словно наконец наступил тот долгожданный счастливейший миг, по которому мы с ним так стосковались. Я никак не мог ответствовать ему такой же улыбкой. Однако помню, что я его похлопал по плечу. Потом я тяжело опустился на кушетку прямо против него, и мне наконец удалось расстегнуть куртку.

– А у вас есть дом? – спросил я его. – Кто за вами ухаживает? Голуби в парке, что ли?

В ответ на столь провокационные вопросы мой гость снова с необыкновенным пылом поднял в мою честь стакан, держа его так, словно это была пивная кружка. Я закрыл глаза и лег на кушетку, задрав ноги и вытянувшись. Но от этого комната закружилась каруселью. Я снова сел, рывком опустив ноги на пол, и от резкого движения чуть не потерял равновесия, пришлось схватиться за столик, чтобы не упасть. Минуту-другую я сидел, согнувшись, закрыв глаза. Потом, не вставая, потянулся к кувшину и налил стакан, расплескивая питье с кубиками льда по столу и по полу. Я посидел немного с полным стаканом в руке и, не сделав ни глотка, поставил его прямо в лужицу посреди столика.

– Рассказать вам, откуда у Шарлотты те девять швов? – спросил я внезапно. Мне казалось, что голос у меня звучит совершенно нормально. – Мы жили на озере. Симор написал Шарлотте, пригласил ее приехать к нам в гости, и наконец мать ее отпустила. И вот как-то она села посреди дорожки – погладить котенка нашей Бу-Бу, а Симор бросил в нее камнем. Ему было двенадцать лет. Вот и все. А бросил он в нее потому, что она с этим котенком на дорожке была чересчур хорошенькая. И все это поняли, черт меня дери: и я, и сама Шарлотта, и Бу-Бу, и Уэйкер, и Уолт – вся семья.

Я уставился на оловянную пепельницу, стоявшую на столике.

– Шарлотта ни разу в жизни не напомнила ему об этом. Ни одного разу.

Я посмотрел на своего гостя, словно ожидая, что он начнет возражать, назовет меня лгуном. Конечно, я лгал. Шарлотта так и не поняла, почему Симор бросил в нее камень. Но мой гость ничего не оспаривал. Напротив. Он ободряюще улыбался мне, словно любое слово, какое я сейчас скажу, для него будет непреложной истиной. Но я все же встал и вышел из комнаты. Помню, что, уходя, я чуть было не вернулся и не поднял с пола два кубика льда, но это предприятие казалось настолько сложным, что я проследовал дальше и вышел в коридор. Проходя мимо кухни, я снял, вернее стащил, куртку и бросил ее на пол. В ту минуту мне казалось, что именно в этом месте я всю жизнь оставлял свою одежду.

В ванной я немного постоял над корзиной с бельем, обдумывая, взять или не взять дневник Симора, читать его дальше или нет. Не помню, какие аргументы я выдвигал «за» и «против», но в конце концов я открыл корзину и вытащил дневник. Я снова сел с ним на край ванны и перелистывал страницы, пока не дошел до последней записи Симора:

«Один из солдат только что опять звонил в справочную аэропорта. Если и дальше будет проясняться, мы к утру сможем вылететь. Оппенгейм сказал: нечего сидеть как на иголках. Звонил Мюриель, все объяснил. Было очень странно. Она подошла к телефону и все говорила: “Алло! Алло!” А я потерял голос. Она чуть не повесила трубку. Хоть бы успокоиться немного. Оппенгейм решил поспать, пока не вызовут наш рейс. Надо бы и мне выспаться, но я слишком взвинчен. Я ей звонил главным образом, чтобы упросить, умолить ее просто уехать со мной вдвоем и где-нибудь обвенчаться. Слишком я взвинчен, чтобы быть на людях. Мне кажется, что сейчас – мое второе рождение. Святой, священный день. Слышимость была такая ужасная, да и я еле-еле мог говорить, когда нас соединили. Как страшно, когда говоришь: я тебя люблю, а на другом конце тебе в ответ кричат: “Что? Что?” Весь день читал отрывки из Веданты. “Брачующиеся должны служить друг другу. Понимать, поддерживать, учить, укреплять друг друга, но более всего служить друг другу. Воспитывать детей честно, любовно и бережно. Дитя — гость в доме, его надо любить и уважать, но не властвовать над ним, ибо оно принадлежит Богу". Как это изумительно, как разумно, как трудно и прекрасно и поэтому правдиво. Впервые в жизни испытываю радость ответственности. Оппенгейм уже дрыхнет. Надо бы и мне заснуть. Не могу — кто-нибудь должен бодрствовать вместе со счастливым человеком».

* * *

Я только раз прочел эту запись, закрыл дневник, отнес его в спальню и бросил в саквояж Симора, лежавший на диванчике у окна. И потом я упал — вернее, сам повалился на ближайшую кровать. Мне показалось, что я уснул или потерял сознание еще раньше, чем коснулся постели.

Когда я часа через полтора проснулся, у меня раскалывалась голова и во рту все пересохло. В спальне было почти темно. Помню, что я довольно долго сидел на краю кровати. Потом, мучимый жаждой, я встал и медленно побрел в другую комнату, надеясь, что там, в кувшине на столике, еще осталось что-нибудь мокрое и холодное.

Мой последний гость, очевидно, сам выбрался из квартиры. Только пустой стакан и сигара в оловянной пепельнице напоминали о его существовании. Я до сих пор думаю, что окурок этой сигары надо было тогда же послать Симору — все свадебные подарки обычно бессмысленны. Просто окурок сигары в небольшой, красивой коробочке. Можно бы еще приложить чистый листок бумаги вместо объяснения.

Симор: Введение

Те, о ком я пишу, постоянно живут во мне, и этим своим присутствием непрестанно доказывают, что всё, написанное о них до сих пор, звучит фальшиво. А звучит оно фальшиво оттого, что я думаю о них с неугасимой любовью (вот и эта фраза уже кажется мне фальшивой), но не всегда пишу достаточно умело, и это мое неумение часто мешает точно и выразительно дать характеристику действующих лиц, и оттого их образы тускнеют и тонут в моей любви к ним, а любовь эта настолько сильней моего таланта, что она как бы становится на защиту моих героев от моих неумелых стараний.

Выходит так, говоря фигурально, будто писатель нечаянно сделал какую-то описку, а эта случайная описка вдруг сама поняла, что тут что-то не так. Но может быть, эта ошибка не случайно, а в каком-то высшем смысле вполне законно появилась в повествовании. И тогда такая случайная ошибка как бы начинает бунтовать против автора, она злится на него и кричит: «Не смей меня исправлять – хочу остаться в рукописи как свидетель того, какой ты никудышный писатель».

Откровенно говоря, все это мне кажется иногда довольно жалким самооправданием, но теперь, когда мне уже под сорок, я обращаюсь к единственному своему поверенному, последнему своему настоящему современнику, – к моему доброму, старому другу – обыкновенному рядовому читателю. Когда-то, – мне еще и двадцати не было, – один из самых интересных и наименее напыщенных редакторов, из тех, с кем я был лично знаком, сказал мне, что писатель должен очень трезво и уважительно относиться к мнению рядового читателя, хотя иногда взгляды этого человека и могут показаться автору странными и даже дикими – он считал, что со мной так и будет. Но спрашивается – как писатель может искать что-то ценное в мнении такого читателя, если он о нем никакого представления не имеет. Чаще бывает наоборот – писателя хорошо знают, но разве бывало так, что его спрашивают, каким он представляет себе своего читателя? Не стоит слишком размазывать эту тему, скажу коротко, что я сам, к счастью, уже много лет тому назад выяснил для себя всё, что мне надо знать о своем читателе, то есть, прошу прощения – Л И Ч Н О о Вас.

Боюсь, что Вы станете всячески открещиваться, но уж тут позвольте мне Вам не поверить. Итак, вы – заядлый орнитолог. Вы похожи на героя одного рассказа Джона Бьюкена, под названием «Скуул Кэрри», – этот рассказик мне дал прочитать Арнольд Л. Шугарман, когда моими литературными занятиями почти никто как следует не руководил. А стали Вы изучать птиц главным образом потому, что они окрыляли вашу фантазию, они восхищали вас тем, что «из всех живых существ эти крохотные создания с температурой тела 50,8 градуса по Цельсию являлись наиболее полным воплощением чистого Духа». Наверно, и вам, как герою бьюкеновского рассказа, приходило в голову много занятных мыслей: не сомневаюсь, что вы вспоминали, что, например, королек, чей желудочек меньше боба, перелетает Северное море, а куличок-поморник, который выводит птенцов так далеко на севере, что только трем путешественникам удалось видеть его гнездовье, летает на отдых в Тасманию! Разумеется, я не решаюсь рассчитывать на то, что именно вы, мой читатель, и окажетесь вдруг одним из тех троих, кто видел это гнездовье, но я определенно чувствую, что я своего читателя, то есть Вас, знаю настолько хорошо, что могу легко угадать, как выразить свое хорошее отношение к Вам, чем Вас порадовать.

Итак, дружище, пока мы с вами остались наедине, так сказать, entre-nous, и не связались со всякими этими лихачами, а их везде хватает, – тут и космочудики средних лет, которым лишь бы запульнуть нас на Луну, и бродяжки-дервиши, якобы помешанные на Дхарме, и фабриканты сигареток с «начинкой», словом, всякие битники, немытики и нытики, «посвященные» служители всяких культов, все эти знатоки, которые лучше всех понимают, что нам можно и что нельзя делать в нашей жалкой ничтожной сексуальной жизни – значит, пока мы в стороне от этих бородатых, спесивых малограмотных юнцов, самоучек-гитаристов, дзеноубийц и всех этих эстетствующих пижонов, которые смеют с высоты своего тупоносого величия взирать на чудесную нашу планету (только, пожалуйста, не затыкайте мне рот!) – на планету, где все же побывали и Христос, и Килрой, и Шекспир, – так вот, прежде чем нечаянно попасть в их компанию, позвольте мне, старый мой друг, сказать вам, вернее, даже в о з в е с т и т ь: я прошу Вас принять от меня в дар сей скромный букет первоцветов-скобок: (((()))).

При этом речь идет не о каких-то цветистых украшениях текста, а скорее о том, чтобы эти мои кривульки помогли вам понять: насколько я хром и косолап душой и телом, когда пишу эти строки. Однако с профессиональной точки зрения – а я только так люблю разговаривать (кстати, не обижайтесь, но я знаю девять языков, из них четыре мертвых, и постоянно разговариваю на них сам с собой), итак, повторяю: с профессиональной точки зрения я чувствую себя сейчас совершенно счастливым человеком. Раньше со мной так не бывало. Впрочем, нет, было, когда, лет четырнадцати, я написал рассказ, в котором все персонажи, как студенты-дуэлянты Гейдельбергского университета, были изукрашены шрамами: и герой, и злодей, и героиня, и ее старая нянька, и все лошади, и все собаки. Тогда я был в меру счастлив, но не в таком восторженном состоянии, как сейчас. Кстати сказать: я не хуже других знаю, что писатель в таком экстатически-счастливом настроении способен всю душу вымотать своим близким. Конечно, чересчур вдохновенные поэты – весьма «тяжелый случай», но и прозаик в припадке такого экстаза тоже не слишком подходящий человек для приличного общества – «божественный» у него припадок экстаза или нет, все равно: припадочный, он и есть припадочный. И хотя я считаю, что в таком счастливом состоянии прозаик может написать много прекрасных страниц – говоря откровенно, хочется верить – самых лучших своих страниц, но, как всем понятно и вполне очевидно – он, как я подозреваю, потеряет всякую меру, сдержанность, немногословность, словно разучившись писать короткими фразами. Он уже не может быть объективным – разве только на спаде этой волны. Его так захлестывает огромный всепоглощающий поток радости, что он невольно лишает себя как писателя скромного, но всегда восхитительного ощущения: будто с написанной им страницы на читателя смотрит человек, безмятежно сидящий на заборе. Но хуже всего то, что он никак не может пойти навстречу самому насущному требованию читателя: чтобы автор, черт его дери, скорее досказал толком всю эту историю. (Вот почему я и предложил несколько выше столь многозначительный набор скобок. Знаю, что многие вполне интеллигентные люди таких комментариев в скобках не выносят; потому что они только тормозят изложение. Об этом нам много пишут и чаще всего, разумеется, разные диссертанты, с явным и довольно пошлым желанием – уморить нас своей досужей писаниной. А мы все это читаем, и даже с доверием: все равно — хорошо пишут или плохо — мы любой английский текст прочитываем внимательно, словно эти слова изрекает сам Просперо.) Кстати, хочу предупредить читателя, что я не только буду отвлекаться от основной темы (я даже не уверен, что не сделаю две-три сноски), но я твердо решил, что непременно сяду верхом на своего читателя, чтобы направить его в сторону от уже накатанной проезжей дороги сюжета, если где-то там, в стороне, что-то мне покажется увлекательным или занятным. А уж тут, спаси Господи мою американскую шкуру, мне дела нет — быстро или медленно мы поедем дальше. Однако есть читатели, чье внимание может всерьез привлечь только самое сдержанное, классически-строгое и, по возможности, весьма искусное повествование, а потому я им честно говорю — насколько автор вообще может честно говорить об этом: уж лучше сразу бросьте читать мою книгу, пока это еще легко и просто. Вероятно, по ходу действия я не раз буду указывать читателю запасной выход, но едва ли стану притворяться, что сделаю это с легким сердцем.

Начну, пожалуй, с довольно пространного разъяснения двух цитат в самом начале этого повествования. «Те, о ком я пишу, постоянно присутствуют...» — взята у Кафки. Вторая — «...Выходит так, говоря фигурально...» — взята у Кьеркегора (и мне трудно удержаться, чтобы не потирать злорадно руки при мысли, что именно на этой цитате из Кьеркегора могут попасть впросак кое-какие экзистенциалисты и чересчур разрекламированные французские «мандарины» с этой ихней — ну, короче говоря, они несколько удивятся)[1].

1 Быть может, этот легкий укол более чем неуместен, но тот факт, что великий Кьеркегор НИКОГДА не был кьеркегорианцем, а тем более экзистенциалистом, чрезвычайно радует сердце некоего провинциального интеллигента и еще больше укрепляет в нем веру во вселенскую поэтическую справедливость, а может быть, даже во вселенского Санта-Клауса.

Я вовсе не считаю, что непременно надо искать уважительный повод для того, чтобы процитировать своего любимого автора, но, честное слово, это всегда приятно.

Мне кажется, что в данном случае эти две цитаты, особенно поставленные рядом, поразительно характерны не только для Кафки и Кьеркегора, но и для всех тех четырех давно усопших людей, четырех по-своему знаменитых Страдальцев, к тому же не приспособленных к жизни холостяков (из всех четверых одного только Ван Гога я не потревожу и не выведу на страницах этой книги), а к остальным я обращаюсь чаще всего – иногда в минуты полного отчаяния – когда мне нужны вполне достоверные сведения о том, что такое современное искусство. Словом, я привел эти две цитаты просто для того, чтобы отчетливо показать, как я отношусь к тому множеству фактов, которые я надеюсь здесь собрать – и, скажу откровенно, автору обычно приходится заранее неустанно растолковывать это свое отношение. Но тут меня отчасти утешает мысль, даже мечта, о том, что эти две короткие цитаты вполне могли бы послужить отправным пунктом для работ некой новой породы литературных критиков, этих трудяг (можно даже сказать в о и н о в), – тех, что, даже не надеясь на славу, тратят долгие часы, изучая Искусство и Литературу в наших переполненных неофрейдистских клиниках. Особенно это относится к совсем еще юным студентам-практикантам и малоопытным клиницистам, которые сами безусловно обладают железным здоровьем в душевном отношении, а также (в чем я не сомневаюсь) никакого врожденного болезненного attrait[1] к красоте не имеют, однако собираются со временем стать специалистами в области патологической эстетики. (Признаюсь, что к этому предмету у меня сложилось вполне твердокаменное

1 Влечения (*фр.*)

отношение с тех пор, как в возрасте одиннадцати лет я слушал, как настоящего Поэта и Страдальца, которого я любил больше всех на свете – тогда он еще ходил в коротких штанишках, – целых шесть часов и сорок пять минут обследовали уважаемые доктора, специалисты-фрейдисты. Конечно, на мое свидетельство положиться нельзя, но мне казалось, что они вот-вот начнут брать у него пункцию из мозговой ткани и что только из-за позднего времени – было уже два часа ночи – они воздержались от этой пробы. Может, это звучит слишком сурово, но я никак не придираюсь. Я и сам понимаю, что иду сейчас чуть ли не по проволоке, во всяком случае, по жердочке, но сойти сию минуту не собираюсь; не год и не два копились во мне эти чувства, пора дать им выход.) Нет спору, о талантливых, выдающихся художниках ходят немыслимые толки – я говорю тут исключительно о живописцах и стихотворцах, тех, кого можно назвать настоящими Dichter[1].

Из всех этих толков для меня всего забавней всеобщее убеждение, что художник никогда, даже в самые темные времена до психоаналитического века, не питал глубокого уважения к своим критикам-профессионалам и со своим нездоровым представлением о нашем обществе валил их в одну кучу с обыкновенными издателями и торговцами и вообще со всякими, быть может, завидно богатыми, спекулянтами от искусства, прихлебателями в стане художников, людьми, которые, как он считает, безусловно, предпочли бы более чистое ремесло, попадись оно им в руки. Но чаще всего, особенно в наше время, о чрезвычайно плодовитом – хотя и страдающем поэте или художнике – существует твердое убеждение, что он хотя и существо «высшей породы», но должен быть безоговорочно причислен к «классическим» невротикам, что он – человек ненормальный, который по-

1 Поэтами (*нем.*).

настоящему никогда не желает выйти из своего ненормального состояния; словом, проще говоря, он – Страдалец; с ним даже довольно часто случаются припадки, когда он вопит от боли, и хотя он упрямо по-детски отрицает это, но чувствуется, что в такие минуты он готов прозакладывать и душу, и все свое искусство, лишь бы испытать то, что у людей считается нормой, здоровьем. И все же продолжают ходить слухи, что, если кто-то, даже человек, искренне любящий, силком ворвется в его неприютное убежище и станет упорно допрашивать – где же у него болит, то он либо замкнется в себе, либо не захочет, не сумеет с клинической точностью объяснить, что его мучает; а по утрам, когда даже великие поэты и художники обычно выглядят куда бодрее, у этого человека вид такой, будто он нарочно решил культивировать в себе свою болезнь – вероятно, оттого, что он при свете дня, да еще, возможно, дня рабочего, вдруг вспомнил, что все люди, включая здоровяков, постепенно перемрут, да еще и не всегда достойно, тогда как его, этого счастливчика, доконает «высокая болезнь» – лучший спутник его жизни, зови ее хворью или как-то иначе. В общем, хотя от меня, человека, семья которого, как я уже упоминал, потеряла именно такого художника, эти слова могут быть восприняты как предательство, но скажу, что никак нельзя безоговорочно отрицать, что эти слухи, вернее сплетни, и особенно все выводы, безосновательны и не подкреплены достаточно убедительными фактами. Пока был жив мой выдающийся родич, я следил за ним – не в переносном, а, как мне кажется, в самом буквальном смысле – словно ястреб. С логической точки зрения он б ы л нездоров, он д е й с т в и т е л ь н о по ночам или поздним вечером, когда ему становилось плохо, стонал от боли, звал на помощь, а когда незамедлительно подоспевала помощь, он о т к а з ы в а л с я просто и понятно объяснить – что именно у него болит. Но даже тут я решительно расхожусь с мнением признанных авторитетов в этой области, с учеными, с биографами и особенно с правящей в наши дни интеллектуальной аристократией, выпестованной в какой-нибудь из привилегированных психоаналитических школ; и особенно резко я с ними расхожусь вот в чем: не умеют они как следует слушать, когда кто-нибудь кричит от боли. Разве они на это способны? Это же глухари высшего класса. А разве с *таким* слухом, с *такими* ушами можно понять по крику, по звуку — откуда эта боль, где ее истоки? При таком жалком слуховом аппарате, по-моему, можно только уловить и проследить какие-то слабые, еле слышные обертоны — даже не контрапункт — отзвуки трудного детства или «неупорядоченного либидо». Но откуда рвется эта лавина боли, ведь ею впору заполнить целую карету «скорой помощи», где ее истоки? Откуда не может не родиться эта боль? Разве истинный поэт или художник не *ясновидящий*? Разве он не единственный ясновидящий на нашей Земле? Конечно же, нельзя считать ясновидцем ни ученого, ни тем более психиатра. (Кстати, был среди психоаналитиков один-единственный великий поэт — сам Фрейд, правда, и он был несколько туговат на ухо, но кто из умных людей станет оспаривать, что в нем жил эпический поэт!) Простите меня, пожалуйста, я скоро кончу. Какая же часть человеческого организма у ясновидящего нужней и ранимей всего? Конечно, *глаза*. Прошу снисхождения, мой читатель (если Вы еще тут), посмотрите еще раз обе цитаты — из Кафки и Кьеркегора, с которых я начал. Теперь вам ясно? Чувствуете, чувствуете, что крик идет из *глаз*? И как бы ни было противоречиво заключение судебного эксперта — пусть он объявит причиной смерти Туберкулез, или Одиночество, или Самоубийство, неужто Вам не понятно, отчего умирает истинный поэт-ясновидец? И я заявляю (надеюсь, что все следующие страницы этой повести вопреки всему докажут мою правоту), прав я или не прав, что настоящего поэта-провидца, божественного безумца, который может творить и творит красоту, ослепляют насмерть его собственные сомнения, слепящие образы и краски его собственной священной человеческой совести. Вот я и высказал свое «кредо». Я усаживаюсь поудобнее. Я вздыхаю, говоря откровенно, с облегчением. Сейчас закурю и перейду с Божьей помощью к другой теме.

Но сначала – вкратце, если удастся – скажу о второй половине названия: «Введение».

«Введение» похоже на приглашение «Добро пожаловать!» в дом. Во всяком случае, в те светлые минуты, когда я смогу заставить себя сесть и по возможности успокоиться, главным героем моего повествования станет мой покойный старший брат, Симор Гласс, который (тут я предпочитаю ограничиться очень кратким псевдонекрологом) в 1948 году покончил с собой на тридцать втором году жизни, отдыхая с женой во Флориде. При жизни он значил очень много для очень многих людей, а для своих многочисленных братьев и сестер – семья же у нас немалая – был, в сущности, всем на свете. Безусловно, он был для нас всем – и нашим синим полосатым носорогом, и двояковыпуклым зажигательным стеклом – словом, всем, что нас окружало. Он был и нашим гениальным советчиком, нашей портативной совестью, нашим штурманом, нашим единственным и непревзойденным поэтом, а так как молчаливостью он никогда не отличался, и более того, целых семь лет, с самого детства, участвовал в радиопрограмме «Умный ребенок», которая транслировалась по всей Америке, и о чем только он в ней не распространялся. Потому-то он прослыл среди нас «мистиком», и «оригиналом», и «эксцентриком». И так как я решил сразу взять быка за рога, я с самого начала собираюсь провозгласить – если только можно одновременно и орать, и провозглашать, – что именно он – человек, которого я ближе всего знал, с кем неизменно дружил, чаще всего подходил под классическое определение «МУКТА», как я его понимаю, то есть был подлинным провидцем, богознатцем. Во всяком случае, насколько я понимаю, его нельзя описать в традиционном лаконичном стиле, и мне трудно представить себе, что кто-нибудь — и меньше всего я сам — мог бы рассказать о нем точно и определенно, в один присест или в несколько приемов, будь то за месяц или за год. Первоначально я хотел на этих страницах написать короткий рассказ о Симоре и назвать его «Симор. Часть ПЕРВАЯ»; нарочно выделив слово «ПЕРВАЯ» крупными буквами и тем самым поддерживая больше во мне самом, Бадди Глассе, чем в читателе, уверенность, что за «первым» последуют другие (второй, третий, а может быть, и четвертый) рассказы о нем же. Эти планы давно не существуют. Но если они еще живы, а я подозреваю, что при создавшемся положении это вполне вероятно, то прячутся они где-то в подполье, быть может, выжидая, чтобы я, когда придет охота писать, трижды постучался к ним. В данном же случае я отнюдь не являюсь просто автором небольшого рассказика о моем брате. Скорее всего, я похож на з а п а с н и к, где полным-полно каких-то пристрастных, еще не распутанных сведений о нем. Думаю, что я главным образом был и остаюсь до сих пор просто рассказчиком, но рассказчиком целеустремленным, кровно заинтересованным. Мне хочется всех перезнакомить, хочется описывать, дарить сувениры, амулеты, хочется открыть бумажник и раздавать фотографии, словом, хочется поступать, как Бог на душу положит. Разве тут осмелишься даже близко подойти к чему-то законченному, вроде короткой новеллы? Да в таком материале художники-одиночки, толстячки вроде меня, тонут с головой.

А ведь мне надо рассказать вам массу вещей, и вещей не всегда приятных. Например, я уже сказал, вернее разгласил, очень многое про моего брата. И вы, безусловно, не могли этого не заметить. Разумеется, вы также заметили – и от меня это тоже не ускользнуло, – что все сказанное мной про Симора (а это относится вообще к людям одной с ним крови) было чистейшим панегириком. Тут мне приходится остановиться. Хотя ясно, что я «пришел не хоронить, пришел отрыть»[1], а вернее всего, «хвалить», я тем не менее подозреваю, что тут каким-то образом поставлена на карту честь всех спокойных, бесстрастных рассказчиков. Неужто у Симора совсем не было серьезных недостатков, пороков, никаких подлых поступков, о которых можно упомянуть хотя бы мимоходом? Да кто же он был, в конце концов? Святой, что ли?

Слава Богу, не моя забота отвечать на этот вопрос. (Уф, какое счастье!) Позвольте мне переменить тему и без всяких околичностей доложить вам, что в характере Симора было столько разных, противоречивых сторон, что их труднее перечислить, чем названия всех супов фирмы Белл. И в различных обстоятельствах, при различной чувствительности и обидчивости младших членов нашего семейства, это их всех доводило до белого каления. Прежде всего, существует одна довольно жуткая черта, свойственная всем богоискателям, – они иногда ищут Творца в самых немыслимых и неподходящих местах: например, в радиорекламе, в газетах, в испорченном счетчике такси – словом, буквально где попало, но как будто всегда с полнейшим успехом. Кстати, мой брат, будучи уже взрослым, имел неприятнейшую привычку – совать указательный палец в переполненную пепельницу и раздвигать окурки по краям, ухмыляясь при этом во весь рот, словно ожидая, что вдруг, в пустоте посреди пепельницы, увидит Младенца-Христа, безмятежно спящего меж окурков, причем ни следа ра-

1 Тут и дальше перифраза из Шекспира: монолог Брута из «Юлия Цезаря». (*Примеч. переводчика.*)

зочарования на физиономии Симора я никогда не видал. (Кстати, есть у человека верующего одна примета – тут не имеет значения: принадлежит он к какой-либо определенной Церкви или нет. Кстати, сюда я почтительно причисляю всех верующих христиан, которые подходят под определение великого Вивекананды: «Узри Христа, и ты христианин. Все остальное – суесловие».) Итак, примета, свойственная таким людям, заключается в том, что они часто ведут себя как юродивые, почти как идиоты. А семья человека, поистине выдающегося, часто проходит великое испытание страхом, боясь, что он будет вести себя не так, как положено такому человеку. Я уже почти покончил с перечислением всех странностей Симора, но не могу не упомянуть еще об одной его черте, которая, по-моему, изводила людей больше всего. Речь идет о его манере говорить, вернее – о всяческих странностях в его разговоре. Иногда он был немногословен, как привратник траппистского монастыря, – и это могло тянуться целыми днями, а иногда и неделями, – а иногда он говорил не умолкая. Когда его заводили (а надо для ясности сказать, что его вечно кто-нибудь заводил и тут же, конечно, подсаживался поближе, чтобы выкачать из него как можно больше мыслей), так вот, стоило его завести, и он мог говорить часами, иногда не обращая ни малейшего внимания, сколько человек – один, два или десять – с ним в комнате. Он был великий оратор, неумолкаемый, вдохновенный, но я утверждаю, что самый вдохновенный оратор, если он говорит не умолкая, может, мягко говоря, осточертеть. Кстати должен добавить, и не из противного «благородного» желания вести с моим невидимым читателем честную игру, а скорее потому – и это куда хуже, – что мой безудержный болтун может выдержать любые нападки. От меня, во всяком случае. Я нахожусь в исключительном положении: вот обозвал брата болтуном – слово довольно гадкое, – а сам преспокойно развалился в кресле и со стороны, как игрок, у которого в рукаве полным-полно козырей, без труда припоминаю тысячи смягчающих обстоятельств (хотя, пожалуй, слово «смягчающие» тут не совсем уместно). Могу коротко суммировать это так: к тому времени, как Симор вырос – лет в шестнадцать-семнадцать, – он не только научился следить за своей речью, избегать тех бесчисленных и далеко не изысканных, типично нью-йоркских словечек и выражений, но уже овладел своим метким и сверхточным поэтическим языком. И его безостановочные разглагольствования, его монологи, чуть ли не речи трибуна нравились, во всяком случае большинству из нас, с первого до последнего слова, как, скажем, бетховенские произведения, написанные после того, когда слух перестал ему *мешать* – тут мне приходят на память квартеты (си-бемоль и до-диез), хотя это звучит немного претенциозно. Но нас в семье было семеро. И надо признаться, что косноязычием никто из нас никогда не отличался. А это что-нибудь да значит, когда среди шести прирожденных болтунов и краснобаев живет непобедимый чемпион ораторского искусства. Правда, Симор никогда этого титула не добивался. Наоборот, он страстно хотел, чтобы кто-нибудь его переспорил или переговорил. Мелочь, конечно, и сам он этого не замечал – слепые пятна и у него были, как у всех, – но нас это иногда тревожило. Но факт остается фактом: титул чемпиона оставался за ним и хотя, по-моему, он дорого бы дал, чтобы от него отказаться (эта тема до чрезвычайности важна, но я, конечно, заняться ею в ближайшие годы не смогу), – словом, он так и не придумал, как бы отречься от этого звания – вполне вежливо и пристойно.

Тут мне кажется вполне уместно, без всякого заигрывания с читателем, упомянуть, что я уже писал о своем брате. Откровенно говоря, если меня как следует прощупать, то не так трудно заставить меня сознаться, что почти не было случая, когда бы я о нем не писал, и если, скажем, мне пришлось бы завтра под дулом пистолета писать очерк о динозавре, я наверняка придал бы этому симпатичному великану какие-то малюсенькие черточки, напоминающие Симора, – например, особенно обаятельную манеру откусывать цветочек цикуты или помахивать тридцатифутовым хвостиком. Некоторые знакомые – не из близких друзей – спрашивали меня: не был ли Симор прообразом героя той единственной моей повести, которая была напечатана? Говоря точнее, эти читатели и не с п р а ш и в а л и меня, они просто мне об этом з а я в л я л и. Для меня оспаривать их слова всегда мучение, но должен сказать, что люди, знавшие моего брата, никогда таких глупостей не говорили и не спрашивали, за что я им очень благодарен, а отчасти и несколько удивлен, так как почти все мои герои разговаривают, и весьма бегло, на типичном манхэттенском жаргоне и схожи в том, что летят туда, куда безумцы, черт их дери, и вступать боятся[1], и всех их преследует некий ОБРАЗ, который я, грубо говоря, назову просто Старцем на Горе. Но я могу и должен отметить, что написал и опубликовал два рассказа, можно сказать, непосредственно касавшиеся именно Симора. Последний из них, напечатанный в 1955 году, был подробнейшим отчетом о его свадьбе в 1942 году. Детали были сервированы читателю в самом исчерпывающем виде, разве что на желе из замороженных фруктов не были сделаны, в виде сувениров, отпечатки ступни каждого гостя ему на память. Но лично Симор – так сказать, главное блюдо – в сущности, подан не был. С другой стороны, в куда более коротком рассказе, напечатанном еще раньше, в конце сороковых годов, он не только появлялся во плоти, но ходил, разговаривал, купался в море и в послед-

1 Перифраза известного изречения «Мудрец боится и вступить туда, куда летит безумец без оглядки». (*Примеч. переводчика.*)

нем абзаце пустил себе пулю в лоб. Однако некоторые члены моей семьи, хотя и разбросанные по всему свету, регулярно выискивают в моей прозе всяких мелких блох и очень деликатно указали мне (даже с излишней деликатностью, поскольку обычно они громят меня как начетчики), что тот молодой человек, «Симор», который ходил и разговаривал, не говоря уж о том, что он и стрелялся, в этом раннем моем рассказике никакой не Симор, но, как ни странно, поразительно походит на – алле-гоп! – на меня самого. Пожалуй, это справедливо, во всяком случае, настолько, чтобы я как писатель почувствовал и принял этот упрек. И хотя полного оправдания такому «faux pas»[1] найти нельзя, все же я позволю себе заметить, что именно этот рассказ был написан всего через два-три месяца после смерти Симора и вскоре после того, как я сам, подобно тому «Симору» в рассказе и Симору в жизни, вернулся с европейского театра военных действий. И писал я в то время на очень разболтанной, чтобы не сказать свихнувшейся, немецкой трофейной машинке.

О, это радость – крепкое вино! Как оно тебя раскрепощает. Я чувствую себя настолько свободным, что уже могу рассказать Вам, мой читатель, именно то, что Вы так жаждете услышать. Хочу сказать, если вы, в чем я уверен, больше всего на свете любите эти крохотные существа, воплощение чистого Духа, чья нормальная температура тела – 50,8° по Цельсию, то, естественно, и среди людей вам больше всех нравится именно такой человек – богознатец или богоборец (тут никаких полумер для вас нет), святой или вероотступник, высоконравственный или абсолютно аморальный, но обязательно такой человек, который умеет писать стихи, и стихи настоящие. Среди людей он – куличок-поморник, и я спешу рассказать вам то, что я знаю о его перелетах,

1 Ложный шаг (*фр.*).

о температуре его тела, о его невероятном, фантастическом сердце.

С начала 1948 года я сижу (и мое семейство считает, что сижу буквально) на отрывном блокноте, где поселились сто восемьдесят четыре стихотворения, написанных моим братом за последние три года его жизни как в армии, так и вне ее, главным образом именно в армии, в самой ее гуще. Я собираюсь в скором времени — надеюсь, это дело нескольких дней или недель — оторвать от себя около ста пятидесяти из них и отдать первому охочему до стихов издателю, у которого есть хорошо отглаженный костюм и сравнительно чистая пара перчаток, пусть унесет их от меня в свою темную типографию, где, по всей вероятности, их втиснут в двухцветную обложку и на обороте поместят несколько до странности неуважительных отзывов, выпрошенных у каких-нибудь поэтов и писателей «с именем», которые не стесняются публично высказаться о своих собратьях по перу (обычно приберегая свои двусмысленные, более лестные, половинчатые похвалы для своих приятелей или для скрытой бездари, для иностранцев и всяких юродствующих чудил, а также для представителей смежных профессий), а потом стихи передадут на отзыв в воскресные литературные приложения, где, ежели найдется место и ежели критическая статья о новой, полной, исчерпывающей биографии Гровера Кливленда окажется не слишком длинной, эти стихи будут мимоходом, в двух словах представлены любителям поэзии кем-нибудь из небольшой группки штатных, умеренно оплачиваемых буквоедов или подсобников со стороны, которым можно поручить отзыв о новой книге стихов не потому, что они сумеют написать его толково или душевно, а потому, что напишут как можно короче и выразительнее других. (Пожалуй, не стоит так презрительно о них отзываться.) Но уж если придется, я попытаюсь все объяснить четко и ясно. И вот, после того как я просидел на этих стихах больше десяти лет, мне показалось, что было бы неплохо, во всяком случае вполне нормально, без всякой задней мысли обосновать две главные, как мне кажется, причины, побудившие меня встать и сойти с этого блокнота. И я предпочитаю обе эти причины сжать в один абзац, упаковать их, так сказать, в один вещмешок отчасти потому, что не хочу их разрознять, а отчасти потому, что я вдруг почувствовал: они мне больше в дороге не понадобятся.

Итак, первая причина – нажим со стороны всей семьи. Вообще-то наша семья – обычное, может быть, вы скажете, даже слишком обычное явление, а мне и слушать про это неохота, но факт тот, что у меня есть четверо живых, шибко грамотных и весьма бойких на язык младших братьев и сестер, полуеврейских, полуирландских кровей, да еще, наверно, и с примесью каких-то черт характера, унаследованных от Минотавра, – двое братьев, из которых старший, Уэйкер, – бывший странствующий картезианский проповедник и журналист, ныне ушедший в монастырь, и второй, Зуи, – актер по призванию и убеждениям, тоже человек страстно увлеченный, но ни к какой секте не принадлежащий, – из них старшему тридцать шесть, а младшему, соответственно, двадцать девять, – и две сестры, одна – подающая надежды молодая актриса, Фрэнни, другая, Бу-Бу, – бойкая, хорошо устроенная мать семейства – ей тридцать восемь, младшей – двадцать пять лет. С 1949 года ко мне то и дело приходили письма – то из духовной семинарии, то из пансиона, то из родильного отделения женской клиники или библиотеки «на пароходе “Куин Элизабет”», на котором плыли в Европу студенты по обмену, словом – письма, написанные в перерывах между экзаменами, генеральными репетициями, утренними спектаклями и ночными кормлениями младенцев, и все письма моих достойных корреспондентов содержали довольно расплывчатые, но весьма мрачные ультиматумы, грозя мне всяческими карами, если я как можно скорее не сделаю наконец что-нибудь со стихами Симора. Необходимо тут же добавить, что я не только пишу, но и состою лектором по английской литературе, на половинном окладе, в женском колледже, на севере штата Нью-Йорк, неподалеку от канадской границы. Живу я один (и кошки, прошу запомнить, у меня тоже нет) в очень скромном, чтобы не сказать ветхом, домике, в глухом лесу, да еще на склоне горы, куда довольно трудно добираться. Не считая учащихся, преподавателей и пожилых официанток, я во время рабочей недели, да и всего учебного года, почти ни с кем не встречаюсь. Короче говоря, я принадлежу к тому разряду литературных затворников, которых простыми письмами можно запросто напугать и даже заставить что-то сделать. Но у каждого человека есть свой предел, и я уже не могу без дрожи в коленках отпирать свой почтовый ящик, боясь найти среди каталогов сельскохозяйственного инвентаря и повесток из банка многословную, пространную, угрожающую открытку от кого-нибудь из моих братцев или сестриц, причем не мешает добавить, что двое из них пишут шариковыми ручками.

Второй повод, который заставляет меня наконец отделаться от стихов Симора, то есть сдать их в печать, честно говоря, относится скорее не к эмоциональным, а к физическим явлениям. (Распускаю хвост, как павлин, потому что эта тема ведет меня прямо в дебри риторики.) Воздействие радиоактивных частиц на человеческий организм – излюбленная тема 1959 года, для закоренелых любителей поэзии далеко не новость. В умеренных дозах первоклассные стихи являются превосходным и обычно быстродействующим средством термотерапии. Однажды в армии, когда я больше трех месяцев болел, как тогда называли, амбулаторным плевритом, я впервые почувствовал облегчение, когда положил в нагрудный карман совершенно безобидное с виду лирическое стихотворение Блейка и день-два носил его как компресс. Конечно, всякие злоупотребления такими контактами рискованны и просто недопустимы, причем опасность продолжительного соприкосновения с такой поэзией, которая явно превосходит даже то, что мы называем первоклассными стихами, просто чудовищна. Во всяком случае, я с облегчением, хотя бы на время, вытащу из-под себя блокнот со стихами моего брата. Чувствую, что у меня обожжен, хотя и не сильно, довольно большой участок кожи. И причина мне ясна: еще начиная с отрочества и до конца своей взрослой жизни Симор неудержимо увлекся сначала китайской, а потом и японской поэзией, и к тому же так, как не увлекался никакой другой поэзией на свете[1].

1 Так как я пишу что-то вроде отчета, то приходится в данном месте хотя бы торопливо пробормотать, что он читал и китайцев, и японцев в оригинале. В другой раз, и может быть, подробнее и скучнее, я расскажу об одной странной, врожденной способности, характерной для всех семи детей в нашем семействе, выраженной у троих из нас столь же отчетливо, как, скажем, небольшая хромота, – это способность с необыкновенной легкостью усваивать иностранные языки. Впрочем, это примечание относится главным образом к молодым читателям. И если это не помешает делу и я случайно узнаю, что пробудил в некоторых юных читателях интерес к японской и китайской поэзии, я буду очень рад. Во всяком случае, очень прошу молодых читателей запомнить, что много первоклассных китайских стихотворений уже переведено на английский язык очень верно и вдохновенно такими выдающимися поэтами, как Уиттер Биннер и Лайонел Джайлс – их имена приходят на память прежде всего. Лучшие же короткие японские стихи – главным образом хокку, но часто и сэнрю – с особым удовольствием читаешь в переводе Р.-Г. Блайтса. Иногда переводы Блайтса таят в себе некую опасность, что вполне естественно, так как он и сам – высокая поэма, но и эта опасность возвышенная, а кто же ищет в поэзии безопасность. (Повторяю: эти небольшие, довольно педантические замечания предназначены главным образом для молодых – тех, кто пишет письма писателям и никогда от этих скотов ответа не получает. А кроме того, я тут говорю и вместо героя этого рассказа – ведь и он, балда несчастная, тоже был учителем.)

Конечно, я никоим образом не могу сразу определить — знаком или незнаком мой дорогой многострадальный читатель с китайской и японской поэзией. Но, принимая во внимание, что даже с ж а т о е рассуждение об этом предмете может пролить некоторый свет на характер моего брата, я полагаю, что нечего мне тут себя окорачивать, обходить эту тему. Я считаю, что лучшие стихи классических китайских и японских поэтов — это вполне понятные афоризмы, и допущенный к ним слушатель почувствует радость, откровение, вырастет духовно и даже как бы физически. Стихи эти почти всегда особенно приятны на слух, но скажу сразу: если китайский или японский поэт не знает точно, что такое наилучшая айва, или наилучший краб, или наилучший укус комара на наилучшей руке, то на Таинственном Востоке все равно скажут, что у него «кишка тонка». И как бы эта поэтическая «кишка» ни была интеллектуально семантически изысканна, как бы искусно и обаятельно он на ней ни тренькал, все равно Таинственный Восток никогда не будет всерьез считать его великим поэтом. Чувствую, что мое вдохновенное настроение, которое я точно и неоднократно называл «счастливым», грозит превратить в какой-то дурацкий монолог все мое сочинение. Все же, кажется, и у меня не хватит нахальства определить: почему китайская и японская поэзия — такое чудо, такая радость? И все-таки (с кем это не бывает?) какие-то соображения мне приходят на ум. Правда, я не воображаю, что именно это нужное, новое, но все-таки жаль просто взять да и выбросить эту мысль. Когда-то, давным-давно — Симору было восемь, мне — шесть, — наши родители устроили прием человек на шестьдесят в своей нью-йоркской квартирке в старом отеле «Аламак», где мы занимали три с половиной комнаты. Отец и мать тогда уходили со сцены, и прощание было трогательным и торжественным. Часов в одиннадцать нам с Симором разрешили встать и выйти к гостям, поглядеть, что делается. Но мы не только глядели. По просьбе гостей мы очень охотно стали танцевать и петь – сначала соло, потом дуэтом, как часто делали все наши ребята. Но по большей части мы просто сидели и слушали. Часа в два ночи Симор попросил Бесси – нашу маму – позволить ему разнести всем уходящим гостям пальто, а их вещи были развешаны, разложены, разбросаны по всей маленькой квартирке, даже навалены в ногах кровати нашей спящей сестренки. Мы с Симором хорошо знали с десяток гостей, еще с десяток иногда видели издалека или слышали о них, но с остальными были совсем незнакомы или почти с ними не встречались. Добавлю, что мы уже легли, когда гости собирались. Но оттого, что Симор часа три пробыл в их обществе, смотрел на них, улыбался им, оттого, что он, по-моему, их любил, он принес, ничего не спрашивая, почти всем гостям именно их Собственные пальто, а мужчинам – даже их шляпы и ни разу не ошибся. (С дамскими шляпами ему пришлось повозиться.)

Разумеется, я вовсе не хочу сказать, что такое достижение характерно для китайских или японских поэтов, и, уж конечно, не стану утверждать, что именно эта черта делает поэта поэтом. Но все же я полагаю, что если китайский или японский стихотворец не может узнать, чье это пальто, с первого взгляда, то вряд ли его поэзия когда-нибудь достигнет истинной зрелости. И я считаю, что истинный поэт уже должен полностью овладеть этим мастерством не позже, чем в восьмилетнем возрасте.

(Нет, нет, ни за что не замолчу. Мне кажется, что в моем теперешнем состоянии я не только могу указать место моего брата среди поэтов: чувствую, что я за две-три минутки отвинчиваю все детонаторы от всех бомб в этом треклятом мире – очень скромный, чисто временный акт вежливости по отношению к обществу, зато вклад лично мой.) Считается, что китайские и японские поэты всему предпочитают простые темы, но я буду решительно чувствовать себя глупей, чем всегда, если не скажу, что для меня слово «простой» хуже всякого яда, во всяком случае, у нас это слово было синонимом немыслимой упрощенности, примитивности, зажатости, скаредности, пошлости, голизны. Но, даже не упоминая о том, чего я лично не выношу, я, откровенно говоря, верю, что на каком-либо языке можно найти слова, чтобы описать, как именно китайский или японский поэт отбирает материал для своих стихов. Кто, например, сможет объяснить смысл такого стиха, где описано, как честолюбивый и чванный сановник, гуляя по своему садику и самодовольно переживая свое сегодняшнее, особо ядовитое выступление в присутствии самого императора, вдруг с сожалением растаптывает чей-то брошенный или оброненный рисунок пером? (Горе мне: оказывается, к нам затесался некий прозаик, которому захотелось поставить курсив там, где поэту Востока это и не понадобилось.) Кстати, великий Исса радостно сообщает нам, что в его саду расцвел «круглощекий» пион. (И все!) А пойдем ли мы поглядеть на его круглощекий пион – дело десятое. Он за нами не подглядывает, не то что некоторые прозаики и западные стихоплеты – не мне перечислять их имена. Одно имя «Исса» уже служит для меня доказательством, что истинный поэт тему не выбирает. Нет, тема сама выбирает его. И круглощекий пион никому не предстанет – ни Бузону, ни Шики, ни даже Басе. И с некоторой оглядкой на прозу можно то же самое сказать и о честолюбивом и чванном сановнике. Он не посмеет с божественно человечным сожалением наступить на чей-то брошенный рисунок, пока не появится и не станет за ним подглядывать великий гражданин, безродный поэт, Лао Дигао. Чудо китайской и японской поэзии еще в том, что у чистокровных поэтов абсолютно одинаковый тембр голоса, и вместе с тем они абсолютно непохожи и разнообразны. Тан Ли, заслуживший в свои девяносто три года всеобщую похвалу за мудрость и милосердие, вдруг сознается, что его мучит геморрой. И еще один, последний пример: Го Хуан, обливаясь слезами, замечает, что его покойный хозяин очень некрасиво вел себя за столом. (Всегда существует опасность как-то слишком уничижительно относиться к Западу. В дневниках Кафки есть строчка – и не одна, – которую можно было бы написать в поздравлении к китайскому Новому году: «Эта девица, только потому, что она шла под ручку со своим кавалером, спокойно оглядывала все вокруг».) Что же касается моего брата Симора – ах да, брат мой Симор. Нет, об этом кельтско-семитском ориенталисте мне придется начать совершенно новый абзац.

Неофициально Симор писал и даже разговаривал китайскими и японскими стихами почти все те тридцать с лишком лет, что он жил среди нас. Но скажу точнее: формально он впервые стал сочинять эти стихи однажды утром, одиннадцати лет от роду, в читальном зале на первом этаже бродвейской библиотеки, неподалеку от нашего дома. Была суббота – в школу не ходить, до обеда делать было нечего, – и мы с наслаждением лениво плавали или шлепали вброд между книжными полками, иногда успешно выуживая какого-нибудь нового автора, как вдруг Симор поманил меня к себе, показать, что он выудил. А выудил он целую кучу переведенных на английский стихов Панги. Панга – чудо одиннадцатого века. Но, как известно, рыбачить вообще, а особенно в библиотеках, – дело хитрое, потому что никогда не знаешь, кто кому попадется на удочку. (Всякие неожиданные случаи при рыбной ловле были вообще любимой темой Симора. Наш младший брат, Уолт, еще совсем мальчишкой отлично ловил рыбу на согнутую булавку, и, когда ему исполнилось не то девять, не то десять лет, Симор подарил ему ко дню рождения стих, чем и обрадовал его, по-моему, на всю жизнь, – а в стихе говорилось про богатого мальчишку, который поймал в Гудзоне на удочку рыбу «зебру» и, вытаскивая ее, почувствовал страшную боль в своей нижней губе, потом позабыл об этом, но, когда он пустил еще живую рыбу плавать дома в ванне, он вдруг увидел, что на ней синяя школьная фуражка с тем же школьным гербом, как и у него самого, а внутри этой малюсенькой мокрой фуражечки нашит ярлычок с его именем.) В это прекрасное утро Симор и попался нам на удочку. Когда ему было четырнадцать лет, кто-нибудь из нашего семейства постоянно шарил у него по карманам курток и штормовок в поисках какой-нибудь добычи – ведь он мог что-то набросать и в гимнастическом зале, во время перерыва, или сидя в очереди у зубного врача. (Прошли целые сутки, с тех пор как я написал последние строчки, и за это время я позвонил «со службы» по междугородному телефону своей сестре Бу-Бу в Такахо, в Восточную Виргинию, и спросил ее, нет ли у нее какого-нибудь стишка Симора, когда он был совсем маленьким, и не хочет ли она включить этот стих в мой рассказ. Она обещала позвонить. Выбрала она не совсем то, что мне в данном случае подходило, и я на нее немного зол, но это пройдет. А выбрала она стишок, написанный, когда, как мне известно, Симору было восемь лет: «Джон Китс // Джон Китс // Джон // Надень свой капюшон!» В двадцать два года у Симора уже набралась довольно внушительная пачка стихов, которые мне очень, очень нравились, и я, никогда не написавший ни одной строчки от руки, чтобы тут же не представить себе, как она будет выглядеть на книжной странице, стал упорно приставать к нему, чтобы он их где-нибудь опубликовал. Нет, он считал, что этого делать нельзя. Пока нельзя. А может быть, и вообще не надо. Стихи слишком не западные, слишком «лотосовые». Он сказал, что в них есть что-то слегка обидное. Он не вполне отдает себе отчет, в чем именно стихи звучат обидно, но иногда у него такое чувство, как будто их писал человек неблагодарный, как будто — так ему кажется — автор повернулся спиной ко всему окружающему, а значит, и ко всем своим близким людям. Он сказал, что ест пищу из наших огромных холодильников, водит наши восьмицилиндровые американские машины, решительно принимает наши лекарства, когда заболеет, и возлагает надежды на американскую армию, защитившую его родителей и сестер от гитлеровской Германии, но в его стихах ни одна-единственная строка не отражает эту реальную жизнь. Значит, что-то ужасно несправедливо. Он сказал, что часто, дописав стихотворение, он вспоминает мисс Оверман. Тут надо объяснить, что мисс Оверман была библиотекарем в той первой нью-йоркской районной библиотеке, куда мы постоянно ходили в детстве. Симор сказал, что он обязан ради мисс Оверман настойчиво и неустанно искать такую форму стиха, которая соответствовала бы и его собственным особым стандартам, но вместе с тем была бы как-то даже на первый взгляд совместима с литературным вкусом мисс Оверман. Когда он высказался, я объяснил ему спокойно и терпеливо — причем, конечно, орал на него во всю глотку, — чем именно мисс Оверман не годится не только на роль судьи, но даже и на роль читателя поэтических произведений. Тут он напомнил мне, как в первый день, когда он пришел в библиотеку (один, шести лет от роду), мисс Оверман — могла она или нет судить о стихах — открыла книгу с изображением катапульты Леонардо да Винчи и, улыбаясь, положила перед ним, и что он никакой радости не испытает, если, закончив стихотворение, поймет, что мисс Оверман будет читать его с трудом, не чувствуя ни того удовольствия, ни той душевной приязни, какую она чувствует, читая своего любимого мистера Браунинга или столь же ей дорогого и столь же понятного мистера Вордсворта. На этом наш спор — мои аргументы и его возражения — был исчерпан. Нельзя спорить с человеком, который верит – или, вернее, страстно хочет поверить, – что задача поэта вовсе не в том, чтобы писать, как он сам хочет, а скорее в том, чтобы писать так, как если бы под страхом смертной казни на него возложили ответственность за то, что его стихи будут написаны только таким языком, чтобы его поняли все или хотя бы почти все знакомые старушки-библиотекарши.

Человеку преданному, терпеливому, идеально чистому все важнейшие явления в мире – быть может, кроме жизни и смерти, так как это только слова, – все действительно важные явления всегда кажутся прекрасными. В течение почти трех лет до своего конца Симор, по всей вероятности, всегда чувствовал самое полное удовлетворение, какое только дано испытать опытному мастеру. Он нашел для себя ту форму версификации, которая ему подходила больше всего, отвечала его давнишним требованиям к поэзии вообще, и, кроме того, как мне кажется, даже сама мисс Оверман, будь она жива, вероятно, сочла бы эти стихи «интересными», быть может, даже «приятными по стилю» и, уж во всяком случае, «увлекательными», конечно, если бы она уделяла этим стихам столько же любви, сколько она так щедро отдавала своим старым, закадычным друзьям – Браунингу и Вордсворту. Разумеется, описать точно то, что он нашел для себя, сам для себя выработал, очень трудно[1].

Для начала следует сказать, что Симор, наверно, любил больше всех других поэтических форм классическое японское хокку – три строки, обычно в семнадцать

1 Самым естественным и единственно рациональным поступком было бы для меня сейчас взять и привести полностью одно, два или все сто восемьдесят четыре стихотворения Симора – пусть читатель судит сам. Но сделать этого я не могу. Я даже не уверен, что имею право говорить о его стихах. Мне разрешено держать стихи у себя, редактировать их, хранить их и впоследствии найти хорошего издателя, но по чисто личным причинам вдова поэта, его законная наследница, категорически запретила мне даже цитировать их тут, целиком или частично.

слогов, и что сам он тоже писал-истекал, как кровью, такими стихами (почти всегда по-английски, но иногда – надеюсь, что я говорю об этом с некоторым стеснением, – и по-японски, и по-немецки, и по-итальянски). Можно было бы написать – и об этом, наверно, напишут, – что поздние стихотворения Симора в основном похожи на английский перевод чего-то вроде двойного хокку, если только такая форма существует, и я не терял бы на это описание столько лишних слов, если бы мне не становилось как-то муторно при мысли о том, что в каком-нибудь тысяча девятьсот семидесятом году какой-нибудь преподаватель английской литературы, человек усталый, но неутомимый остряк, – а может быть, упаси Боже, это буду я сам! – отмочит шутку, что, мол, стих Симора отличается от классического хокку, как двойной мартини отличается от простого. А тот факт, что это неверно, нашего педанта даже не затронет, лишь бы аудитория оживилась и приняла остроту как должное. Словом, пока можно, постараюсь объяснить толково и неторопливо: поздние произведения Симора – шестистрочный стих, не имеющий определенного размера, хотя ближе всего к ямбу, причем отчасти из любви к давно ушедшим японским мастерам, отчасти же по своей врожденной склонности как поэта – работать в полюбившейся ему привлекательной и строгой форме, он сознательно ограничил свой стих тридцатью четырьмя слогами, то есть удвоил размер классического хокку. Кроме этого, все сто восемьдесят четыре стихотворения, которые пока лежат у меня дома, похожи только на самого Симора, и ни на кого больше. Хочу сказать, что даже по звучанию они своеобразны, как он сам. Стих льется негромогласно, спокойно, как, по его представлению, и подобает стиху, но в него внезапно врываются короткие звучные аккорды, и эта эвфония (не могу найти менее противное слово) действует на меня так, будто какой-то человек, скорее всего не вполне трезвый, распахнул мою дверь, блестяще сыграл три, четыре или пять неоспоримо прекрасных тактов на рожке и сразу исчез. (Никогда до того я не встречал поэта, который умел бы создать впечатление, что посреди стиха он вдруг заиграл на рожке, да еще так прекрасно, что лучше мне об этом больше не говорить. Хватит.) В этой шестистрочной структуре в фон очень своеобразной звукописи Симор, по-моему, делает со стихом все, что от Него ожидаешь. Большинство из его ста восьмидесяти четырех произведений скорее глубоки, чем легкомысленны, и читать их можно где угодно и кому угодно, хоть вслух ночью в грозу сироткам из детского приюта, но я ни одной живой душе не стану безоговорочно советовать прочитать последние тридцать—тридцать пять стихотворений, если этому читателю когда-нибудь, хотя бы раза два в жизни, не грозила смерть, да еще смерть медленная. Любимые мои стихотворения, а у меня, безусловно, такие есть, – это два последних стихотворения из этого собрания. Думаю, что я никому не наступлю на любимую мозоль, если просто расскажу, о чем эти стихи. В предпоследнем рассказывается о молодой замужней женщине, матери семейства, у которой, как это называется в моей старой книге о браке, есть внебрачная связь.. Симор ее никак не описывает, но она появляется в стихе там, где поэт вдруг выводит на своем рожке особенно эффектную фиоритуру, и мне эта женщина сразу представляется изумительно хорошенькой, не очень умной, очень несчастливой и, вероятно, живущей в двух-трех кварталах от музея изящных искусств «Метрополитен». Она возвращается домой со свидания очень поздно – глаза у нее, как мне кажется, распухли, губная помада размазалась – и вдруг видит у себя на постели воздушный шарик. Кто-то просто его там забыл. Поэт об этом ничего не говорит, но это обязательно должен быть огромный детский шар, вероятно зеленый, как листва в Центральном парке по весне. Второе стихотворение, последнее в моем собрании, описывает молодого вдовца, живущего за городом, который как-то вечером, разумеется в халате и пижаме, вышел на лужайку перед домом поглядеть на полную луну. Скучающая белая кошка — явно член его семьи, и притом когда-то очень любимый — подкрадывается к нему, ложится на спинку, и он, глядя на луну, дает ей покусывать свою левую руку. Это последнее стихотворение может представить для моего постоянного читателя исключительный интерес по двум совершенно особым причинам, и мне очень хочется о них поговорить.

Как присуще поэзии вообще, и особенно стихам с ярко выраженным «влиянием» китайской и японской поэтики, и у Симора в его стихах тоже все предельно обнажено и неизменно лишено всякого украшательства. Но приехавшая ко мне на уик-энд с полгода назад младшая сестра, Фрэнни, случайно, роясь в моем столе, нашла именно то стихотворение про вдовца, которое я только что (преступно) пересказал своими словами: листок лежал отдельно, и я хотел его перепечатать. Не важно почему, но Фрэнни никогда этого стихотворения не читала и, конечно, тут же прочла его. Потом, когда зашел разговор об этих стихах, она сказала, что ее удивляет, почему Симор написал, что молодой вдовец дал кошке покусывать именно левую руку. Ей было как-то не по себе. Вообще, говорит, это больше похоже на тебя, чем на Симора, — подчеркивать, что именно речь идет о левой руке. Кроме клеветнического намека в мой адрес насчет того, что я в своих писаниях все больше и больше вдаюсь во всякие детали, она, очевидно, хотела сказать, что этот эпитет показался ей навязчивым, слишком подчеркнутым, непоэтичным. Я ее переспорил и, откровенно говоря, готов, если понадобится, поспорить и с вами. Я совершенно уверен, что Симор считал жизненно важным упоминание о том, что именно в левую, в менее нужную руку молодой вдовец дал белой кошке запустить острые зубки, тем самым оставляя правую руку свободной, чтобы можно было бить себя в грудь или ударить по лбу, – впрочем, зря я вдался в такой разбор, многим читателям он, наверно, покажется ужасно скучным. Пожалуй, так оно и есть. Но я-то знаю, как мой брат относился к человеческим рукам. Кроме того, тут кроется и другая весьма немаловажная сторона этого отношения. Может быть, разговор на эту тему покажется безвкусицей – вроде того, как вдруг начать читать по телефону совершенно чужому человеку все либретто «Эби и его ирландской Розы», – но я должен сказать, что Симор был наполовину еврей, и хотя не могу говорить на эту тему так же авторитетно, как великий Кафка, но в сорок лет уже имею право трезво утверждать, что всякий думающий индивид, с примесью семитской крови в жилах, живет или жил в особо близких, почти интимных взаимоотношениях со своими руками, и хотя потом он годами, буквально или иносказательно, прячет их в карман (боюсь, что иногда он убирает их, как двух назойливых и старых непрезентабельных приятелей или родственников, которых предпочитают не брать с собой в гости), и все-таки он вдруг, в какой-то критический момент, начнет жестикулировать и уж в такую минуту может сделать самый неожиданный жест – например, чрезвычайно прозаически упомянуть, что именно левую руку кусала кошка, – а ведь поэтическое творчество, безусловно, является таким критическим для человека, его наиболее личным переживанием, за которое мы ответственны. (Прошу прощения за это словоизвержение, боюсь только, что чем дальше, тем его будет больше.) Вторая причина – почему я думаю, что именно это стихотворение Симора представляет особый – и, надеюсь, истинный – интерес для моего постоянного читателя; в нем есть то странное, исключительно сильное чувство, которое автор и хотел в него вложить. Ничего похожего я в других книгах не встречал, а ведь я, смею сказать, с самого раннего детства почти до сорока лет прочитывал не менее двухсот тысяч слов в день, а бывало, и тысяч до четырехсот. А теперь, когда мне стукнуло сорок, мне редко хочется что-то выискивать и, когда мне не приходится проверять сочинения — свои собственные или моих юных слушательниц, — я читаю совсем мало — разве что сердитые открытки от своих родичей, каталоги цветочных семян, разные отчеты любителей птиц и трогательные записочки с пожеланиями скорейшего выздоровления от моих старых читателей, которые где-то прочли дурацкую выдумку о том, будто я полгода провожу в буддистском монастыре, а другие полгода — в психбольнице. Во всяком случае, я понял, что высокомерие человека, ничего не читающего или читающего очень мало, куда противнее, чем высокомерие некоторых заядлых читателей, — поэтому я и пытаюсь (и вполне серьезно) по-прежнему упорно настаивать на своем прежнем литературном всезнайстве. Возможно, что самое смешное — моя глубокая уверенность в том, что я обычно могу сразу сказать: пишет ли поэт или прозаик о том, что он узнал по опыту из первых, вторых или десятых рук, или он подсовывает нам то, что ему самому кажется чистейшей выдумкой. И все же, когда я впервые, в 1948 году, прочитал — вернее услышал — стихи Симора «молодой вдовец — белая кошка», мне трудно было себя убедить, что Симор не похоронил хотя бы одну жену втайне от нашей семьи. Но этого, конечно, не было. Во всяком случае, если это и произошло с ним (первым тут покраснею никак не я, а скорее мой читатель), то в каком-нибудь предыдущем воплощении. И, зная моего брата так близко и досконально, могу сказать, что никаких молодых вдовцов среди его хороших знакомых не было. Наконец, могу сказать, хоть это и лишнее, что сам он — обыкновенный молодой американец — нисколько не походил на вдовца. (И хотя вполне возможно, что иногда, в минуту мучительную или радостную, любой женатый человек, в том числе предположительно и Симор, мог бы мысленно представить себе, как сложилась бы жизнь, если бы его юной подруги не стало, думается мне, что первоклассный поэт мог бы сделать на основе такой фантазии прелестную элегию, но все эти мои соображения — только вода на мельницу всяческих психологов и моего предмета не касаются.) А хочу я сказать и постараюсь, как это ни трудно, сказать покороче, что чем больше стихи Симора кажутся мне чисто личными, чем больше они звучат лично, тем меньше в них отражены известные мне подробности его реальной повседневной жизни в нашем западном мире. Мой брат Уэйкер (надеюсь, что его настоятель никогда об этом не узнает) говорил, что в своих самых личных стихах Симор пользуется опытом своих прежних перевоплощений — всеми до странности запомнившимися ему радостными или печальными событиями его жизни в заштатном Бенаресе, феодальной Японии, столичной Атлантиде. Молчу, молчу — пусть читатель успеет в отчаянии развести руками или, вернее, умыть руки и отречься от нас всех. И все же мне кажется, что те мои братья и сестры, которые еще живы, громогласно подтвердят, что Уэйкер прав, хотя кто-то из них и внесет свои небольшие поправки. Например, Симор в день своего самоубийства написал четкое, классическое хокку на промокашке письменного стола в номере гостиницы. Мне самому не очень нравится мой подстрочный перевод этого стиха, написанного по-японски, но в нем коротко рассказано про маленькую девочку в самолете, которая поворачивает головку своей куклы, чтобы та взглянула на поэта. За неделю до того, как стихотворение было написано, Симор действительно летел на пассажирском самолете и моя сестра Бу-Бу как-то предательски намекнула, что на этом самолете и в п р а в д у была такая девочка с куклой. Но я-то сомневаюсь. А если бы так и было — во что я ни на минуту не поверю, – то могу держать пари, что девочка и не думала обращать внимание своей подружки именно на Симора.

Не слишком ли я распространяюсь насчет стихов моего брата? Не разболтался ли я чересчур? Да. Да. Я слишком распространяюсь о стихах моего брата. Да, я разболтался. И мне очень неловко. Но, только я хочу замолчать, всякие доводы против этого начинают размножаться во мне, как кролики. Кроме того, как я уже категорически заявлял, что хотя я и счастлив, когда пишу, но могу поклясться, что я никогда не писал и не пишу весело; моя профессия милостиво разрешает мне иметь определенную норму невеселых мыслей. Например, мне уже не раз приходило на ум, что, если я начну писать все, что я знаю о Симоре как о человеке, у меня, вероятно, не останется места говорить о его стихах, пульс у меня участится и пропадет всякое желание писать о поэзии вообще, в широком, но точном смысле слова. И в эту минуту, хватаясь за пульс и попрекая себя за болтливость, я вдруг пугаюсь, что вот тут, сейчас, я упускаю свой единственный в жизни шанс – скажу даже, последний шанс – публично, громогласно заявить, верней прохрипеть, свое окончательное спорное, но решительное мнение о месте моего брата в американской поэзии. Нет, эту возможность мне упустить нельзя. Так вот: когда я оглядываюсь и прислушиваюсь к тем пяти-шести наиболее самобытным старым американским поэтам – может, их и больше, – а также читаю многочисленных, талантливых эксцентрических поэтов и – особенно в последнее время – тех способных, ищущих новых путей стилистов, у меня возникает почти полная уверенность, что у нас было только три или четыре почти а б с о л ю т н о незаменимых поэта и что, по-моему, Симор, безусловно, будет причислен к ним. Не завтра, конечно, – чего вы хотите? И я почти уверен, хотя, быть может, и преувеличиваю эту свою догадку, что в первых же довольно скупых отзывах рецензенты исподтишка угробят его стихи, называя их «интересными» или, что еще убийственней, «весьма интересными», а в подтексте, в туманном косноязычии, намекнут, что эти стихи – мелочь, чуть слышный лепет, который никак не дойдет до современной западной аудитории, хоть читай их там со своей переносной трансатлантической кафедры, где на столике – стаканчик и чашка со льдом из океанской водички. Но, как я заметил, настоящий художник все перетерпит (даже, как я с радостью думаю, и похвалу). Кстати, мне тут вспомнилось, как однажды, когда мы были совсем мальчишками, Симор разбудил меня, – а спал я очень крепко, – возбужденный, в расстегнутой желтой пижаме. Вид у него был, как любил говорить наш брат Уолт, словно он хотел крикнуть «Эврика!». Оказывается, Симор хотел мне сообщить, что он, как ему кажется, наконец понял, почему Христос сказал, что нельзя никого звать глупцом. (Эта проблема мучила его целую неделю, так как ему казалось, что такой совет больше похож на «Правила светского поведения» Эмили Пост, чем на слово Того, Кто творит волю Отца Своего.) А Христос так сказал, сообщил мне Симор, потому, что глупцов вообще не бывает. Тупицы есть, это так, а глупцов нет. И Симору казалось, что для такого откровения стоило меня разбудить, но если признать, что он прав (а я это признаю безоговорочно), то придется согласиться с тем, что если немного переждать, то даже критики поэзии докажут в конце концов, что они не так глупы. Откровенно говоря, мне трудновато согласиться с этой мыслью, и я рад, что в конце концов дошел до самой головки этого абсцесса, до этих неотвязных и, боюсь, все болезненней нарывавших во мне рассуждений о стихах моего брата. Я сам это чувствовал с самого начала. Ей-богу, жалко, что читатель заранее не сказал мне какие-то жуткие слова. (Эх вы, с вашим «молчанием – золотом». Завидую я вам всем.)

Меня часто – а с 1959 года хронически – тревожит предчувствие, что с того дня, как стихи Симора повсеместно, и даже официально, признают первоклассными (и его сборники заполнят университетские библиотеки, им будут отведены специальные часы в курсе «Современная поэзия»), дипломанты и дипломантки парами и поодиночке с блокнотами наготове станут стучаться в мои слегка скрипучие двери. (Сожалею, что пришлось коснуться этого вопроса, но уже поздно делать вид, будто мне все безразлично, и тем более скромничать, – что мне никак не свойственно, – и, придется тут открыть, что моя прославленная, душещипательная проза возвела меня в сан самого любимого, безыскусного автора из всех, кого издавали после Ферриса, Л. Монагана[1].

Уже немало молодых слушателей факультета английской литературы знают, где я живу, вернее скрываюсь (следы их шин на моих клумбах с розами – этому доказательство). Короче говоря, я, ни минуты не сомневаясь, скажу, что есть три рода студентов, которые и жаждут, и откровенно решаются смотреть в рот любому литературному чревовещателю. Во-первых, есть юноши и девушки, до страсти и трепета влюбленные во всякую, мало-мальски отвечающую требованиям литературу, и, если им непонятен англичанин Шелли, они довольствуются исследованиями отечественной, но вполне достойной продукции. Как мне кажется, я очень хорошо знаю таких студентов. Они наивны, они живые люди, энтузиасты, часто ошибаются, и, по-моему, именно на них делает ставку наша литературная элита и пресыщенные эстеты во всем мире. (Мне выпала удача, может быть, и незаслуженная, но на курсе, где я преподаю последние двенадцать лет, каждые два или три года обязательно попадалось хоть одно такое восторженное, самоуверен-

1 Л. Монаган – популярный писатель. (*Примеч. переводчика.*)

ное, невыносимое, часто обаятельное существо.) Теперь – о второй категории молодых слушателей, тех, кто без стеснения звонит к тебе домой в поисках литературных сведений. Такие обычно страдают застарелым «академицитом», подхваченным у одного из профессоров или доцентов – преподавателей Современной литературы, с кем они общались чуть ли не с первого курса. И нередко, если такой юнец уже сам преподает или готовится преподавать, эта болезнь зашла настолько далеко, что сомневаешься, можешь ли ты ее излечить, даже если ты сам настолько подкован, что мог бы попытаться помочь. Например, в прошлом году ко мне заехал молодой человек – поговорить о моей статье, написанной несколько лет назад, где многое касалось Шервуда Андерсона. Гость подоспел к тому времени, как я стал пилить на зиму дрова пилой с бензиновым моторчиком – и, хотя я уже восемь лет пользуюсь этой штукой, я все еще смертельно боюсь ее. Уже таяло по-весеннему, день стоял чудесный, солнечный, и я, откровенно говоря, чувствовал себя этаким Торо[1] (что мне доставляло редкое и несказанное удовольствие, так как я из тех людей, которые, прожив тринадцать лет в деревне, по-прежнему меряют сельские расстояния, сравнивая их с кварталами Нью-Йорк-Сити). Короче говоря, день обещал быть приятным, хоть и с литературным разговором, и я, помнится, очень надеялся, что мне удастся а-ля Том Сойер, с его ведерком белил, заставить моего гостя попилить дрова. С виду он был здоровяк, можно даже сказать – силач. Однако эта его внешность оказалась обманчивой, и я чуть не поплатился левой пяткой, потому что под жужжание и взвизги моей пилы, когда я почти окончил коротко и не без удовольствия излагать свои мысли о сдержанном и проникновенном стиле Шерву-

1 Г. Торо – знаменитый автор повести «Уолден», проповедник буколической жизни. (*Примеч. переводчика.*)

да Андерсона, мой юный гость после вдумчивой, таившей некую угрозу паузы спросил, существует ли эндемический чисто американский ЦАЙТ-ГАЙСТ[1].

(Бедный малый. Даже если он будет следить вовсю за своим здоровьем, ему больше пятидесяти лет успешной академической жизни нипочем не выдюжить.)

И наконец поговорим отдельно, с новой строки, о третьей категории посетителей, о том или той, кто, как мне кажется, станет частым гостем этих мест, когда стихи Симора будут окончательно распакованы и расфасованы.

Разумеется, нелепо говорить, что большинство молодых читателей куда больше интересуются не творчеством поэта, а теми немногими или многими подробностями его личной жизни, которые можно для краткости назвать «мрачными». Я бы даже согласился написать об этом небольшое научное эссе, хотя это может показаться абсурдным. Во всяком случае я убежден, что если бы я спросил у тех шестидесяти лишних (вернее, у тех шестидесяти с лишним) девиц, которые слушали мой

1 Кстати, я, быть может, зря смущаю своих студенток. Школьные учителя давно этим грешат. А может быть, я выбрал неподходящую поэму. Но если, как я невежливо предполагаю, «Озимандия» и впрямь никакого интереса для моих слушательниц не представляет, то, может быть, виновато в этом само стихотворение. Может быть, «безумец Шелли» был не так уж безумен? Во всяком случае, его безумие не было безумием сердца. Мои барышни, безусловно, знают, что Роберт Бернс пил и гулял вовсю, и они им, наверно, восхищаются, но я также уверен, что все они знают про изумительную «Мышь, чье гнездо он разорил своим плугом». (Тут я вдруг подумал: а может быть, «огромные, без туловища, каменные ноги», стоящие в пустыне, – это ноги самого Перси? Можно ли себе представить, что его биография куда сильнее его лучших стихов? И если это так, то причина тому... Ладно, тут я умолкаю. Но берегитесь, молодые поэты. Если вы хотите, чтобы мы вспоминали ваши лучшие стихи хотя бы с такой же теплотой, как мы вспоминаем вашу Красивую Красочную Жизнь, то напишите нам хоть про одну «полевую мышь» так, чтобы каждая строфа была согрета сердечным теплом.)

курс «Творческий опыт» (все они были старшекурсницами, все сдали экзамен по английской литературе), если бы я их попросил процитировать хоть одну строку из «Озимандии» или хотя бы вкратце рассказать, о чем это стихотворение, то я сильно сомневаюсь, что даже человек десять смогли бы сказать что-то дельное, но могу прозакладывать все мои недавно посаженные тюльпаны, что, наверно, человек пятьдесят из них смогли бы доложить мне, что Шелли был сторонником «свободной любви» и что у него было две жены и одна из них написала «Франкенштейна», а другая утопилась. Нет, пожалуйста, не думайте, что меня это шокирует или бесит. По-моему, я даже не жалуюсь. И вообще, раз дураков нет, то уж меня никто дураком не назовет, и я имею право устроить себе, недураку, праздник и заявить, что, независимо от того, кто мы такие, сколько свечей на нашем именинном пироге пылает ярче доменной печи и какого высокого, интеллектуального, морального и духовного уровня мы достигли, все равно наша жадность до всего совсем или отчасти запретного (и сюда, конечно, относятся все низменные и возвышенные сплетни), эта жажда, должно быть, и есть самое сильное из всех наших плотских вожделений, и ее подавить трудней всего. (Господи, да что это я разболтался? Почему я сразу не приведу в подтверждение стихи моего поэта? Одно из ста восьмидесяти четырех стихотворений Симора только с первого раза кажется диким, а при втором прочтении — одним из самых проникновенных гимнов всему живому, какой я только читал, — а речь в этом стихе идет о знаменитом старике аскете, который на смертном ложе, окруженный сонмом учеников и жрецов, поющих псалмы, напряженно прислушивается к голосу прачки, которая треплется во дворе про белье его соседа. И Симор дает читателю понять, что старому мудрецу хочется, чтобы жрецы пели немножко потише.) Впрочем, тут, как всегда, я слегка запутался, что обычно связано с попыткой выдвинуть какое-то устойчивое, доступное всем обобщение, чтобы я мог на него опереться, когда начну высказывать всякие свои предположения, часто довольно нелепые, даже дикие. Не хотелось мне вдаваться тут во всякие подробные рассуждения, но, видно, без этого не обойтись. Так вот, мне кажется неоспоримым фактом, что очень многие люди во всех концах света, притом люди разных возрастов, разного умственного уровня, разной культуры, с каким-то особенным любопытством, даже с упоением интересуются теми художниками и поэтами, которые не только прослыли большими мастерами, но в чьих биографиях можно сразу отыскать какие-то зловещие, ярко выраженные черты характера, например, они — крайние эгоцентрики или напропалую изменяют женам, страдают неизлечимыми болезнями вроде скоротечной чахотки, слепоты, глухоты, а то и питают слабость к проституткам и, вообще, явно или тайно привержены к опиуму или разврату, в широком смысле слова, скажем, к инцесту, гомосексуализму и так далее и тому подобное, помилуй их Бог, выродков несчастных. И если тяга к самоубийству и не стоит на первом месте в списке примет такой творческой личности, то уж поэт или художник-самоубийца всегда привлекает особо жадное внимание, и нередко из чисто сентиментальных побуждений, словно он (скажу грубо, хотя мне это и неприятно), словно он какой-то уродец-щенок, самый жалкий из всего помета. Должен признаться, что мне все эти мысли уже стоили и, наверно, будут стоить немало бессонных ночей. (Как я могу записывать то, что сейчас записал, и все же чувствовать себя счастливым?) Но я счастлив. Мне грустно, я до смерти устал, и все же вдохновение не проколешь, как воздушный шарик. (Такое вдохновение вызывал во мне один-единственный человек, кого я знал за всю мою жизнь.) Вы не можете себе представить, каким замечательным материалом я, мысленно потирая руки, хотел заполнить эти страницы. Но, кажется, их судьба – лежать во всей красе на дне моей корзины для бумаг. Именно сейчас я собирался оживить эти последние ночные записи несколькими лучезарными остротами и разок-другой с подобающим выражением лица похлопать себя по ляжке – по-моему, как раз такие приемчики могут заставить моих коллег-писателей позеленеть от зависти или от тошноты. Было у меня намерение именно тут сообщить читателю, что, ежели когда-нибудь молодые люди явятся ко мне расспрашивать о жизни и смерти Симора, ничего из этого – увы! – никогда не выйдет из-за одной моей странной, чисто личной особенности. Я собирался упомянуть, пока только вскользь, – в надежде, что об этом когда-нибудь будет написано бесконечно много, – как Симор и я в детстве почти семь лет отвечали на вопросы в широковещательной радиопрограмме и что с того дня, как мы официально ушли с радио, я стал относиться к людям, задававшим мне вопросы – даже если они спрашивали: «который час?», – совершенно так же, как диккенсовская Бетси Тротвуд относилась к ослам. Затем я собирался обнародовать тот факт, что после двенадцатилетнего преподавания в колледже у меня сейчас, в 1959 году, случаются припадки, которые мои коллеги по факультету лестно наименовали «болезнь Гласса», а в просторечии можно назвать болезненными коликами в пояснице и внизу живота, от которых преподаватель в свой свободный от лекций день вдруг, согнувшись в три погибели, перебегает на другую сторону улицы или залезает под диван, увидев, что к нему идет кто-то моложе сорока лет. Впрочем, оба эти остроумные сравнения мне тут не помогут. Есть в них какая-то тень правды, но этого маловато. Потому что вдруг, посреди строки, мне открылся один ужасающий и неоспоримый факт: на самом-то деле я *жажду*, чтобы со мной разговаривали, расспрашивали, выпытывали все именно об этом мертвом человеке. Мне вдруг стало ясно, что, кроме многих других и дай бог менее низменных побуждений, мной движет несколько двойственная самодовольная уверенность, что именно я – единственный на свете из тех, кто пережил покойного друга, знаю его лучше всех. О, пусть они все придут ко мне – и холодные души, и энтузиасты, и любопытные, и педанты, большие, малые, и всезнайки! Пусть подъезжают переполненные автобусы, пусть спускаются парашютисты с «лейками» на груди. В голове уже вертятся слова приветственных речей, одной рукой уже тянешься к порошку для мытья посуды, другой – к немытым чайным чашкам. Стараешься сфокусировать покрасневшие глаза. Уже расстелен добрый старый «красный ковер».

Тут придется затронуть чрезвычайно щекотливый вопрос. Правда, несколько грубоватый, но и щекотливый, чрезвычайно щекотливый.

И если принять во внимание, что потом распространяться об этом подробнее или глубже не захочется или не придется, то, как мне кажется, читателя надо предупредить заранее и попросить хорошенько запомнить, что все дети в нашей семье являются – или являлись как по мужской, так и по женской линии – потомками стариннейшего рода профессиональных артистов варьете самых разнообразных жанров. Можно сказать громко или вполголоса, что все мы, по наследственности, поем, танцуем и – в чем вы уже, наверно, убедились – любим и «поострить». Но я считаю, что особенно важно помнить – а Симор это помнил с детских лет, – что наша семья дала и много циркачей – и профессионалов, и любителей. Особенно красочный пример – наш с Симором прадедушка, весьма знаменитый клоун по имени Зозо. Он был польским евреем и работал на ярмарках и очень любил – до самого конца своей карьеры, как вы понимаете, – нырять с огромной высоты в небольшие бочки с водой. Другой наш прадед, ирландец по имени

Мак-Мэтон (которого моя матушка, дай ей Бог здоровья, никогда не называла «славным малым»), работал «от себя»: обычно он расставлял на травке две октавы подобранных по звуку бутылок из-под виски и, собрав денежки с толпы зрителей, начинал танцевать, и, как говорили нам, очень музыкально, по этим бутылкам. (Так что можете поверить мне на слово, чудаков в нашем семействе хватало.) Наши собственные родители – Лес и Бесси Гласс – выступали в театрах-варьете и мюзик-холлах с очень традиционным, но, на наш взгляд, просто великолепным танцевально-вокальным и чечеточным номером, особенно прославившимся в Австралии (где мы с Симором, совсем еще маленькими, провели с ними почти два триумфальных года). Но и позже, гастролируя тут, в Америке, в старых цирках «Орфей» и «Пантаж», они стали почти знаменитостями. По мнению многих, они могли бы еще долго выступать со своим номером. Однако у Бесси были насчет этого свои соображения. Она не только обладала способностью мысленно читать пророчества, начертанные на стенах, – а начиная с 1925 года им уже мало приходилось выступать, всего только дважды в день в хороших мюзик-холлах, а Бесси, как мать пятерых детей и опытная балерина, была решительно против четырехразовых выступлений перед сеансами в огромных новых кинотеатрах, которые росли, как грибы, – но, что было куда важнее, с самого детства, когда ее сестренка-близнец скоропостижно умерла от истощения за кулисами цирка в Дублине, наша Бесси больше всего на свете ценила Уверенность В Завтрашнем Дне в любом виде.

Так или иначе, но весной 1925 года, после гастролей, и не ахти каких удачных, в бруклинском театре «Олби», когда мы, все пятеро, болели корью в невзрачной квартирке – три с половиной комнатенки в старом манхэттенском отеле «Алама» и Бесси подозревала, что она опять беременна (что оказалось ошибкой: наши младшие, Зуи и Франки, родились позже, он – в 1930-м, она – в 1935 году), наша Бесси вдруг обратилась к преданному ей поклоннику «с огромными связями», и отец получил спокойное место и с тех пор неизменно годами величал себя не иначе как «главным администратором коммерческого радиовещания», чего никто и никогда не оспаривал. Так официально закончились затянувшиеся гастроли эстрадной пары «Галлахер и Гласс». И тут я хочу особо подчеркнуть и как можно достовернее доказать, что это необычное мюзик-холльное цирковое наследие несомненно и постоянно играло очень значительную роль в жизни всех семи отпрысков нашего семейства. Как я уже говорил, двое младших стали просто профессиональными актерами. Но влияние наследственности сказалось не только на них. Например, моя старшая сестра Бу-Бу по всем внешним признакам – обыкновенная провинциалка, мать троих детей, совладелица гаража на две машины, и однако она в особенно радостные минуты жизни готова плясать до упаду, и я сам видел, к своему ужасу, как она отбивала – и очень лихо – чечетку, держа на руках мою племяшку, которой только что исполнилось пять дней. Мой покойный брат Уолт, погибший в Японии уже после войны от случайного взрыва (об этом брате я постараюсь говорить как можно меньше, чтобы как можно скорее закончить нашу портретную галерею), тоже танцевал отлично, и даже более профессионально, чем Бу-Бу, хотя и не так непосредственно. Его близнец – наш брат Уэйкер, наш монах, наш затворник-картезианец – еще мальчишкой втайне боготворил У.-С. Филдса[1], подражая этому вдохновенному, крикливому и все же почти святому человеку. Он часами мог жонглировать коробками от сигар и всякими другими штуками, пока не достиг удивительного мастерства.

1 У.-С. Филдс – знаменитый циркач, впоследствии антрепренер. (*Примеч. переводчика.*)

(В нашей семье бытует легенда, что его заточили в картезианский монастырь, то есть лишили места священника в городе Астория, чтобы избавить от постоянного искушения – причащать своих прихожан, стоя к ним спиной, шагах в трех, и бросая облатку через левое плечо, так, чтоб она, описав красивую дугу, попадала им прямо в рот.) Что до меня – о Симоре лучше скажу под конец, – то и я, само собой разумеется, тоже немножко танцую. Если попросят, конечно. Кроме того, могу добавить, что у меня нередко появляется такое ощущение, словно меня, как ни странно, иногда опекает мой прадедушка Зозо: я чувствую, как он неведомыми путями старается не дать мне споткнуться, как бы запутавшись в моих широченных клоунских штанах, когда я задумываюсь, бродя по лесу или входя в аудиторию, а может быть, он еще заботится и о том, чтобы, когда я сижу за машинкой, мой наклеенный нос иногда поворачивался на Восток.

Да, в конце концов, и наш Симор всю жизнь до самой смерти не меньше нас всех чувствовал на себе влияние нашей «родословной». Я уже упоминал, что, хотя, по-моему, трудно найти более л и ч н ы е стихи, чем стихи Симора, и что в них он открывается весь, до конца, все же ни в одной строчке, даже когда Муза Беспредельной Радости гонит его галопом, он не проронит ни единого словца из своей автобиографии. И хотя не всем это придется по вкусу, но я утверждаю, что все его стихи на самом деле – цирковой номер высокого класса, традиционный выход, где клоун жонглирует словами, чувствами и балансирует золотым рожком на подбородке вместо обычной палки, на которой вертится хромированный столик с бокалом воды. Могу привести еще более убедительные и точные доказательства. Давно уже хотел рассказать вам такую историю: в 1922 году, когда Симору было пять, а мне – три, Лес и Бесси несколько недель подряд выступали в одной программе с неподражаемым фокусником Джо Джексоном – он работал на сверкающем никелированном велосипеде, чей блеск ослеплял зрителей даже в самых последних рядах цирка почище всякой платины. Через много лет, вскоре после начала Второй мировой войны, когда мы с Симором только что перебрались в собственную нью-йоркскую квартирку, наш отец – будем его называть просто Лес – как-то зашел к нам по дороге домой. Весь вечер он играл в пинокль, и, очевидно, ему очень не везло. Во всяком случае, он решительно отказывался снять пальто. Он сел. Он хмуро разглядывал нашу мебель. Он повертел мою руку, явно ища следы от никотина, потом спросил Симора, сколько сигарет он выкуривает за день. Ему почудилось, что в его коктейль попала муха. Наконец, когда наши попытки наладить разговор, по крайней мере для меня, явно провалились, он вдруг встал и подошел к недавно прикнопленной на стенку фотографии его с Бесси. Целую минуту он угрюмо разглядывал карточку, потом резко повернулся – наше семейство давно привыкло к его порывистым движениям – и спросил Симора, помнит ли он, как Джо Джексон долго катал его, Симора, вокруг арены на руле своего велосипеда. Сейчас Симор сидел в старом бархатном кресле у дальней стены с сигаретой в зубах – на нем была синяя рубашка, серые штаны, стоптанные мокасины, а на щеке, повернутой ко мне, – порез после бритья, – но на вопрос он ответил сразу, и очень серьезно, в том тоне, в каком он обычно отвечал Лесу, – как будто тот всегда задавал ему именно такие вопросы, на какие он любил отвечать больше всего в жизни. Он сказал, что ему кажется, будто он никогда и не слезал с чудного велосипеда Джо Джексона. Не говоря о том, какие трогательные воспоминания этот ответ вызвал у моего отца, Симор сказал правду, чистую правду.

После предыдущей записи прошло два с половиной месяца. Пролетело. Приходится, слегка поморщившись, выпустить бюллетень, который, как мне теперь кажется, будет очень похожим на интервью с корреспондентом воскресного литературного приложения, где я собираюсь сообщить, что работаю в кресле, пью во время Творческого Процесса до тридцати чашек черного кофе, а в свободное время сам мастерю себе мебель; словом, все это звучит так, будто некий писатель без стеснения треплется о своей манере «творить», своем «хобби», своих наиболее пристойных «человеческих слабостях». Право, я вовсе не собираюсь тут интимничать. (По правде говоря, я должен себя сдерживаю изо всех сил. Мне и то кажется, что моему рассказу именно сейчас, как никогда, грозит опасность стать столь же интимным, как нижнее белье.) Так вот, я сообщаю читателю, что пропустил столько времени между этими главами, потому что девять недель пролежал в постели с острым приступом гепатита. (А что я вам говорил про нижнее белье? То, что я почти дословно повторил реплику из комического номера варьете: «Первая груша. Девять недель пролежала в постели с хорошеньким гепатитом. Вторая груша. Вот счастливица! А с которым именно? Они ведь оба очень хорошенькие, эти братья Гепатиты». Да, если я так заговорил о своем здоровье, лучше давайте вернемся к истории болезни.) Но если я сейчас сообщу, что уже почти неделя, как я встал и румянец снова розой расцвел на моих щеках, не истолкует ли мой читатель неправильно это признание? И главным образом в двух отношениях. Во-первых, не подумает ли он, что я деликатно упрекаю его за то, что он позабыл окружить мое ложе букетами камелий? (Тут читатель, полагаю, с облегчением отметит, что Чувство Юмора с каждой секундой изменяет мне все больше и больше.) Во-вторых, может быть, он подумает, читая эту «историю болезни», что моя эйфория, о которой я так громко возвещал в начале этого рассказа, может быть, вовсе не ощущение радости, а просто, как говорится, «печенка взыграла». Возможность такого толкования меня крайне тревожит.

Знаю одно — я был счастлив, работая над этим «Введением». Даже, разлегшись, как я привык, на кровати, под Гипнозом Гепатита — одна эта аллитерация может привести в восторг, — я, с присущим мне умением приспособиться, был беспредельно счастлив.

Да, я счастлив сообщить вам, что и в данную минуту я себя не помню от радости. Хотя, не стану отрицать (и сейчас придется, как видно, изложить истинную причину — почему я выставляю напоказ мою бедную печенку), повторяю: я не стану отрицать, что после болезни я обнаружил одну жуткую потерю. Терпеть не могу драматических отступлений, но все же придется начать с нового абзаца.

В первый же вечер на прошлой неделе, когда я почувствовал, что выздоровел и что мне охота снова взяться за работу, я вдруг обнаружил, что для этого не то что недостает вдохновения, а просто силенок не хватит писать о Симоре. С л и ш к о м о н в ы р о с, п о к а я о т с у т с т в о в а л. Я сам себе не верил. Этот прирученный великан, с которым я вполне справлялся до болезни, вдруг, за каких-нибудь два с лишним месяца, снова стал самым близким мне существом, тем единственным в моей жизни человеком, которого никогда нельзя было втиснуть в печатную страничку — во всяком случае на моей машинке, — настолько он был неизмеримо велик. Проще говоря, я очень перепугался, и этот испуг не проходил суток пять. Впрочем, не стоит сгущать краски. Оказалось, что тут для меня неожиданно открылась очень утешительная подоплека. Лучше сразу сказать вам, что, после того что я сделал нынче вечером, я почувствовал: завтра вернусь к работе, и она станет смелей, увереннней, но, может быть, еще и противоречивее, чем прежде. Часа два назад я просто еще раз перечитал старое письмо ко мне, вернее — целое послание, оставленное однажды утром после завтрака на моей тарелке. В тысяча девятьсот сороковом году и, если уж быть совсем точным, – под половинкой недоеденного грейпфрута. Через две-три минуты я испытываю невыразимое (нет, «удовольствие» не то слово), невыразимое Нечто, переписывая дословно этот длинный меморандум. (О Живительная Желтуха! Не было еще для меня такой болезни – или такого горя, такой неудачи, которая в конце донцов не расцветала бы, как цветок или чудесное послание. Надо только уметь ждать.) Как-то одиннадцатилетний Симор сказал по радио, что его любимое слово в Библии – «Бодрствуй». Но, прежде чем для ясности перейти к главной теме, мне надлежит обговорить коекакие мелочи. Может быть, другой такой случай и не представится.

Кажется, я ни разу не упоминал – и это серьезное упущение, – что я имел обыкновение, вернее, потребность, зачастую – надо или не надо – проверять на Симоре мои рассказики. То есть читать их ему вслух. Что я и делал molto agitato[1], после чего непременно объявлялось что-то вроде Передышки для всех без исключения. Я хочу этим сказать, что Симор никогда ничего не говорил, не высказывался сразу, после того как я умолкал. Вместо комментариев он минут пять-десять смотрел в потолок – обычно он слушал мое чтение, лежа на полу, – потом вставал, осторожно разминал затекшую ногу и выходил из комнаты. Позже – обычно через несколько часов, но случалось, и через несколько дней – он набрасывал две-три фразы на листке бумаги или на картонке, какие вкладывают в воротники рубах, и оставлял эти записки на моей кровати или около моей салфетки на обеденном столе или же (очень редко) посылал по почте. Вот образцы его критических замечаний. Откровенно говоря, они сейчас нужны мне для разминки. Может быть, и не стоит в этом сознаваться, а впрочем – зачем скрывать?

1 Очень взволнованно (*ит.*; муз.).

Жутко, но очень точно. Голова Медузы, честь по чести.

Не знаю, как объяснить. Женщина показана прекрасно, но в образе художника явно угадывается твой любимец, тот, что писал портрет Анны Карениной в Италии. Сделано здорово, лучше не надо. Но разве у нас самих нет таких же мизантропов-художников?

По-моему, все надо переделать, Бадди. Доктор у тебя очень добрый, но не слишком ли поздно ты его полюбил? Во всей первой части рассказа он в тени, ждет, бедняга, когда же ты его полюбишь. А ведь он – твой главный герой. Ты же хотел, чтобы после душевного разговора с медсестрой он почувствовал раскаяние. Но тогда тут нужно было вложить религиозное чувство, а у тебя вышло что-то пуританское. Чувствуется, как ты его осуждаешь, когда он ругается в Бога в душу мать. Мне кажется, это ни к чему. Когда он, твой герой, или Лес, или еще кто, Богом клянется, поминает имя Божье всуе, так ведь это тоже что-то вроде наивного общения с Творцом, молитва, только в очень примитивной форме. И я вообще не верю, что Создатель признает само понятие «богохульство». Нет, это слово ханжеское, его попы придумали.

Сейчас мне очень стыдно. Я плохо слушал. Прости меня. С первой же фразы я как-то выключился. «Гэншоу проснулся с дикой головной болью». Я так настойчиво хочу, чтобы ты раз и навсегда покончил со всякими этими фальшивыми гэншоу. Нет таких гэншоу – и всё. Прочитай мне эту вещь еще раз, хорошо?

Прошу тебя, примирись с собственным умом. Никуда тебе от него не деться. Если ты сам себя начнешь уговаривать отказаться от своих домыслов, выйдет так же неестественно и глупо, как если бы ты стал выкидывать свои прилагательные и наречия, потому что так тебе велел некий профессор Б. А что он в этом понимает? И что ты сам понимаешь в работе собственного ума?

Сижу и рву свои записки к тебе. Все время выходят какие-то не те слова: «Эта вещь отлично построена» – или: «Очень смешно про женщину в грузовике!», «Чудный разговор двух полисменов на страже». Вот я и не знаю – как быть. Только ты начал читать, как мне стало как-то не по себе. Похоже на те рассказики, про которые твой смертельный враг Боб Б. говорит: «Потрясная повестушка»: Тебе не кажется, что он сказал бы, что ты «стоишь на верном пути»? И тебя это не мучает? Ведь даже то, смешное, про женщину в грузовике, совершенно не похоже на то, что ты с а м *считаешь смешным. А тут ты просто написал то, что, по-твоему,* в с е *считают смешным. И я чувствую: меня надули. Сердишься? Скажешь, что я пристрастен, оттого что мы с тобой – родные? Меня и это беспокоит. Но ведь я, кроме того, твой читатель. Так кто же ты: настоящий писатель или же автор «потрясных повестушек»? Не хочу я от тебя никаких повестушек. Хочу видеть всю твою добычу.*

Последний твой рассказ не идет у меня из головы. Не знаю, что тебе сказать. Понимаю, как близка была опасность – впасть в сантименты. Ты смело обошел ее. Может, даже слишком смело. Не знаю, почему мне вдруг захотелось, чтобы ты хоть раз оступился. Можно мне рассказать тебе одну историю? Жил-был знаменитый музыкальный критик, признанный специалист по Вольфгангу Амадею Моцарту. Его дочурка училась в частной школе и участвовала в хоровом кружке, и этот большой знаток музыки был ужасно недоволен, когда девочка как-то пришла домой с подружкой и стала с ней репетировать всякие популярные песенки Ирвинга Берлина, Гарольда Арлена, Джерома Керна, словом, всяких модных композиторов. Почему же дети не поют простые прекрасные песни Шуберта вместо этой «дряни»?.. И он пошел к директору школы и устроил страшный скандал.

Конечно, на директора речь такого выдающегося критика произвела большое впечатление, и он обещал задать хорошую трепку учительнице пения, очень-очень старенькой даме.

Почтенный любитель музыки ушел от директора в отличнейшем настроении. По дороге домой он вновъ и вновъ перебрал все блестящие аргументы, которыми он потряс директора школы, и настроение у него становилось все лучше и лучше. Он выпятил грудь. Он зашагал быстрее. Он стал насвистывать веселую песенку. А песня была такая: «Кэ-кэ-кэ-Кэти, // Ах, Кэ-кэ-кэ-Кэти!!»

Теперь я прилагаю некий «меморандум» – письмо Симора. Предлагаю его с гордостью и опаской. С гордостью, потому что... Впрочем, умолчу... А с опаской, потому что, потому что вдруг мои коллеги по факультету – по большей части заматерелые старые шутники – вдруг подсмотрят, что я пишу, и я предчувствую, что этот вкладыш раньше или позже кто-нибудь из них опубликует под заголовком: «Старинный, девятнадцатилетней давности рецепт – Совет писателю и брату, выздоравливающему после гепатита, который сбился с пути и дальше идти не в силах». Да, тут от их шуточек не избавиться. (А я, кроме того, чувствую, что для таких дел у меня кишка тонка.)

Прежде всего мне сдается, что этот меморандум был самым пространным критическим отзывом Симора по поводу моих Литературных Опытов и, добавлю, его самым длинным письменным обращением ко мне, которое я получил от Симора за всю его жизнь. (Мы очень редко писали друг дружке, даже во время войны.) Написано это письмо карандашом на нескольких листах почтовой бумаги, которую наша мама «увела» из отеля «Бисмарк» в Чикаго за несколько лет до того. Отзыв этот касался моей самоуверенной попытки – собрать все написанное мной до тех пор. Было это в 1940 году, и мы оба еще жили с родителями в довольно тесной квартирке в одном из восточных кварталов Семидесятой авеню. Мне шел двадцать второй год, и я чувствовал себя настолько независимо, насколько может себя чувствовать молодой, начинающий, еще не печатавшийся, совершенно «зеленый» автор. Симору же было двадцать три года, и он уже пятый год преподавал в одном из университетов Нью-Йорка. Вот этот его отзыв, полностью. (Представляю, что разборчивый читатель не раз почувствует неловкость, но самое худшее, по-моему, пройдет, когда он преодолеет обращение ко мне. По-моему, ежели это обращение меня самого не особенно смущает, то я не вижу причины, почему должны смущаться другие.)

Дорогой мой старый Спящий Тигр!

Не знаю, много ли на свете читателей, которые перелистывают рукопись в то время, как автор мирно похрапывает в той же комнате. Мне захотелось самому прочесть всю рукопись. На этот раз твой голос мне как-то мешал. По-моему, твоя проза и так настолько театральна, что этого твоим героям за глаза хватает. Столько надо тебе сказать, а с чего начать – не знаю.

Сегодня после обеда я написал целое письмо декану английского факультета, и, как ни странно, в основном это письмо как-то вышло в твоем стиле. Мне было так приятно, что захотелось тебе об этом рассказать. Прекрасное письмо! Чувствовал я себя так, как в ту субботу прошлой весной, когда я пошел слушать «Волшебную флейту» с Карлом и Эми, и они привели специально для меня очень странную девочку, а на мне был твой зеленый «вырви глаз». Я тебя тогда не предупредил, что взял его.

(Он тут говорит про один из четырех, очень дорогих галстуков, которые я приобрел в тот сезон. Я строго-настрого запретил всем своим братьям, и особенно Симору, с которым у нас был общий платяной шкаф, даже прикасаться к ящику, где я прятал эти галстуки. И я специально хранил их в целлофановых мешочках.)

Но я никакой вины за собой не чувствовал за то, что на мне был этот галстук, только смертельно боялся, а вдруг ты появишься на сцене и увидишь в темноте, что я «позаимствовал» твой галстук. Но письмо – не галстук. Мне подумалось, что, если бы все было наоборот и ты написал бы письмо в моем стиле, тебе было бы неприятно. А я просто выбросил это из головы. Есть одна штука на свете, не считая всего остального, которая меня особенно огорчает. Ведь я знаю, что ты расстраиваешься, когда Бу-Бу или Уэйкер говорят тебе, что ты разговариваешь совершенно как я. Тебе кажется, что тебя как будто обвиняют в плагиате, и это удар по твоему самолюбию. Да разве так уж плохо, когда наши слова иногда похожи? Нас отделяет друг от друга такая тоненькая пленка. Стоит ли нам помнить, что чье? В то лето, два года назад, когда я так долго был в отъезде, я обнаружил, что ты, и З., и я уже были братьями, по крайней мере, в четырех воплощениях, а может, и больше. Разве это не прекрасно? Разве для каждого из нас его личная неповторимая индивидуальность не начинается именно с той точки, где в высшей степени ощущается наша неоспоримая связь, и мы понимаем, что неизбежно будем занимать друг у друга остроты, таланты, дурачества. Как видишь, галстуки я сюда не включаю. И хотя галстуки Бадди – это галстуки Бадди, все-таки забавно брать их без спросу.

Наверно, тебе неприятно, что я думаю про галстуки и всякую чепуху, а не про твои рассказы.

Это не так. Просто я шарю где попало – ловлю свои мысли. Мне показалось, что все эти пустяки помогут мне собраться. Уже светает, а я сижу с тех пор, как ты лег спать. Какая благодать – быть твоим первым читателем. Но еще большей благодатью было бы не думать, что мое мнение ты почему-то ценишь больше, чем свое собственное. Ей-богу, мне кажется неправильным, что ты так безоговорочно считаешься с моим мнением о твоих рассказах. Вернее – о т е б е с а м о м. Попытайся когда-нибудь меня опровергнуть, но я убежден, что такое положение создалось оттого, что я в чем-то очень, очень тебе напортил. Нет, я сейчас вовсе не мучаюсь из-за какой-то вины, но все же вина есть вина, от нее не уйдешь. Ее стереть невозможно. Уверен, что ее даже трудно понять как следует — слишком глубоко она ушла корнями в нашу личную, издавна накопившуюся Карму. И когда я это чувствую, то меня спасает только мысль, что чувство вины — только незавершенное познание. Но эта незавершенность вовсе ничему не препятствует. Трудно только извлечь пользу из чувства вины, прежде чем эта вина тебя не доконает. Лучше уж я поскорее напишу все, что я думаю про этот твой рассказ. У меня определенное ощущение, что, если я потороплюсь, чувство вины поможет мне и безусловно принесет настоящую, большую пользу. Честное слово, я так думаю. Я думаю, что если я напишу все сразу, то я наконец смогу сказать тебе то, что я хотел сказать годами.

Наверно, ты сам знаешь, что в этом рассказе много огромных скачков. Прыжков. Когда ты лег спать, я сначала хотел перебудить весь дом и закатить бал в честь нашего замечательного братца-прыгуна. Но почему же я побоялся всех разбудить? Сам не знаю. Наверно, я просто человек беспокойный. Беспокоюсь, когда слишком высоко прыгают у меня на глазах. Кажется, я даже во сне вижу, как и ты посмел прыгнуть в никуда, прочь от меня. Прости меня. Пишу ужасно быстро. Я считаю, что такого рассказа, как ты написал, тебе долго пришлось ждать. Да и мне в каком-то смысле тоже. Знаешь, больше всего мне мешает спать моя гордость за тебя. Вот откуда идет мое беспокойство. Ради тебя самого не заставляй меня гордиться тобой. Да, как будто я нашел правильное определение. Хоть бы ты больше никогда не мешал мне спать от гордости за тебя. Напиши такой рассказ, чтобы мне вдруг неизвестно почему расхотелось спать. Не давай мне спать часов до пяти, но только потому, что над тобой уже взошли все звезды. Прости за подчеркнутую строчку, но я впервые одобрительно киваю головой, говоря о твоих рассказах. Не заставляй меня еще как-то высказываться. Сейчас я подумал: если попросишь писателя — «пусть взойдут твои звезды», то уж дальше начнутся просто всякие литературные советы. А я сейчас убежден, что все «ценные» литературные советы похожи на то, как Максим Дюкамп и Луи Буйэ уговаривали Флобера написать «Мадам Бовари». Допустим, что они вдвоем, с их изысканнейшим литературным вкусом, заставили его написать этот шедевр. Но они убили в нем всякую возможность излить свою душу. Умер он знаменитым писателем, а ведь он никогда не был таким. Его письма читать невыносимо. Настолько они лучше, чем все, что он написал. В них звучит одно: «Зря, зря, зря». У меня сердце разрывается, когда я их перечитываю. Бадди, дорогой мой, боюсь говорить тебе сейчас что-нибудь, кроме банальностей, общих мест. Прошу тебя, верь себе, все ставь на карту. Ты так разозлился на меня, когда мы записывались в армию.

(За неделю до того мы, заодно с несколькими миллионами молодых американцев, записались в армию в помещении соседней школы. Я увидел, как он усмехнулся, подсмотрев, как я заполнил свою регистрационную карточку. По дороге домой Симор нипочем не хотел сказать мне, что его так насмешило. Вся наша семья знала: если он упрется, по каким-то своим соображениям, то из него ни за что слова не вытянешь.) А знаешь, почему я смеялся? Ты написал, что твоя профессия — писатель. Мне показалось, что такого прелестного эвфемизма я еще никогда не видел. Когда это литературное творчество было твоей профессией? Оно всегда было твоей религией. Всегда. Я сейчас даже взволновался. А раз творчество — твоя религия, знаешь, что тебя спросят на том свете? Впрочем, сначала скажу тебе, о чем тебя спрашивать не станут. Тебя не спросят, работал ли ты перед самой смертью над прекрасной задушевной вещью. Тебя не спросят, длинная ли была вещь или короткая, грустная или смешная, опубликована или нет. Тебя не спросят, был ли ты еще в полной форме, когда работал, или уже начал сдавать. Тебя даже не спросят, была ли эта вещь такой значительной для тебя, что ты продолжил бы работу над ней, даже зная, что умрешь, как только ее кончишь, — по-моему, так спросить могли бы только бедного Серена К.[1]. А тебе задали бы только два вопроса: настал ли твой звездный час? Старался ли ты писать от всего сердца? Вложил ли ты всю душу в свою работу? Если бы ты знал, как легко тебе будет ответить на оба вопроса: да. Но, перед тем как сесть писать, надо, чтобы ты вспомнил, что ты был читателем задолго до того, как стать писателем. Ты просто закрепи этот факт в своем сознании, сядь спокойно и спроси себя как читателя, какую вещь ты, Бадди Гласс, хотел бы прочитать больше всего на свете, если бы тебе предложили выбрать что-то по душе? И мне просто не верится, как жутко и вместе с тем как просто будет тогда сделать шаг, о котором я сейчас тебе напишу. Тебе надо будет сесть и без всякого стеснения самому написать такую вещь. Не буду подчеркивать эти слова. Слишком они значительны, чтобы их подчеркивать. Ах, Бадди, решись! Доверься своему сердцу. Ведь мастерством ты уже овладел. А сердце тебя не подведет. Спокойной ночи. Очень я взволнован и слишком все драматизирую, но, кажется я отдал бы все на свете, чтобы ты написал что-нибудь — рассказ, стихи, дерево, что угодно, лишь бы это действительно было от всего сердца. В «Талии» идет фильм «Сыщик из банка». Давай завтра вечером соберем всю нашу братию и махнем в кино. С любовью, С.

1 Имеется в виду Серен Кьеркегор. (*Примеч. переводчика.*)

Дальше уже пишу я – Бадди Гласс. (Кстати, Бадди Гласс мой литературный псевдоним, настоящая моя фамилия – майор Джордж Фильдинг Анти-Развязкинд). Я и сам очень взволнован и драматически настроен, и мне хочется в горячем порыве дать обещание моему читателю, при встрече с ним завтрашним вечером, что встреча эта буквально будет звездной. Но думаю, что сейчас самое разумное – почистить зубы и лечь спать. И если вам было трудно читать записку моего брата, то не могу не пожаловаться, что перепечатывать ее для друзей было просто мучением. А сейчас я укрываю колени тем звездным небом, которое он подарил мне вместе с напутствием: «Скорее выздоравливай от гепатита – и от малодушия».

Не слишком ли будет преждевременно, если я расскажу читателю, чем я собираюсь его занять завтрашним вечером? Уже больше десяти лет я мечтаю, чтобы вопрос: «Как Выглядел Ваш Брат?» – был мне задан человеком, который не требовал бы непременно получить краткий, *сжатый* ответ на очень прямой вопрос. Короче говоря, мне больше всего хотелось бы прочитать, свернувшись в кресле, *что-нибудь, что угодно*, как мне рекомендовал мой признанный авторитет, а именно: полное описание внешности Симора, сделанное неторопливо, без дикой спешки, без желания отделаться от него, то есть прочесть главу, написанную, скажу без всякого стеснения, лично мной самим.

Его волосы так и разлетались по всей парикмахерской. (Уже настал Завтрашний Вечер, и я, само собой разумеется, сижу тут, в смокинге.) *Его волосы так и разлетались по всей парикмахерской.* Свят, свят, свят! И это называется вступлением! Неужели вся глава мало-помалу, очень постепенно, наполнится кукурузными пышками и яблочным пирогом? Возможно. Не хочется верить, но все может случиться. А если я стану заниматься отбором деталей, то я все брошу к черту, еще до начала. Не могу я все сортировать, не могу заниматься канцелярщиной, когда пишу о нем. Могу только надеяться, что хоть часть этих строк будет достаточно осмысленной, но хоть раз в жизни не заставляйте меня рентгеноскопировать каждую фразу, не то я совсем брошу писать. А разлетающиеся волосы Симора мне сразу вспомнились как совершенно необходимая деталь. Стриглись мы обычно через одну радиопередачу, то есть каждые две недели, после школы. Парикмахерская на углу Бродвея и Сто восьмой улицы зеленела, угнездившись (хватит красот!) между китайским ресторанчиком и кошерной гастрономической лавочкой. Если мы забывали съесть свой завтрак или, вернее, теряли наши бутерброды неизвестно где, мы иногда покупали центов на пятнадцать нарезанной салями или пару маринованных огурцов и съедали их в парикмахерских креслах, пока нас не начинали стричь. Парикмахеров звали Марио и Виктор. Уже немало лет прошло, и они оба, наверно, померли, объевшись чесноком, как и многие нью-йоркские парикмахеры. (Брось ты эти штучки, слышишь? Постарайся, пожалуйста, убить их в зародыше.) Наши кресла стояли рядом, и когда Марио кончал меня стричь, снимал салфетку и начинал ее стряхивать, с нее летело больше Симоровых волос, чем моих. За всю мою жизнь мало что так меня бесило. Но пожаловался я только раз, и это было колоссальной ошибкой. Я что-то буркнул, очень ехидно, про его «подлые волосья», которые все время летят на меня. Сказал – и тут же раскаялся. А он ничего не ответил, но тут же из-за этого огорчился. Мы шли домой, молчали, переходя улицы, а он расстраивался все больше и больше. Видно, придумывал, как сделать, чтобы в парикмахерской его волосы не падали на брата. А когда мы дошли до Сто десятой улицы, то весь длинный пролет от Бродвея до нашего дома Симор прошел в такой тоске, что даже трудно себе представить, чтобы кто-то из нашей семьи мог так надолго упасть духом, даже если бы на то была Важная Причина, как у Симора.

На этот вечер хватит. Я очень вымотался.

Добавлю одно. Чего я хочу (разрядка везде моя) добиться в описании его внешности? Более того, что именно я хочу сделать? Хочу ли я отдать это описание в журнал? Да, хочу. И напечатать хочу. Но дело-то не в этом: печататься я хочу всегда. Тут дело больше в том, как я хочу переслать этот материал в журнал. Фактически это главное. Кажется, я знаю. Да, я хорошо знаю, что я это знаю. Я хочу переслать словесный портрет Симора не в толстом конверте и не заказным. Если портрет будет верный, то мне придется только дать ему мелочь на билет, может быть, завернуть на дорогу бутербродик, налить в термос чего-нибудь горячего — вот и хватит. А соседям по купе придется малость потесниться, отодвинуться от него, будто он чуть-чуть навеселе. Вот блестящая мысль! Пускай по этому описанию покажется, что он чуть-чуть пьян. Но почему мне кажется, что он чуточку пьян? По-моему, именно таким кажется человек, которого ты очень любишь, а он вдруг входит к тебе на террасу, расплываясь в широкой-широкой улыбке, после трех труднейших теннисных сетов, выигранных сетов, и спрашивает: видел ли ты его последнюю подачу? Да. Oui[1].

Снова вечер. Помни, что тебя будут читать. Расскажи читателю, где ты сейчас. Будь с ним мил, — кто его знает... Конечно, конечно. Да, я сейчас у себя, в зимнем саду, позвонил, чтобы мне принесли портвейн, и сейчас его подаст наш добрый старый дворецкий —

1 Да (*фр.*).

очень интеллигентный, дородный, вылощенный Мыш, который съедает подчистую все, что есть в доме, кроме экзаменационных работ.

Вернусь к описанию волос Симора, раз уж они залетели на эти страницы. До того как, примерно лет в девятнадцать, волосы у Симора стали вылезать целыми прядями, они были жесткие, черные и довольно круто вились. Можно было бы сказать «кудрявые», но если бы понадобилось, я так бы и сказал. Они вызывали непреодолимое желание подергать их, и как их вечно дергали! Все младенцы в нашем семействе сразу вцеплялись в них даже прежде, чем схватить Симора за нос, а нос у него был, даю слово, выдающийся. Но давайте по порядку. Да, он был очень волосат, и взрослым, и юношей, и подростком. Все наши дети, и не только мальчишки, а их у нас было много, были очарованы его волосатыми запястьями и предплечьями. Мой одиннадцатилетний брат Уолт постоянно глазел на руки Симора и просил его снять свитер: «Эй, Симор, давай снимай свитер, тут ведь ж а р к о». И Симор ему улыбался, озарял его улыбкой. Ему нравились эти ребячьи выходки. Мне — тоже, но далеко не всегда. А ему — всегда. Казалось, он даже в самых бестактных, самых бесцеремонных замечаниях младших ребят черпал какое-то удовольствие, даже силу. Сейчас, в 1959 году, когда до меня доходят слухи о довольно огорчительном поведении моей младшей сестрицы и братца, я стараюсь вспомнить, сколько радости они приносили Симору. Помню, как Франки, когда ей было года четыре, сидя у него на коленях, сказала, глядя на него с нескрываемым восхищением: «Симор, у тебя зубки такие красивые, ж е л т е н ь к и е». Он буквально бросился ко мне, чтобы спросить — слышал я или нет.

В последнем абзаце меня вдруг обдала холодом одна мысль: почему меня так редко забавляли выходки наших ребят? Наверно, оттого, что со мной они обычно проделывали злые шутки. Может быть, я и заслужил такое отношение. Я себя спрашиваю: знает ли мой читатель, что такое огромная семья? И еще: не надоедят ли ему мои рассуждения по этому поводу? Скажу хотя бы вот что: если ты старший брат в большой семье (особенно когда между тобой и младшим существует разница в восемнадцать лет, как между Симором и Фрэнни), то либо ты сам берешь на себя роль наставника, ментора, или тебе ее навязывают, и существует опасность стать для детей чем-то вроде настырного гувернера. Но даже гувернеры бывают разной породы, разных мастей. Например, когда Симор говорил близнецам, или Зуи, или Фрэнни, или даже мадам Бу-Бу (а она всего на два года моложе меня и тогда уже стала совсем барышней), что надо снять калоши, когда входишь в дом, то каждый поймет его слова в том смысле, что иначе нанесешь грязь и Бесси придется возиться с тряпкой. А когда им то же самое говорил я, они считали, будто я намекал, что тот, кто не снимает калоши, – грязнуля, неряха. Поэтому они и дразнили, и высмеивали нас с Симором по-разному. Признаюсь с тяжелым вздохом: что-то слишком заискивающе звучат эти Честные, Искренние признания. А что прикажете делать? Неужели надо бросать работу каждый раз, как только в моих строчках зазвучит голос этакого Честного Малого? Неужто мне нельзя надеяться, что читатель поймет: разве я стал бы принижать себя – в частности, подчеркивать, какой я негодный воспитатель, – если бы не был твердо уверен, что моя семья ко мне относилась более чем прохладно? Может быть, полезно напомнить вам, сколько мне лет? Я сорокалетний, седоватый писака, с довольно внушительным брюшком и довольно твердо уверенный, что мне уже никогда больше не придется швырять оземь свою серебряную ложку в обиде на то, что меня в этом году не включили в состав баскетбольной команды или не послали на военную подготовку оттого, что я плохо умею отдавать честь. Да и вообще, всякая откровенная исповедь всегда попахивает гордостью: пишущий гордится тем, как он здорово преодолел свою гордость. Главное, надо уметь в такой публичной исповеди подслушать именно то, о чем исповедующийся умолчал. В какой-то период жизни (к сожалению, обычно в период успехов) человек может Почувствовать В Себе Силу. Сознаться, что он сжульничал на выпускных экзаменах... А может, настолько разоткровенничается, что сообщит, как с двадцати двух до двадцати четырех лет он был импотентом; но сами по себе эти мужественные признания вовсе не гарантируют, что мы когда-нибудь узнаем, как он разозлился на своего ручного хомячка и наступил на него. Простите, что я вдаюсь в такие мелочи, но тут я беспокоюсь не зря. Пишу я о единственном знакомом мне человеке, которого я, по своему критерию, считал действительно выдающимся, — он — единственный по-настоящему большой человек из всех, который никогда не внушал мне подозрения, что где-то, втайне, у него внутри, как в шкафу, набито противное, скучное мелкое тщеславие. Мне становится нехорошо и, по правде говоря, как-то жутко при одной только мысли, что я могу невольно затмить Симора на этих страницах своим личным обаянием. Простите меня, пожалуйста, за эти слова, но не все читатели достаточно опытны. (Когда Симору шел двадцать второй год и он уже два года преподавал, я спросил его, что его особенно угнетает в этой работе — если вообще что-то его угнетает. Он сказал, что по-настоящему его ничто не угнетает, но есть одна вещь, которая как-то пугает его: ему становится не по себе, когда он читает карандашные заметки на полях книг из университетской библиотеки.) Сейчас я объясню. Не все читатели, повторяю, достаточно опытны, а мне говорили — критики ведь говорят нам всё, и самое худшее прежде всего, — что во многом я как писатель обладаю некоторым поверхностным шармом. Я искренне боюсь, что есть и такие читатели, которые подумают, что с моей стороны было очень мило дожить до сорока лет; то есть не быть таким «эгоистом», как Тот Другой, и не покончить с собой, оставив Свою Любящую Семью на мели. (Я обещал исчерпать эту тему, но, пожалуй, до конца все выкладывать не стану. И не только потому, что я не такой железный человек, каким полагается быть, но потому, что, говоря об этом, мне пришлось бы коснуться (о Господи – коснуться!) подробностей его самоубийства, а судя по теперешнему моему состоянию, я не смогу об этом говорить еще много лет.)

Перед тем как лечь спать, скажу вам еще только одно, и мне кажется, что это очень существенно. И я буду очень благодарен, если все честно постараются не считать, что я «поздно спохватился». Хочу сказать, что я могу привести убедительнейшие доказательства того, что сейчас, когда я пишу эти страницы, мой возраст – сорок лет – является и огромным преимуществом, и в то же время огромным недостатком. Симору шел тридцать второй год, когда он умер. Даже довести его жизнеописание до этого далеко не преклонного возраста потребует у меня, при моем темпе работы, много-много месяцев, если не лет. Сейчас вы его увидите ребенком и мальчиком (только, ради Бога, не малышом), и там, где я сам появляюсь в этой книге рядом с ним, я тоже ребенок, тоже мальчик. Но вместе с тем я все время чувствую, да и читатель это ощущает, хотя и не так пристрастно, что сейчас заправляет всем этим рассказом довольно пузатый и далеко не юный тип. С моей точки зрения, эта мысль ничуть не печальнее, чем все факты, касающиеся жизни и смерти, но и ничуть не веселее. Конечно, вам придется поверить мне на слово, но должен вам сказать, что я твердо знаю одно: если бы мы поменялись местами и Симор сейчас сидел бы за столом вместо меня, он был бы так огорошен, вернее, так потрясен своим старшинством и ролью рассказчика и официального рефери[1], что он бросил бы всю эту затею. Больше я об этом, конечно, говорить не стану, но я рад, что пришлось к слову. Это правда. Пожалуйста, постарайтесь не просто п о н я т ь; прочувствуйте мои слова.

Кажется, я в конце концов не лягу спать. Кто-то «зарезал сон»[2]. Молодец!

Резкий, неприятный голос (говорит не м о й читатель): «Вы обещали рассказать нам, Как Выглядел Ваш Брат. Не нужен нам этот Ваш треклятый психоанализ, вся эта тягомотина». А мне нужна. Нужен каждый слог этой «тягомотины». Могу, конечно, не вдаваться так глубоко в анализ, но, повторяю, мне нужен каждый слог этой «тягомотины». И если я молю судьбу, чтобы мне до конца довести это дело, то помочь мне в этом может только «вся эта тягомотина».

Думаю, что мне удастся описать, как он выглядел, как держался и вел себя (словом, всю эту петрушку) в любой момент его жизни (кроме того времени, когда он был в Европе), и создать верный о б р а з. Нет, это вовсе не оговорка. Портрет будет точный. (Где же, когда же мне придется объяснять читателю — если только буду писать дальше, — какой памятью, каким огромным запасом воспоминаний обладали некоторые члены нашей семьи — Симор, Зуи, я сам. Нельзя до бесконечности откладывать это дело, но не покажется ли такая откровенность в печати чем-то уродливым?) Мне очень помогло бы, если бы какая-нибудь добрая душа прислала мне телеграмму, где было бы уточнено — о каком именно Симоре ему хотелось бы от меня услышать. Если меня попросят просто описать С и м о р а, то есть Симора в о о б щ е, я мог бы несомненно дать довольно живой портрет, но

1 Р е ф е р и — судья на спортивных состязаниях. (*Примеч. переводчика.*)

2 Цитата из Шекспира: «Гламис зарезал сон, зато теперь не будет спать его убийца Макбет». (*Примеч. переводчика.*)

передо мной Симор появляется одновременно и в восемь, и в восемнадцать, и в двадцать восемь лет, кудрявый – и уже сильно лысеющий, в красных полосатых шортах скаута из летнего лагеря – и в мятой защитной гимнастерке с сержантскими нашивками, и сидит он то в позе «падмасана»[1], то на балконе кино, на Восемьдесят шестой улице. Чувствую, как мне угрожает именно такой стиль описания, а мне он не нравится. И прежде всего потому, что и Симор был бы, как мне кажется, недоволен. Тяжко, если твой Герой одновременно и твой «шер мэтр»[2]. Впрочем, он, быть может, и не очень расстроился бы, если б я, проконсультировавшись со своим внутренним чутьем, постарался бы изобразить его внешность в стиле, так сказать, литературного кубизма. Да и вообще вряд ли он стал бы расстраиваться, пиши я про него только петитом, – если мне так подскажет мое внутреннее чутье. Я-то сам в данном случае не возражал бы против какой-то формы кубизма, но вся моя интуиция подсказывает мне, что с этим надо бороться всеми своими мелкобуржуазными силенками. В общем, лучше сначала выспаться. Спокойной ночи. Спокойной ночи, миссис Калабаш. Спокойной ночи, Растреклятый Литпортрет.

Так как мне самому рассказывать довольно трудно, то сегодня утром на лекции я решил (уставившись, хотя и неловко признаться, на невероятно стройные «топтушки» некой мисс Вальдемар), что истинная учтивость требует предоставить слово моим родителям, а кому же в первую очередь, как не самой Праматери? Однако тут это весьма и весьма рискованно. И если от избытка чувств человек не станет вруном, то его наверняка подведет его отвратительная память. Например, Бесси все-

1 Лотоса.
2 Дорогой учитель (*фр.*).

гда считала главной особенностью Симора его высокий рост. Ей казалось, что у него необычайно длинные руки и ноги, как у ковбоя, и что он, входя в комнату, всегда пригибает голову. А на самом деле в нем было что-то около пяти с половиной футов, и при современных «витаминизированных» стандартах он был совсем невысок. Ему это даже нравилось. Он за ростом не гонялся. А когда наши близнецы вымахнули на шесть футов с лишним, я даже подумывал – не пошлет ли он им открыточку с соболезнованием. Наверно, будь он сейчас жив, он бы сиял улыбкой, видя, что Зуи, актер по профессии, роста небольшого. Он, С., всегда был твердо уверен, что центр тяжести у актера должен быть расположен невысоко.

Впрочем, некрасиво писать «сиял улыбкой». Вот теперь он у меня так и будет непрестанно ухмыляться. Как было бы чудесно, если бы на моем месте сейчас сидел серьезный писатель. Когда я стал писать, я первым делом поклялся, что сразу приторможу своих героев, посмей они только Усмехнуться или Улыбнуться: («Жаклин усмехнулась», «Ленивый толстый Брюс Браунинг кисло улыбнулся», «Обветренное лицо капитана Миттагэссена озарилось мальчишеской улыбкой»). Но сейчас мне никак от этого не отвязаться. Лучше уж сразу покончить с этим делом: по-моему, у Симора была очень-очень славная улыбка, особенно для человека с довольно неважными, даже плохими зубами. Однако его манеру улыбаться мне не так уж трудно описать. Улыбка то появлялась, то исчезала на его лице, без всякой связи с улыбками всех окружающих, а то и наперекор им. И его улыбки даже в нашей нестандартной семье всегда казались неожиданными. Симор мог, например, сидеть с серьезным, чтобы не сказать, похоронным лицом, когда маленький именинник тушил свечи на своем именинном пироге. А с другой стороны, он мог весь просиять от восторга, когда кто-то из младших ребят показывал ему, как он или она раскровенили себе плечо, заплывая под лодку. Мне кажется, что светская улыбка ему вообще была несвойственна, и все же, говоря точно (хотя, быть может, несколько пристрастно), любое выражение его лица казалось вполне естественным. Конечно, его «улыбка над расцарапанным плечом» могла взбесить тебя, если царапина досталась именно твоему плечу, но эта улыбка могла и отвлечь тебя, если это было нужно. И его мрачная мина почти никогда не портила настроения на веселых именинах или других сборищах, так же как его ухмылки на всяких конфирмациях или бар-мицвах[1]. Думаю, что в моих словах нет никакой родственной предвзятости. Люди, которые либо совсем его не знали или знали мало, может быть, только как участника или бывшего вундеркинда радиопрограммы, иногда тоже терялись от неподобающего выражения, вернее — отсутствия подобающего выражения на его лице, но, по-моему, только на минуту-другую. И по большей части эти «жертвы» ощущали что-то вроде приятного любопытства — и ничуть, насколько мне помнится, на него не обижались и не ершились. А причина тут была самая простая: полное отсутствие у него всякого притворства. А когда он совсем возмужал — и тут я уже говорю как пристрастный брат, — не было во всем центре Нью-Йорка взрослого человека с более искренним, беззащитным выражением лица. Только в те разы, когда он нарочно хотел позабавить кого-нибудь из наших родных, я вспоминаю, как он притворялся, играл. Однако так бывало далеко не каждый день. В общем, надо сказать, что для него юмор был не такой расхожей валютой, чего об остальных членах нашего семейства никак не скажешь. Нет, я вовсе не хочу сказать, что юмор ему совсем не был свойствен, но пользовался он им обычно очень умеренно, так сказать, небольшими порциями. Стандарт-

1 Конфирмации и бар-мицвы — католические и еврейские праздники совершеннолетия. (*Примеч. переводчика.*)

ный Семейный Юмор, особенно в отсутствие нашего отца, всегда был его обязанностью, и он выполнял эту роль с большим достоинством.

Для понятности приведу пример: когда я ему читал вслух свои рассказы, он неизменно прерывал меня посреди чтения, даже посреди диалога и спрашивал: понимаю ли я, как я хорошо слышу и передаю ритм и звучание повседневной речи? И при этом он с особым удовольствием делал умное лицо.

Теперь поговорим о его ушах. Фактически я вам продемонстрирую почти стертый короткометражный фильм, как моя одиннадцатилетняя сестренка Бу-Бу вдруг в порыве восторга вскакивает из-за стола, мчится вон и, вернувшись, нацепляет Симору на оба уха металлические кольца, вытащенные из настольного календаря. Она была ужасно довольна результатом опыта. А Симор не снимал эти «серьги» весь вечер, должно быть, до тех пор, пока они ему не натерли уши до крови. Но они ему не шли. К сожалению, уши у него были не пиратские, а скорее похожи на уши старого каббалиста или престарелого Будды. Мочки были уж очень мясистые и длинные. Помню, как падре Уэйкер, приехав в мой городок в своей жаркой черной сутане несколько лет назад, спросил меня – я в это время решал кроссворд из «Таймса», – не кажется ли мне, что у Симора уши были характерными для искусства династии Тан?

Я лично отнес бы их к более раннему периоду.

Надо лечь спать. Выпить бы рюмочку на ночь в библиотеке с полковником Эстраттером – потом в постель. Ох, почему это описание меня так изматывает? Руки потеют, под ложечкой сосет. Тут уж никак не назовешь меня Цельным Человеком.

Кажется, я склоняюсь к тому, чтобы, кроме глаз и, возможно (подчеркиваю: возможно), носа, обойти все остальные черты лица Симора. К черту все эти Исчерпывающие Описания. Я не вынес бы, если б меня обвинили, что я ничего не дал додумать самому читателю.

В двух отношениях — их определить нетрудно — глаза Симора походили и на мои глаза, и на глаза Леса, и Бу-Бу: а) во-первых, наши глаза можно было бы, хотя это и не совсем ловко, уподобить по цвету очень крепкому бульону или назвать их Грустными Карими Библейскими Глазами и б) у всех нас под глазами были синие круги, а иногда и ясно выраженные мешки. Но тут всякое семейное сходство кончается. Конечно, по отношению к нашим дамам это не совсем галантно, но если бы спросили мое мнение, чьи глаза в нашей семье «красивее всех», я проголосовал бы за Симора и Зуи. А между тем их глаза были совершенно непохожи, и не только по цвету. Несколько лет тому назад я напечатал невероятно Жуткий, Напряженный, очень противоречивый и никому не понравившийся рассказ об «одаренном» мальчике — пассажире трансатлантического парохода, и там, в самом начале, были описаны его глаза. По счастливому совпадению, у меня в данный момент есть при себе экземпляр этого рассказа, элегантно приколотый к отвороту моего халата. Цитирую: ...он вопросительно взглянул на отца светло-карими, удивительно чистыми глазами. Они вовсе не были огромными и слегка косили, особенно левый. Не то чтобы это казалось изъяном или было слишком заметно. Упомянуть об этом можно разве что вскользь, да и то лишь потому, что, глядя на них, вы бы всерьез и надолго задумались: а лучше ли было бы в самом деле, будь они у него, скажем, без косинки, или глубже посажены, или темнее, или расставлены пошире... (Может быть, остановиться на минутку, перевести дыхание, что ли.) Но на самом-то деле (честное слово, никакого «Ха-ха!» тут нет и в помине!) у мальчика были совершенно не такие глаза. У Симора глаза были темные, очень большие, очень широко расставленные и, уж конечно, ничуть не косоватые. Но по крайней мере, двое моих родителей уверяли меня, что я в рассказе как-то хотел задеть Симора, и, как ни странно, мне это удалось. А на самом деле у него на глаза то и дело набегала какая-то тень, вроде прозрачной паутинки, – то появится, то пропадет, но только никакой «паутинки» тут не было, и я, как видно, совсем запутался. Кстати, другой писатель, тоже любитель пошутить, – Шопенгауэр, – где-то в своей веселенькой книжке тоже пытался описать похожие глаза и тоже, к моей великой радости, попал в совершенно такой же переплет.

Ладно. Нос. Утешаю себя – будет больно только секунду.

Если когда-нибудь между 1919 и 1948 годами вы зашли бы в переполненную комнату, где находились мы с Симором, то по одному, но вполне надежному, признаку можно было бы сразу определить, что мы с ним – братья. Стоило только взглянуть на наши носы и подбородки. Впрочем, описание подбородков можно отбросить сразу, одним махом; просто сказать, что их у нас почти что не было. Носы, однако, у нас явно были, да еще какие, и почти что одинаковые: две большие мясистые выдающиеся трубообразные штуки, совершенно непохожие на носы всего нашего семейства, кроме слишком явного сходства с носом нашего милого старого прадедушки – клоуна Зозо, чей нос на одной старой фотографии так торчал, что я в раннем детстве его порядком побаивался. (Кстати, вспоминаю, что Симор, который никогда, как бы это сказать, не острил на анатомические темы, однажды очень удивил меня своими размышлениями насчет того, как мы с нашими носами – моим, его и прадедушки Зозо – справляемся с такой же проблемой, какая смущает некоторых бородачей – то есть кладем ли мы нос во сне поверх одеяла или под него?) Может показаться, что я слишком легковесно про это рассказываю. Хочу сразу уточнить – даже если это покажется обидным, – что наши носы никак не походили на романтическое украшение Сирано де Бержерака. (И вообще, это, по-моему, довольно щекотливая тема в нашем прекрасном новом психоаналитическом мире, где, конечно, каждый знает, что появилось сперва – нос Сирано или его дерзкие остроты, в том мире, где прочно укрепился некий, так оказать, интернациональный заговор молчания насчет всех длинноносых парней, которые сами, безусловно, не страдают болтливостью.) Мне думается, что, кроме общего сходства наших с Симором носов, во всем, что касается длины, ширины и формы, стоит упомянуть и о том, что у Симора, как ни больно об этом говорить, нос был довольно заметно, начиная с переносицы, свернут вбок, на правую сторону. Симор всегда подозревал, что мой нос по сравнению с его носом казался просто благородным. Этот «загиб» появился после того, как кто-то из нашей семьи, для практики, мечтательно размахивал бейсбольной битой в холле нашей старой квартиры на Риверсайд-Драйв. Нос Симора после этого так и не выправили.

Ура! С носами покончено. Ложусь спать.

Никак не осмелюсь перечитать все написанное до сих пор; мой застарелый писательский кошмар – а вдруг, как только пробьет полночь, я сам превращусь в использованную ленту для машинки – сейчас особенно навязчив. Впрочем, меня утешает мысль, что на портрете, предложенном читателю, изображен отнюдь не «Арабский шейх» из «Тысячи и одной ночи». Прошу мне поверить – это именно так. Но в то же время не надо, из-за моего дурацкого неумения и необузданности, делать вывод, что С. был, по скучному и пошлому определению, «Некрасив, но Обаятелен». (Во всяком случае, это очень подозрительное клише, и чаще всего им пользуются некие живые или выдуманные дамочки, чтобы оправдать свои довольно странные увлечения этакими неописуемо сладкогласными демонами или, выражаясь мягче, дурно воспитанными лебедями.)

И надо еще раз вдолбить читателю, по-моему, я только это и делаю — словом, надо подчеркнуть, что мы оба, хотя и по-разному, были явно «некрасивыми» мальчиками. Господи, до чего мы были некрасивы! И хотя могу честно сказать, что с годами мы «значительно похорошели», когда наши лица «как-то округлились», все же я должен еще и еще раз сказать, что и в детстве, и в отрочестве, и в юности при виде нас многие даже очень тактичные люди явно вздрагивали от жалости. Конечно, я говорю о взрослых, а не о других детях. Детей, особенно маленьких, разжалобить не так легко — во всяком случае, не такими вещами. С другой стороны, многие ребята особым великодушием не страдают. Бывало, на детских вечеринках чья-нибудь особо добросердечная мамаша предлагала сыграть в «Почту» или во «Флирт цветов», и могу честно подтвердить, что оба старших глассовских мальчика были матерыми получателями целых мешков обидных писем «неизвестному адресату» (весьма нелогичное, но выразительное название), если только почтальоном не была девчонка по кличке Шарлотка-идиотка, а она, кстати, и была немножко чокнутая. А было ли нам обидно? Было нам больно или нет? (Подумай как следует, на то ты и писатель.) Отвечаю обдуманно и не торопясь: нет, почти никогда. Насколько помнится, я лично не обижался по трем причинам. Во-первых, не считая каких-то кратких минут сомнения, я все детские годы безоговорочно верил — отчасти благодаря утверждениям Симора, что я — очаровательный малый и необыкновенно талантлив, а если я кому-то не нравлюсь, значит, вкус у него дурной и он сам не стоит внимания. Во-вторых (надеюсь, у вас-то хватит терпения выдержать то, что я скажу, хотя я сильно сомневаюсь), уже с пяти лет я был твердо убежден, что непременно исполнится моя голубая мечта стать знаменитым писателем. И в-третьих, за очень редкими исключениями, но неуклонно, всем сердцем, я втайне гордился и радовался, что я похож на Симора. Симор, разумеется, как всегда, относился к себе по-другому. То он очень огорчался своей смешной внешностью, то не обращал никакого внимания. А когда он огорчался, то скорее всего не из-за себя, а из-за других. Главным образом я имею в виду нашу сестрицу Бу-Бу. Симор ее обожал. Вообще особого значения это не имело, он всю нашу семью обожал, да и многих других людей тоже. Но, как и все мои знакомые девочки, Бу-Бу прошла через – к счастью – очень недолгий период жизни, когда она по меньшей мере раза два в день «обмирала» из-за того, что кто-нибудь из «взрослых» делал какой-нибудь «фопа» или «гаффу»[1]. Кульминационной точкой был тот случай, когда любимая учительница истории вошла в класс после ленча с кусочком яблочной шарлотки, прилипшей к щеке, – тут уж Бу-Бу по-настоящему «увяла» и «обмерла» на своей парте. Но домой она являлась в таком «обмирающем» виде из-за совершенных пустяков, и это беспокоило и огорчало Симора больше всего. Особенно он беспокоился за нее, когда взрослые подходили к нам (ко мне или к нему) в гостях или еще где-нибудь и говорили, как мы сегодня «мило выглядим». Замечания в этом роде бывали разные, но Бу-Бу почему-то всегда оказывалась где-то поблизости и каждую минуту ждала повода что-то услышать и «обмереть».

Может быть, меня мало беспокоит, что моя попытка дать представление о его лице – его внешнем образе – пойдет ко дну. Охотно соглашусь, что мой подход к созданию портрета Симора, в общем, далек от совершенства. Быть может, я и перестарался, описывая всякие подробности. Например, я вдавался в описание по-

1 От faux-pas – ложный шаг, от gaffe – промах (*фр.*).

чти каждой черты его лица, но пока что ни слова не сказал о том, какая жизнь в них отражалась. Именно эти мысли меня страшно угнетают. Но, даже когда я так подавлен и отчаяние захлестывает, одно только не дает мне пойти ко дну — твердая уверенность, что я выплыву. Впрочем, «уверенность» — не то слово. Скорее похоже, что я надеюсь получить приз «лучшего любителя самобичевания» или диплом за повышенную выносливость. А я просто все знаю, как редактор своих прежних неудачных попыток: в течение одиннадцати лет я пытался описать Симора, и только теперь я понял, что любое умолчание тут противопоказано. Более того: начиная с 1948 года я написал — и демонстративно предал сожжению — больше десятка очерков и рассказиков, очень недурных и вполне увлекательных, хотя мне не следовало бы так хвалить самого себя, И все это был не Симор. Только попробуй чего-то про него недоговорить — и все переродится, обернется ложью. Может быть, даже художественной ложью, иногда даже прелестной ложью, но — ложью.

Надо бы еще посидеть часок-другой. Эй, тюремщик, проследи, чтобы этот тип не лег спать!

Ведь, в общем, он вовсе не походил на какую-то химеру. Руки, например, у него были чудесные. Не хочется сказать «красивые», чтобы не впасть в отвратительный штамп «красивые руки». Ладони широкие, мускул между большим и указательным пальцем очень развит, неожиданно «крепок» (к чему тут кавычки? Да не напрягайся ты, Бога ради) — и все же пальцы у него были даже длинней и тоньше, чем у Бесси, так что средние пальцы хотелось измерить сантиметром.

Задумался над последним абзацем. Вернее, над тем, с каким внутренним восхищением я это написал. До какого предела, спрашиваю я себя, брату позволено восхищаться руками старшего брата, чтобы кто-то из современных умников не приподнял брови? «Был я молод, папа Уильям»[1], и всегда во всех кругах, к которым я принадлежал, много болтали о моей нормальной гетеросексуальности (не считая некоторых, если можно сказать, перерывов. А сейчас, может быть, чуть-чуть насмешливей, чем следует, я вспоминаю, как Софья Толстая во время супружеских, не сомневаюсь, вполне оправданных ссор обвиняла отца своих тринадцати детей, пожилого человека, по-прежнему докучавшего ей каждую ночь их совместной жизни, что у него есть «гомосексуальные наклонности». Но я считаю Софью Толстую поразительно неинтересной женщиной, да и по своей конституции я так устроен, что каждый мой атом подсказывает мне, что чаще нет дыма без клубничного желе, а вовсе не «без огня». Но я твердо уверен, что в любом, хорошем, дурном или даже будущем прозаике заложено — и безусловно — что-то «андрогинное». И мне думается, что если такой писатель похихикивает над собратьями по перу, на которых он мысленно видит женскую юбку, то ему самому грозит вечная погибель. Больше я на эту тему распространяться не стану. Именно такая доверительность легко может вызвать всякие Смачные Кривотолки. Удивительно, что мы в наших книгах иногда еще способны расхрабриться.

О голосе Симора, его невероятном голосовом аппарате сейчас распространяться не буду. Во-первых, тут не место подробно об этом говорить. Скажу пока что своим собственным Таинственным (и не очень приятным) Голосом, что его голос для меня был тем наилучшим, хоть и никак не совершенным музыкальным инструментом, который я мог слушать часами. Но, повторяю, сейчас я хотел бы отложить полное описание этого инструмента.

Кожа у Симора была смуглой, но ничуть не темной, не болезненной и всегда удивительно чистой. Даже в

1 Цитата из «Алисы в Стране чудес». (*Примеч. переводчика.*)

мальчишеском возрасте у него никогда не было ни единого прыщика, хотя мы с ним вечно ели одну и ту же дрянь с лотков – то, что наша мама называла Антисанитарной Стряпней Людей, Которые Даже Никогда Не Моют Руки, – да и пил он столько же содовой воды, сколько и я, и, конечно, купался не чаще меня. По правде сказать, он ванну принимал даже реже меня. Но он так следил, чтобы все наши ребята – особенно близнецы – регулярно купались, что часто пропускал свою очередь. Тут, может быть, не совсем кстати, придется опять затронуть тему «парикмахерская». Как-то под вечер, когда мы с ним шли стричься, он остановился прямо посреди мостовой на Амстердам-авеню и спросил меня очень серьезно, пока с обеих сторон на нас мчались машины и грузовики, не хочу ли я пойти стричься без него. Я перетащил его на обочину (хоть бы мне платили по пятицентовику за каждую обочину, на которую я его оттаскивал, – и мальчишкой и взрослым) и сказал, что я, к о н е ч н о, не хочу. Ему показалось, что у него грязная шея. Вот он и решил, что Виктору, нашему парикмахеру, будет противно смотреть на его грязную шею. Откровенно говоря, на этот раз шея у него и вправду б ы л а грязная. И тут, как часто бывало, он, оттягивая пальцем воротник, попросил меня взглянуть на его шею. Обычно этот район вполне отвечал всем санитарным требованиям, но уж если нет, так определенно – н е т.

Пойду спать, давно пора.

Староста Женского общежития – очень милая особа – с раннего утра придет пылесосить мое жилье.

Жуткая тема – «одежда» – тоже должна где-то найти себе место. Как удивительно удобно было бы писателям, если б они могли позволить себе описывать костюмы своих персонажей вещь за вещью, складку за складкой. Что же нас останавливает? Скорее всего, желание оставить читателя, которого мы и в глаза не видели, в полном неведении либо из-за того, что мы считаем его не таким знатоком людей и нравов, как мы сами, либо оттого, что нам не хочется признать, что он-то прекрасно, а может, и лучше нас, понимает все до мельчайших подробностей. Например, когда я сижу у своего педикюрщика и случайно вижу в журнале «Соглядатай» фото какого-нибудь преуспевающего американца: киноактера, политического деятеля, недавно назначенного ректора университета, – и у этого деятеля на стенке – Пикассо, у ног – бигль[1], а на нем самом – английская домашняя куртка с поясом, я очень ласково отнесусь к собачке, вежливо – к Пикассо, но буду совершенно нетерпим, если речь зайдет об английских куртках на американских знаменитостях. А уж если мне эта личность вообще не очень понравится, то куртка свое добавит, и я наверняка сделаю вывод, что у этой личности кругозор так дьявольски быстро расширяется, что мне это не по душе.

Но продолжаем. С возрастом и Симор, и я стали, каждый по-своему, довольно нелепо одеваться. Немного странно (впрочем, пожалуй, не очень), что мы так скверно одевались: по-моему, когда мы были мальчишками, мы были одеты вполне пристойно и аккуратно. В самом начале наших платных выступлений по радио Бесси обычно покупала нам одежду у Де-Пинна на Пятой авеню. Как она впервые попала в это достойное и солидное учреждение, можно только догадываться. Мой брат Уолт, который при жизни был очень элегантным молодым человеком, чувствовал, что Бесси просто подошла к полисмену и спросила у него совета. Предположение вполне разумное, потому что наша Бесси, еще когда мы были детьми, обычно во всех самых запутанных делах искала совета у человека, который во всем Нью-Йорке больше всего напоминал Друидского жреца – я

1 Маленькая английская гончая – очень модная собака. (*Примеч. переводчика.*)

говорю об ирландце-полисмене на углу перекрестка. Можно даже предположить, что найденный Бесси магазин одежды Де-Пинна тоже подтверждал представление обо всех ирландцах как об очень везучих людях. Но не только это. Приведу пример, не совсем уместный, но симпатичный: мою маму ни в коем случае нельзя было назвать усердным читателем. Но я сам видел, как она зашла в один из самых шикарных книжных магазинов на Пятой авеню, чтобы купить именинный подарок ко дню рождения одному из моих племянников, и вышла оттуда, даже выплыла, с великолепно иллюстрированной книгой Кэй Нильсон «К востоку от солнца, к западу от луны»; и, зная Бесси, можно было с уверенностью сказать, что в этом магазине она вела себя как вполне Светская Дама, снисходя к суетившимся вокруг нее продавцам. Но вернемся к нашей юности, расскажем, как мы тогда выглядели. Чуть ли не с десяти лет мы уже стали самостоятельно покупать себе платье независимо от Бесси и д а ж е друг от друга. Симор, как старший, отпочковался первым, но уж, когда мое время пришло, я с ним сквитался. Помню, что в четырнадцать лет я бросил магазин на Пятой авеню, как остывшую картошку, и перешел на Бродвей, — специально в лавку где-то на Пятидесятых улицах, где вся бригада приказчиков хотя и была, как мне казалось, более чем враждебно настроена, но зато, по крайней мере, чувствовала, что пришел человек, отроду понимающий, что значит врожденная элегантность. В тот последний, 1933 год, когда мы с Симором вместе выступали по радио, я каждый вечер появлялся в светло-сером двубортном пиджаке, с высоко подложенными плечами, в темно-синей рубашке, с голливудским «развернутым» воротничком и в наиболее чистом из двух одинаковых канареечно-желтых галстуков, которые я вообще берег для торжественных случаев. Откровенно говоря, с тех самых пор я никогда ни в одном костюме не чувствовал себя так хорошо. (Не думаю, что человек пишущий может когда-нибудь окончательно отказаться от своего старого канареечно-желтого галстука. Уверен, что раньше или позже этот галстук непременно вынырнет в его прозе, и тут, пожалуй, ни черта сделать нельзя.) Симор, с другой стороны, выбирал для себя чрезвычайно пристойную одежду. Но главная загвоздка была в том, что ни одна готовая вещь — костюм и особенно пальто — не сидела на нем как следует. Наверно, он удирал, может быть, даже полуодетый и, уж конечно, без нанесенных мелом наметок, как только к нему подходил кто-нибудь из перешивочного отделения. Все его пиджаки то топорщились, то обвисали. Рукава либо закрывали средние фаланги пальцев, либо не доходили до кисти. Хуже всего дело обстояло с брюками, особенно сзади. Иногда становилось даже страшно, как будто зад от размера тридцать шестого был брошен, как горошина в корзину, в сорок четвертый размер. Впрочем, были еще и другие, гораздо более жуткие аспекты, которые следует здесь отметить. Симор совершенно терял всякое представление о своей одежде, как только она оказывалась на нем — если не считать смутного, но реального ощущения, что он фактически уже не голый. И дело тут было вовсе не в инстинктивной, а может быть, и благоприобретенной, антипатии к тому, что в наших кругах называют «одет со вкусом». Раза два я ходил с ним За Покупками, и мне помнится, что он покупал себе платье со сдержанной, но приятной мне гордостью, как юный «брахмачарья», молодой послушник-индус, выбирающий свою первую набедренную повязку. Да, странное дело, очень странное. Что-то постоянно случалось с одеждой Симора именно в ту минуту, как он начинал одеваться. Он мог простоять положенные три-четыре минуты перед дверцей шкафа, разглядывая свою сторону нашей общей вешалки для галстуков, но ты знал (если только ты, как дурак, сидел и смотрел на него), что стоило ему наконец что-то выбрать, как этот галстук был обречен. Либо узел, которому полагалось ладно сесть под воротник, сбивался в комок и чаще всего оказывался сбоку примерно на четверть дюйма, не прикрывая воротничка. А уж если узел галстука намеревался сесть на свое место, то полоска галстучного шелка неминуемо высовывалась сзади из-под воротничка, как ремешок от бинокля у туриста. Но я предпочитаю больше не касаться этой запутанной и сложной темы. Короче говоря, из-за одежды Симора вся наша семья часто доходила почти до полного отчаяния. Мои описания, по правде говоря, далеко отстают от действительности. Много было разных вариантов. Скажу только вкратце и сразу закрою эту тему: можно всерьез расстроиться, если ждешь летним вечером под пальмами отеля «Билтмор», в час коктейлей, и вдруг видишь, что твой полубог, твой герой взлетает по широкой лестнице, сияя от предстоящей радости, но ширинка у него не совсем застегнута.

Хочу еще на минутку остановиться на этой лестнице, то есть просто рассказать, не думая, куда, к черту, она меня заведет. Симор всегда взлетал на все лестницы бегом. Он их брал с ходу. Мне редко приходилось видеть, как он по-другому всходил на ступеньки. И это приводит меня к рассуждению на тему «сила, смелость и сноровка». Никак не могу себе представить, что в наше время кто-нибудь (впрочем, мне вообще трудно кого-то себе представить) – за исключением ненадежных гуляк-докеров, отставных армейских и флотских генералов и всяких мальчишек, занятых развитием своих бицепсов, – кто-нибудь еще верит в устаревший, но очень распространенный предрассудок, будто бы поэты – народ хилый, хлипкий. А я готов утверждать (особенно потому, что среди читателей – и почитателей – моей литературной стряпни много и военных, и спортсменов, любителей свежего воздуха, «настоящих мужчин»), что не только нервная энергия или железный характер, но и чисто физическая выносливость требуются для того, чтобы создать окончательный вариант первоклассного стихотворения. Как ни печально, но хороший поэт часто до безобразия небрежно относится к своему телу, но я считаю, что вначале ему было дано тело вполне выносливое и крепкое. Мой брат был одним из самых неутомимых людей, каких я знал. (Вдруг я ощутил бег времени.) Полночь только близится, а мне уже захотелось соскользнуть на пол и продолжать писать в лежачем положении. Мне только что пришло в голову, что Симор при мне никогда не зевал. Вообще-то он, наверно, зевал, но я этого не видел. И дело тут не в воспитанности: у нас дома никому зевать не мешали. Я сам зевал постоянно — а ведь спал я больше, чем он. Но все же спали мы всегда слишком мало, даже в детстве. Особенно в те годы, когда мы выступали по радио и вечно носили в карманах, по крайней мере, по три библиотечных абонемента, истертых, как старые паспорта, не было почти ни одной ночи — и это в школьные дни! — когда свет в нашей комнате выключался раньше двух или трех часов утра, кроме тех минут после отбоя, когда наш Старший Сержант, Бесси, делала обход. Если Симор чем-то увлекался, что-то исследовал, он часто мог, даже в двенадцатилетнем возрасте, вообще не ложиться спать две-три ночи подряд, и по нему это ничуть не было видно. Но бессонные ночи, очевидно, действовали только на его кровообращение, руки и ноги у него холодели. Примерно в третью бессонную ночь он хоть раз подымал голову и спрашивал меня — не чувствую ли я ужасный сквозняк. (В нашей семье ни для кого, даже для Симора, не бывало просто сквозняков — только «ужасные сквозняки».) Иногда он вставал с кресла или с полу, смотря по тому, где он читал, писал или думал, и шел проверять — не оставил ли кто-нибудь окно в ванной открытым. Кроме меня, только Бесси всегда угадывала, когда Симор не спал. Она судила по тому, сколько пар носков он надевал на себя.

В те годы, когда он вырос из коротких штанишек и носил длинные брюки, она вечно заворачивала его штанину и смотрела – надел ли он заранее две пары носков для защиты от ночного сквозняка.

Сегодня я – сам себе Песочный Человек. Спокойной ночи! Спокойной вам ночи, бесчувственные вы, до противности необщительные люди!

Многие-многие люди моего возраста и с таким же заработком, пишущие о своих покойных братьях в такой очаровательной, полудневниковой форме, обычно никогда не заботятся о том, чтобы указать дату и место пребывания. Не хотят впускать читателя в творческий процесс. Я поклялся, что я так поступать не стану. Сегодня четверг, и я сижу в своем ужасном кресле. Сейчас ночь, без четверти час, а сижу я с десяти вечера и пытаюсь, пока облик Симора оживает на этих страницах, придумать, как бы мне так его изобразить и Спортсменом, и Атлетом, чтобы не слишком раздражать ярых ненавистников всякого спорта. По правде сказать, я понял, что ничего не могу рассказать, не попросив предварительно извинения, и это меня раздражает и огорчает донельзя; дело в том, что я работаю на кафедре английской литературы, и, по крайней мере, двое из наших преподавателей уже стали признанными и широко публикуемыми лирическими поэтами, а третий мой коллега – блистательный литературный критик, кумир всего Восточного побережья и довольно выдающаяся фигура среди специалистов по Мелвиллу. И вся эта тройка (как вы понимаете, я для них тоже не из последних) со всех ног и, по-моему, слишком на виду у публики опрометью бросается к телевизору с бутылкой холодного пива, как только начинается сезон баскетбольных соревнований. Увы, этот маленький «академический» камешек никого особенно не ушибет, потому что я и сам бросаю его из-за толстой стеклянной стены. Ведь я тоже всю жизнь был отчаянным болельщиком за баскетбольные команды, и нет сомнения, что у меня в мозгу есть участок, засыпанный вырезками из спортивных журналов, как птичья клетка – шелухой от зерен. Вполне возможно (и это будет последнее откровенное признание автора своим читателям), что одной из причин, почему я еще ребенком продержался на радио более шести лет, было то, что я мог рассказать Дорогим Радиослушателям о победе команды Уэйнера на этой неделе или произвести на всех огромное впечатление, объясняя, как Кобб в 1921 году (когда мне-то было всего два года) дал решающий бой. Неужто меня до сих пор это волнует? Неужели я еще не предал забвению те часы, когда я после обеда убегал от Обыденщины в надземном поезде с Третьей авеню в надежное, как материнское чрево, убежище, за третьим полем стадиона, где шла игра в поло? Не верится. А может быть, оттого и не верится, что мне уже сорок и что, по-моему, давно пора всем стареющим братьям писателям убраться с коррид и стадионов. Нет. Я знаю – ей-богу, з н а ю, – почему я не решаюсь вывести Эстета в роли Атлета. Годами я об этом не думал, но вот что я могу сказать. С нами по радио выступал один исключительно умный и очень славный мальчик, звали его Кэртис Колфилд, – потом он был убит во время одной из высадок в Тихом океане. Однажды он со мной и Симором забрел в Центральный парк, и там я вдруг обнаружил, что он бросает мяч так, будто у него две левых руки – словом, как большинство девчонок, – и я до сих пор помню, с каким выражением смотрел на него глубокомысленный Симор и как я ржал, вернее гоготал, по-жеребячьи, глядя на него. Как мне объяснить этот психоаналитический экскурс? Неужто я перешел на их сторону? Повесить мне табличку с часами приема, что ли?

Скажи прямо: Симор л ю б и л спорт и всякие игры: и комнатные, и на стадионах, и сам играл либо замечательно, либо из рук вон скверно. И редко – кое-как. Года два назад моя сестра Фрэнни сообщила мне, что у нее сохранилось одно из Самых Ранних Воспоминаний: будто она лежала в Колыбели (как некая Инфанта) и смотрела, как Симор играет в пинг-понг в соседней комнате. На самом деле «колыбель», о которой она упоминает, была старая потрепанная коляска на роликах, в которой Бу-Бу катала сестренку по всей квартире, и коляска подскакивала на всех порогах, пока не останавливалась там, где царило наибольшее оживление. Но вполне возможно, что в раннем детстве Фрэнни видела, как Симор играл в пинг-понг, а его незаметным и незапомнившимся партнером мог быть и я. Обычно, играя с Симором, я впадал в полное ничтожество. Казалось, что против меня играет сама многорукая Матерь Кали, да еще с ехидной улыбочкой и без малейшей заинтересованности в счете очков. Он гасил, он резал мяч, он так по нему колотил почти через каждую подачу, как будто ожидал недолета, и потому было необходимо резать изо всех сил. Примерно три из пяти мячей Симора попадали в сетку или летели ко всем чертям мимо стола, так что, в сущности, противнику нечего было отбивать. Но он был так увлечен, что не обращал никакого внимания на эти мелочи, всегда удивлялся и смиренно просил прощения, когда его противник, не выдержав, громко и горько жаловался, что ему, черт подери, приходится лазать за мячами по всей комнате: под стулья, диван, рояль да еще в эти гнусные закоулки за книжными полками.

И в теннис он играл так же яростно и так же скверно. А играли мы с ним о ч е н ь ч а с т о. Особенно когда я учился в нью-йоркском колледже. Он уже преподавал в этом же заведении, и очень часто, в погожие дни, особенно весной, я сильно побаивался такой, слишком хорошей, погоды, потому что знал, что сейчас какой-нибудь юнец, как верный паж, падет к моим ногам с запиской от Симора, что, мол, день расчудесный и не сыграть ли нам партию-другую в теннис. Обычно я отказывался играть с ним на университетских кортах, так как боялся, что кто-нибудь из моих или же его приятелей – или, не дай Бог, кто-то из его ехидных коллег, – увидит его, так сказать, в действии, поэтому мы обычно уезжали на корты Рипа или на Девяносто шестую улицу, на старый наш корт. И, совершенно зря, я придумал бессмысленную уловку – хранить ракетку и теннисные туфли не в колледже, в моем шкафчике, а дома. Тут было только одно преимущество. Обычно дома все выражали мне особое сочувствие, пока я переодевался для тенниса, и нередко кто-нибудь из моих братьев и сестер сострадательно провожал меня до самых дверей и молча ждал, пока подойдет лифт.

Во всех карточных играх без исключения, – будь то покер, винт, вист, кассино, свои козыри, Кинг, ведьма, – он был просто невыносим. На игру вроде «дурака» еще можно было смотреть. Обычно в «дурака» мы играли с близнецами, когда они были совсем маленькими, и Симор постоянно им подсказывал, намекал, чтобы они спросили – есть ли у него нужная им карта, а то и нарочно, покашливая, давал им подглядывать в свои карты. В покер он тоже играл фантастически. Когда мне было восемнадцать-девятнадцать, я, втайне, изо всех сил, но довольно бесплодно, старался стать «душой общества», настоящим «светским денди» и часто приглашал друзей играть в покер. Симор нередко участвовал в этих сборищах. Но надо было прилагать немало усилий, чтобы не догадаться, что у него руки полны козырей, потому что он сидел и ухмылялся, по словам моей сестры, как Пасхальный Кролик с полной корзиной крашеных яиц. Бывало и того хуже: у него была привычка – имея на руках флеш или даже флеш-рояль, а может, и совсем чудесные карты, он ни за что не бросал вызов противнику, если тот ему нравился, хотя у того на руках были одни десятки.

В четырех из пяти уличных игр он был просто шляпой. Когда мы учились в начальной школе и жили на углу

Одиннадцатой и Риверсайд-Драйв, там, где-нибудь в переулках, после обеда собирались команды (волейбол, хоккей на роликах), но чаще всего на довольно большой лужайке, где около памятника Кошуту выгуливали собак, мы играли в футбол или регби. В регби или хоккей Симор имел привычку, очень раздражавшую, как ни странно, товарищей его команды: он бил сильно, часто великолепно, а после такого удара вдруг останавливался, давая вратарю противника время занять выгодную позицию. В регби он играл очень редко и только если в какой-нибудь команде не хватало игрока. А я играл постоянно. Я не против грубости, только здорово ее побаиваюсь, а потому у меня не было другого выбора, как играть самому. Я даже организовывал эти проклятые игры. В тех редких случаях, когда Симор тоже играл в регби, трудно было предсказать — будет ли это на пользу или во вред его команде. Чаще всего его первым из нас принимали в команду, потому что он был очень гибкий и словно родился для передачи мяча. Когда он оказывался с мячом посреди поля и не начинал вдруг сочувствовать нападающему из команды противника, тогда все шло на пользу его команде. Но, как я уже сказал, никогда нельзя было предсказать — поможет он выиграть своим или помешает. Как-то, в одну из счастливых минут, редко выпадавших на мою долю, мои товарищи по команде разрешили мне обежать мяч через линию защиты. Симор, игравший за противника, совершенно сбил меня с толку: когда я повел прямо на него мяч, у него стала такая радостная физиономия, словно судьба подарила ему неожиданную и необыкновенно счастливую встречу. Я остановился как вкопанный, и, конечно, кто-то сбил меня с ног, по нашему выражению, словно груду кирпичей.

Может быть, я слишком разговорился насчет всех этих дел, но остановиться невозможно. Как я уже сказал, Симор все же играл в некоторые игры блестяще. И это было даже непростительно. Я хочу этим сказать, что есть какая-то степень ловкости, умения в спорте или в играх, которая особенно злит тебя в противнике, которого ты в данную минуту безоговорочно считаешь «ублюдком», все равно каким — Несуразным, Хвастливым или просто Стопроцентным Американским Ублюдком, а это определение включает целую серию «ублюдков» — от такого, который с успехом побеждает тебя, несмотря на свой самый дешевый или примитивный спортинвентарь, до претендента на победу, у которого всегда заранее этакая нелепо-счастливая, сияющая физиономия. Но Симора можно обвинить только в одном, но очень серьезном преступлении, когда он здорово играл, не будучи в спортивной форме. Я имею в виду главным образом три игры: ступбол, «шарики» или бильярд (о бильярде расскажу дальше. Для нас это была не просто игра, а что-то вроде эпохи Реформации: мы затевали игру на бильярде, перед тем или после того как в нашей молодой жизни наступал какой-нибудь серьезный кризис). Кстати, к сведению непросвещенных читателей, ступбол — это такая игра, когда мячик бросают о ступеньки каменного крыльца или о стенку дома. Мы обычно играли литым резиновым мячиком и невысоко били им о какое-нибудь гранитное архитектурное «излишество» — весьма популярную на Манхэттене помесь не то ионическо-греческих, не то римско-коринфских колонн, украшавших фасад нашего дома. Если мяч отскакивал на мостовую или даже на противоположный тротуар и его не успевал на лету подхватить кто-нибудь из команды противника, то засчитывалось очко бросавшему, как в бейсболе; если же мячик ловили, — а это бывало чаще всего, — то бросавший выбывал из игры. Но главный козырь заключался в том, чтобы мячик летел высоко и стукался о стенку противоположного дома, так чтоб никто не мог его перехватить, когда он от этой стенки отскакивал. В наше время многие умели бросать мяч так, что в противоположную стену он попадал, но редко кому удавалось бросить его так ловко, быстро и низко, чтобы противник не мог его поймать. А Симор почти всегда выбивал очко, когда участвовал в этой игре. Когда другие мальчишки нашего квартала выбивали такое очко, это считалось случайностью – счастливой или нет, смотря по тому, в твоей или в чужой команде это произошло, но если уж Симор промазывал, то всегда казалось, что это случайно. Как ни странно, ни один из соседских мальчиков не бросал мяч, как Симор, а это еще больше относится к нашей теме. Все мы, как и он, были не какими-то левшами, все становились боком чуть слева от меченого места на стенке и, развернувшись, сплеча бросали мяч резким движением. А Симор становился лицом к роковому участку стены и бил прямо вниз, броском, похожим на его некрасивый и всегда жутко неудачный «оверхенд» в теннисе или пинг-понге, – и мяч перелетал через его голову – он только чуть-чуть изгибался – прямо через зрителей, в «задние ряды». Но если ты тоже пробовал ему подражать, иногда без его указки, а то и под самым ревностным его руководством, ты либо сразу выбывал из игры, либо этот (проклятущий!) мяч отскакивал прямо тебе в морду. Пришло время, когда никто, даже я, с ним в мяч играть не желал... И тогда он либо начинал довольно пространно объяснять одной из наших сестриц все тонкости игры, либо с необычайным успехом играл в одиночку, сам с собой, и мяч отлетал от противоположной стенки прямо к нему, да так, что он, не сходя с места, ловил его с необычайной ловкостью. (Да, да, я что-то чересчур увлекся, но прошло почти тридцать лет, а мне все еще эти наши дела кажутся безумно увлекательными.) И такую же чертовщину он вытворял, играя в «шарики». По нашим правилам, первый игрок катит или бросает свой шарик, свой «биток», вдоль какой-нибудь боковой улочки, там, где не стоят машины, стараясь бросить его футов на двадцать – двадцать пять, так, чтобы он откатывался с обочины. Второй игрок старается ударить по этому шарику, бросая свой с того же места. Удается ему это очень редко — на пути его шарика немало мелких помех: тут и неровности на мостовой, и возможность ударить по краю тротуара, и попасть в кусок жвачки или в любой типично нью-йоркский мусор, — я тут не считаю обыкновенного неумения попадать в цель. А если второй игрок промазывал на первом же ударе, то его шарик обычно застревал на самой уязвимой точке для второго, очередного, удара противника. Раз восемьдесят, если не девяносто из ста, Симор в этой игре побеждал всех. На длинных ударах он посылал свой шарик по дуге, как навесной мяч в бейсболе. И тут все его приемы были вне всяких норм и ни на что не похожи. Если все ребята нашего квартала били броском снизу, Симор бросал свой шарик «от локтя», даже от кисти, как пускают плоские голыши, «блины», по поверхности пруда. И тут брать с него пример было просто гибельно, и твой шарик совершенно тебя не слушался.

(Кажется, я подсознательно, грубо подвожу весь разговор к тому, чтобы рассказать об одном случае. А ведь много лет я о нем и не вспоминал.)

Однажды к вечеру, в те мутноватые четверть часа, когда на нью-йоркских улицах только что зажглись фонари и уже включаются автомобильные фары — одни горят, другие еще нет, я играл в «шарики» с одним мальчиком по имени Айра Янкауер, на дальнем тротуаре переулка, выходившего прямо напротив входа в наш дом. Мне было восемь лет, я пытался подражать приемам Симора: бить, как он, сбоку, целить, как он, в шарик противника, — и неизменно проигрывал. Неизменно, но равнодушно. В этот сумеречный час нью-йоркские мальчишки похожи, скажем, на мальчишек из Тиффани, штат Огайо, которые слышат гудок далекого поезда, загоняя в хлев последнюю корову. В этот волшебный час, если и проигрываешь свои шарики, они для тебя — просто стекляшки, и все. По-моему, Айра тоже ощущал сумерки, как надо, – а значит, и для него выиграть только и значило – просто получить лишние шарики, вот и все. И в тон этому затишью и нашему равнодушному настроению меня вдруг окликнул Симор. Так неожиданно и славно было почувствовать, что в затихшей Вселенной есть еще третий живой человек, и особенно потому, что это был именно Симор.

Я круто обернулся к нему, и Айра, кажется, тоже. Яркие круглые лампочки только что зажглись под козырьком нашего парадного. Симор стоял на обочине, перед входом, раскачиваясь на пятках, засунув руки в карманы своей кожаной куртки, и смотрел на нас. Фонари под навесом парадного освещали его сзади, и лицо его виднелось смутно, тонуло в тени. Ему было десять лет. По его позе, по манере держать руки в карманах, раскачиваться на пятках, словом, по некоему «фактору икс», я понял, что и он тоже до глубины души чувствует волшебную прелесть этого сумеречного часа. «А ты не можешь целиться не так долго? – спросил он, не сходя с места. – Если ты нацелишься и попадешь, значит, тебе просто повезло». Он сказал эти слова как-то доверительно, не нарушая обаяния этого вечера. Нарушил его я сам. Сознательно. Нарочно. «Что значит “п о в е з л о”, если я ц е л и л с я?» – говорил я негромко (несмотря на курсив), но более раздраженным тоном, чем мне хотелось. Минуту он помолчал, потоптавшись по обочине, посмотрел на меня, я чувствовал – с любовью. «А вот так, – сказал он. – Ведь ты о б р а д у е ш ь с я, если попадешь в шарик Айры? Да? Обрадуешься, верно? А раз ты обрадуешься, когда попадешь в чей-то шарик, значит, ты в душе был не совсем уверен, что попадешь. Значит, тут должно быть какое-то везение, случайность, что ли».

Он сошел с тротуара на мостовую, не вынимая рук из карманов, и пошел к нам. Мне показалось, что он задумался, и потому переходит темную улочку очень медленно. В сумерках он подплыл к нам, как парусная шхуна. Но оскорбленное самолюбие овладевает человеком быстрее всего на свете: он еще не успел к нам подойти, как я бросил Айре: «Все равно надо кончать, уже совсем темно» — и торопливо бросил игру.

От этого короткого «пентименто» — или как оно там называется — я сейчас буквально покрылся испариной с ног до головы. Хочу закурить, но в пачке ни одной сигареты, а вставать с кресла неохота. Господи, твоя воля, до чего это благородная профессия! Хорошо ли я знаю своего читателя? Что я могу рассказать ему, чтобы зря не смущать ни его, ни себя? Могу сказать одно: и в его, и в моем сознании уже уготовано место для каждого из нас. Я свое место в жизни, до последней минуты, осознавал всего раза четыре. Сейчас осознаю в пятый раз. Надо хоть на полчаса лечь на пол, отдохнуть. Извините меня, пожалуйста.

Сейчас пойдет абзац, подозрительно похожий на примечание к программе спектакля, но после строк, написанных выше, я чувствую, что мне этого театрального приема не избежать. Прошло три часа. Я уснул на полу. (Но я уже пришел в себя, дорогая Баронесса. О боже, что же Вы обо мне подумали? Умоляю Вас, разрешите позвонить лакею; пусть принесет бутылочку того самого редкостного вина из моих собственных виноградников, и я надеюсь, что Вы хотя бы...) Но я хочу по возможности коротко объяснить, что, каковы бы ни были причины некоторой путаницы в записях, сделанных три часа назад, я никогда в жизни не обольщал себя мыслью, что мои возможности (мои скромные возможности, дорогая Баронесса) позволяют мне безукоризненно хранить в памяти почти все прошлое. В ту минуту, когда я вспотел, вернее довел себя до седьмого пота, я не очень точно помнил, что именно говорил Симор, — да и его, тогдашнего, вспоминал как-то слишком бегло. Но вдруг меня осенила и совсем сбила с толку еще одна мысль: ведь Симор для меня — велосипед фирмы «Дэвега». Почти всю мою жизнь я ждал малейшего повода, не говоря уж о «предлагаемых обстоятельствах», чтобы кому-нибудь подарить мой велосипед фирмы «Дэвега». Спешу тотчас же объяснить, о чем идет речь.

Когда Симору было пятнадцать, а мне — тринадцать лет, мы как-то вечером вышли в гостиную, кажется, послушать передачу двух комиков и попали в самый разгар жуткого и почему-то зловеще приглушенного скандала. В гостиной находились только наши родители и братишка Уэйкер, но мне показалось, что еще какие-то маленькие существа подслушивают из надежного укрытия. Лес был весь ужасно красный, Бесси так поджала губы, что их и видно не было, а наш брат Уэйкер, которому, по моим соображениям, тогда было ровно девять лет и четырнадцать часов, стоял у рояля, босиком, в пижаме, заливаясь слезами. При таких семейных передрягах мне первым делом хотелось нырнуть в кусты, но так как Симор явно не собирался уходить, то остался и я. Лес, стараясь сдержать свой гнев, сразу выложил Симору обвинительный акт. Этим утром, как мы уже знали, Уолт и Уэйкер получили ко дню рождения одинаковые, очень красивые и — не по средствам — дорогие подарки: два одинаковых белых с красным велосипеда со свободной передачей и двойным тормозом, словом, те самые велосипеды, которыми ребята постоянно восхищались, стоя перед витриной спортивного магазина «Дэвега» на Восемьдесят шестой улице, неподалеку от Лексингтон-авеню и Третьей. Минут за десять до того, как мы с Симором вышли из нашей комнаты, Лес обнаружил, что в подвале нашей квартиры, где в целости и сохранности стоял велосипед Уолта, второго велосипеда, Уэйкера, н е оказалось. Днем в Центральном парке

Уэйкер отдал свой велосипед. Незнакомый мальчишка (какой-то прохвост, которого он видел в первый раз в жизни) подошел к Уэйкеру, попросил у него велосипед, и Уэйкер тут же отдал ему машину. Конечно, и Лес, и Бесси понимали «добрые, благородные побуждения» своего сына, но все же оба осуждали его поступок со своей, вполне логичной, точки зрения. Что должен был, по их мнению, сделать Уэйкер? Лес подчеркнуто повторил это специально для Симора: надо было позволить этому мальчику «хорошенько, вволю, покататься на велосипеде – и все!». Но тут Уэйкер, захлебываясь слезами, перебил отца. Нет, мальчику вовсе не хотелось «вволю покататься» – он хотел иметь свой велосипед. У этого мальчика никогда не было собственного велосипеда, а он всегда мечтал иметь свой собственный велосипед. Я взглянул на Симора. Он вдруг заволновался. По его лицу было видно, что он всех их очень любит, но стать на чью-нибудь сторону в таком сложном вопросе никак не может. Однако я знал по опыту, что сейчас в этой комнате чудом воцарится полнейший мир. («Мудрец вечно полон тревоги и сомнений, прежде чем что-либо предпринять, но оттого ему всегда и сопутствует успех». Тексты Чжуан-цзы, книга XXXVI.) Не стану на этот раз подробно описывать, как Симор хотя и несколько путано, что ли, – мне трудно найти подходящее слово – но все же настолько разобрался в самой сути дела, что через несколько минут все три противника уже мирились и целовались. Хотя мне трудно доказать то, что я хочу, – это для меня дело слишком личное, – но, по-моему, я как-то все объяснил.

Однако то, что Симор крикнул, вернее, подсказал мне, в тот вечер, в 1927 году, когда мы играли в «шарики», мне кажется настолько важным и существенным, что придется еще немного на этом остановиться. Впрочем, стыдно сказать, но, на мой взгляд, сейчас самое важное и самое существенное только то, что сорокалетний братец Симора, весь напыжившись от гордости, радуется оттого, что ему подарили наконец велосипед «Дэвега», который он волен отдать кому угодно, – предпочтительно первому же, кто попросит. У меня такое ощущение, что я сам думаю, верней размышляю, правильно ли сейчас перейти от одних псевдометафизических тонкостей, хотя и чисто личных и мелких, к другим, хотя и общим, и крупным. То есть, проще говоря, ни на миг не отвлекаться на всякие разглагольствования, столь присущие моему многословному стилю. Словом, пошли дальше: когда Симор на перекрестке подсказал мне, что не надо целиться в шарик Айры Янкауера, – не забывайте, что ему тогда было только десять лет, – то мне сдается, что он инстинктивно давал то же указание, какое дает мастер-лучник в Японии, когда он запрещает начинающему, слишком ревностному, ученику нацеливать стрелу прямо в мишень, то есть когда мастер-лучник разрешает, так сказать, Целиться – не Целясь. Я бы предпочел, однако, совсем не упоминать в этой малоформатной диссертации ни стрелков, ни вообще учение Дзен, отчасти, несомненно, из-за того, что для изысканного слуха само слово «Дзен» все больше становится каким-то пошлым, культовым присловьем, хотя это имеет свое, впрочем, в значительной степени поверхностное оправдание. (Говорю «поверхностное», потому что Дзен в чистом виде несомненно переживет своих европейских последователей, так как большинство из них подменяет учение об Отрешенности призывом к полному душевному безразличию, даже к бесчувственности, – и эти люди, очевидно, ничуть не постеснялись бы опрокинуть Будду, даже не отрастив себе сначала золотой кулак. Нужно ли добавить – а добавить это мне, при моем темпе, необходимо, – что учение Дзен в чистом своем виде останется в целости и сохранности, когда снобы вроде меня уже уйдут со сцены.) Но главным образом я предпочел бы не сравнивать совет Симора насчет игры в «шарики» с дзеновской стрельбой из лука просто потому, что сам я отнюдь не дзеновский стрелок и, более того, не приверженец буддистского учения Дзен. (Кстати ли тут упомянуть, что корни нашей с Симором восточной философии, если их можно назвать «корнями», уходят в Ветхий и Новый Завет, в Адвайта-Веданту и классический Даосизм? И если уж надо выбирать для себя сладкозвучное восточное имя, то я склоняюсь к тому, чтобы назвать себя третьесортным Карма-йогом с небольшой примесью Джняна-Йоги, для пикантности. Меня глубоко привлекает классическая литература Дзен. Я даже имею смелость читать лекции о ней и о буддийской литературе «Махаяна» раз в неделю в нашем колледже, но вся моя жизнь не могла бы быть более антидзеновской, чем она есть, и все, что я познал — выбираю этот глагол с осторожностью — из учения Дзен, является результатом того, что я совершенно естественно иду своим путем, никак не соответствующим этой доктрине. Об этом меня буквально умолял Симор, а он в таких делах никогда не ошибался.) К счастью для меня, да, вероятно, и для всех прочих, я считаю, что нечего припутывать Дзен к истории с шариками. Тот способ целиться, который мне тогда чисто интуитивно посоветовал Симор, можно описать нормальными и невосточными словами: это тот же способ, каким курильщик искусно бросает окурок через всю комнату в небольшую корзину. По-моему, искусством этим отлично владеет большинство курильщиков-мужчин, но лишь в том случае, когда им совершенно наплевать — попадет ли окурок в корзинку или нет, или когда в комнате нет свидетелей, включая, так сказать, и самого метателя окурка. Постараюсь как можно меньше пережевывать эту деталь, хотя и нахожу в ней большой вкус, но спешу добавить, — чтобы вернуться к игре в «шарики», — что Симор, метнув шарик, весь расплывался в улыбке, услышав, как звякнуло стекло о стекло, но видно было, что он при этом даже не интересовался, к т о и м е н н о выиграл от этого удара. И факт остается фактом: почти всегда кто-нибудь Другой подбирал шарик и в р у ч а л его Симору, если выиграл он.

Слава Создателю, тема закрыта. Уверяю вас, тут моя воля ни при чем.

Думаю – нет, з н а ю, – что следующий эпизод будет последним моим «реалистическим» описанием. Постараюсь рассказать с юмором. Хочется перед сном как-то проветриться.

Наверно, выйдет что-то вроде Анекдота, пропади я пропадом! Ну и пусть! Когда мне было лет девять, у меня создалось очень лестное мнение о себе как о Самом Быстром Бегуне В Мире. Добавлю, что это была одна из тех навязчивых, ни на чем не основанных идей, которые необычайно живучи, и даже теперь, в сорок лет, при моем исключительно сидячем образе жизни, я иногда воображаю, как я, в своем обычном штатском костюме, пролетаю мимо толпы прославленных, но уже запыхавшихся олимпийских стайеров и очень любезно, без тени снисхождения, машу им ручкой. Словом, в один прекрасный весенний вечер, когда мы еще жили на Риверсайд-Драйв, Бесси послала меня в кондитерскую за мороженым. Я вышел из дому в тот самый волшебный сумеречный час, какой я описал на предыдущих страницах. И еще одно обстоятельство в данном случае оказалось роковым: на мне были спортивные тапки – а для мальчика, который себя считал Самым Быстрым Бегуном В Мире, такие тапки – все равно что красные туфельки для девочки из сказки Ханса Кристиана Андерсена. И как только я выскочил из дому, я превратился в Настоящего Меркурия и пустился в «отчаянный» спринт вдоль длинной улицы до Бродвея. Я срезал угол Бродвея «на одном колесе» и помчался, у с к о р я я темп сверх всякой возможности. Кондитерская, где продавали мороженое «Шерри» – Бесси упорно не признавала ничего другого, – находилась в трех кварталах к северу, на Сто тринадцатой улице. Я пролетел мимо писчебумажной лавки, где мы обычно покупали газеты и журналы, ничего не видя, не замечая по дороге ни родных, ни знакомых. И вдруг, через квартал, я услышал, что кто-то, тоже бегом, меня преследует. У меня сразу мелькнула мысль, характерная для каждого жителя Нью-Йорка: за мной гонится полиция, очевидно, за то, что я виноват в Превышении Скорости на Не-Школьной улице. Я весь напрягся, стараясь выжать из себя предельную скорость, но ничего не вышло. Я почувствовал, как чья-то рука схватила меня за свитер, именно за то место, где должен был бы красоваться номер нашей команды-победительницы. В ужасе я остановился, как ошалевшая птица, подбитая в полете. Преследователем моим, разумеется, был Симор, и вид у него тоже был перепуганный до чертиков. «В чем дело? Что стряслось?» – крикнул он, задыхаясь и не выпуская мой свитер из рук. Я вырвался от него и в достаточно непечатных выражениях, бытовавших в нашем обиходе, – повторять их дословно я не стану, – объяснил ему, что ничего не стряслось, ничего не случилось, что я просто бежал и нечего орать. Он вздохнул с огромным облегчением. «Ну, брат, и напугал же ты меня! – сказал он. – Ух, ну ты бежал! Еле догнал тебя!» И мы пошли не спеша в кондитерскую. Странно – а может быть, и совсем не странно – было то, что настроение у того, кто стал теперь не Первым, а Вторым Быстрейшим Бегуном В Мире, ничуть не испортилось. Во-первых, догнал меня именно ОН. А кроме того, я напряженно следил, как он здорово запыхался. Очень увлекательно было смотреть, как он пыхтит.

Вот я и кончил свой рассказ. Вернее, он меня прикончил. В сущности, я всегда мысленно сопротивлялся всяким финалам. Сколько рассказов, еще в юности, я разорвал просто потому, что в них было то, чего требовал этот старый трепач, Сомерсет Моэм, издевавшийся над Чеховым, то есть Начало, Середина и Конец. Тридцать пять? Пятьдесят? Когда мне было лет двадцать, я перестал ходить в театр по тысяче причин, но главным образом из-за того, что я до черта обижался, когда приходилось уходить из театра только потому, что какой-нибудь драматург вдруг опускал свой идиотский занавес. (А что же потом случилось с этим доблестным болваном, Фортинбрасом? Кто в конце концов починил его возок?) Однако, невзирая на все, я тут ставлю точку. Правда, мне хотелось еще бегло коснуться кое-каких весомых и зримых подробностей, но я слишком определенно чувствую, что мое время истекло. А кроме того, сейчас без двадцати семь, а у меня в девять часов лекция. Только и успею на полчаса прилечь, потом побриться, а может быть, принять прохладный, освежающий, предсмертный душ. Да еще мне вдруг захотелось, вернее, не то чтобы захотелось, упаси Бог, а просто возник привычный рефлекс столичного жителя — отпустить тут какое-нибудь не слишком ядовитое замечание по адресу двадцати четырех барышень, которые только что вернулись после развеселых отпусков во всяких Кембриджах, Гановерах или Нью-Хейвенах и теперь ждут меня в триста седьмой аудитории. Да вот никак не развяжусь с рассказом о Симоре, — даже с таким никуда не годным рассказом, где так и прет в глаза моя неистребимая жажда утвердить свое «я», сравняться с Симором, — и забывать при этом о самом главном, самом настоящем. Слишком высокопарно говорить (но как раз я — именно тот человек, который это скажет), что не зря я — брат брату моему и поэтому знаю — не всегда, но все-таки з н а ю, — что из всех моих дел нет ничего важнее моих занятий в этой ужасной триста седьмой аудитории. И нет там ни одной девицы, включая и Грозную Мисс Цабель, которая не была бы мне такой же сестрой, как Бу-Бу или Фрэнни. Быть может, в них светится бескультурье всех веков, но все же в них что-то с в е т и т с я. Меня вдруг огорошила странная мысль: нет сейчас на свете ни одного места, куда бы мне больше хотелось пойти, чем в триста седьмую аудиторию. Симор как-то сказал, что всю жизнь мы только то и делаем, что переходим с одного маленького участка Святой Земли на другой. Неужели он н и к о г д а не ошибался?

А сейчас лягу, посплю. Быстро. Быстро, но неторопливо.

Конец

Фрэнни

Несмотря на ослепительное солнце, в субботу утром снова пришлось, по погоде, надевать теплое пальто, а не просто куртку, как все предыдущие дни, когда можно было надеяться, что эта хорошая погода продержится до конца недели и до решающего матча в Йельском университете.

Из двадцати с лишком студентов, ждавших на вокзале своих девушек с поездом 10.52, только человек шесть-семь остались на холодном открытом перроне. Остальные стояли по двое, по трое, без шапок, в прокуренном, жарко натопленном зальце для пассажиров и разговаривали таким безапелляционно-догматическим тоном, словно каждый из них сейчас раз и навсегда разрешал один из тех проклятых вопросов, в которые до сих пор весь внешний, внеакадемический мир веками, нарочно или нечаянно, вносил невероятную путаницу.

Лейн Кутель в непромокаемом плаще, под который он, конечно, подстегнул теплую подкладку, стоял на перроне вместе с другими мальчиками, вернее, и с ними и не с ними. Уже минут десять, как он нарочно отошел от них и остановился у киоска с бесплатными брошюрками «христианской науки», глубоко засунув в карманы пальто руки без перчаток. Коричневое шерстяное кашне выбилось из-под воротника, почти не защищая его от ветра. Лейн рассеянно вынул руку из кармана, хотел было поправить кашне, но передумал и вместо этого сунул руку во внутренний карман и вытащил письмо. Он тут же стал его перечитывать, слегка приоткрыв рот.

Письмо было написано, вернее, напечатано на бледно-голубой бумаге. Вид у этого листка был такой измятый, неновый, как будто его уже вынимали из конверта и перечитывали много раз.

«Кажется, четверг.
Милый-милый Лейн!

Не знаю, разберешь ли ты все, потому что шум в общежитии неописуемый, даже собственных мыслей не слышу. И если будут ошибки, будь добр, пожалуйста, не замечай их. Кстати, по твоему совету, стала часто заглядывать в словарь, так что, если пишу дубовым стилем, ты сам виноват. Вообще же я только что получила твое чудесное письмо, и я тебя люблю безумно, страстно и так далее и жду не дождусь субботы. Жаль, конечно, что ты меня не смог устроить в Крофт-Хауз, но в общем мне все равно, где жить, лишь бы тепло, чтобы не было психов и чтобы я могла тебя видеть время от времени, вернее – все время. Я совсем того, то есть просто схожу по тебе с ума. Влюбилась в твое письмо. Ты чудно пишешь про Элиота. А мне сейчас что-то все поэты, кроме Сафо, ни к чему. Читаю ее как сумасшедшая – и пожалуйста, без глупых намеков. Может быть, я даже буду делать по ней курсовую, если решу добиваться диплома с отличием и если разрешит кретин, которого мне назначили руководителем. "Хрупкий Адонис гибнет, Китерия, что нам делать? Бейте в грудь себя, девы, рвите одежды с горя!" Правда, и з у м и т е л ь н о? Она ведь и на самом деле рвет на себе одежду! А ты меня любишь? Ты ни разу этого не сказал в твоем чудовищном письме, ненавижу, когда ты притворяешься таким сверхмужественным и сдержанным (два "н"?). Вернее, не то что ненавижу, а просто мне органически противопоказаны "сильные и суровые мужчины". Нет, конечно, это ничего, что ты тоже сильный, но я же не о том, сам понимаешь. Так шумят, что не слышу собственных мыслей. Словом, я тебя люблю и, если только найду марку в этом бедламе, пошлю письмо срочно, чтобы ты получил это заранее. Люблю тебя, люблю, люблю. А ты знаешь, что за одиннадцать месяцев мы с тобой танцевали всего два раза? Не считаю тот вечер, когда ты так напился в "Вангарде". Наверно, я буду ужасно стесняться. Кстати, если ты кому-нибудь про это скажешь, я тебя убью! Жду субботы, мой цветик.

Очень тебя люблю.

Фрэнни

P.S. Папе принесли рентген из клиники, и мы обрадовались: опухоль есть, но не злокачественная. Вчера говорила с мамой по телефону. Кстати, она шлет тебе привет, так что можешь успокоиться – я про тот вечер, в пятницу. Помоему, они даже не слышали, как мы вошли в дом.

P.P.S. Пишу тебе ужасно глупо и неинтересно. Почему? Разрешаю тебе проанализировать это. Нет, давай лучше проведем с тобой время как можно веселее. Я хочу сказать – если можно, хоть раз в жизни не надо все, особенно меня, разбирать по косточкам до одурения. Я люблю тебя.

Фрэнни (ее подпись)»

На этот раз Лейн успел перечитать письмо только наполовину, когда его прервал – помешал, влез – коренастый юнец по имени Рэй Соренсен, которому понадобилось узнать, понимает ли Лейн, что пишет этот проклятый Рильке. И Лейн, и Соренсен, оба проходили курс современной европейской литературы – к нему допускались только старшекурсники и выпускники, и к понедельнику им задали разбор четвертой элегии Рильке, из цикла «Дуинезские элегии».

Лейн знал Соренсена мало, но испытывал хотя и смутное, но вполне определенное отвращение к его физиономии и манере держаться и, спрятав письмо, сказал, что он не уверен, но, кажется, все понял.

– Тебе повезло, – сказал Соренсен, – счастливый ты человек. – Он сказал это таким безжизненным голосом, словно подошел к Лейну исключительно от скуки или от нечего делать, а вовсе не для того, чтобы по-человечески поговорить. – Черт, до чего холодно, – сказал он и вынул пачку сигарет из кармана. На отвороте верблюжьего пальто у Соренсена Лейн заметил полустертый, но все же достаточно заметный след губной помады. Казалось, что этому следу уже несколько недель, а может быть, и месяцев, но Лейн слишком мало знал Соренсена и сказать постеснялся, а кстати, ему было наплевать. К тому же подходил поезд. Оба они повернулись к путям. И тут же распахнулись двери в ожидалку, и все, кто там грелся, выбежали встречать поезд, причем казалось, что у каждого в руке по крайней мере три сигареты.

Лейн тоже закурил, когда подходил поезд. Потом, как большинство тех людей, которым надо было бы только после долгого испытательного срока выдавать пропуска на встречу поездов, Лейн постарался согнать с лица все, что могло бы просто и даже красиво передать его отношение к приехавшей гостье.

Фрэнни одна из первых вышла из дальнего вагона на северном конце платформы. Лейн увидел ее сразу, и, что бы он ни старался сделать со своим лицом, его рука так вскинулась кверху, что сразу все стало ясно. И Фрэнни это поняла и горячо замахала ему в ответ. На ней была шубка из стриженого енота, и Лейн, идя к ней навстречу быстрым шагом, но с невозмутимым лицом, вдруг подумал, что на всем перроне только ему одному по-настоящему знакома шубка Фрэнни. Он вспомнил, как однажды, в чьей-то машине, целуясь с Фрэнни уже с полчаса, он вдруг поцеловал отворот ее шубки, как будто это было вполне естественное, желанное продолжение ее самой.

– Лейн! – Фрэнни поздоровалась с ним очень радостно: она была не из тех, кто скрывает радость.

Закинув руки ему на шею, она поцеловала его. Это был перронный поцелуй – сначала непринужденный, но сразу затормозившийся, словно они просто стукнулись лбами.

– Ты получил мое письмо? – спросила она и тут же сразу добавила: – Да ты совсем замерз, бедняжка! Почему не подождал внутри? Письмо мое получил?

– Какое письмо? – спросил Лейн, поднимая ее чемодан. Чемодан был синий, обшитый белой кожей, как десяток других чемоданов, только что снятых с поезда.

– Не получил? А я опустила в с р е д у! Господи! Еще сама отнесла на почту!

– А-а-а, ты о том письме... Да, да. Это все твои вещи? А что за книжка?

Фрэнни взглянула на книжку, она держала ее в левой руке – маленькую книжечку в светло-зеленом переплете.

– Это? Так, ничего... – Открыв сумку, она сунула туда книжечку и пошла за Лейном по длинному перрону к остановке такси. Она взяла его под руку и всю дорогу говорила не умолкая. Сначала про платье – оно лежит в чемодане, и его необходимо погладить. Сказала, что купила чудесный маленький утюжок, совсем игрушечный, но забыла его привезти. В вагоне она встретила только трех знакомых девочек – Марту Фаррар, Типпи Тиббет и Элинор, как ее там, она с ней познакомилась бог знает когда, еще в пансионе, не то в Экзетере, не то где-то еще. А по всем остальным в поезде сразу было видно, что они из Смита, только две – абсолютно вассаровского типа, а одна – явно из Лоуренса или Беннингтона. У этой беннингтон-лоуренсовской был такой вид, словно она все время просидела в туалете и занималась там рисованием или скульптурой, в общем, чем-то художественным, а может быть, у нее под платьем было балетное трико. Лейн шел слишком быстро и на ходу извинился, что не смог устроить ее в Крофт-Хаузе – это было безнадежно, но он устроил ее в очень хороший, уютный отель. Маленький, но чистый и все такое. Ей понравится, сказал он, и Фрэнни сразу представила себе белый дощатый барак. Три незнакомые девушки в одной комнате. Кто первый попадет в комнату, тот захватит горбатый диванчик, а двум другим придется спать вместе на широкой кровати с совершенно неописуемым матрасом.

– Чу́дно! – сказала она восторженным голосом. До чертиков трудно иногда скрывать раздражение из-за полной неприспособленности мужской половины рода человеческого, и особенно это касалось Лейна. Ей вспомнился дождливый вечер в Нью-Йорке, сразу после театра, когда Лейн, стоя у обочины, с подозрительно преувеличенной вежливостью уступил такси ужасно противному типу в смокинге. Она не особенно рассердилась; конечно, это ужас – быть мужчиной и ловить такси в дождь, но она помнила, каким злым, прямо-таки враждебным взглядом Лейн посмотрел на нее, вернувшись на тротуар. И сейчас, чувствуя себя виноватой за эти мысли и за все другое, она с притворной нежностью прижалась к руке Лейна. Они сидели в такси. Синий с белым чемодан поставили рядом с водителем.

– Забросим твой чемодан и все лишнее в отель, где ты остановишься, просто швырнем в двери и пойдем позавтракаем, – сказал Лейн. – Умираю, есть хочу! – Он наклонился к водителю и дал ему адрес.

– Как я рада тебя видеть, – сказала Фрэнни, когда такси тронулось. – Я так соскучилась! – Но не успела она выговорить эти слова, как поняла, что это неправда. И снова, почувствовав вину, она взяла руку Лейна и тесно, тепло переплела его пальцы со своими.

Примерно через час они уже сидели в центре города за сравнительно изолированным столиком в ресторане Сиклера – любимом прибежище студентов, особенно интеллектуальной элиты – того типа студентов, которые, будь они в Йеле или Принстоне, непременно уводили бы своих девушек подальше от Мори и Кронина. У Сиклера, надо отдать ему должное, никогда не подавали бифштексов «вот такой толщины» – указательный и большой пальцы разводятся примерно на дюйм. У Сиклера либо оба – и студент, и его девушка – заказывали салат, либо оба отказывались из-за того, что в подливку клали чеснок. Фрэнни и Лейн пили мартини.

С четверть часа назад, когда им подали коктейль, Лейн отпил глоток, сел поудобнее и оглядел бар с почти осязаемым чувством блаженства оттого, что он был именно там, где надо, и именно с такой девушкой, как надо, – безукоризненной с виду и не только необыкновенно хорошенькой, но, к счастью, и не слишком спортивного типа – никакой тебе фланелевой юбки, шерстяного свитера. Фрэнни заметила это мелькнувшее выражение самодовольства и правильно его истолковала, не преувеличивая и не преуменьшая. Но по крепко укоренившейся внутренней привычке она сразу почувствовала себя виноватой за то, что увидела, подглядела это выражение и тут же вынесла себе приговор: слушать то, что рассказывал Лейн, с выражением особого, напряженного внимания.

А Лейн говорил как человек, уже минут с пятнадцать овладевший разговором и уверенный, что он попал именно в тот тон, когда все, что он изрекает, звучит абсолютно правильно.

– Грубо говоря, – продолжал он, – про него можно сказать, что ему не хватает нужных желез. Понимаешь, о чем я? – Он выразительно наклонился к своей внимательной слушательнице, Фрэнни, и положил руки на стол, около бокала с коктейлем.

– Не хватает чего? – переспросила Фрэнни. Ей пришлось откашляться, потому что она так долго молчала.

Лейн запнулся.

– Мужественности, – сказал он.

– Нет, ты сначала сказал не так.

– Ну, словом, это была, так сказать, основная мотивировка, и я старался ее подчеркнуть как можно ненавязчивее, – сказал Лейн, совершенно поглощенный собственной речью. – Понимаешь, какая штука. Честно говоря, я был уверен, что это мое сочинение пойдет ко дну, как свинцовое грузило, и, когда мне его вернули и внизу, вот эдакими буквами, футов в шесть вышиной, – «отлично», я чуть не упал, клянусь честью!

Фрэнни снова откашлялась. Очевидно, она уже полностью отбыла наложенное на себя наказание – слушать с неослабевающим интересом.

– Почему? – спросила она.

Лейн слегка удивился, что его перебили.

– Что «почему»?

– Почему ты решил, что оно пойдет ко дну, как свинцовое грузило?

– Да я же тебе объяснил. Я тебе только что рассказал, какой дока этот Брауман по Флоберу. По крайней мере, я так думал.

– А-а-а, – сказала Фрэнни. Она улыбнулась. Она отпила немного мартини. – Как вкусно, – сказала она, глядя на бокал. – Хорошо, что некрепкий. Ненавижу, когда джина слишком много.

Лейн кивнул.

– Кстати, это треклятое сочинение лежит у меня на столе. Если выкроим минутку, я тебе почитаю.

– Чу́дно, с удовольствием послушаю.

Лейн снова кивнул.

– Понимаешь, не то чтобы я сделал какое-то потрясающее открытие, вовсе нет. – Он сел поудобнее. – Не знаю, но, по-моему, то, что я подчеркнул, п о ч е м у он с такой неврастенической одержимостью ищет le mot juste[1], было правильно. Я хочу сказать – в свете того, что мы теперь знаем. Не только психоанализ и всякая

1 Точное слово (*фр.*).

такая штука, но в каком-то отношении и это. Ты меня понимаешь. Я вовсе не фрейдист, ничего похожего, но есть вещи, которые нельзя просто окрестить фрейдизмом с большой буквы и выкинуть за борт. Я хочу сказать, что в каком-то отношении я имел полнейшее право написать, что ни один из этих настоящих, ну, первоклассных авторов – Толстой, Достоевский, наконец, Шекспир, черт подери! – никогда не ковырялся в словах до потери сознания. Они просто п и с а л и – и все. Ты меня понимаешь? – И Лейн выжидающе взглянул на Фрэнни. Ему казалось, что она слушает его с особенным вниманием.

– Будешь есть оливку или нет?

Лейн мельком взглянул на свой бокал мартини, потом на Фрэнни.

– Нет, – холодно сказал он. – Хочешь съесть?

– Если ты не будешь, – сказала Фрэнни. По выражению лица Лейна она поняла, что спросила невпопад. И что еще хуже, ей совершенно не хотелось есть оливку, и она сама удивилась – зачем она ее попросила. Но делать было нечего: Лейн протянул бокал, и пришлось выловить оливку и съесть ее с показным удовольствием. Потом она взяла сигарету из пачки Лейна, он дал ей прикурить и закурил сам.

После эпизода с оливкой за их столиком наступило молчание. Но Лейн нарушил его – не такой он был человек, чтобы лишать себя возможности первым подать реплику после паузы.

– Знаешь, этот самый Брауман считает, что я должен был бы напечатать свое сочиненьишко, – сказал он отрывисто. – А я и сам не знаю.

И, как будто безумно устав, вернее, обессилев от требований, которые ему предъявляет жадный мир, жаждущий вкусить от плодов его интеллекта, Лейн стал поглаживать щеку ладонью, с неумышленной бестактностью протирая сонный глаз.

– Ты понимаешь, таких эссе про Флобера и всю эту компанию написана чертова уйма. – Он подумал, помрачнел. – И все-таки, по-моему, ни одной по-настоящему глубокой работы о нем за последнее время...

– Ты разговариваешь совсем как ассистент профессора. Ну точь-в-точь...

– Прости, не понял? – сказал Лейн размеренным голосом.

– Ты разговариваешь точь-в-точь как ассистент профессора. Извини, но так похоже. Ужасно похоже.

– Да? А как именно разговаривает ассистент профессора, разреши узнать?

Фрэнни поняла, что он обиделся, и очень! – но сейчас, разозлившись наполовину на него, наполовину на себя, она никак не могла удержаться:

– Не знаю, какие они тут, у вас, но у нас ассистенты – это те, кто замещает профессора, когда тот в отъезде, или возится со своими нервами, или ушел к зубному врачу, да мало ли что. Обыкновенно их набирают из старшекурсников или еще откуда-нибудь. Ну, словом, идут занятия, например, по русской литературе. И приходит такой чудик, все на нем аккуратно, рубашечка, галстучек в полоску, и начинает с полчаса терзать Тургенева. А потом, когда тебе Тургенев из-за него совсем опротивел, он начинает распространяться про Стендаля или еще про кого-нибудь, о ком он писал диплом. По нашему университету их бегает человек десять, портят все, за что берутся, и все они до того талантливые, что рта открыть не могут – прости за противоречие. Я хочу сказать, если начнешь им возражать, они только глянут на тебя с таким снисхождением, что...

– Слушай, в тебя сегодня прямо какой-то бес вселился! Да что это с тобой, черт возьми?

Фрэнни быстро стряхнула пепел с сигаретки, потом пододвинула к себе пепельницу.

— Прости. Я сегодня плохая, — сказала она. — Я всю неделю готова была все изничтожить. Это ужасно. Я просто гадкая.

— По твоему письму этого никак не скажешь...

Фрэнни серьезно кивнула. Она смотрела на маленького солнечного зайчика величиной с покерную фишку, игравшего на скатерти.

— Я писала с большим напряжением, — сказала она.

Лейн что-то хотел сказать, но тут подошел официант, чтобы убрать пустые бокалы.

— Хочешь еще выпить? — спросил Лейн у Фрэнни.

Ответа не было. Фрэнни смотрела на солнечное пятнышко с таким упорством, будто собиралась лечь на него.

— Фрэнни, — сказал Лейн терпеливым голосом, ради официанта. — Ты хочешь мартини или что-нибудь еще?

Она подняла глаза.

— Извини, пожалуйста. — Она взглянула на пустые бокалы в руках официанта. — Нет. Да. Не знаю.

Лейн засмеялся, тоже специально для официанта.

— Ну так как же? — спросил он.

— Да, пожалуйста. — Она немного оживилась.

Официант ушел. Лейн посмотрел ему вслед, потом взглянул на Фрэнни. Чуть приоткрыв губы, она медленно стряхивала пепел с сигареты в чистую пепельницу, которую поставил официант. Лейн посмотрел на нее с растущим раздражением. Очевидно, его и обижали, и пугали проявления отчужденности в девушке, к которой он относился всерьез. Во всяком случае, его, безусловно, беспокоило то, что блажь, напавшая на Фрэнни, может изгадить им весь конец недели. Он вдруг наклонился к ней, положив руки на стол — надо же, черт побери, наладить отношения, — но Фрэнни заговорила первая.

— Я сегодня никуда не гожусь, — сказала она, — совсем скисла.

Она посмотрела на Лейна как на чужого, вернее, как на рекламу линолеума в вагоне метро. И опять ее укололо чувство вины, предательства – очевидно, сегодня это было в порядке вещей, – и, потянувшись через стол, она накрыла ладонью руку Лейна. Но, тут же отняв руку, она взялась за сигарету, лежавшую в пепельнице.

– Сейчас пройдет, – сказала она, – обещаю.

Она улыбнулась Лейну, пожалуй, вполне искренне, и в эту минуту ответная улыбка могла бы хоть немного смягчить все, что затем произошло. Но Лейн постарался напустить на себя особое равнодушие и улыбкой ее не удостоил. Фрэнни затянулась сигареткой.

– Если бы раньше сообразить, – сказала она, – и если бы я, как дура, не влипла в этот дополнительный курс, я б вообще бросила английскую литературу. Сама не знаю. – Она стряхнула пепел. – Мне до визгу надоели эти педанты, эти воображалы, которые все изничтожают… – Она взглянула на Лейна. – Прости. Больше не буду. Честное слово… Просто, не будь я такой трусихой, я бы вообще в этом году не вернулась в колледж. Сама не знаю. Понимаешь, все это жуткая комедия.

– Блестящая мысль. Прямо блеск.

Фрэнни приняла сарказм как должное.

– Прости, – сказала она.

– Может, перестанешь без конца извиняться? Вероятно, тебе не приходит в голову, что ты делаешь совершенно дурацкие обобщения. Если бы все преподаватели английской литературы так все изничтожали, было бы совсем другое…

Но Фрэнни перебила его еле слышным голосом. Она смотрела поверх его серого фланелевого плеча незрячим далеким взглядом.

– Что? – переспросил Лейн.

– Я сказала – знаю. Ты прав. Я просто не в себе. Не обращай на меня внимания.

Но Лейн никак не мог допустить, чтобы спор окончился не в его пользу.

– Фу ты, черт, – сказал он, – в любой профессии есть мазилы. Это же элементарно. И давай забудем про этих идиотов-ассистентов хоть на минуту. – Он посмотрел на Фрэнни. – Ты меня слушаешь или нет?

– Слушаю.

– У вас там, на курсе, два лучших в стране преподавателя, черт возьми. Мэнлиус. Эспозито. Бог мой, да если бы их сюда, к нам. По крайней мере, они-то хоть поэты, и поэты без дураков.

– Вовсе нет, – сказала Фрэнни. – Это-то самое ужасное. Я хочу сказать – вовсе они не поэты. Просто люди, которые пишут стишки, а их печатают, но никакие они не п о э т ы. – Она растерянно замолчала и погасила сигарету. Стало заметно, что она все больше и больше бледнеет. Вдруг даже помада на губах стала светлее, словно она промакнула ее бумажной салфеткой. – Давай об этом не будем, – сказала она почти беззвучно, растирая сигарету в пепельнице. – Я совсем не в себе. Испорчу тебе весь праздник. А вдруг под моим стулом люк и я исчезну?

Официант подошел быстрым шагом и поставил второй коктейль перед каждым. Лейн сплел пальцы, очень длинные, тонкие – и это было очень заметно, – вокруг ножки бокала.

– Ничего ты не испортишь, – сказал он спокойно. – Мне просто интересно узнать, что ты понимаешь под всей этой чертовщиной. Разве нужно непременно быть какой-то б о г е м о й или помереть к чертям собачьим, чтобы считаться н а с т о я щ и м п о э т о м? Тебе кто нужен – какой-нибудь шизик с длинными кудрями?

– Нет. Только давай не будем об этом. Прошу тебя. Я так гнусно себя чувствую, и меня просто...

– Буду счастлив бросить эту тему, буду просто в восторге. Только ты мне раньше скажи, если не возражаешь, что же это за штука – настоящий поэт? Буду тебе очень благодарен, ей-богу, очень!

На лбу у Фрэнни выступила легкая испарина, может быть, оттого, что в комнате было слишком жарко, или она съела что-то не то, или коктейль оказался слишком крепким. Во всяком случае, Лейн как будто ничего не заметил.

– Я сама не знаю, что такое настоящий поэт. Пожалуйста, перестань, Лейн. Я серьезно. Мне ужасно не по себе, как-то нехорошо, и я не могу...

– Ладно, ладно, успокойся, – сказал Лейн. – Я только хотел...

– Одно я только знаю, – сказала Фрэнни. – Если ты поэт, то создаешь красоту. Понимаешь, поэт должен оставить в нас что-то прекрасное, какой-то след на странице. А те, про кого ты говоришь, ни одной-единственной строчки, никакой красоты в тебе не оставляют. Может быть, те, что чуть получше, как-то проникают, что ли, в твою голову, и что-то от них остается, но все равно: хоть они и проникают, хоть от них что-то и остается, это вовсе не значит, что они пишут настоящие стихи, господи боже мой! Может быть, это просто какие-то очень увлекательные синтаксические фокусы, испражнения какие-то – прости за выражение. И этот Мэнлиус, и Эспозито, все они такие.

Лейн повременил и затянулся сигаретой, прежде чем ответить:

– А я-то думал, что тебе нравится Мэнлиус. Кстати, с месяц назад, если память мне не изменяет, ты говорила, что он прелесть и что тебе...

– Да нет же, он очень приятный. Но мне надоели люди просто приятные. Господи, хоть бы встретить человека, которого можно уважать... Прости, я на минутку. – Фрэнни вдруг встала, взяла сумочку. Она страшно побледнела.

Лейн тоже встал, отодвинув стул.

– Что с тобой? – спросил он. – Ты плохо себя чувствуешь? Что случилось?

– Я сейчас вернусь.

Она вышла из зала, никого не спрашивая, как будто завтракала тут не раз и отлично все знает.

Лейн, оставшись в одиночестве, курил и понемножку отпивал мартини, чтобы осталось до возвращения Фрэнни. Ясно было одно: то чувство удовлетворения, которое он испытывал полчаса назад, оттого что завтракал там, где полагается, с такой девушкой, как надо – во всяком случае, с виду все было как надо, – это чувство теперь испарилось начисто. Он взглянул на шубку стриженого меха, косо висевшую на спинке стула Фрэнни, – на шубку, которая так взволновала его на вокзале чем-то удивительно знакомым, – и в его взгляде мелькнуло что-то, определенно похожее на неприязнь. Почему-то его особенно раздражала измятая шелковая подкладка. Он отвел глаза от шубки и уставился на бокал с коктейлем, хмурясь, словно его несправедливо обидели. Ясно было только одно: вечер начинался довольно странно – чертовщина какая-то... Но тут он случайно поднял глаза и увидал вдали своего однокурсника с девушкой. Лейн сразу выпрямился и старательно переделал выражение лица – с обиженного и недовольного на обыкновенное выражение, с каким человек ждет свою девушку, которая, по обычаю всех девиц, ушла на минуту в туалет, и ему теперь только и осталось, что курить со скучающим видом да еще выглядеть при этом как можно привлекательнее.

Дамская комната у Сиклера была почти такая же по величине, как и сам ресторан, и в каком-то отношении почти такая же уютная. Никто ее не обслуживал, и, когда Фрэнни вошла, там больше никого не было. Она постояла на кафельном полу, словно кому-то назначила тут свидание. Бисерные капельки пота выступили у нее на лбу, рот чуть приоткрылся, и она побледнела еще больше, чем там, в ресторане.

И вдруг, сорвавшись с места, она забежала в самую дальнюю, самую неприметную кабинку – к счастью, не надо было бросать монетку в автомат, – захлопнула дверь и с трудом повернула ручку. Не замечая, по-видимому, своеобразия окружающей обстановки, она сразу села, вплотную сдвинув колени, как будто ей хотелось сжаться в комок, стать еще меньше. И, подняв руки кверху, она крепко-накрепко прижала подушечки ладоней к глазам, словно пытаясь парализовать зрительный нерв, погрузить все образы в черную пустоту. Хотя ее пальцы дрожали, а может быть, именно от этой дрожи они казались особенно тонкими и красивыми. На миг она застыла напряженно в этой почти утробной позе – и вдруг разрыдалась. Она плакала целых пять минут. Плакала громко и неудержимо, судорожно всхлипывая, – так ребенок заходится в слезах, когда дыхание никак не может прорваться сквозь зажатое горло. Но вдруг она перестала плакать – остановилась сразу, без тех болезненных, режущих, как нож, выдохов и вдохов, какими всегда кончается такой приступ. Казалось, она остановилась оттого, что у нее в мозгу что-то моментально переключилось, и это переключение сразу успокоило все ее существо. С каким-то отсутствующим выражением на залитом слезами лице она подняла с пола свою сумку и, открыв ее, вытащила оттуда книжечку в светло-зеленом матерчатом переплете. Она положила ее на колени, вернее, на одно колено и уставилась на нее не мигая, словно только тут, именно тут, на ее колене, и должна была лежать маленькая книжка в светло-зеленом матерчатом переплете. Потом она схватила книжку, подняла ее и прижала к себе решительно и быстро. И, спрятав ее в сумку, встала и вышла из кабинки. Вымыв лицо холодной водой, она взяла с полки чистое полотенце, вытерла лицо, подкрасила губы, причесалась и вышла из дамской комнаты.

Она была прелестна, когда шла по залу ресторана к своему столику, очень оживленная, как и полагалось, в предвкушении веселого университетского праздника. Улыбаясь на ходу, она подошла к своему месту, и Лейн медленно встал, не выпуская салфетку из рук.

– Ты уж прости, пожалуйста, – сказала Фрэнни. – Наверно, решил, что я умерла?

– Как это я мог подумать? У м е р л а... – сказал Лейн. Он отодвинул для нее стул. – Просто не понял, что случилось. – Он вернулся на место. – Кстати, времени у нас в обрез. – Он сел. – Ты в порядке? Почему глаза красные? – Он присмотрелся поближе. – Нездоровится, что ли?

Фрэнни закурила.

– Нет, сейчас все чудесно. Но меня никогда в жизни так не шатало. Ты заказал завтрак?

– Тебя ждал, – сказал Лейн, не сводя с нее глаз. – Все-таки что с тобой было? Животик?

– Нет. То есть и да и нет. Сама не знаю. – Она взглянула на меню у себя на тарелке и прочла, не беря листок в руки. – Мне только сандвич с цыпленком и стакан молока... А себе заказывай что хочешь. Ну, всяких там улиток и осьминожек. Прости, осьминогов. А я совсем не голодна.

Лейн посмотрел на нее, потом выпустил себе в тарелку очень тоненькую и весьма выразительную струйку дыма.

– Ну и праздничек у нас, просто прелесть! – сказал он. – Сандвич с цыпленком, матерь божья!

– Прости, Лейн, но я совсем не голодна, – с досадой сказала Фрэнни. – Ах, боже мой... Ты закажи себе что хочешь, непременно, и я с тобой немножко поем. Но не могу же я ради тебя вдруг развить бешеный аппетит.

– Ладно, ладно! – И Лейн, вытянув шею, кивнул официанту. Он тут же заказал сандвич и стакан молока для

Фрэнни, а для себя улиток, лягушачьи ножки и салат. Когда официант отошел, Лейн взглянул на часы. – Нам надо попасть в Тенбридж в час пятнадцать, в крайнем случае – в половине второго. Не позже. Я сказал Уолли, что мы зайдем что-нибудь выпить, а потом все вместе отправимся на стадион в его машине. Согласна? Тебе ведь нравится Уолли?

– Понятия не имею, кто он такой.

– Фу, черт, да ты его видела раз двадцать. Уолли Кэмбл, ну? Да ты его сто раз видела...

– А-а, вспомнила. Ради бога, не злись ты, если я сразу не могу кого-то вспомнить. Ведь они же и с виду все одинаковые, и одеваются одинаково, и разговаривают, и делают все одинаково.

Фрэнни оборвала себя: собственный голос показался ей придирчивым и ехидным, и на нее накатила такая ненависть к себе, что ее опять буквально вогнало в пот. Но помимо воли ее голос продолжал:

– Я вовсе не говорю, что он противный и вообще... Но четыре года подряд, куда ни пойдешь, везде эти уолли кэмблы. И я заранее знаю – сейчас они начнут меня очаровывать, заранее знаю – сейчас начнут рассказывать самые подлые сплетни про мою соседку по общежитию. Знаю, когда спросят, что я делала летом, когда возьмут стул, сядут на него верхом, лицом к спинке, и начнут хвастать этаким ужасно, ужасно равнодушным голосом или называть знаменитостей – тоже так спокойно, так небрежно. У них неписаный закон: если принадлежишь к определенному кругу – по богатству или рождению, – значит, можешь сколько угодно хвастать знакомством со знаменитостями, лишь бы ты при этом непременно говорил про них какие-нибудь гадости – что он сволочь, или эротоман, или всегда под наркотиками, – словом, что-нибудь м е р з к о е.

Она опять замолчала. Повертев в руках пепельницу и стараясь не смотреть в лицо Лейну, она вдруг сказала:

– Прости меня. Уолли Кэмбл тут ни при чем. Я напала на него, потому что ты о нем заговорил. И потому что по нему сразу видно, что он проводит лето где-нибудь в Италии или вроде того.

– Кстати, для твоего сведения, он лето провел во Франции, – сказал Лейн. – Нет, нет, я тебя понимаю, – торопливо добавил он, – но ты дьявольски несправедли...

– Пусть, – устало сказала Фрэнни, – пусть во Франции. – Она взяла сигарету из пачки на столе. – Дело тут не в Уолли. Господи, да взять любую девочку. Понимаешь, если б он был девчонкой, из моего общежития, например, то он все лето писал бы пейзажики с какой-нибудь бродячей компанией. Или объезжал на велосипеде Уэльс. Или снял бы квартирку в Нью-Йорке и работал на журнал или на рекламное бюро. Понимаешь, все они такие. И все, что они делают, все это до того – не знаю, как сказать, – не то чтобы *неправильно*, или даже скверно, или глупо – вовсе нет. Но все до того *мелко*, бессмысленно и так уныло. А хуже всего то, что, если стать богемой или еще чем-нибудь вроде этого, все равно это будет конформизм, только шиворот-навыворот.

Она замолчала. И вдруг тряхнула головой, опять побледнела, на секунду приложила ладонь ко лбу – не для того, чтобы стереть пот со лба, а словно для того, чтобы пощупать, нет ли у нее жара, как делают все мамы маленьким детям.

– Странное чувство, – сказала она, – кажется, что схожу с ума. А может быть, я уже свихнулась.

Лейн смотрел на нее по-настоящему встревоженно – не с любопытством, а именно с тревогой.

– Да ты бледная как полотно, – сказал он. – До того побледнела... Слышишь?

Фрэнни тряхнула головой:

– Пустяки, я прекрасно себя чувствую. Сейчас пройдет. – Она взглянула на официанта – тот принес заказ. – Ух какие красивые улитки! – Она поднесла сигарету к губам, но сигарета потухла. – Куда ты девал спички? – спросила она.

Когда официант отошел, Лейн дал ей прикурить.

– Слишком много куришь, – заметил он. Он взял маленькую вилочку, положенную у тарелки с улитками, но, прежде чем начать есть, взглянул на Фрэнни. – Ты меня беспокоишь. Нет, я серьезно. Что с тобой стряслось за последние недели?

Фрэнни посмотрела на него и, тряхнув головой, пожала плечами.

– Ничего. Абсолютно ничего. Ты ешь. Ешь своих улит. Если остынут, их в рот не возьмешь.

– И ты поешь.

Фрэнни кивнула и посмотрела на свой сандвич. К горлу волной подкатила тошнота, и она, отвернувшись, крепко затянулась сигаретой.

– Как ваша пьеса? – спросил Лейн, расправляясь с улитками.

– Не знаю. Я не играю. Бросила.

– Бросила? – Лейн посмотрел на нее. – Я думал, ты в восторге от своей роли. Что случилось? Отдали комунибудь твою роль?

– Нет, не отдали. Осталась за мной. Это-то и противно. Ах, все противно.

– Так в чем же дело? Уж не бросила ли ты театральный факультет?

Фрэнни кивнула и отпила немного молока.

Лейн прожевал кусок, проглотил его, потом сказал:

– Но почему же, что за чертовщина? Я думал, ты в этот треклятый театр влюблена, как не знаю что... Я от тебя больше ни о чем и не слыхал весь этот...

– Бросила – и все, – сказала Фрэнни. – Вдруг стало ужасно неловко. Чувствую, что становлюсь противной, самовлюбленной, какой-то пуп земли. – Она задумалась. – Сама не знаю. Показалось, что это ужасно дурной вкус – играть на сцене. Я хочу сказать, какой-то эгоцентризм. Ох, до чего я себя ненавидела после спектакля, за кулисами! И все эти эгоцентрички бегают вокруг тебя, и уж до того они сами себе кажутся душевными, до того теплыми. Всех целуют, на них самих живого места нет от грима, а когда кто-нибудь из друзей зайдет к тебе за кулисы, уж они стараются быть до того естественными, до того приветливыми, ужас! Я просто себя возненавидела... А хуже всего, что мне как-то стыдно было играть во всех этих пьесах. Особенно на летних гастролях. – Она взглянула на Лейна. – Нет, роли мне давали самые лучшие, так что нечего на меня смотреть такими глазами. Не в том дело. Просто мне было бы стыдно, если бы кто-нибудь, ну, например, кто-то, кого я уважаю, например мои братья, вдруг услыхал бы, как я говорю некоторые фразы из роли. Я даже иногда писала некоторым людям, просила их не приезжать на спектакли. – Она опять задумалась. – Кроме Пэгин в «Повесе», я ее летом играла. Понимаешь, было бы очень неплохо, если б не этот сапог: он играл Повесу – испортил все на свете. Такую лирику развел – о господи, до чего он все рассусолил!

Лейн доел своих улиток. Он сидел, нарочно согнав всякое выражение с лица.

– Однако рецензии о нем писали потрясающие, – сказал он. – Ты же сама мне их послала, если помнишь.

Фрэнни вздохнула:

– Ну, послала. Перестань, Лейн.

– Нет, я только хочу сказать, ты тут полчаса разглагольствуешь, будто одна на свете все понимаешь как черт, все можешь критиковать. Я только хочу сказать, если самые знаменитые критики считали, что он играл потрясающе, так, может, это верно, может быть, ты ошибаешься? Ты об этом подумала? Знаешь, ты еще не совсем доросла...

– Да, он играл потрясающе для человека просто т а л а н т л и в о г о. А для этой роли нужен г е н и й. Да, гений – и все, тут ничего не поделаешь, – сказала Фрэнни. Она вдруг выгнула спину и, приоткрыв губы, приложила ладонь к макушке. – Странно, я как пьяная, – сказала она. – Не понимаю, что со мной.

– По-твоему, ты гений?

Фрэнни сняла руку с головы.

– Ну, Лейн. Не надо. Прошу тебя. Не надо так со мной.

– Ничего я не...

– Одно я знаю: я схожу с ума, – сказала Фрэнни. – Надоело мне это вечное «я, я, я». И свое «я», и чужое. Надоело мне, что все чего-то добиваются, что-то хотят сделать выдающееся, стать кем-то интересным. Противно – да, да, противно! И все равно, что там говорят...

Лейн высоко поднял брови и откинулся на спинку стула, чтобы лучше дошли его слова.

– А ты не думаешь, что ты просто боишься соперничества? – спросил он нарочито спокойно. – Я в таких делах плохо разбираюсь, но уверен, что хороший психоаналитик – понимаешь, действительно знающий, – наверно, истолковал бы твои слова...

– Никакого соперничества я не боюсь. Наоборот. Неужели ты не понимаешь? Я боюсь, что сама начну соперничать, – вот что меня пугает. Из-за этого я и ушла с театрального факультета. И тут никаких оправданий быть не может – ни в том, что я по своему характеру до ужаса интересуюсь чужими оценками, ни в том, что люблю аплодисменты, люблю, чтобы мной восхищались. Мне за себя стыдно. Мне все надоело. Надоело, что у меня не хватает мужества стать просто никем. Я сама себе надоела, мне все надоели, кто пытается сделать большой бум.

Она остановилась и вдруг взяла стакан молока и поднесла к губам.

– Так я и знала, – сказала она, ставя стакан на место. – Этого еще не было. У меня что-то с зубами. Так и стучат. Позавчера я чуть не прокусила стакан. Может, я уже сошла с ума и сама не понимаю.

Подошел официант с лягушачьими ножками и салатом для Лейна, и Фрэнни подняла на него глаза. А он взглянул на ее тарелку, на нетронутый сандвич с цыпленком. Он спросил, не хочет ли барышня заказать что-нибудь другое. Фрэнни поблагодарила его: нет, не надо.

– Я просто очень медленно ем, – сказала она. Официант, человек пожилой, посмотрел на ее бледное лицо, на мокрый лоб, поклонился и отошел.

– Хочешь, возьми платок? – отрывисто сказал Лейн. Он протягивал ей белый сложенный платок. Голос у него был добрый, жалостливый, несмотря на упрямую попытку заставить себя говорить равнодушно.

– Зачем? Разве надо?

– Ты вспотела. То есть не вспотела, но лоб у тебя в испарине.

– Да? Какой ужас! Извини, пожалуйста! – Фрэнни подняла сумочку и стала в ней рыться. – Где-то у меня был «Клинекс».

– Да возьми ты мой платок, бога ради. Какая разница, господи боже ты мой!

– Нет, такой чудный платок, зачем я его буду портить, – сказала Фрэнни. Сумочка была битком набита. Чтобы разобраться, она стала выкладывать на стол всякую всячину рядом с нетронутым сандвичем. – Ага, вот оно! – Она открыла пудреницу с зеркальцем и быстрым легким движением промокнула лоб бумажной салфеточкой. – Бог мой, я похожа на привидение. Как ты терпишь меня?

– Это что за книга? – спросил Лейн.

Фрэнни вздрогнула, да так, что ее буквально подбросило на стуле. Она взглянула на кучку вещей, выложенную из сумки на скатерть.

— Какая книга? — сказала она. — Ты про эту? — Она взяла книжечку в светло-зеленом переплете и сунула в сумку. — Просто захватила почитать в вагоне.

— Ну-ка дай взглянуть. Что за книжка?

Фрэнни как будто ничего не слышала. Она открыла пудреницу и еще раз взглянула в зеркало.

— Господи! — сказала она. Потом собрала все со стола: пудреницу, кошелек, квитанцию из прачечной, зубную щетку, коробочку аспирина и золоченую мешалку для пунша. Все это она спрятала в сумочку. — Сама не знаю, зачем я таскаю с собой эту золоченую идиотскую штуку, — сказала она. — Мне ее подарил в день рождения один мальчишка, ужасный пошляк, я еще была на первом курсе. Решил, что это красивый и оригинальный подарок, смотрел на меня во все глаза, пока я разворачивала пакетик. Все хочу выбросить ее и никак не могу. Наверно, так и умру с этой дрянью. — Она подумала. — Он все хихикал мне в лицо и говорил, что мне всегда будет везти, если я не расстанусь с этой штукой.

Лейн уже взялся за одну из лягушачьих ножек.

— А все-таки что это за книжка? — спросил он. — Или это тайна, какая-нибудь чертовщина? — спросил он.

— Ты про книжку в сумке? — сказала Фрэнни. Она смотрела, как он разрезает лягушачью ножку. Потом вынула сигарету из пачки, закурила. — Как тебе сказать, — проговорила она. — Называется «Путь странника»[1]. — Она опять посмотрела, как Лейн ест лягушку. — Взяла в библиотеке. Наш преподаватель истории религии, я у него прохожу курс в этом семестре, нам про нее сказал. — Она крепко затянулась. — Она у меня уже давно. Все забываю отдать.

— А кто написал?

1 Полное название книги: «Откровенные рассказы странника своему духовному отцу».

– Не знаю, – небрежно бросила Фрэнни. – Очевидно, какой-то русский крестьянин. – Она все еще внимательно смотрела, как Лейн ест. – Он себя не назвал. Он ни разу за весь рассказ не сказал, как его зовут. Только говорит, что он крестьянин, что ему тридцать три года и что он сухорукий. И что жена у него умерла. Все это было в тысяча восемьсот каких-то годах.

Лейн уже занялся салатом.

– И что же, книжка хорошая? О чем она?

– Сама не знаю. Она необычная. Понимаешь, это ведь прежде всего книжка религиозная. Даже можно было бы сказать – книжка фанатика, только это к ней как-то не подходит. Понимаешь, она начинается с того, что этот крестьянин, этот странник, хочет понять, что это значит, когда в Евангелии сказано, что надо молиться неустанно. Ну, ты знаешь – не переставая. В Послании к Фессалоникийцам или еще где-то. И вот он начинает странствовать по всей России, ищет кого-нибудь, кто ему объяснит – как это «молиться неустанно». И что при этом говорить. – Фрэнни снова посмотрела, как Лейн расправляется с лягушачьей ножкой. Она говорила, не сводя глаз с его тарелки. – А с собой у него только торба с хлебом и солью. И тут он встречает человека – он называет его «старец» – это такие очень-очень просвещенные в религии люди, – и старец ему рассказывает про такую книгу – называется «Филокалия»[1]. И как будто эту книгу написали очень-очень образованные монахи, которые как-то распространяли этот невероятный способ молиться!

– Не прыгай! – сказал Лейн лягушачьей ножке.

– Словом, этот странник научается молиться, как требуют эти таинственные монахи, – понимаешь, он молится и достигает в своей молитве совершенства и

1 «Добротолюбие» в 5-ти томах.

всякое такое. А потом он странствует по России и встречает всяких замечательных людей и учит их, как молиться этим невероятным способом. Ну вот, понимаешь, вся книжка об этом.

– Не хочется говорить, но от меня будет нести чесноком, – сказал Лейн.

– А во время своих странствий он встречает ту пару – мужа с женой, и я их люблю больше всех людей на свете, никогда в жизни я еще про таких не читала, – сказала Фрэнни. – Он шел по дороге, где-то мимо деревни, с мешком за плечами, и вдруг видит – за ним бегут двое малюсеньких ребятишек и кричат: «Нищий странничек, нищий странничек, пойдем к нашей маме, пойдем к нам домой! Она нищих любит!» И вот он идет домой к этим ребятишкам, и эта чудная женщина, их мать, выходит из дома, хлопочет, усаживает его, непременно хочет сама снять с него грязные сапоги, поит его чаем. А тут и отец приходит, и он, видно, тоже любит нищих и странников, и все садятся обедать. А странник спрашивает, кто эти женщины, которые сидят с ними за столом, и отец говорит: «Это наши работницы, но они всегда едят с нами, потому что они наши сестры во Христе». – Фрэнни вдруг смутилась, села прямее. – Понимаешь, мне так понравилось, что странник спросил, кто эти женщины. – Она посмотрела, как Лейн мажет хлеб маслом. – Словом, после обеда странник остается ночевать, и они с хозяином дома допоздна обсуждают, как надо молиться не переставая. И странник ему все объясняет. А утром он уходит и опять идет странствовать. И встречает разных-разных людей – понимаешь, книга про это и написана, – и он им объясняет, как надо по-настоящему молиться.

Лейн кивнул головой, ткнул вилкой в салат.

– Хоть бы у нас в эти дни время осталось, чтобы ты заглянула в мое треклятое сочинение, я тебе уже говорил про него, – сказал он. – Сам не знаю. Может, я с ним ни черта и не сделаю — там напечатать его и вообще, — но хочется, чтобы ты хоть просмотрела, пока ты тут.

— С удовольствием, — сказала Фрэнни. Она смотрела, как он намазывает второй ломтик хлеба. — Может, тебе эта книжка и понравилась бы, — вдруг сказала она. — Она такая простая, понимаешь?

— Наверно, интересно. Ты масло есть не будешь?

— Нет, нет, бери все. Я не могу тебе дать ее, потому что все сроки давным-давно прошли, но ты можешь достать ее тут, в библиотеке. Уверена, что сможешь.

— Слушай, да ты ни черта не ела, даже не дотронулась! — сказал Лейн. — Ты это знаешь?

Фрэнни посмотрела на свою тарелку, как будто ее только что поставили перед ней.

— Сейчас, погоди, — сказала она. Она замолчала, держа сигарету в левой руке, но не затягиваясь и крепко обхватив правой рукой стакан с молоком. — Хочешь послушать, какой особой молитве старец научил этого странника? — спросила она. — Нет, правда, это очень интересно, очень.

Лейн разрезал последнюю лягушачью ножку. Он кивнул.

— Конечно, — сказал он, — конечно.

— Ну вот, как я уже говорила, этот странник, совсем простой мужик, пошел странствовать, чтобы узнать, что значат евангельские слова про неустанную молитву. И тут он встречает этого старца, это такой очень-очень ученый человек, богослов, помнишь, я про него уже говорила, тот самый, который изучал «Филокалию» много-много лет подряд. — Фрэнни вдруг замолчала, чтобы собраться с мыслями, сосредоточиться. — И тут этот старец первым делом рассказал ему про молитву Христову: «Господи Иисусе Христе, помилуй мя!» Понимаешь, такая молитва. И старец объясняет страннику, что лучше этих слов для молитвы не найти. Особенно слово «помилуй», потому что это такое огромное слово и так много значит. Понимаешь, оно значит не только «помилование».

Фрэнни снова остановилась, подумала. Она уже смотрела не в тарелку Лейна, а куда-то через его плечо.

– Словом, старец говорит страннику, – продолжала она, – что если станешь повторять молитву снова и снова – сначала хотя бы одними губами, – то в конце концов само собой выходит, что молитва сама начинает действовать. Что-то потом случается. Сама не знаю что, но что-то случается, и слова попадают в такт твоему сердцебиению, и ты уже молишься непрестанно. И это как-то мистически влияет на все твои мысли, мировоззрение. Понимаешь, вся суть более или менее именно в этом. Ты молишься – и мысли очищаются, и ты совершенно по-новому воспринимаешь и понимаешь все на свете.

Лейн доел свой завтрак. И когда Фрэнни замолчала, он сел поудобнее, закурил сигарету и посмотрел на ее лицо. Она все еще рассеянно глядела в никуда, через его плечо, как будто совсем забыв о нем.

– Но главное, самое главное чудо в том, что с самого начала тебе даже не надо верить в то, что ты делаешь. Понимаешь, даже если тебе ужасно неловко, все это не имеет ровно никакого значения. Ты никого не обижаешь, и вообще все в порядке. Другими словами, с самого начала никто тебя и не заставляет ни во что верить. И старец учит, что тебе даже не надо думать о том, что ты твердишь. Сначала весь смысл в количестве повторений. А позже оно само переходит в качество. Собственной силой, так сказать. Он, старец, говорит, что любое имя Господне – понимаешь, любое – таит в себе эту удивительную, самодействующую силу и само начинает действовать, когда ты его... ну, вот так повторяешь, что ли.

Лейн как-то развалился в кресле, покуривая и щуря глаза, и пристально всматривался в лицо Фрэнни. Она была очень бледна, но, с тех пор как они пришли, бывали минуты, когда она становилась еще бледнее.

– Кстати, все это абсолютно осмысленно, – сказала Фрэнни, – потому что буддисты из секты Нембутсу без конца повторяют «Наму Амида Бутсу», что значит «Хвала Будде Амитабхе»[1] или что-то вроде того, – и происходит то же самое. Точно такая же...

– Погоди. Погоди-ка, – сказал Лейн. – Во-первых, ты сию секунду обожжешь пальцы.

Фрэнни едва взглянула на левую руку и бросила дотлевающий окурок в пепельницу.

– И то же самое происходит в «Облаке неведения». Со словом «Бог», понимаешь, надо только повторять слово «Бог». – Она посмотрела прямо в глаза Лейну – как не смотрела уже довольно давно. – И главное, разве ты когда-нибудь в жизни слышал такие потрясающие вещи? Пойми, ведь нельзя сказать: «Это просто совпадение» – и тут же выбросить из головы – вот что меня потрясает. Тут по крайней мере потрясающее... – Она вдруг оборвала себя. Лейну явно не сиделось на месте, а это его выражение – главным образом высоко поднятые брови – Фрэнни знала слишком хорошо.

– В чем дело? – спросила она.

– И ты на самом деле веришь во всю эту белиберду или как?

Фрэнни взяла пачку, вынула сигарету.

– Я не говорила, верю я или нет, я сказала – это меня потрясло. – Лейн дал ей прикурить. – Просто мне кажется, что это невероятное совпадение, очень странное, – сказала она, затянувшись, – везде тебе дают одно и то же наставление, понимаешь, все эти по-настоящему мудрые и абсолютно настоящие религиозные учителя упорно настаивают: если непрестанно повторять имя Бога,

1 Речь идет об особом направлении буддизма, по которому один из будд, Амитабха, выступает в роли вселенского спасителя.

то с тобой что-то произойдет. Даже в Индии – в Индии тебя учат медитации, сосредоточению на слове «ом», что, в сущности, одно и то же, и результат будет такой же самый. И я только хочу сказать – нельзя просто рассудком все это отвергнуть, даже не...

– Ты про какой результат? – отрывисто бросил Лейн.

– Что?

– Я спрашиваю, какого именно результата ты ждешь? От всей этой синхронизации, этого мумбо-юмбо? Инфаркта? Не знаю, сознаешь ли ты, но и ты, и вообще каждый может себе наделать столько вреда, что...

– Нет, ты увидишь Бога. Что-то происходит в какой-то совершенно нефизической части сердца – там, где, по учению индусов, поселяется Атман, если ты верующий, – и тебе является Бог, вот и все. – Она смутилась, сбросила пепел с сигареты мимо пепельницы. Пальцами она подобрала пепел и высыпала в пепельницу. – И не спрашивай меня, что есть Бог, кто он такой. Я даже не знаю, есть он или нет. Когда я была маленькая, я думала... – Она остановилась. Подошел официант – забрать тарелки, положить новое меню.

– Хочешь сладкого или кофе? – спросил Лейн.

– Нет, я просто допью молоко. А ты себе закажи что хочешь, – сказала Фрэнни. Официант только что забрал ее тарелку с нетронутым сандвичем. Она не посмела взглянуть на него.

Лейн посмотрел на часы:

– Черт! Времени в обрез. Счастье, если на матч не опоздаем. – Он посмотрел на официанта. – Мне кофе, пожалуйста. – Он проводил официанта глазами, потом наклонился вперед, положив локти на стол, вполне довольный, сытый, в ожидании кофе. – Что ж... Во всяком случае, очень занятно. Вся эта штука... Но, по-моему, ты совершенно не оставляешь места для самой элементарной психологии. Видишь ли, я считаю, что у всех этих религиозных переживаний чрезвычайно определенная психологическая подоплека – ты меня понимаешь... Но все это очень интересно. Конечно, нельзя так, сразу, все отрицать. – Он посмотрел на Фрэнни и вдруг улыбнулся ей. – Ладно. Кстати, если я тебе забыл сказать... Я тебя люблю. Говорил или нет?

– Лейн, прости, я на минуту выйду! – сказала Фрэнни и уже поднялась с места.

Лейн тоже встал, не сводя с нее глаз.

– Что с тобой? – спросил он. – Тебе опять плохо, да?

– Как-то не по себе. Сейчас вернусь.

Она быстро прошла по залу, направляясь туда же, куда и раньше. Но в конце зала, у маленького бара, она вдруг остановилась. Бармен, вытиравший стаканчик для шерри, взглянул на нее. Она схватилась правой рукой за стойку, нагнула голову, низко склонилась и поднесла левую руку ко лбу, касаясь его кончиками пальцев. И, слегка покачнувшись, упала на пол в глубоком обмороке.

Прошло почти пять минут, прежде чем Фрэнни очнулась. Она лежала на диване в кабинете директора, и Лейн сидел около нее. Он наклонился над ней, его лицо необычно побледнело.

– Как ты себя чувствуешь? – спросил он тоном посетителя в больнице. – Тебе лучше?

Фрэнни кивнула. Она на минуту закрыла глаза от резкого света плафона, потом снова открыла их.

– Кажется, мне полагается спросить: «Где я?» Ну, где я?

Лейн засмеялся:

– Ты в кабинете директора. Они там все бегают, ищут для тебя нашатырный спирт, докторов, не знаю, чего еще. Кажется, у них нашатырь кончился. Нет, серьезно, как ты себя чувствуешь?

– Хорошо. Глупо, но хорошо. А я вправду упала в обморок?

– Да еще как. Прямо вырубилась, – сказал Лейн. Он взял ее руку. – А что с тобой, как ты думаешь? Ты была такая – ну, понимаешь, такая замечательная, когда мы говорили по телефону на прошлой неделе. Ты что – не успела сегодня позавтракать или как?

Фрэнни пожала плечами. Она обвела кабинет взглядом.

– До чего неловко, – сказала она. – Неужели пришлось меня нести сюда?

– Да, мы с барменом несли. Втащили тебя сюда. Напугала ты меня до чертиков. Ей-богу, не вру.

Фрэнни задумчиво, не мигая, смотрела в потолок, пока он держал ее руку. Потом повернулась и подняла свободную руку, как будто хотела отвернуть рукав Лейна и взглянуть на его часы.

– Который час? – спросила она.

– Не важно, – сказал Лейн. – Нам спешить некуда.

– Но ты хотел пойти на вечеринку.

– А черт с ней!

– И на матч мы тоже опоздали? – спросила Фрэнни.

– Слушай, я же сказал, черт с ним со всем. Сейчас ты должна пойти в свою комнату – в этих, как их там, «Голубых ставеньках» – и отдохнуть как следует, это самое главное, – сказал Лейн. Он подсел к ней поближе, наклонился и быстро поцеловал. Потом обернулся, посмотрел на дверь и снова наклонился к Фрэнни. – Будешь отдыхать до вечера. Отдыхать – и все. – Он погладил ее руку. – А потом, попозже, когда ты хорошенько отдохнешь, я, может быть, проберусь к тебе, наверх. Черт его знает, как будто там есть черный ход. Я разведаю.

Фрэнни промолчала. Она все еще смотрела в потолок.

– Знаешь, как давно мы не виделись? – сказал Лейн. – Когда это мы встретились, в ту пятницу? Черт знает когда – в начале того месяца. – Он покачал головой. – Не годится так. Слишком большой перерыв от рюмки до рюмки, грубо говоря. – Он пристальнее вгляделся в лицо Фрэнни. – Тебе и вправду лучше?

Она кивнула. Потом повернулась к нему лицом.

– Ужасно пить хочется, и все. Как по-твоему, можно мне достать стакан воды? Не трудно?

– Конечно, нет, чушь какая! Слушай, а что, если я оставлю тебя на минутку? Знаешь, что я сейчас сделаю?

Фрэнни отрицательно помотала головой.

– Пришлю кого-нибудь сюда с водой. Потом найду главного, скажу, что нашатыря не надо, и, кстати, заплачу по счету. Потом пригоню сюда такси, чтобы не бегать за ним. Придется немного обождать, все машины, наверно, везут народ на матч. – Он выпустил руку Фрэнни и встал. – Хорошо? – спросил он.

– Очень хорошо.

– Ладно. Скоро вернусь. Не вставай! – И он вышел из комнаты.

Оставшись в одиночестве, Фрэнни лежала не двигаясь, все еще глядя в потолок. Губы у нее беззвучно зашевелились, безостановочно складывая слова.

Зуи

Считается, что факты, которыми располагаешь, говорят сами за себя, но мне кажется, что в данном случае они даже несколько более вульгарны, чем это обычно свойственно фактам. В противовес мы прибегаем к неувядающему и увлекательному приему: традиционному авторскому предисловию. Вступление, которое я задумал, столь торжественно и многословно, что такое и в страшном сне не приснится, и вдобавок ко всему в нем слишком много мучительно личного. И если мне особенно повезет и у меня что-то получится, то по воздействию это можно сравнить только с принудительной экскурсией по машинному отделению, которую я веду в качестве экскурсовода, облаченный в старомодный цельный купальный костюм в полосочку.

Если уж начинать, то с самого неприятного: то, что я собираюсь вам преподнести, вовсе не рассказ, а нечто вроде узкопленочного любительского фильмика в прозе, и те, кому довелось просмотреть отснятый материал, со всей серьезностью предупреждали меня, что лелеять надежды на успешный прокат не стоит. Имею честь и несчастье открыть вам, что эта группа оппозиционеров состоит из трех исполнителей главных ролей: двух женских и одной мужской. Начнем с примадонны, которая, как мне думается, была бы довольна, если бы ее коротко охарактеризовали как томную, но утонченную особу. Она полагает, что сюжет нисколько не пострадал бы, если бы я что-нибудь сделал с той сценой, где она несколько раз сморкается за пятнадцать или двадцать минут. Проще говоря, вырезал бы ее и выбросил. Она говорит, что противно смотреть, как человек сморкается. Вторая леди из нашей труппы – вальяжная и клонящаяся к закату звезда варьете – недовольна тем, что я, так сказать, запечатлел ее в старом поношенном халате. Но обе мои красотки (они намекали, что именно такое обращение им приятно) не слишком воинственно нападают на мой замысел в целом. Причина, признаться, страшно проста (хотя и заставляет меня краснеть). Как они убедились на собственном опыте, достаточно одного резкого слова или упрека, чтобы я разревелся. Но не они, а главный герой – вот кто с неподражаемым красноречием убеждал меня не выпускать свой опус в свет. О н чувствует, что вся интрига строится на мистицизме и религиозной мистификации, – как он дал мне понять, во всем совершенно явно просматривается некое трансцендентное начало, что внушает ему тревогу, так как может только ускорить приближение дня и часа моего профессионального провала. И так уже люди, говоря обо мне, покачивают головами, и если я еще хоть один раз в своем творчестве употреблю слово «Бог» не в его прямом, здоровом, американском смысле – как некое бранное междометие, – то это послужит явным свидетельством, точнее, подтверждением того, что я уже начинаю хвастаться знакомствами в высших сферах, а это верное свидетельство, что я человек пропащий. Разумеется, этого достаточно, чтобы заставить нормального слабонервного человека, а в особенности писателя, приостановиться. Я и приостанавливаюсь. Но не надолго. Потому что любое возражение, как бы оно ни было красноречиво, должно быть еще уместным. Дело в том, что я периодически выпускаю эти любительские фильмы в прозе с пятнадцати лет. Где-то в книге «Великий Гэтсби» (эта книга была моим «Томом

Сойером» в двенадцать лет) молодой рассказчик заметил, что каждый человек отчего-то подозревает самого себя в какой-то первородной добродетели, и далее открывает нам, что у себя – храни его, Боже, – он считает таковой честность. А я своей первородной добродетелью считаю способность отличить мистический сюжет от любовного. Я утверждаю, что мой очередной опус – вовсе не рассказ о какой-то там мистике или религиозной мистификации. Я утверждаю, что это сложный, или многоплановый, чистый и запутанный рассказ о любви.

Скажу в заключение, что сам сюжет родился в результате довольно беспорядочного сотрудничества. Почти все факты, с которыми вам предстоит ознакомиться (неторопливо, *спокойно* ознакомиться), были мне сообщены с чудовищными перерывами в серии напряженных для меня бесед наедине с тремя главными действующими лицами. Могу честно заметить, что ни одно из этих трех лиц не поражало блистательным талантом коротко и сжато, не вдаваясь в подробности, излагать события. Боюсь, что этот недостаток сохранится и в окончательном, так сказать, съемочном варианте. К сожалению, я не в силах его устранить, но все же попытаюсь хотя бы объяснить. Мы – все четверо – близкие родственники и говорим на некоем эзотерическом семейном языке; это что-то вроде семантической геометрии, в которой кратчайшее расстояние между двумя точками – наибольшая дуга окружности.

И последнее напутственное слово: наша фамилия – Гласс. Не пройдет и минуты, как младший сын Глассов будет на ваших глазах читать невообразимо длинное письмо (здесь оно будет перепечатано *полностью*, могу вас заверить), которое он получил от самого старшего из оставшихся в живых братьев – Бадди Гласса. Стиль этого письма, как мне говорили, отмечен далеко не поверхностным сходством со стилем, или манерой письма, автора этих строк, и широкий читатель, несомненно, придет к опрометчивому заключению, что автор письма и я – одно и то же лицо. Да, он придет к такому заключению – и тут уж, боюсь, ничего не поделаешь. Но мы все же оставим этого Бадди Гласса в третьем лице от начала и до конца. По крайней мере, у меня нет достаточно веских оснований, чтобы менять положение.

В десять тридцать утра, в понедельник, в ноябре 1955 года Зуи Гласс, молодой человек двадцати пяти лет, сидел в наполненной до краев ванне и читал письмо четырехлетней давности. Письмо казалось почти бесконечно длинным, оно было напечатано на нескольких двойных листах желтоватой бумаги; Зуи стоило некоторого труда поддерживать страницы, опирая их о свои колени, как о два сухих островка. По правую руку от него, на краю встроенной в стенку эмалированной мыльницы, примостилась слегка раскисшая сигарета, но она все еще горела, потому что он то и дело брал ее и делал однудве затяжки, почти не отрывая взгляда от письма. Пепел неизменно падал в воду – или прямо, или скатывался по странице письма. Но, судя по всему, Зуи не обращал внимания на весь этот беспорядок. Однако он замечал, а может быть, только что заметил, что горячая вода действует на него потогонно. Чем дольше он читал – или перечитывал, – тем чаще и тем тщательнее он стирал пот со лба и с верхней губы.

Предупреждаю заранее, что в Зуи так много сложности, раздвоенности, противоречивости, что здесь придется вставить не меньше двух абзацев, касающихся его личности. Начнем с того, что это был молодой человек небольшого роста и чрезвычайно легкого телосложения. Сзади – и особенно когда на виду оказывались все его позвонки – он вполне мог бы сойти за одного из тех городских полуголодных ребятишек, которых каждое лето отправляют подкормиться и загореть в благотворительные лагеря. Крупным планом, в фас или в профиль, он был замечательно, даже потрясающе хорош собой. Старшая из его сестер (которая из скромности предпочитает называться здесь вигвамохозяйкой из племени такахо) попросила меня написать, что он похож на «синеглазого ирландско-иудейского следопыта из племени могикан, который испустил дух в твоих объятьях у рулетки в Монте-Карло». Более распространенное и, без сомнения, не столь узкосемейное мнение гласит, что его лицо было едва спасено от чрезмерной красивости – чтобы не сказать великолепия – тем, что одно ухо у него оттопыривалось чуть больше другого. Я лично придерживаюсь иного мнения, которое сильно отличается от предыдущих. Я согласен, что лицо Зуи, пожалуй, можно было бы назвать безукоризненно прекрасным. Но в этом случае оно, как и любое другое классическое произведение искусства, может стать мишенью бойких и обычно надуманных оценок. Мне остается добавить только одно: любая из сотен ежедневно грозящих нам опасностей – автомобильная авария, простуда, вранье натощак – могла изуродовать или уничтожить всю его щедрую красоту в один день или в одно мгновение. Но было нечто неуязвимое и, как уже ясно сказано, «пленяющее навсегда»[1] – это подлинная духовность во всем его облике, особенно в глазах, которые часто глядели завораживающе, как из-под маски Арлекина, а временами и еще более непостижимо.

По профессии Зуи был актером, уже три с лишним года одним из ведущих актеров на телевидении. За ним так усердно «гонялись» (и, по непроверенным сведениям, доходившим до семьи через третьих лиц, ему так же много платили), как только могут гоняться за молодым актером телевидения, который еще не стал звез-

1 «Прекрасное пленяет навсегда» – строка из поэмы английского поэта Дж. Китса (1795–1821) «Эндимион».

дой Голливуда или Бродвея с готовенькой «всенародной славой». Но если оставить все сказанное без объяснений, это может привести к выводам, которые как бы напрашиваются сами собой. А на самом деле было так: Зуи впервые официально и всерьез дебютировал перед публикой в возрасте семи лет. Он был самым младшим братом в семье, где было всего семеро детей[1] – пять мальчиков и две девочки, – и все они, с очень удачными интервалами, в детстве выступали в широковещательной радиопрограмме – детской викторине под названием «Умный ребенок». Разница в возрасте почти в восемнадцать лет между старшим из детей Глассов, Симором, и младшей, Фрэнни, в значительной мере позволила семейству закрепить за собой нечто вроде права престолонаследия и создать династию, которая продержалась у микрофона «Умного ребенка» шестнадцать с лишним лет – с 1927-го по 1943-й, целую эпоху,

1 Боюсь, что такое эстетическое кощунство, как сноска, здесь будет вполне уместно. В дальнейшем мы непосредственно увидим и услышим только двоих, самых младших из семерых детей. Однако остальные пятеро, пятеро старших, будут то и дело прокрадываться в действие и вмешиваться в него, как некий дух Банко в пяти лицах. Поэтому читателю, быть может, будет небезынтересно заблаговременно узнать, что в 1955 году старшего из детей Глассов, Симора, уже почти семь лет не было в живых. Он покончил с собой во Флориде, где отдыхал с женой. Если бы он был жив, в 1955 году ему было бы тридцать восемь. Второй по старшинству, Бадди, работал, как это обозначается в университетских платежных ведомостях, писателем-консультантом на младших курсах женского колледжа в штате Нью-Йорк. Он жил один в маленьком, неутепленном, неэлектрифицированном домике в километре от довольно популярной лыжной трассы. Следующая, Бу-Бу, вышла замуж, и у нее было трое детей. В ноябре 1955 года она путешествовала по Европе с мужем и всеми своими детьми. В порядке старшинства за Бу-Бу шли близнецы, Уолт и Уэйкер. Уолт погиб больше десяти лет назад. Он был убит шальным взрывом, когда служил в оккупационной армии в Японии. Уэйкер, моложе его примерно на 12 минут, стал католическим священником и в ноябре 1955-го находился в Эквадоре – участвовал в какой-то иезуитской конференции. (*Прим. автора.*)

соединяющую эру чарльстона с эрой «Боингов-17». (Все эти цифры, кажется, более или менее точны.) Несмотря на все годы, которые разделяли личные триумфы каждого в «Умном ребенке», можно утверждать (с немногими несущественными оговорками), что все семеро умудрились ответить по радио на громадное количество то убийственно ученых, то убийственно хитроумных вопросов, присланных слушателями, с совершенно неслыханной в коммерческом радиовещании находчивостью и апломбом. Слушатели встречали детей с горячим энтузиазмом и никогда не охладевали. Общая масса делилась на два до смешного непримиримых лагеря: одни считали, что Глассы — просто выводок невыносимо высокомерных маленьких «выродков», которых следовало бы утопить или усыпить, как только они появились на свет, другие же верили, что это подлинные малолетние мудрецы и всезнайки редкостной, хотя и незавидной, породы. Сейчас, когда пишется эта книга (1957 год), сохранились еще прежние слушатели «Умного ребенка», которые помнят с поразительной точностью почти все выступления каждого из семи детей. Именно в этой редеющей, но все же на удивление единодушной компании твердо укрепилось мнение, что из всех детей Глассов старший, Симор, в конце двадцатых и в начале тридцатых годов «звучал лучше всех» и его ответы были самыми «исчерпывающими». Самым обаятельным и любимым после Симора называют обычно младшего из мальчиков, Зуи. А так как здесь Зуи интересует нас как объект исследования, то следует добавить, что в качестве бывшей звезды «Умного ребенка» он выделялся среди своих братьев и сестер как ходячая энциклопедия. Все семеро детей, пока они выступали по радио, считались законной добычей тех детских психологов или профессиональных педагогов, которые специализируются на маленьких вундеркиндах. Но в этом деле, или на этой работе, из всех

Глассов Зуи, бесспорно, подвергался самым беспардонно хищным допросам, обследованиям, прощупываниям. И вот что интересно: соприкосновение Зуи с любой областью таких, казалось бы, не сходных между собою наук, как клиническая, социальная или рекламная психология, неизменно обходилось ему очень дорого: можно подумать, что места, где его обследовали, кишмя кишели то ли страшно прилипчивыми травмами, то ли просто заурядными микробами старой закваски. Так, например, в 1942 году (к непреходящему возмущению двух старших братьев, служивших тогда в армии) группа ученых вызывала его на обследование в Бостон пять раз. (Большую часть этих обследований он прошел в возрасте двенадцати лет, так что, может быть, поездки по железной дороге – а их было десять – хотя бы поначалу немного развлекали его.) Главная цель этих пяти обследований, как можно было догадаться, заключалась в том, чтобы выделить и по мере возможности изучить все корни той сверхранней одаренности, которая проявилась в редкостной находчивости и богатой фантазии Зуи. По окончании пятого по счету обследования предмет такового был отправлен домой, в Нью-Йорк, с пачечкой аспирина в придачу – якобы от насморка, который оказался бронхиальной пневмонией. Месяца через полтора в половине двенадцатого ночи раздался междугородный звонок из Бостона, и некто неизвестный, непрестанно кидая монетки в обычный телефон-автомат, голосом, в котором звучала, видимо без всякого умысла, этакая педантическая игривость, осведомил мистера и миссис Гласс, что их сын Зуи, двенадцати лет, владеет точно таким же запасом слов, как Мэри Бэйкер-Эдди, стоило только заставить его этим запасом пользоваться.

Итак, продолжим: длиннющее, напечатанное на машинке письмо четырехлетней давности, которое Зуи читал, сидя в ванне, утром в понедельник, в ноябре 1955 года, явно вынимали из конверта, читали и снова складывали столько раз за эти четыре года, что оно не только приобрело какой-то неаппетитный вид, но и просто порвалось в нескольких местах, в основном на сгибах. Автором письма, как уже сказано, был Бадди, старший из оставшихся в живых братьев. Само письмо было полно повторов, поучений, снисходительных увещеваний, буквально до бесконечности растянуто, многословно, наставительно, непоследовательно – и к тому же перенасыщено братской любовью. Короче говоря, это было как раз такое письмо, которое адресат волей-неволей довольно долго таскает с собой в заднем кармане брюк. А такие письма некоторые профессиональные писатели обожают цитировать дословно.

«18/3/51

Дорогой Зуи!

Я только что кончил расшифровывать длинное письмо от Мамы, которое получил сегодня утром: сплошь про тебя, и про улыбку генерала Эйзенхауэра, и про мальчишек, падающих в шахты лифтов (из "Дейли ньюс"), и когда же я наконец добьюсь, чтобы мой телефон в Нью-Йорке сняли и установили здесь, в деревне, где он мне безусловно необходим. Уверен, что во всем мире нет больше такой женщины, которая умела бы писать письма невидимым курсивом. Милая Бесси. Каждые три месяца, как по часам, я получаю от нее те же пятьсот слов на тему о моем несчастном старом личном телефоне и как неразумно платить Бешеные Деньги ежемесячно за вещь, которой совершенно никто не пользуется. А это уже чистое вранье. Когда я бываю в городе, я сам часами сижу и беседую с нашим старым другом Ямой, Божеством Смерти, и для наших переговоров личный телефон просто необходим. В общем, скажи ей, пожалуйста, что я все оставляю по-старому. Я страстно люблю этот старый телефон. Он был единственной нашей с Симором личной собственностью во всем Бессином кибутце. Мне совершенно необходимо также для сохранения внутренней гармонии каждый год читать записи Симора в этой треклятой телефонной книжке. Мне нравится спокойно и не спеша перебирать листки на букву Б. Пожалуйста, передай это Бесси. Можно не дословно, но вежливо. Будь поласковей с Бесси, Зуи, по возможности. Я прошу тебя не потому, что она наша мать, а потому, что она устала; ты сам станешь добрее после тридцати или около того, когда всякий человек немного утихает (может, даже и ты успокоишься), но постарайся быть добрым уже сейчас. Мало обращаться с ней страстно-жестоко, как апаш со своей партнершей, – кстати, она все прекрасно понимает, что бы ты там ни думал. Ты забываешь, что она просто жить не может без сентиментальности, а уж Лес и подавно.

Не считая моих телефонных проблем, последнее ее письмо целиком посвящено Зуи. Я должен написать тебе, что У Тебя Вся Жизнь Впереди и что Преступно пренебрегать докторской степенью, которую надо получить, прежде чем окунаться с головой в актерскую жизнь. Она не говорит, какой уклон в твоей работе ей больше по вкусу, но мне кажется, что математика лучше греческого для тебя, вредный книжный червячишко! Так или иначе, я понял, что ей хочется, чтобы ты имел Опору в Жизни на тот случай, если актерская карьера не сложится. Должно быть, все это очень разумно, вполне возможно, но мне как-то не хочется категорически это утверждать. Сегодня как раз такой день, когда я вижу все наше семейство, в том числе и себя, через обратный конец телескопа. Представь себе, сегодня утром возле почтового ящика я с трудом вспомнил, кто такая Бесси, когда прочел обратный адрес на конверте! Но причина у меня уважительная: старшая группа 24-А по литературной композиции навалила на меня тридцать восемь рассказов, которые я со слезами поволок домой на все выходные дни. Из них тридцать семь окажутся про замкнутую робкую голландку-лесбиянку из Пенсильвании, рассказанные от первого лица развратной прислугой. На диалекте!

Разумеется, тебе и з в е с т н о, что за все те годы, пока я таскаю свой скарб литературной блудницы из колледжа в колледж, я так и не получил даже степени бакалавра. Кажется, это тянется уже сто лет, но я считаю, что не получил степень по двум первопричинам. (Будь добр, сиди и не дергайся. Я пишу тебе впервые за много лет.) Во-первых, в колледже я был как раз таким снобом, какие получаются из бывших ветеранов "Умного ребенка" и будущих студентов-отличников факультета английской литературы, и я не старался добиться никаких степеней, потому что их было навалом у всех известных мне малограмотных писак, радиовещателей и педагогических чучел. А во-вторых, Симор получил степень доктора в том возрасте, когда основная масса юных американцев только-только школу кончает; а раз мне было все равно за ним не угнаться, я и не пытался. И, уж конечно, в твоем возрасте я был непоколебимо уверен, что сделаться учителем меня никто не заставит, и если мои Музы не смогут меня прокормить, я отправлюсь куда-нибудь шлифовать линзы, как Букер Т. Вашингтон. Собственно говоря, у меня нет особых сожалений по поводу академической карьеры. В особенно черные дни мне порой приходит в голову, что, если бы я подзапасся степенями, пока был в силах, мне не пришлось бы вести такой безнадежно серенький курс, как старшая группа 24-А.

А может быть, все это нечистая игра. Карты всегда подтасованы (и по всем правилам, я полагаю), когда играют с профессиональными эстетами, и все мы, без сомнения, заслуживаем той мрачной, велеречивой, академической смерти, которая всех нас рано или поздно приберет.

Но я думаю, что твоя судьба совсем не похожа на мою. Не то чтобы я был всерьез на стороне Бесси. Если тебе или Бесси нужна Уверенность в Завтрашнем Дне, твой математический диплом, по крайней мере, всегда обеспечит тебе возможность вдалбливать таблицу логарифмов мальчишкам в любой деревенской школе и в большинстве колледжей. С другой стороны, твой благозвучный греческий язык почти ни на что не годится ни в одном приличном университете, если ты не имеешь докторской степени, — в таком уж мире медных шапок и медных академических шапочек мы живем. (Конечно же, ты всегда сможешь переехать в Афины, солнечные Д р е в н и е А ф и н ы.) А вообще, все твои будущие ученые степени, если подумать, ни к черту тебе не нужны. Если хочешь знать, дело вот в чем: сдается мне, что, если бы мы с Симором не подсунули Упанишады, Алмазную сутру, Экхарта и всех наших старых любимцев в список книг для домашнего чтения, которые были тебе рекомендованы в раннем детстве, ты был бы в сотни раз пригоднее для своего актерского ремесла. Актер и вправду должен путешествовать налегке. Мы с С., когда были мальчишками, как-то раз отлично позавтракали с Джоном Бэрримором. Умен он был чертовски, а говорил так, что заслушаешься, но никаким громоздким багажом и чересчур серьезным образованием он себя не обременял. Я об этом говорю потому, что на каникулах мне довелось поговорить с одним довольно спесивым востоковедом, и, когда в беседе возникла весьма глубокомысленная и метафизическая пауза, я сказал ему, что мой младший братишка как-то избавился от несчастной любви, пытаясь перевести Упанишады на древнегреческий... (Он оглушительно захохотал — ты знаешь, как гогочут эти востоковеды.)

Вот если бы только Бог намекнул мне, как сложится твоя актерская судьба. Ты прирожденный актер, это ясно. Даже наша Бесси это понимает. Всем также известно, что единственные красавцы в нашей семье — ты и Фрэнни. Но где ты будешь играть? Ты об этом задумывался? В кино? Тогда я смертельно боюсь, что если ты хоть немножко потолстеешь, то тебя, как любого другого молодого актера, принесут в жертву ради создания надежного голливудского типа, сплавленного из призового боксера и мистика, гангстера и заброшенного ребенка, ковбоя и Человеческой Совести и прочее, и прочее. Принесет ли тебе удовлетворение эта расхожая популярная дешевка? Или ты будешь мечтать о чем-то чуть более космическом, zum Beispiel[1], сыграть Пьера или Андрея в цветном боевике по "Войне и миру", где батальные сцены сняты с потрясающим размахом, а все психологические тонкости выброшены (на том основании, что они чересчур литературны и нефотогеничны); где на роль Наташи рискнули взять Анну Маньяни (чтобы фильм был классным и Честным); с шикарным музыкальным оформлением Дмитрия Попкина, и все исполнители главных мужских ролей поигрывают желваками, чтобы показать, что их обуревают разнообразные эмоции, и Всемирная Премьера в "Уинтер-гарден", в сиянии юпитеров, причем Молотов, и Милтон Берль, и губернатор Дьюи будут встречать знаменитостей и представлять их публике. (Знаменитостями я называю, само собой разумеется, старых поклонников Толстого – сенатора Дирксена, За-За Габор, Гэйлорда Хаузера, Джорджи Джесселя, Шарля де Ритца.) Как тебе это понравится? А если ты будешь играть в театре, останутся ли у тебя иллюзии там? Видел ты хоть одну по-настоящему прекрасную постановку – ну, хоть "Вишневого сада"? И не говори, что видел. Никто не видел. Ты мог видеть "вдохновенные" постановки, "умелые" постановки, но ни одной по-настоящему прекрасной. Ни одной достойной чеховского таланта, где все актеры до одного играли бы Чехова – со всеми тончайшими оттенками, со всеми прихотями. Страшно мне за тебя, Зуи. Прости мне пессимизм, если не простишь красноречие. Но я-то знаю, какие у тебя высокие требования, чучело ты этакое. Я-то помню, какое это было адское ощущение – сидеть рядом с тобой в театре. И я слишком ясно себе представляю, как ты пытаешься требовать от сценического ма-

1 Например (*нем.*).

стерства того, чего в нем и в помине нет. Ради всего святого, будь благоразумен.

Кстати, сегодня у меня свободный день. Я веду честный календарь невротика, и сегодня исполнилось ровно три года с тех пор, как Симор покончил с собой. Я тебе никогда не рассказывал, что было, когда я отправился во Флориду, чтобы привезти тело домой? В самолете я ревел, как дурак, битых пять часов подряд. Старательно поправляя занавеску время от времени, чтобы никто не видел меня с той стороны салона – в кресле рядом никого, слава богу, не было. Минут за пять до приземления я услышал, о чем говорят люди, сидевшие позади меня. Говорила женщина с изысканно-светскими и мяукающими интонациями: "...и на следующее утро, представьте себе, они выкачали целую пинту гноя из ее прелестного юного тела". Больше я ни слова не запомнил, но, когда я выходил из самолета и Убитая Горем Вдова встретила меня вся в трауре от самого модного портного, у меня на лице было Неподобающее Выражение. Я ухмылялся. Вот точно так же я чувствую себя сегодня, и без всякой видимой причины. Я чувствую, вопреки собственному здравому смыслу, что где-то совсем рядом – может, в соседнем доме – умирает настоящий поэт, но где-то еще ближе выкачивают жизнерадостную пинту гноя из ее прелестного юного тела, и не могу же я вечно метаться между горем и величайшим восторгом.

В прошлом месяце декан Говнэк (Фрэнни приходит в телячий восторг при одном звуке его имени) обратился ко мне со своей благосклонной улыбкой и бичом из гиппопотамовой кожи, так что теперь я каждую пятницу читаю преподавателям факультета, их женам и нескольким угнетающе глубокомысленным студентам лекции о дзен-буддизме и Махаяне. Нимало не сомневаюсь, что этот подвиг обеспечит мне со временем кафедру Восточной Философии в Преисподней. Главное, что я теперь бываю в университете не четыре, а пять раз в неделю, а так как я еще работаю по ночам и в выходные дни, то у меня почти не остается времени на собственные мысли. Из этих жалоб ты поймешь, что я очень беспокоюсь о тебе и о Фрэнни, когда выдается свободная минутка, но далеко не так часто, как мне бы хотелось. Вот что я хочу тебе, собственно, сказать: письмо Бесси не имеет почти никакого отношения к тому, что я сижу среди целого флота пепельниц и пишу тебе. Она еженедельно поставляет мне свежую экспресс-информацию о тебе и о Фрэнни, а я ни разу и пальцем не пошевельнул, так что дело не в этом. Причина в том, что произошло со мной сегодня в нашем универсальном магазине. (С красной строки начинать не собираюсь. От этого я тебя избавлю.) Я стоял возле мясного прилавка, ожидая, пока нарубят бараньи отбивные. Рядом стояла молоденькая мама с маленькой дочкой. Девчушке было года четыре, и она от нечего делать прислонилась спиной к стеклянной витрине и стала снизу вверх разглядывать мою небритую физиономию. Я ей сказал, что она, пожалуй, самая хорошенькая из всех маленьких девочек, которых я видел сегодня. Она приняла это как должное и кивнула. Я сказал, что у нее, наверно, от женихов отбою нет. Она опять кивнула. Я спросил, сколько же у нее женихов. Она подняла два пальца. "Двое! – сказал я. – Да это целая куча женихов. А как их зовут, радость моя?" И она мне сказала звонким голоском: "Бобби и Дороти". Я схватил свою порцию отбивных и бросился бежать. Именно это и заставило меня написать тебе письмо – это прежде всего, а не настойчивые просьбы Бесси написать о научных степенях и актерской карьере. Да, именно это, и еще стихотворение, хокку, которое я нашел в номере гостиницы, где застрелился Симор. Оно было написано карандашом на промокашке: "Вместо того чтобы взглянуть на меня // Девочка в самолете// Повернула голову своей куклы". Вспоминая об этих двух девочках, я вел машину домой от универмага и думал, что наконец-то я смогу написать тебе, почему мы с С. взялись воспитывать тебя и Фрэнни так рано и так решительно. Мы никогда не пытались вам это объяснить словами, и мне кажется, что пора одному из нас это сделать. Но вот теперь я не уверен, что сумею. Маленькая девчушка из мясного отдела исчезла, и я не могу ясно увидеть вежливое лицо куклы в самолете. И привычный ужас заделаться профессиональным писателем, знакомый смрад словес, преследующий его, уже начинает гнать меня от стола. Но все же мне кажется, что надо хотя бы попытаться – слишком уж это важно.

Разница в возрасте в нашей семье всегда некстати и без необходимости усложняла все наши проблемы. Между С. и близнецами или между Бу-Бу и мной особой разницы не чувствовалось, а вот между двумя парами – ты и Фрэнни и я с С. – это было. Мы с Симором были уже взрослыми – Симор давно кончил колледж – к тому времени, когда ты и Фрэнни научились читать. На этой стадии нам даже не очень хотелось навязывать вам своих любимых классиков – по крайней мере, не так настойчиво, как близнецам и Бу-Бу. Мы знали, что того, кто родился для познания, не оставишь невеждой, и в глубине души, конечно, мы этого и не хотели, но нас беспокоило, даже пугало, то статистическое изобилие детей-педантов и академических мудрил, которые вырастали во всезнаек, толкущихся в университетских коридорах. Но важнее, намного важнее, Симор уже начал это понимать (а я с ним согласился, насколько мне была доступна эта мысль), что образование, как его ни назови, будет сладко, а может, и еще сладостнее, если его начинать не с погони за знаниями, а с погони, как сказал бы последователь дзен-буддизма, за незнанием. Доктор Судзуки где-то говорит, что пребывать в состоянии чистого сознания – сатори – это значит пребывать с Богом до того, как он сказал: "Да будет свет". Мы с Симором думали, что сделаем доброе дело, если будем держать подальше от тебя и от Фрэнни, по крайней мере до тех пор, пока это в наших силах, и этот свет, и множество световых эффектов низшего порядка – искусства, науки, классиков, языки, пока вы оба хотя бы не представите себе то состояние бытия, когда дух постигает источник всех видов света. Мы думали, как это будет удивительно конструктивно, если мы хотя бы (на тот случай, если наша "ограниченность" помешает) расскажем вам то, что сами знаем о людях – святых, архатах, бодисатвах и дживанмуктах, которые знали что-нибудь или все об этом состоянии. То есть мы хотели, чтобы вы знали, кто такие были Иисус и Гаутама, и Лао-Цзы и Шанкарачарья, и Хой-нэн и Шри Рамакришна и т. д., раньше, чем вы узнаете слишком много, если вообще узнаете, про Гомера, или про Шекспира, или даже про Блейка и Уитмена, не говоря уже о Джордже Вашингтоне с его вишневым деревом, или об определении полуострова, или о том, как сделать разбор предложения. Во всяком случае, таков был наш грандиозный замысел. Попутно я, кажется, пытаюсь дать тебе понять, что я знаю, с какой горечью и возмущением ты относился к нашим домашним семинарам, которые мы с С. регулярно проводили в те годы, а особенно к метафизическим сеансам. Надеюсь, что в один прекрасный день – и хорошо бы нам обоим надраться как следует – мы сможем об этом поговорить. (А пока могу только заметить, что ни Симор, ни я в те далекие времена даже представить себе не могли, что ты станешь актером. Нам следовало бы догадаться об этом, но мы не догадывались. А если бы мы знали, Симор непременно постарался бы предпринять нечто конструктивное в этом плане, я уверен. Где-то обязательно должен быть какой-нибудь курс Нирваны для начинающих со специальным уклоном, который на Древнем Востоке предназначался исключительно для будущих актеров, и Симор, конечно же, откопал бы его.) Пора бы кончить этот абзац, но я что-то разболтался. Тебя покоробит то, что я собираюсь писать дальше, но так надо. Ты знаешь, что намерения у меня были самые благие: после смерти Симора проверять время от времени, как идут дела у тебя и Фрэнни. Тебе было восемнадцать, и о тебе я не особенно беспокоился. Хотя от одной востроносой сплетницы в моем классе я слышал, что ты прославился на все студенческое общежитие тем, что удалялся и сидел в медитации по десять часов кряду, и это заставило меня призадуматься. Но Фрэнни в то время было *тринадцать*. А я просто не мог сдвинуться с места, и все тут. Я боялся возвращаться домой. Я не боялся, что вы вдвоем, рыдая, забросаете меня через всю комнату томами полного собрания Священных книг Востока Макса Мюллера. (Не исключено, что это привело бы меня в мазохистский экстаз.) Но я боялся, что вы начнете задавать мне вопросы: для меня они были гораздо страшнее обвинений. Я отлично помню, что вернулся в Нью-Йорк через целый год после похорон. Потом было уже легко приезжать на дни рождения и на каникулы, зная почти наверняка, что все вопросы сведутся к тому, когда я кончу свою новую книгу и катался ли я на лыжах и т. д. Вы даже за последние два года много раз приезжали сюда на уик-энды, и хотя мы разговаривали, разговаривали, разговаривали, но об этом не обмолвились ни словом, как по уговору. Сегодня мне впервые захотелось об этом поговорить. Чем дальше я пишу это проклятое письмо, тем мне труднее решительно отстаивать свои убеждения. Но клянусь тебе, что сегодня днем на меня снизошло небольшое, вполне доступное общему пониманию озарение (в мясном отделе), и я понял, что́ есть истина, в тот самый момент, когда девчушка мне сказала, что ее женихов зовут Бобби и Дороти. Симор однажды сказал мне — представь себе, в городском автобусе, — что любое правильное изучение религии *обязательно* приводит к тому, что исчезают все различия, иллюзорные различия между мальчиками и девочками, животными и минералами, между днем и ночью, между жаром и холодом. Вот что внезапно поразило меня возле мясной витрины, и мне показалось, что сейчас самое важное в жизни — примчаться домой со скоростью семидесяти миль в час и послать тебе письмо. О господи, какая жалость, что я не схватил карандаш прямо на месте, в универмаге, а понадеялся, что дорогой ничего не забуду. Но может быть, это к лучшему. Иногда мне кажется, что ты понял и все простил С. — больше, чем кто-либо из нас. Уэйкер как-то сказал мне по этому поводу очень интересную вещь — признаюсь, что я только повторяю его слова, как попугай. Он сказал, что ты — единственный, кто был горько обижен на Симора за самоубийство, и только ты, один из всех, по-настоящему простил его. Остальные, как он сказал, обиды не выдали, но в глубине души ничего не простили. Может быть, это и есть правда истинная. Откуда мне знать? Одно я знаю совершенно точно: я собирался написать тебе что-то радостное и увлекательное — всего на одном листочке бумаги, через два интервала, а когда я добрался до дому, то понял, что растерял почти все, что все пропало, и оставалось только одно: сесть и писать, писать, читать тебе лекции на тему о научных степенях и об актерской жизни. Как это нелепо, как смехотворно — представляю себе, как сам Симор улыбался бы, улыбался — и, наверное, убедил бы меня и всех нас, что не стоит об этом беспокоиться.

Хватит. Играй, Захария Мартин Гласс, где и когда захочешь, если ты чувствуешь, что должен играть, но только играй в полную силу. И если ты создашь на сцене хоть что-нибудь прекрасное, дарящее радость, чему нет названия, возвышенное и недоступное для театральных выкрутас, мы с С. возьмем напрокат смокинги и парадные шляпы и торжественно явимся к служебному входу театра с букетами львиного зева. Во всяком случае, на мою любовь и поддержку, как бы мало они ни стоили, ты можешь смело рассчитывать всегда, невзирая на расстояния.

Бадди

Как всегда, мои претензии на всезнайство совершенно нелепы, но именно ты должен относиться снисходительно к тем моим высказываниям, которые можно назвать умными. Много лет назад, когда я еще только пробовал сделаться писателем, я как-то прочел С. и Бу-Бу свой новый рассказ. Когда я кончил, Бу-Бу безапелляционно заявила (глядя, однако, на Симора), что рассказ "чересчур умный". С. с сияющей улыбкой поглядел на меня, покачал головой и сказал, что ум – это моя хроническая болезнь, моя деревянная нога и что чрезвычайно бестактно обращать на это внимание присутствующих. Давай же, старина Зуи, будем вежливы и добры друг к другу – мы ведь оба прихрамываем.

Любящий тебя Б.»

Последняя, самая нижняя страница письма, написанного четыре года назад, была покрыта пятнами цвета старинной кожи и порвана на сгибах в двух местах. Закончив читать, Зуи довольно бережно переложил ее назад, чтобы страницы легли по порядку. Он выровнял края, постукивая страницы о свои колени. Нахмурился. Затем с небрежностью, как будто он, ей-богу, читал это письмо последний раз в жизни, он затолкал страницы в конверт, словно это была набивочная стружка. Он положил пухлый конверт на край ванны и затеял с ним маленькую игру. Пощелкивая одним пальцем по набитому конверту, он толкал его взад и вперед по самому краю, как будто пытался проверить, удастся ли ему все время двигать конверт таким образом, чтобы тот не свалился в воду. Прошло добрых пять минут, пока он не толкнул конверт так, что едва успел его подхватить. На чем игра и закончилась. Держа спасенный конверт в руке, Зуи уселся поглубже, так что колени тоже ушли под воду. Минуту или две он рассеянно созерцал кафельную стену прямо перед собой, потом взглянул на сигарету, лежащую в мыльнице, взял ее и раза два попробовал затянуться, но сигарета давно погасла. Он внезапно снова уселся, так что вода в ванне заходила ходуном, и опустил сухую левую руку за край ванны. На коврике возле ванны лежала названием кверху рукопись, отпечатанная на машинке. Он взял рукопись и поднял ее наверх в том же положении, как она лежала. Бегло взглянув на нее, он засунул письмо четырехлетней давности в самую середину, где листы были сшиты особенно плотно. Затем он пристроил рукопись на своих (уже мокрых) коленях примерно на дюйм выше поверхности воды и принялся листать страницы. Добравшись до девятой страницы, он развернул рукопись, как журнал, и стал читать или изучать ее. Реплики Рика были жирно подчеркнуты мягким карандашом.

Тина (*подавленно*). Ах, милый, милый, милый. Не принесла я тебе удачи, верно?

Рик. Не говори. Никогда больше не говори так, слышишь?

Тина. Но это же правда. Я невезучка. Жуткая невезучка. Если бы не я, Скотт Кинкейд уже тыщу лет назад взял бы тебя в контору в Буэнос-Айресе. Я все на свете испортила. (*Идет к окну.*) Да, я вроде тех лис и лисенят, что портят виноградники. Мне кажется, что я играю в какой-то ужасно сложной пьесе. Но самое смешное, что я-то не сложная. Я – это просто я. (*Оборачивается.*) О Рик, Рик, мне так страшно! Что с нами творится! Кажется, я уже не могу найти нас. Я шарю, ищу, а нас нет и нет. Я боюсь. Я как перепуганный ребенок. (*Выглядывает в окно.*) Ненавижу этот дождь. Иногда мне чудится, что я лежу мертвая под дождем.

Рик (*мирно*). Моя дорогая, это, кажется, строчка из «Прощай, оружие!»?

Тина (*оборачивается, вне себя*). Убирайся отсюда. Убирайся! Убирайся вон, пока я не выбросилась из окна. Слышишь?

Рик (*хватая ее в объятия*). Ну-ка послушай меня. Моя маленькая полоумная красавица. Моя прелесть, мое дитя, вечно ты играешь, разыгрываешь трагедии.

Зуи внезапно прервал чтение, услышав голос матери – настойчивый, наигранно-деловитый – по ту сторону двери:

– Зуи? Ты все еще сидишь в ванне?

– Да, я все еще сижу в ванне. А что?

– Можно мне войти на секундочку?

– Господи, мама, да я же в ванне сижу!

– Боже мой, я на минуточку, прошу тебя. Задерни занавеску.

Зуи бросил прощальный взгляд на страницу, потом закрыл рукопись и бросил ее на пол возле ванны.

– Господи Иисусе Христе, – сказал он. – Мне чудится, что я лежу мертвая под дождем!

Ярко-красная, усыпанная канареечно-желтыми диезами, бемолями и скрипичными ключами, занавеска для душа была подвешена на пластмассовых кольцах к хромированной перекладине и сдвинута к изножью ванны. Зуи сел, наклонился вперед и резко дернул занавеску, так что она совсем скрыла его из виду.

– Хорошо, господи. Если уж входишь, то входи, – сказал он.

В его голосе не было характерных актерских модуляций, но это был почти чрезмерно звучный голос; и когда Зуи не старался его приглушать, он немилосердно «разносился». Много лет назад, когда он еще выступал в «Умном ребенке», ему постоянно напоминали, что надо держаться подальше от микрофона.

Дверь отворилась, и в ванную боком проскользнула миссис Гласс – женщина средней полноты, с волосами, уложенными под сеткой. Возраст ее при любых обстоятельствах воинственно противился определению, а уж в сетке для волос – и подавно. Ее появление в комнатах обычно воспринималось не только визуально, но и на слух.

– Не понимаю, как ты можешь так долго сидеть в ванне!

Она сразу же закрыла за собой дверь, как будто вела нескончаемую войну за жизнь своего потомства с простудами от сквозняков в ванной.

– Это просто вредно для здоровья, – сказала она. – Ты знаешь, сколько ты сидишь в этой ванне? Ровно сорок пять...

– Не надо! Не говори, Бесси.

– То есть как это – н е г о в о р и?

– Не говори, и все. Оставь меня в блаженном неведении о том, что ты там за дверью считала минуты, пока...

– Никто никаких м и н у т не считал, молодой человек, – сказала миссис Гласс. Дел у нее и без того хватало. Она принесла с собой продолговатый пакетик из белой бумаги, перевязанный золотым шнурком. Судя по виду, в нем мог быть предмет размером примерно с большой бриллиант или с насадку для крана. Прищурившись, миссис Гласс посмотрела на сверток и принялась дергать за шнурок. Узел не поддавался, и она попыталась развязать его зубами.

На ней было ее обычное домашнее одеяние – то самое, которое ее сын Бадди (который был писателем и, следовательно, как утверждает сам Кафка, не очень приятным человеком) окрестил «униформой провозвестницы смерти». Это одеяние состояло в основном из допотопного японского кимоно темно-синего цвета. Днем она почти всегда расхаживала в нем по дому. Многочисленные складки оккультно-колдовского вида служили хранилищем для массы мелочей, которые должны быть под рукой у страстного курильщика и монтера-самоучки; вдобавок с боков были нашиты два вместительных кармана, в которых обычно лежали две-три пачки сигарет, несколько складных картонок со спичками, отвертка, молоток-гвоздодер, охотничий нож, некогда принадлежавший кому-то из ее сыновей, пара эмалированных ручек от кранов и еще целый набор шурупов, гвоздей, дверных петель и шарикоподшипников, – и все это сопровождало приглушенным позвякиванием любое перемещение миссис Гласс по просторной квартире. Уже лет десять, если не больше, обе ее дочери постоянно и безуспешно сговаривались выбросить одряхлевшее кимоно матери. (Ее замужняя дочь, Бу-Бу, намекала, что, прежде чем вынести его в корзине для мусора, пожалуй, придется оглушить его каким-нибудь тупым орудием, чтобы избавить от лишних мучений.) Но как бы экзотически ни выглядело это восточное облачение, оно ни капельки не искажало то единственное, ошеломляющее впечатление, которое миссис Гласс в домашнем виде производила на зрителей определенного типа. Глассы жили в старом, но вовсе не старомодном доме в районе Восточных семидесятых, где, пожалуй, две трети обитательниц солидного возраста носили меховые шубки, а когда они выходили из дому обычным солнечным утром, то спустя полчаса их можно было почти наверняка встретить в лифте у «Лорда и Тейлора», «Сакса» или «Бонуита Теллера»... На этом типично манхэттенском фоне миссис Гласс (с непредвзятой точки зрения) бросалась в глаза как довольно приятное исключение. Во-первых, можно было подумать, что она никогда в жизни не выходит из дому, а уж если и выйдет, то на плечах у нее будет темная шаль, и отправится она в сторону О'Коннел-стрит, чтобы потребовать выдачи тела одного из своих сыновей (наполовину ирландцев, наполовину евреев), которого в какой-то религиозной неразберихе только что пристрелили Черно-Желтые[1].

Зуи вдруг подозрительно окликнул ее:

– Мама! Ради всего святого, что ты там делаешь?

Миссис Гласс развернула пакет и внимательно читала инструкцию, напечатанную мелкими буквами на коробочке с зубной пастой.

1 Черно-Желтые – британские части, посланные в Ирландию для подавления беспорядков в 1919–1921 годах.

– Не распускай язык, пожалуйста, – рассеянно бросила она.

Затем она подошла к аптечке, которая примостилась на стене над раковиной. Она открыла зеркальную дверцу и воззрилась на битком набитые полки – точнее, пробежала по ним прищуренным взглядом заправского мастера по возделыванию домашних аптечек. Перед ее взором предстала толпа, так сказать, золотых фармацевтических нарциссов[1] вперемежку с несколькими более примитивными предметами. На полках находился йод, марганцовка, капсулы с витаминами, зубной эликсир, аспирин, анацин, буферин, аргироль, мастероль, экс-лакс, магнезиевое молоко, английская соль, аспергиум, две безопасные бритвы, одна полуавтоматическая бритва, два тюбика крема для бритья, помятая и чуть надорванная фотография толстого черно-белого кота, спящего на перилах террасы, три расчески, две щетки для волос, бутылка репейного масла, бутылка фитчевской жидкости от перхоти, маленькая коробочка без надписи с глицериновыми свечами, капли Викса от насморка, шампунь Викса, шесть кусков туалетного мыла, корешки от трех билетов на мюзикл 1946 года («Зови меня Мистер»), тюбик депилатория, коробка с бумажными салфеточками «Клинекс», две морские раковины, целый набор стертых от употребления листов наждачной бумаги, две банки моющей пасты, три пары ножниц, пилка для ногтей, прозрачный голубой шарик (который назывался у игроков в «шарики», по крайней мере в двадцатые годы, «чистюля»), крем, стягивающий поры лица, пинцеты для выщипывания бровей, золотые дамские часики в разобранном виде и без ремешка, коробочка соды, перстенек ученицы школы-интерната с выщербленным ониксом, бутылка «Стопетт» и – хотите верьте, хотите нет – еще масса всякой

1 Перифраза строки из стихотворения английского поэта У. Вордсворта (1770–1850) «Нарциссы».

всячины. Миссис Гласс быстро протянула руку вверх, достала что-то с нижней полки и бросила в корзину для мусора; раздался приглушенный жестяной стук.

— Я кладу сюда для тебя эту новую зубную пасту, на которой все помешались, — объявила она, не оборачиваясь и кладя пасту на полку. — Пора тебе бросить этот дурацкий порошок. От него с твоих чудных зубов вся эмаль слезет. У тебя такие чудные зубы! И не мешает тебе получше о них...

— А кто это сказал? — Из-за занавески раздался сильный всплеск. — Кто, черт возьми, сказал, что от него с моих чудных зубов вся эмаль слезет?

— Я сказала. — Миссис Гласс окинула свой сад последним оценивающим взглядом. — Прошу тебя пользоваться пастой.

Она подтолкнула сложенными лопаточкой пальцами непочатую коробочку с английской солью, чтобы та не нарушала равнение в рядах вечных обитателей аптечного сада, и закрыла дверцу. Затем пустила холодную воду в раковину.

— Хотела бы я знать, кто это моет руки и не споласкивает за собой раковину, — сурово сказала она. — В семье, по-моему, только взрослые люди.

Она пустила воду еще сильней и одной рукой быстро и начисто вымыла раковину.

— Конечно, ты еще не поговорил со своей младшей сестренкой, — сказала она, оборачиваясь и глядя на занавес.

— Нет, я еще не говорил со своей младшей сестренкой. Послушай, а не пора ли тебе топать отсюда?

— А почему ты не поговорил? — строго спросила миссис Гласс. — По-моему, это нехорошо, Зуи. По-моему, это совсем нехорошо. Я специально просила тебя, пожалуйста, пойди и проверь, не случилось ли...

— Во-первых, Бесси, я встал всего час назад. Во-вторых, вчера вечером я беседовал с ней битых два часа, и, по-моему, если говорить откровенно, ей ни с кем сегодня говорить не хочется. А в-третьих, если ты не уберешься из ванной, я возьму и подожгу эту чертову занавеску. Я не шучу, Бесси.

Где-то посередине этого перечисления по пунктам миссис Гласс перестала слушать и села.

— Бывает, что я почти готова убить Бадди за то, что он живет без телефона, — сказала она. — В этом нет никакой необходимости. И как это взрослый мужчина может жить вот так — без телефона, безо всего? Никто не собирается нарушать его покой, если ему так угодно, но я совершенно уверена, что незачем жить отшельником. — Она передернула плечами и скрестила ноги. — Господи помилуй, да это просто опасно! А вдруг он сломает ногу или еще что. В такой глуши. Меня это все время грызет.

— Грызет? А что тебя грызет? То, что он ногу сломает, или то, что у него нет телефона, когда тебе это нужно?

— Меня, к вашему сведению, молодой человек, грызет и то и другое.

— Так вот — не беспокойся. Не трать времени даром. Ты такая бестолковая, Бесси. Ну отчего ты такая бестолковая? Ты же знаешь Бадди, боже ты мой. Да если он даже забредет на двадцать миль в лесную глухомань и сломает обе ноги, да еще стрела, черт возьми, будет торчать у него между лопатками, он все равно доползет до своего логова — проверить, не проник ли кто-нибудь туда в его отсутствие, чтобы примерить его галоши! — Из-за занавеса донесся короткий и приятный смешок, хотя и несколько демонического оттенка. — Поверь мне на слово. Ему так дорог его проклятый покой, что ни в каких лесах он помирать не станет.

— Никто и не говорил о смерти, — сказала миссис Гласс. Она без видимой необходимости чуть-чуть поправила сетку на волосах. — Я целое утро дозванивалась по телефону до его соседей, которые живут дальше по шоссе. Они даже не отвечают. Просто возмутительно, что к нему никак не пробиться. Сколько раз я его умоляла перенести этот дурацкий телефон из комнаты, где они раньше жили с Симором. Это просто ненормально. Если что-то действительно стрясется и ему будет необходим телефон — это просто невыносимо. Я вечером звонила два раза и раза четыре сегодня.

— А почему это невыносимо? Во-первых, с чего это совершенно чужие люди должны быть у нас на побегушках?

— Никто не говорит ни о каких людях ни на каких побегушках, Зуи. Пожалуйста, не дерзи, слышишь? Если хочешь знать, я ужасно волнуюсь за нашу девочку. И я считаю, что Бадди должен знать обо всем. К твоему сведению, убеждена, что он мне никогда не простит, что я в таком положении не обратилась к нему.

— Ну ладно, ладно! Так почему ты дергаешь его соседей, а не позвонишь в колледж? Ты прекрасно знаешь, что в это время его дома не застать.

— Будь любезен, не кричи во весь голос, молодой человек. Здесь глухих нет. Если хочешь знать, я уже звонила в колледж. Только я по опыту знаю, что от этого никакого проку не будет. Они просто кладут записочки ему на стол, а я уверена, что он в свой кабинет вообще не заглядывает.

Миссис Гласс внезапно наклонилась, не вставая с места, протянула руку и взяла что-то с крышки бельевой корзины.

— У тебя там есть мочалка? — спросила она.

— Она называется «губка», а не мочалка, и мне нужно, Бесси, только одно, черт побери, — чтобы меня оставили одного в ванной. Это мое единственное простое желание. Если бы я мечтал, чтобы сюда нахлынули все пышнотелые ирландские розы, которым случилось проходить мимо, я бы об этом сказал. Пора, давай двигай отсюда.

– Зуи, – терпеливо сказала миссис Гласс. – Я держу в руках чистую мочалку. Нужна она тебе или не нужна? Скажи, пожалуйста, одно слово: да или нет?

– О господи! Да. Да. Да. Больше всего на свете. Бросай ее сюда!

– Я не собираюсь ее б р о с а т ь, я ее дам тебе в руки. В этой семье вечно все швыряют.

Миссис Гласс поднялась, сделала три шага к занавесу и дождалась, когда оттуда протянулась рука, словно отделенная от тела.

– Благодарен до гроба. А теперь, пожалуйста, очисти помещение. Я и так уже потерял фунтов десять.

– Ничего удивительного. Сидишь в этой ванне буквально до посинения, а потом... Э т о еще что? – Миссис Гласс с неподдельным интересом наклонилась и взяла с полу рукопись, которую Зуи читал перед ее приходом. – Сценарий, который тебе прислал Лесаж? – спросила она. – Н а п о л у?

Ответа она не получила. Так Ева могла бы спросить у Каина, неужели это его чудная новая мотыга мокнет под дождем.

– Прекрасное место для рукописи, ничего не скажешь.

Она отнесла рукопись к окну и бережно водрузила ее на батарею.

Потом осмотрела рукопись, словно проверяя, не подмокла ли она. Штора на окне была спущена – Зуи читал в ванной при верхнем свете, – но утренний свет пробился в щель под шторой и осветил первую страницу рукописи. Миссис Гласс склонила голову набок, чтобы удобнее было читать заглавие, и одновременно вытащила из кармана кимоно пачку длинных сигарет.

– «Сердце – осенний бродяга», – медленно прочла она вслух. – Необычное название.

Ответ из-за занавески послышался не сразу, но в нем звучало явное удовольствие.

— Какое? Какое там название?

Но миссис Гласс не удалось застать врасплох. Она отступила на прежнюю позицию и уселась с сигаретой в руке.

— Необычное, я сказала. Я не говорила, что оно красивое или еще что, поэтому...

— Ах, силы небесные. Надо вставать с утра пораньше, чтобы не пропустить классную вещь, Бесси, детка. А знаешь, какое у тебя сердце? Твое сердце, Бесси, — осенний гараж. Как тебе нравится заглавие для боевика? Черт побери, многие люди — многие невежды — полагают, что в нашем семействе нет прирожденных литераторов, кроме Симора и Бадди. Но стоит мне подумать, стоит мне на минутку присесть и подумать о чувствительной прозе и о гаражах... я готов все перечеркнуть, переиначить.

— Хватит, хватит, молодой человек, — сказала миссис Гласс.

Безотносительно к тому, какие заглавия телебоевиков ей нравились, и вообще независимо от ее эстетических вкусов в ее глазах блеснуло — мгновенно, но блеснуло — наслаждение знатока той манерой дерзить, которая отличала ее младшего сына, единственного красавца среди ее сыновей. На долю секунды это выражение согнало налет бесконечной усталости, который с самого начала разговора оставался у нее на лице. Однако она почти мгновенно снова приготовилась к защите.

— А что я сказала про это название? Оно и вправду очень необычное. А ты! Тебе ничто и никогда не кажется необычным или прекрасным! Я ни разу в жизни от тебя не слыхала...

— Чего? Чего ты не слыхала? Что именно мне не казалось прекрасным? — За занавесом послышался плеск, словно там разыгрался бесшабашный дельфин. – Слушай, мне все равно, что бы ты ни сказала о моей родне, вере и убеждениях, Пышка, только не говори, что у меня нет чувства прекрасного. Не забывай, что это моя ахиллесова пята. Для меня в с е н а с в е т е прекрасно. Покажи мне розовый закат, и я весь размякну, ей-богу. Что у г о д н о. «Питера Пэна». Еще и занавес не поднимется в «Питере Пэне», а я уже к черту изошел слезами. И у тебя хватает смелости говорить мне...

– Ах, замолчи ты, – рассеянно сказала миссис Гласс.

Она тяжело вздохнула. Нахмурясь, она сильно затянулась сигаретой, потом выпустила дым через ноздри и сказала – скорее воскликнула:

– Если бы я только знала, что мне делать с этим ребенком! – Она сделала глубокий вдох. – Я просто ума не приложу, что делать! – Она пронзила занавеску для душа рентгеновским взглядом. – Ни от кого из вас нет никакого толку... Никакого. Твой отец даже г о в о р и т ь ни о чем не хочет. Ты-то знаешь! Конечно, он тоже беспокоится – я вижу по его лицу, – но он попросту не желает смотреть правде в глаза. – Миссис Гласс поджала губы. – Сколько я его знаю, он никогда не желал смотреть правде в глаза. Он думает, что все непривычное и неприятное само собой исчезнет, как только он включит радио и какая-нибудь бездарь завопит во весь голос.

Из-за занавеса донесся громкий взрыв смеха. Он почти не отличался от прежнего хохота, хотя к а к а я - т о разница и чувствовалась.

– Да, так оно и есть, – упрямо и уныло заявила миссис Гласс. Она наклонилась вперед. – А хочешь знать, что я на самом деле думаю? Хочешь?

– Бесси. Бога ради. Ты же все равно мне скажешь, так зачем же ты...

– Я думаю, честное слово, – и это совершенно серьезно, – я думаю, что он до сих пор надеется услышать всех вас по радио, как раньше. Я серьезно говорю, пойми... – Миссис Гласс снова глубоко вздохнула. – Каждый раз, когда ваш отец включает радио, я и вправду думаю, что он надеется поймать «Умного ребенка» и послушать, как все вы, детишки, один за другим, отвечаете на вопросы. – Она крепко сжала губы и замолчала, подчеркивая этой неумышленной паузой значение своих слов. – Я сказала: «все вы», – повторила она и внезапно села чуть прямее. – То есть и Симор, и Уолт. – Она снова резко и глубоко затянулась. – Он весь ушел в прошлое. С головой. Он почти не смотрит телевизор, когда не показывают тебя. И не вздумай смеяться, Зуи. Это не смешно.

– Господи, да кто тут смеется?

– Да, это чистая правда! Он абсолютно не подозревает, что с Фрэнни творится что-то неладное. Абсолютно! Как ты думаешь, что он мне сказал вчера после вечерних новостей? Не кажется ли мне, что Фрэнни съела бы мандаринчик? Ребенок лежит пластом и заливается слезами от каждого слова да еще бормочет бог знает что себе под нос, а твой отец спрашивает: не хочет ли она мандаринчик? Я его чуть не убила. Если он еще хоть раз...

Миссис Гласс вдруг умолкла и уставилась на занавеску.

– Что тут смешного? – сурово спросила она.

– Ничего. Ничего, ничего, ничего. Мне мандаринчик понравился. Ладно, от кого еще нет никакого толку? От меня. От Леса. От Бадди. Еще от кого? Раскрой мне свое сердце, Бесси. Ничего не утаивай. В нашем семействе одно нехорошо – больно мы все скрытные.

– Мне не смешно, молодой человек. Это все равно что смеяться над калекой, – сказала миссис Гласс. Она не спеша заправила выбившуюся прядь под сетку для волос. – Ох, если бы я только могла дозвониться до Бадди по этому дурацкому телефону! Хоть на минутку. Он единственный человек, который может разобраться во всех этих нелепостях. – Она подумала и продолжала с досадой: – Беда никогда не приходит одна. – Она стряхнула пепел в левую руку, сложенную лодочкой. – Бу-Бу вернется после д е с я т о г о. Уэйкеру я п о б о я л а с ь бы сказать, даже если бы мне удалось до него д о б р а т ь с я. В жизни не видела подобного семейства. Честное слово. Считается, что все вы такие умники и все такое, а когда придет беда, от вас нет никакого толку. Ни от кого. Мне уже порядком надоело.

– Какая беда, силы небесные? Какая беда пришла? Чего тебе надобно, Бесси? Ты хочешь, чтобы мы пошли и прожили за Фрэнни ее жизнь?

– Сейчас же перестань, слышишь? Никто никого не заставляет жить за нее. Мне просто хотелось бы, чтобы кто-нибудь пошел в гостиную и разобрался, что к чему, вот и все... Я хочу знать, когда наконец этот ребенок соберется обратно в колледж, чтобы кончить последний семестр. Я хочу знать, намерена ли она наконец проглотить хоть что-то п и т а т е л ь н о е. Она же буквально ничего не ела с субботнего вечера – ничего! Я пробовала с полчаса назад заставить ее выпить чашечку чудного куриного бульона. Она выпила два глотка – и в с е. А то, что я заставила ее съесть вчера, она вытошнила. До капельки.

Миссис Гласс примолкла на миг – как оказалось, только перевести дух.

– Она сказала, что попозже, может, съест сырник. Но при чем тут с ы р н и к и? Насколько я понимаю, она и так весь семестр питалась сырниками и кока-колой. Неужели во всех колледжах девушек так кормят? Я знаю одно: я-то не собираюсь кормить молоденькую девушку, да еще такую истощенную, едой, которая даже...

– Вот это боевой дух! Куриный бульон или ничего! Я вижу, ты ей спуску не даешь. И если уж она решила довести себя до нервного истощения, то пусть не надеется, что мы ее оставим в мире и спокойствии.

– Не смей дерзить, молодой человек, – ох, что у тебя за язык! Если хочешь знать, я считаю, что именно такая еда могла довести организм ребенка до этого странного состояния. С раннего детства приходилось буквально силой впихивать в нее овощи или вообще что-нибудь полезное. Нельзя до бесконечности, годами пренебрегать своим телом – что бы ты там ни думал.

– Ты совершенно права. Совершенно права. И как это ты дьявольски проницательно смотришь в корень, уму непостижимо. Я прямо весь гусиной кожей покрылся... Черт подери, ты меня вдохновляешь. Ты меня воодушевляешь, Бесси. Знаешь ли ты, что ты сделала? Понятно ли тебе, что ты сделала? Ты придала всей этой теме свежее, новое, библейское толкование. Я написал в колледже четыре – нет, пять сочинений о Распятии, – и от каждого я чуть с ума не сходил – чувствовал, что чего-то не хватает. Теперь-то я знаю, в чем дело. Теперь мне все ясно. Я вижу Христа в совершенно новом свете. Его нездоровый фанатизм. Его грубое обращение с этими славными, разумными, консервативными, платящими десятину фарисеями. Ох, как же это здорово! Своим простым, прямолинейным, ханжеским способом ты отыскала потерянный ключ ко всему Новому Завету. Неправильное питание. Христос питался сырниками и кока-колой. Как знать, может, он и толпы кормил...

– Замолчишь ты или нет! – перебила его миссис Гласс спокойным, но грозным тоном. – Ох, так бы и заткнула тебе рот слюнявчиком.

– Что ж, давай. Я просто стараюсь поддерживать светскую беседу, как принято в ванных.

– Какой ты остроумный! До чего же ты остроумный! Представь себе, молодой человек, что я вижу твою младшую сестру несколько в ином свете, чем нашего Господа. Может, я покажусь тебе чудачкой, но это так. Я не вижу ни малейшего сходства между Спасителем и слабенькой, издерганной студенткой из колледжа, которая читает слишком много книг о религии, и все такое! Ты, конечно, знаешь свою сестру не хуже, чем я, – во всяком случае, должен был бы знать. Она ужасно впечатлительная и всегда была впечатлительная, ты это прекрасно знаешь!

На минуту в ванной стало до странности тихо.

– Мама? Ты все еще там сидишь? У меня ужасное чувство, что ты там сидишь и дымишь пятью сигаретами сразу. Точно? – Он подождал, но миссис Гласс не удостоила его ответом. – Я не хочу, чтобы ты тут рассиживалась, Бесси. Я хочу вылезти из этой проклятой ванны. Бесси? Ты меня слышишь?

– Слышу, слышу, – сказала миссис Гласс.

По ее лицу опять пробежала тень волнения. Она нервно выпрямилась.

– Она затащила с собой на кушетку этого идиотского Блумберга, – сказала она. – Это просто негигиенично.

Она тяжело вздохнула. Уже несколько минут держала пепел от сигареты в левой руке, сложенной лодочкой. Теперь она нагнулась и, не вставая, стряхнула пепел в корзину для мусора.

– Я просто ума не приложу, что мне делать, – заявила она. – Ума не приложу, и все тут. Весь дом перевернулся вверх дном. Маляры почти закончили ее комнату, и им нужно переходить в гостиную сразу же после ленча. Не знаю, будить ее или нет. Она почти совсем не спала. У меня прямо ум за разум заходит. Знаешь, сколько лет прошло с тех пор, как я последний раз имела возможность пригласить маляров в эту квартиру? Почти двад...

– Маляры! А! Дело проясняется. О малярах-то я и позабыл. Послушай, а почему ты не пригласила их сюда? Места предостаточно. Хорош хозяин, нечего сказать – что они обо мне подумают, черт побери, – даже в ванную их не пригласил, когда...

– Помолчи-ка минутку, молодой человек. Я думаю.

Словно повинуясь приказу, Зуи принялся намыливать губку. Очень недолгое время в ванной слышался только тихий шорох. Миссис Гласс, сидя в восьми или десяти футах от занавеса, смотрела на голубой коврик на кафельном полу возле ванны... Ее сигарета догорела до последнего сантиметра. Она держала ее между кончиками двух пальцев правой руки. Стоило посмотреть, как она держит сигарету, как ваше первое, сильное (и абсолютно обоснованное) впечатление, что с ее плеч незримо ниспадает шаль уроженки Дублина, отправилось бы прямиком в некий литературный ад. Пальцы у нее были не только необыкновенно длинные, точеные – вообще-то таких не ожидаешь увидеть у женщины средней полноты, – но в них жила чуть заметная, царственная дрожь; этот элегантный тремор был бы уместен у низвергнутой балканской королевы или ушедшей на покой знаменитой куртизанки. И не только эта черта вступала в противоречие с дублинской черной шалью: ножки Бесси Гласс заставили бы вас широко раскрыть глаза, потому что они были бесспорно хороши. Это были ножки некогда всем известной красавицы, актрисы кабаре, танцовщицы, воздушной плясуньи. Сейчас она сидела, уставясь на коврик и скрестив ноги, так что поношенная белая туфля из махровой материи, казалось, вот-вот сорвется с кончиков пальцев. Ступни были удивительно маленькие, щиколотки сохраняли стройность, и, что самое замечательное, икры оставались крепкими и явно никогда не знали расширения вен.

Внезапно миссис Гласс вздохнула еще глубже, чем обычно, – казалось, вся жизненная сила излилась в этом вздохе. Она встала, понесла свою сигарету к раковине, подставила под струю холодной воды, бросила погасший окурок в корзину и снова села. Но она так и не вышла из глубокого транса, в который сама себя погрузила, так что казалось, что она вовсе не двигалась с места.

– Я вылезаю через три секунды, Бесси! Честно предупреждаю... Давай-ка, брат, не будем злоупотреблять гостеприимством.

Миссис Гласс, все еще не отрывая взгляда от голубого коврика, ответила на это «честное предупреждение» рассеянным кивком. Стоит заметить – даже подчеркнуть, – что, если бы Зуи в эту минуту видел ее лицо и особенно ее глаза, он захотел бы всерьез – хотя, может быть, и ненадолго – вспомнить, восстановить, прослушать все то, что он говорил, все свои интонации – и смягчить их. С другой стороны, такого желания могло и не быть. В 1955-м это было чрезвычайно мудреное, тонкое дело – правильно истолковать выражение лица Бесси Гласс, в особенности то, что отражалось в ее громадных синих глазах... И если прежде, несколько лет назад, ее глаза сами могли возвестить (всему миру или коврику в ванной), что она потеряла двух сыновей: один из них покончил с собой (ее любимый, совершенно такой, как хотелось, самый сердечный из всех), а другого убили на Второй мировой войне (это был ее единственный беспечный сын), если раньше глаза Бесси Гласс могли сами поведать об этом так красноречиво и с такой страстью к подробностям, что ни ее муж, ни оставшиеся в живых дети не то что осмыслить, даже вынести такой взгляд не могли, то в 1955-м она использовала это же сокрушительное кельтское вооружение, чтобы сообщить – обычно прямо с порога, – что новый рассыльный не принес баранью ногу или что какая-то мелкая голливудская звездочка разводится с мужем.

Она закурила новую длинную сигарету, резко затянулась и встала, выдыхая дым.

– Я сию минуту вернусь. – Это заявление невольно прозвучало как обещание. – И, пожалуйста, становись на коврик, когда будешь вылезать, – добавила она. – Для этого он тут и лежит.

И она ушла из ванной, плотно прикрыв за собой дверь. Как будто после пребывания в наскоро сооруженном плавучем доке линкор «Куин Мери» выходил, скажем, из Уолденского пруда так же внезапно и противоестественно, как он ухитрился туда войти. Под прикрытием занавеса Зуи на несколько секунд закрыл глаза, словно его утлое суденышко беспомощно качалось на поднятой волне... Потом он отодвинул занавес и воззрился на закрытую дверь. Взгляд был тяжелый, и в нем почти не было облегчения. Можно с полным правом сказать, не боясь парадоксальности, что это был взгляд любителя уединения, который уже претерпел вторжение постороннего, и ему не очень-то нравится, когда нарушитель спокойствия просто так вскакивает и уходит – раз-два-три, и в с е.

Не прошло и пяти минут, как Зуи уже стоял босиком перед раковиной, его мокрые волосы были причесаны, он надел темно-серые брюки из плотной ткани и накинул на плечи полотенце. Он уже приступил к ритуалу, предшествующему бритью. Уже поднял занавеску на окне до середины, приоткрыл дверь ванной, чтобы выпустить пар и дать отпотеть зеркалам, закурил сигарету, затянулся и поместил ее на полку матового стекла под зеркалом на аптечке. В данный момент Зуи как раз кончил выжимать крем для бритья на кончик кисточки. Он сунул незавинченный тюбик куда-то подальше в эмалированную глубину, чтобы не мешал. Провел ладонью туда и обратно по зеркалу на аптечке, и большая часть запотевшего стекла с повизгиванием очистилась. Тогда он стал намыливать лицо. Зуи применял приемы намыливания, значительно отличающиеся от общепринятых, но зато вполне соответствующие его технике бритья. А именно, хотя он, покрывая лицо пеной, и гляделся в зеркало, но не для того, чтобы следить за движением кисточки, – он смотрел прямо себе в глаза, как будто его глаза были нейтральной территорией, ничейной землей в той его личной войне с самовлюбленностью, которую он вел с семи или восьми лет. Теперь-то, когда ему было уже двадцать пять, эта маленькая военная хитрость уже вошла в привычку – так ветеран-бейсболист, выйдя на базу, без всякой видимой надобности постукивает битой по шипам на подошвах. Тем не менее несколько минут назад, причесываясь, он почти не пользовался зеркалом. А еще раньше он ухитрялся, вытираясь перед зеркалом, в котором он отражался в полный рост, ни разу на себя не взглянуть.

Только он кончил намыливать лицо, как в зеркале внезапно возникла его мать. Она стояла на пороге, в нескольких футах за его спиной, не отпуская ручку двери – воплощение притворной нерешительности, – перед тем как снова войти в ванную.

– Ах! Какой милый сюрприз! – обратился Зуи к зеркалу. – Входите, входите! – Он засмеялся, вернее, захохотал, открыл дверцу аптечки и взял свою бритву.

Помедлив немного, миссис Гласс подошла поближе.

– Зуи, – сказала она. – Я вот о чем думала...

Место, где она сидела раньше, было по левую руку от Зуи, и она уже почти что села.

– Не садись! Дай мне наглядеться на тебя, – сказал Зуи.

Видимо, настроение у него поднялось, после того как он вылез из ванны, натянул брюки и причесался.

– Не так уж часто в нашем скромном храме бывают гости, и мы хотели бы встретить их...

– Уймись ты хоть на минуту, – твердо сказала миссис Гласс и уселась. Она скрестила ноги. – Вот о чем я подумала. Как ты считаешь: стоит ли пытаться вызвать Уэйкера? Лично мне кажется, что ни к чему, но ты-то как думаешь? Я хочу сказать, что девочке нужен хороший психиатр, а не пастор или еще кто-то, но, может быть, я ошибаюсь?

– О нет. Нет, нет. Не ошибаешься. Насколько мне известно, ты никогда не ошибаешься, Бесси. Все факты у тебя или неверные, или преувеличенные – но ты никогда не ошибаешься, нет, нет.

С видимым удовольствием Зуи смочил бритву и приступил к бритью.

– Зуи, я тебя спрашиваю – и, пожалуйста, перестань дурачиться. Нужно разыскивать Уэйкера или не нужно? Я могла бы позвонить этому епископу Пинчоту, или как его там, и он, может быть, хоть скажет мне, куда телеграфировать, если он до сих пор на каком-то дурацком корабле.

Миссис Гласс подтянула к себе корзинку для мусора и стряхнула в нее пепел с сигареты, которую она курила.

– Я спрашивала Фрэнни, не хочет ли она поговорить с ним по телефону, – сказала она. – Если я его разыщу.

Зуи быстро сполоснул бритву.

– А она что? – спросил он.

Миссис Гласс уселась поудобнее, чуть подавшись вправо.

– Она сказала, что не хочет говорить ни с кем.

– Ага. Но мы-то не так просты, верно? Мы-то не собираемся покорно принимать такой прямой отказ, да?

– Если хотите знать, молодой человек, то сегодня я вообще не собираюсь обращать внимание ни на какие ответы этого ребенка, – отрезала миссис Гласс. Она обращалась к покрытому пеной профилю Зуи. – Когда перед вами молодая девушка, которая лежит в комнате, плачет и бормочет что-то себе под нос двое суток подряд, вы не станете дожидаться от нее ответов.

Зуи продолжал бриться, оставив эти слова без комментариев.

– Ответь на мой вопрос, пожалуйста. Как ты считаешь: нужно мне разыскивать Уэйкера или нет? Честно говоря, я побаиваюсь. Он такой впечатлительный – хотя он и священник. Стоит сказать Уэйкеру, что будет дождь, и у него уже глаза на мокром месте.

Зуи переглянулся со своим отражением в зеркале, чтобы поделиться удовольствием, которое ему доставили эти слова.

– Для тебя еще не все потеряно, Бесси, – сказал он.

– Ну, знаешь ли, раз я не могу дозвониться Бадди, и даже ты не желаешь помогать, надо же мне хоть что-нибудь делать, – сказала миссис Гласс. Она немного покурила с чрезвычайно встревоженным видом. – Если бы там было что-то строго католическое или что-нибудь в этом роде, я бы сама ей помогла. Я же не все еще перезабыла. Но ведь вас, детей, никто не воспитывал в католическом духе, и я никак не пойму...

Зуи перебил ее.

– Ошибаешься, – сказал он, поворачивая к ней покрытое пеной лицо. – Ты ошибаешься. Не в том дело. Я тебе говорил еще вчера вечером. То, что творится с Фрэнни, не имеет ни малейшего отношения к разным сектам. – Он сполоснул бритву и продолжал бриться. – Уж ты поверь мне на слово, пожалуйста.

Миссис Гласс требовательно смотрела на него сбоку, словно ждала, что он еще что-то скажет, но он молчал. Наконец она со вздохом сказала:

– Я бы на минутку успокоилась, если бы мне удалось хотя бы вытащить у нее из постели этого жуткого Блумберга. Это даже негигиенично. – Она затянулась. – И я не представляю, как быть с малярами. Они вот-вот закончат ее комнату и начнут грызть удила от нетерпения и рваться в гостиную.

– А знаешь, ведь я единственный во всем семействе не мучаюсь никакими проблемами, – сказал Зуи. – А почему, знаешь? Потому что если мне взгрустнется или я чего-то «никак не пойму», что я делаю? Я собираю маленькое заседание в ванной комнате – и мы общими силами разбираемся в этом вопросе, и все в порядке.

Миссис Гласс чуть не позволила отвлечь себя изложением нового метода решения проблем, но в этот день она была недоступна для шуток. Она некоторое время смотрела на Зуи, и у нее в глазах стало проступать новое выражение: решительное, умудренное, чуть безнадежное.

– Видишь ли, я не так глупа, как тебе кажется, молодой человек, – сказала она. – Вы все такие с к р ы т н ы е, дети. Н о т а к у ж п о л у ч и л о с ь, е с л и х о ч е ш ь з н а т ь, что мне известно про все ваши секреты гораздо больше, чем вы думаете.

Чтобы придать вес своим словам, она сжала губы и стряхнула воображаемый пепел с подола своего кимоно.

– Если хочешь знать, мне известно, что эта маленькая книжонка, которую она таскает за собой по всему дому, и есть к о р е н ь з л а.

Зуи обернулся и взглянул на нее. Он улыбался.

– А как ты до этого додумалась?

– Можешь не ломать себе голову, как я до этого додумалась, – сказала миссис Гласс. – Если хочешь знать, Лейн звонил сюда уже н е с к о л ь к о р а з. Он у ж а с н о беспокоится за Фрэнни.

– Это еще что за птица? – спросил Зуи. Он сполоснул бритву.

Это явно был вопрос еще очень молодого человека, которому иногда вдруг не хочется признаваться, что он знает кого-то по имени.

– Ты прекрасно знаешь, молодой человек, кто это такой, – сказала миссис Гласс, подчеркивая каждое слово. – Лейн К у т е л ь. Уже целый год, как он ухаживает за Фрэнни. Насколько мне известно, ты видел его не раз и не два, так что не притворяйся, будто не знаешь, что он – кавалер Фрэнни.

Зуи от всего сердца расхохотался, как будто ему доставляло живейшее удовольствие разоблачение любого притворства, в том числе и его собственного. Он продолжал бриться, ужасно довольный.

– Надо говорить не «кавалер» Фрэнни, а «приятель» Фрэнни. Почему ты так несовременна, Бесси? Ну почему? А?

– Пусть тебя не волнует, отчего я так несовременна. Может быть, тебе интересно узнать, что он звонил сюда пять или шесть раз и два раза сегодня утром, – ты еще и в с т а т ь не успел. Он очень милый, и он ужасно беспокоится и огорчается из-за Фрэнни.

– Не то что некоторые, да? Конечно, не хочу разбивать твои иллюзии, но я провел с ним несколько часов, и он вовсе не милый. Просто лицемер-обаяшка. Кстати, тут кто-то брил свои подмышки или свои треклятые ноги моей бритвой. Или р о н я л ее. Колодка совсем...

– Никто вашу бритву не трогал, молодой человек. А почему это он – лицемер-обаяшка, можно спросить?

– Почему? Такой уж он получился, и все. Может быть, потому, что это выгодно. Послушай. Если он вообще беспокоится за Фрэнни, то, могу поспорить, по самым ничтожным причинам. Может, он беспокоится, потому что ему не хотелось уходить с того дурацкого футбольного матча во время игры, – может, он беспокоится, потому что не сумел скрыть свое недовольство и знает, что у Фрэнни хватит ума это понять. Я себе точно представляю, как этот щенок сажает ее в такси, потом в поезд и потом всю дорогу прикидывает, как бы успеть вернуться до конца тайма.

– Ох, с тобой невозможно разговаривать! То есть абсолютно невозможно! Не понимаю, зачем я это затеяла, просто не понимаю. Ты – вылитый Бадди. Ты уверен, что все всё делают по каким-то *особым причинам*. Ты не веришь, что кто-то может позвонить кому-то без каких-нибудь гадких, эгоистических поводов.

– Именно так – в девяти случаях из десяти. И этот фрукт Лейн не исключение, можешь быть уверена. Слушай, я говорил с ним двадцать пропащих минут как-то вечером, пока Фрэнни одевалась, и я говорю, что он дутая пустышка.

Он задумался. Бритва застыла в его руке.

– Что это он там мне травил? Что-то очень *лестное*. Что же?.. Ах да. Да. Он говорил, что слушал меня и Фрэнни каждую неделю, когда был маленький, и знаешь, что он проделывал, этот щенок? Он меня возвеличивал за счет Фрэнни. И абсолютно без всяких *причин*, только ради того, чтобы втереться ко мне в доверие и щегольнуть своим честолюбивым студенческим умишком. – Зуи высунул язык и издал что-то вроде презрительного фырканья. – Фу, – сказал он и снова стал бриться. – Фу, противны мне все эти мальчики из колледжей, в белых туфельках, редактирующие студенческие литературные журналы. Я предпочитаю честного шулера.

Миссис Гласс взглянула на него сбоку долгим и, как ни странно, понимающим взглядом.

– Этот юноша даже еще не кончил колледжа. А вот ты нагоняешь на людей страх, молодой человек, – сказала она очень спокойно. – Ты или принимаешь кого-то, или нет. Если человек тебе понравился, ты сам начинаешь разглагольствовать, так что никто словечка вставить не может. А уж если тебе кто *не* понравился – что бывает гораздо чаще, – то ты сидишь как сама смерть и ждешь, пока человек собственноручно не выроет себе яму. Я видела, как это у тебя получается.

Зуи повернулся всем телом и посмотрел на мать. Он обернулся и посмотрел на нее на этот раз точно так же, как в разных случаях и в разные годы оборачивались и смотрели на нее все его братья и сестры (особенно братья). В этом взгляде было не просто искреннее удивление тем, что истина – пусть не вся, а кусочками – всплывает на поверхность непроницаемой на вид массы, состоящей из предрассудков, банальностей и плоских мыслей. В этом взгляде было и восхищение, и любовь, и – в немалой степени – благодарность. И, как ни странно, миссис Гласс неизменно принимала эту дань восхищения как должное, с великолепным спокойствием. Она обычно милостиво и кротко глядела на сына или дочь, наградивших ее таким взглядом. И сейчас она смотрела на Зуи с благосклонным и смиренным выражением.

– Да, я видела, – сказала она без осуждения. – Вы с Бадди не умеете разговаривать с людьми, которые вам не нравятся. – Она обдумала сказанное и поправила себя: – Вернее, которых вы не любите.

А Зуи так и стоял, глядя на нее и позабыв о бритье.

– Это несправедливо, – сказала она серьезно, печально. – Ты становишься слишком похож на Бадди, каким он был в твоем возрасте. Даже твой отец заметил. Если кто-то тебе не понравился в первые две минуты, ты с ним не желаешь иметь дела, и все.

Миссис Гласс рассеянно перевела взгляд на голубой коврик на кафельном полу. Зуи старался вести себя как можно тише, чтобы не спугнуть ее настроение.

– Нельзя жить на свете с такими сильными симпатиями и антипатиями, – обратилась миссис Гласс к голубому коврику, потом снова обернулась к Зуи и посмотрела на него долгим взглядом, почти или вовсе лишенным какой бы то ни было назидательности. – Что бы ты об этом ни думал, молодой человек, – добавила она.

Зуи ответил ей прямым взглядом, потом с улыбкой отвернулся к зеркалу и стал изучать свой подбородок.

Миссис Гласс вздохнула, следя за ним. Она нагнулась и погасила сигарету о металлическую стенку мусорной корзины. Почти сразу же она закурила новую сигарету и заговорила веско и многозначительно:

– Во всяком случае, твоя сестра говорит, что у него блестящие способности. У Лейна.

– Это, брат, просто голос пола, – сказал Зуи. – Этот голос мне знаком. Ох как мне знаком этот голос!

Зуи уже сбрил последние следы пены с лица и шеи. Он придирчиво ощупал одной рукой горло, затем взял кисточку и стал заново намыливать стратегически важные участки на лице.

– Ну ладно, что там этот Лейн хотел сказать по телефону? Что, по мнению Лейна, послужило причиной всех горестей Фрэнни?

Миссис Гласс подалась вперед и с горячностью сказала:

– Понимаешь, Лейн говорит, что во всем виновата – во всем – эта маленькая книжонка, которую Фрэнни вчера читала не отрываясь и даже таскала ее всюду с собой!

– Эту книжечку я знаю. Дальше.

– Так вот, он говорит, что это ужасно религиозная книжка – фанатическая и все такое, – и что она взяла ее в библиотеке у себя в колледже, и что теперь она думает, что, может быть, она...

Миссис Гласс внезапно осеклась. Зуи обернулся с несколько угрожающей быстротой.

– В чем дело? – спросила она.

– Где она ее взяла, он говорит?

– В библиотеке колледжа. А что?

Зуи затряс головой и повернулся к раковине. Он положил кисточку для бритья и открыл аптечку.

– Что тут такого? – спросила миссис Гласс. – Что тут такого? Что ты на меня так смотришь, молодой человек?

Зуи распечатывал новую пачку лезвий и не отвечал. Потом, развинчивая бритву, он сказал:

– Ты такая глупая, Бесси. – Он выбросил лезвие из бритвы.

– Почему это я такая глупая? Кстати, ты только *вчера* вставил новое лезвие.

Зуи, не пошевельнув бровью, вставил в бритву новое лезвие и принялся бриться по второму заходу.

– Я задала вам вопрос, молодой человек. Почему это я такая глупая? Что, она не брала эту книжку в библиотеке колледжа, да?

– Нет, не брала, Бесси, – сказал Зуи, продолжая бриться. – Эта книжка называется «Странник продолжает путь» и является продолжением другой книжечки под названием «Путь странника», которую она тоже повсюду таскает с собой, и *обе* книги она взяла в бывшей комнате Симора и Бадди, где они лежали на письменном столе с незапамятных времен. Господи Иисусе!

– Пусть, но из-за этого нечего всех оскорблять! Неужели так *ужасно* считать, что она взяла их в библиотеке колледжа и просто привезла...

– Да! Это *ужасно*. Это ужасно, потому что обе книги *годами* торчали на столе Симора. Это убийственно.

Неожиданная, на редкость непротивленческая интонация прозвучала в голосе миссис Гласс.

– Я не хожу в эту комнату без особой необходимости, и ты это знаешь, – сказала она. – Я не смотрю на старые... на вещи Симора.

Зуи поспешно сказал:

– Ладно, прости меня. – Не глядя на нее и несмотря на то что бритье по второму заходу еще не было кончено, он сдернул полотенце с плеч и вытер с лица остатки пены. – Давай-ка временно прекратим этот разговор, – сказал он и бросил полотенце на батарею; оно упало на титульный лист пьесы про Рика и Тину. Зуи развинтил бритву и стал промывать ее под струей холодной воды.

Извинился он искренне, и миссис Гласс это знала, но она явно не могла побороть искушение воспользоваться своим столь редким преимуществом.

– Ты не добрый, – сказала она, глядя, как он моет бритву. – Ты совсем не добрый, Зуи. Ты уже достаточно взрослый, чтобы попытаться найти в себе хоть капельку доброты, когда тебе хочется кого-то уколоть. Вот Бадди по крайней мере, когда он хочет...

Она одновременно ахнула и сильно вздрогнула, когда бритва Зуи – с новым лезвием – с размаху грохнула о металлическую стенку мусорной корзины.

Вполне возможно, что Зуи не собирался со всего маху бросать свою бритву в мусорную корзину, он только так резко и сильно опустил левую руку, что бритва вырвалась и упала. Во всяком случае, было ясно, что больно ударяться рукой о край раковины он вовсе не собирался.

– Бадди, Бадди, Бадди, – сказал он. – Симор, Симор, Симор.

Он обернулся к матери, которую стук бритвы скорее вспугнул и встревожил, чем напугал всерьез.

– Мне так надоело слышать эти имена, что я готов горло себе перерезать. – Лицо у него было бледное, но почти совершенно спокойное. – Весь этот чертов дом провонял привидениями. Ну ладно, пусть меня преследует дух мертвеца, но я не желаю, черт побери, чтобы за мной гонялся еще дух полумертвеца. Я молю Бога, чтобы Бадди наконец решился. Он повторяет все, что до него делал Симор, или старается повторить. Покончил бы он с собой, к черту, – и дело с концом.

Миссис Гласс мигнула – всего разок, и Зуи тут же отвел глаза. Он нагнулся и выудил свою бритву из мусорной корзины.

– Мы – уроды, мы оба, Фрэнни и я, – заявил он, выпрямляясь. – Я двадцатипятилетний урод, а Фрэнни двадцатилетний уродец, и виноваты эти два подонка.

Он положил бритву на край раковины, но она со стуком соскользнула вниз. Он быстро подхватил ее и больше не выпускал.

– У Фрэнни это позже проявляется, чем у меня, но она тоже уродец, и ты об этом не забывай. Клянусь тебе, я мог бы прикончить их обоих и глазом бы не моргнул! Великие учителя. Великие освободители. Господи! Я даже не могу сесть позавтракать с другим человеком и просто поддержать приличный разговор. Я начинаю так скучать или такое нести, что, если бы у этого сукина сына была хоть крупица ума, он разбил бы стул об мою голову.

Он вдруг открыл аптечку. Некоторое время он смотрел внутрь довольно бессмысленно, как будто забыл, зачем открыл дверцу, потом положил мокрую бритву на ее обычное место.

Миссис Гласс сидела совершенно неподвижно, и маленький окурок дотлевал в ее пальцах. Она смотрела, как Зуи завинчивает колпачок на тюбике с кремом для бритья. Он не сразу нащупал нарезку.

– Конечно, это никому не интересно, но я до сих пор, до сегодняшнего дня не могу съесть несчастную тарелку супа, черт побери, пока не произнесу про себя Четыре Великих Обета, и спорю на что угодно, что Фрэнни тоже не может. Они натаскивали нас с таким чертовским...

– Четыре Великих чего? – перебила его миссис Гласс довольно осторожно.

Зуи оперся руками о края раковины и чуть подался грудью вперед, не сводя глаз с эмалевой белизны. При всей своей хрупкости он, казалось, был способен сейчас обрушить раковину вниз, сквозь пол.

– Четыре Великих О б е т а, – сказал он и даже зажмурился от злости. – «Пусть живые существа н е и с ч и с -

лимы — я клянусь спасать их; пусть страсти необоримы — я клянусь погасить их; пусть Дхармы неисчерпаемы — я клянусь овладеть ими; пусть истина Будды непостижима — я клянусь постигнуть ее». Ну как, ребята? Я говорил, что справлюсь. А ну-ка, тренер, выпускай меня на поле.

Глаза у него все еще были зажмурены.

— Боже мой, я бормотал это про себя по три раза в день перед едой, каждый божий день с десяти лет. Я есть не мог, пока не скажу эти слова. Как-то раз я попробовал пропустить их, когда обедал с Лесажем. Все равно они меня настигли, так что я чуть не подавился какой-то треклятой устрицей.

Он открыл глаза, нахмурился, не меняя своей странной позы.

— Слушай, а не пора ли тебе выйти отсюда, Бесси? — сказал он. — Я серьезно говорю. Дай мне довершить в мире это чертово омовение, прошу тебя. — Он снова закрыл глаза, и можно было подумать, что он опять собирается протолкнуть раковину в нижний этаж. И хотя он наклонил голову, кровь почти вся отхлынула от его лица.

— Хоть бы ты поскорее женился, — вырвалось у миссис Гласс ее самое заветное желание.

В семье Гласс все — и, конечно, Зуи не меньше других — частенько сталкивались с подобной непоследовательностью миссис Гласс. Обычно такие реплики во всей своей красе и величии рождались как раз в такие моменты эмоциональных взрывов, как сейчас. Но на этот раз Зуи был застигнут врасплох. Он издал носом какой-то взрывообразный звук — то ли смех, то ли совсем наоборот. Миссис Гласс не на шутку встревожилась и даже наклонилась вперед, чтобы получше рассмотреть, что с ним. Оказалось, что звук более или менее мог сойти за смех, и она, успокоившись, села прямо.

— Да, я хочу, чтобы ты женился, — настойчиво сказала она. — Почему ты не хочешь жениться?

Зуи выпрямился, вынул из кармана брюк сложенный полотняный платок, встряхнул его и высморкался раз, другой и третий. Он положил платок в карман и сказал:

– Я слишком люблю ездить в поезде. Стоит только жениться, и ты уже никогда в жизни не сможешь сидеть у окошка.

– Это не причина!

– Самая серьезная причина. Ступай-ка отсюда, Бесси. Оставь меня в мире и спокойствии. Почему бы тебе не пойти покататься на лифте? Кстати, если ты не бросишь эту чертову сигарету, ты сожжешь себе пальцы.

Миссис Гласс погасила сигарету о стенку мусорной корзины, как и все прежние. Потом она чуточку посидела, не вытаскивая сигареты со спичками. Она смотрела, как Зуи взял расческу и заново сделал пробор.

– Тебе не мешало бы подстричься, молодой человек, – сказала она. – Ты становишься похож на одного из этих диких венгерцев, или как их там, когда они выныривают из бассейна.

Зуи широко улыбнулся и несколько секунд продолжал причесываться, а потом вдруг обернулся. Он взмахнул расческой перед лицом матери.

– И вот что еще. Пока я не забыл. Слушай меня внимательно, Бесси, – сказал он. – Если тебе придет в голову мысль, как вчера вечером, позвонить этому чертову психоаналитику Филли Бирнса по поводу Фрэнни, ты подумай только об одном – я больше ни о чем не прошу, только подумай – до чего психоанализ довел Симора. – Он помолчал, подчеркивая значительность своих слов. – Слышишь? Не забудешь?

Миссис Гласс тут же стала без надобности поправлять сетку на волосах, потом вытащила сигареты со спичками, но просто держала их некоторое время в руке.

– Если хочешь знать, – сказала она, – я вовсе не говорила, что собираюсь звонить психоаналитику

Филли Бирнса, я сказала, что думаю, не позвонить ли ему. Во-первых, это не простой психоаналитик. Он очень верующий католик-психоаналитик, и я подумала, что так будет лучше, чем сидеть и смотреть, как этот ребенок...

— Бесси, я тебя предупреждаю, черт побери. Мне плевать, даже если он верующий буддист-ветеринар. Если ты собираешься вызывать разных...

— Поменьше сарказма, молодой человек. Я знала Филли Бирнса совсем маленьким, крохотным мальчуганом. Мы с твоим отцом много лет играли вместе с его родителями. И я знаю, представь себе, что лечение у психоаналитика сделало этого мальчика совершенно иным, прелестным человеком. Я разговаривала с его...

Зуи швырнул расческу на полку и сердито захлопнул дверцу аптечки.

— Ох и глупа же ты, Бесси, — сказал он. — Филли Бирнс. Филли Бирнс — несчастный маленький потеющий импотент, ему за сорок, и он полжизни спит с четками и журналом «Варьете» под подушкой. Мы говорим о вещах, различных, как день и ночь. Послушай-ка, Бесси. — Зуи всем телом повернулся к матери и внимательно поглядел на нее, опираясь ладонью, словно для устойчивости, на эмалированный край раковины. — Ты меня слушаешь?

Миссис Гласс, прежде чем дать утвердительный ответ, закурила сигарету. Выпустив дым и стряхивая воображаемый пепел с колен, она мрачно изрекла:

— Я тебя слушаю.

— Хорошо. Я говорю очень серьезно, пойми. Если ты — слушай меня внимательно, — если ты не можешь или не хочешь думать о Симоре, тогда валяй зови какого-нибудь недоучку-психоаналитика. Зови, пожалуйста. Давай приглашай аналитика, который умеет приспосабливать людей к таким радостям, как телевизор, и журнал «Лайф» по средам, и путешествие в Европу, и водородная бомба, и выборы президента, и первая страница «Таймс», и обязанности Родительско-Учительского совета Вестпорта или Устричной гавани, и бог знает к каким еще радостям восхитительно нормального человека, давай попробуй, и я клянусь тебе, что и года не пройдет, как Фрэнни будет сидеть в психушке или бродить по пустыне с пылающим распятием в руках.

Миссис Гласс стряхнула еще несколько воображаемых пушинок пепла.

– Ну ладно, ладно, не расстраивайся, – сказала она. – Ради бога. Никто еще никого не вызывал.

Зуи рывком открыл дверцу аптечки, заглянул внутрь, потом достал пилку для ногтей и закрыл дверцу. Он взял сигарету, лежавшую на краю стеклянной полки, и затянулся, но сигарета давно погасла. Его мать сказала:

– На, – и протянула ему пачку длинных сигарет и спички.

Зуи достал сигарету из пачки и даже успел взять ее в зубы и чиркнуть спичкой, но мысли так одолевали его, что ему стало не до курения; он задул спичку и вынул сигарету изо рта. Он сердито тряхнул головой.

– Не знаю, – сказал он. – Мне кажется, что где-то в закоулках нашего города должен отыскаться какой-то психоаналитик, который мог бы помочь Фрэнни, – я об этом думал вчера вечером. – Он слегка поморщился. – Но я-то ни одного такого не знаю. Чтобы помочь Фрэнни, он должен быть совершенно не похож на других. Не знаю. Во-первых, он должен верить, что занимается психоанализом с благословения Божия. Он должен верить, что только Божией милостью он не попал под какой-нибудь дурацкий грузовик еще до того, как получил право на практику. Он должен верить, что только милостью Божией ему дарован природный ум, чтобы хоть как-то помогать своим пациентам, черт побери. Я не знаю ни одного хорошего психоаналитика, которому такое пришло бы в голову... Но только такой психоаналитик мог бы помочь Фрэнни. Если она наткнется на жуткого фрейдиста, или жуткого эклектика, или просто на жуткого зануду — на человека, который даже не способен испытывать хотя бы дурацкую мистическую б л а г о д а р н о с т ь за свою проницательность и интуицию, — то после анализа она станет даже хуже, чем Симор. Я прямо до чертиков перепугался, когда об этом подумал. И не будем больше об этом говорить, если не возражаешь.

Он долго раскуривал свою сигарету. Потом, выпустив клуб дыма, он положил сигарету на полку, где раньше лежала погасшая сигарета, и принял более непринужденную позу. Он начал чистить пилкой ногти, хотя они были совершенно чистые.

— И если ты не будешь перебивать меня, — сказал он, помолчав, — я расскажу тебе про эти две книжечки, которые Фрэнни носит с собой. Интересно тебе или нет? Если не интересно, мне тоже не хочется...

— Да, мне интересно! К о н е ч н о, интересно! Неужели ты думаешь, что я...

— Ладно, только не перебивай меня каждую минуту, — сказал Зуи, опираясь спиной о край раковины. Он продолжал обрабатывать ногти пилкой. — В обеих книжках рассказывается о русском крестьянине, который жил в конце прошлого века, — сказал он тоном, который мог сойти для его немилосердно прозаического голоса за повествовательный. — Это очень простой, очень славный человек, сухорукий. А это, само собой, уже делает его для Фрэнни родным существом: у нее же сердце — настоящий странноприимный дом, черт возьми.

Он обернулся, взял сигарету со стеклянной полочки, затянулся и снова занялся своими ногтями.

— Поначалу, как рассказывает маленький крестьянин, были у него и жена, и хозяйство. Но у него был ненормальный брат, который спалил его дом, потом, по-моему, жена взяла, да и умерла. В общем, он отправляется странствовать. И ему надо решить одну загадку. Всю жизнь он читал Библию, и вот он хочет знать, как понимать слова в Послании к фессалоникийцам: «Непрестанно молитесь»[1]. Эта строчка его все время преследует.

Зуи опять достал свою сигарету, затянулся и сказал:

– В Послании к Тимофею есть похожая строчка: «Итак, желаю, чтобы на всяком месте произносили молитвы...»[2]. Да и сам Христос тоже говорит: «Итак, бодрствуйте на всякое время и молитесь»[3].

С минуту Зуи молча работал пилкой, и лицо его сохраняло удивительно угрюмое выражение.

– В общем, так или иначе, он отправляется странствовать в поисках учителя, – сказал он. – Ищет когонибудь, кто научил бы его, к а к молиться непрестанно и з а ч е м. Он идет, идет, идет – от храма к храму, от святыни к святыне, беседует с разными священниками. Но вот наконец он встречает простого старца, монаха, который, как видно, знает, что к чему. Старец говорит ему, что единственная молитва, которая в любое время доходит до Бога, которая Богу «угодна», – это Иисусова молитва: «Господи Иисусе Христе, помилуй мя». Собственно говоря, полная молитва такая: «Господи Иисусе Христе, помилуй мя, грешного», но в обеих книгах странника никто из посвященных – и слава богу – не придает особого значения прибавке о грехах. В общем, старец объясняет ему, что произойдет, если молитву повторять непрестанно. Он несколько раз показывает ему, как это делается, и отпускает его домой. И вот – чтобы не растягивать рассказ – через некоторое время странничек осваивает эту молитву. Он ею овладевает. Вне себя от радости, которую ему приносит новая

1 1-е Послание к Фессалоникийцам, 5, 17.

2 1-е Послание к Тимофею, 2, 8.

3 Евангелие от Луки, 21, 36.

духовная жизнь, он пускается странствовать по всей России – по дремучим лесам, по городам и весям и так далее, повторяя дорогой свою молитву и обучая всех встречных творить ее.

Зуи быстро вскинул глаза и посмотрел на мать.

– Ты слушаешь, а, толстая старая друидка? – спросил он. – Или просто глазеешь на мое прекрасное лицо?

Миссис Гласс возмутилась:

– Слушаю, конечно, слушаю!

– Ладно – не хватало мне тут только гостей, которые удирают с концерта в антракте. – Зуи громко расхохотался, потом затянулся сигаретой. Сигарету он не выпускал из рук, продолжая орудовать пилкой для ногтей. – В первой из двух книжечек, «Путь странника», – сказал он, – большей частью описаны приключения странничка в пути. Кого он встречает, что о н кому говорит, что о н и ему говорят – между прочим, он встречает чертовски славных людей. А продолжение, «Странник продолжает путь», – это, собственно говоря, диссертация в форме диалога о том, зачем и к чему нужна Иисусова молитва. Странник, учитель, монах и кто-то вроде отшельника встречаются и обсуждают эти вопросы. Вот в общих чертах и все, что там написано.

Зуи бросил на мать очень быстрый взгляд и взял пилку в другую руку.

– А задача о б е и х книжечек, если тебе это интересно, – сказал он, – заключается, по-видимому, в том, чтобы доказать всем людям необходимость и п о л ь з у от непрестанного повторения Иисусовой молитвы. Вначале под руководством опытного учителя – вроде христианского гуру, – а потом, когда человек немного освоит эту молитву, он должен повторять ее уже самостоятельно. Главная же мысль в том, что это вовсе не предназначено для разных богомольных ханжей и любителей бить поклоны. Можешь грабить чертову кружку для пожертвований, только повторяй молитву, пока ты ее грабишь.

Озарение должно нисходить не после молитвы, а *вместе с ней*. – Зуи нахмурился, но это был профессиональный прием. – Вся идея, собственно, в том, что рано или поздно молитва сама собой от губ и от головы спускается к сердечному центру и начинает действовать в человеке автоматически, в такт сердцебиению. А затем, через некоторое время, после того как молитва стала твориться в сердце сама собою, человек, как считают, постигает так называемую суть вещей. Об этом ни в одной из книг прямо не говорится, но, по восточным учениям, в теле есть семь астральных центров, называемых *чакрами*, и ближе всех связанный с сердцем центр называется Анахата, и он считается адски чувствительным и мощным, и он, в свою очередь, оживляет другой центр, находящийся между бровями, – Аджна; это, собственно говоря, железа, эпифиз, или, точнее, аура вокруг этой железы, – и тут – хоп! – открывается так называемый «третий глаз». Ничего нового, помилуй бог. Это вовсе не открытие странника и компании, понимаешь? В Индии уже бог знает сколько тысяч лет это явление было известно как *джапам*. Джапам – это просто-напросто повторение любого из земных имен Бога. Или имен его воплощений – его *аватар*, если тебе нужна терминология. А смысл в том, что если ты повторяешь имя достаточно долго и достаточно регулярно и *буквально* в сердце, то рано или поздно ты получаешь ответ. Точнее, не *ответ*, а *отклик*.

Зуи внезапно обернулся, открыл аптечку, положил на место пилку для ногтей и вынул удивительно толстую костяную палочку.

– Кто грыз мою костяную палочку? – сказал он. Он быстро провел тыльной стороной руки по вспотевшей верхней губе и принялся отодвигать костяной палочкой кожицу в лунках ногтей.

Миссис Гласс, глядя на него, глубоко затянулась, потом скрестила ноги и требовательно спросила:

– Значит, этим Фрэнни и занимается? Я хотела сказать, что именно это она и делает, да?

– По-моему, да. Ты меня не спрашивай, ты е е спроси.

Некоторое время оба не знали, что сказать. Затем миссис Гласс решительно и довольно храбро спросила:

– А долго ли надо это делать?

Лицо Зуи вспыхнуло от удовольствия. Он повернулся к ней.

– Долго ли? Ну, не так уж долго. Пока малярам не понадобится войти к тебе в комнату. Тогда перед ними проследует процессия святых и бодисатв, неся чашки с куриным бульоном. За сценой вступает хор мальчиков, и камеры панорамируют на приятного старого джентльмена в набедренной повязке, стоящего на фоне гор, голубых небес и белых облаков, и на всех нисходит мир и...

– Ну ладно, перестань, – сказала миссис Гласс.

– О господи. Я же стараюсь помочь вам разобраться, больше ничего. Я не хочу, чтобы вы ушли, полагая, что в религиозной жизни есть хоть малейшие, знаете ли, н е у д о б с т в а. Я хочу сказать, что многие люди сторонятся ее, полагая, что она связана с некоторым количеством тягот и трудов, надеюсь, вы понимаете, о чем я говорю. – Было ясно, что оратор, привычно смакуя свои слова, подымается к высшей точке своей проповеди. Он торжественно помахивал своей костяной палочкой перед лицом матери. – Когда мы покинем этот скромный храм, я надеюсь, вы примете от меня маленький томик, который всегда был мне дорог. Мне кажется, что в нем затронуты некоторые тонкости, которые мы обсуждали нынче утром. «Господь – мое хобби». Автор – доктор Винсент Клод Пирсон-младший. Мне думается, в этой маленькой книжице доктор Пирсон очень ясно поведал нам, как в возрасте двадцати одного года он начал ежедневно откладывать по капельке времени – две минутки утром, две вечером, если память мне не изменяет, – и к концу первого же года, только благодаря этим маленьким личным свиданиям с Богом, он увеличил свой годовой доход на семьдесят четыре процента. Кажется, у меня тут есть лишний экземпляр, и если вы будете так добры...

– Нет, ты просто невыносим, – беззлобно сказала миссис Гласс.

Она отыскала глазами старого друга – голубой коврик у ванны. Она сидела и глядела на него, а Зуи тем временем занимался своими ногтями, улыбаясь, хотя на его верхней губе выступили мелкие капельки пота. Наконец миссис Гласс испустила один из своих рекордных вздохов и снова обратила внимание на Зуи: отодвигая кожицу с ногтей, он повернулся вполоборота к окну, к утреннему свету. По мере того как она всматривалась в его необыкновенно худую обнаженную спину, ее взгляд становился все менее рассеянным. За какие-нибудь считаные секунды из ее глаз исчезло все темное и тяжелое, и они засветились восторгом завзятой поклонницы.

– Ты становишься таким сильным и красивым, – сказала она вслух и, протянув руку, дотронулась до его поясницы. – Я боялась, что дурацкие упражнения с гантелями могут тебе...

– Брось, слышишь? – отпрянув, резко сказал Зуи.

– Что?

Зуи открыл дверцу аптечки и положил костяную палочку на место.

– Брось, и все. Не любуйся ты моей треклятой спиной, – сказал он и закрыл аптечку. Он снял с сушилки для полотенец пару черных шелковых носков и пошел к батарее. Уселся на батарею, несмотря на то что она была горячая – или именно поэтому, – и стал надевать носки. Миссис Гласс фыркнула, хотя с некоторым опозданием.

– Не любуйся моей спиной – как это вам понравится! – сказала она. Она обиделась, даже чуточку оскорбилась. Она смотрела, как Зуи натягивает носки, и на лице у нее было смешанное выражение оскорбленного достоинства и непреодолимого любопытства, с каким смотрит человек, которому приходилось бог знает сколько лет просматривать после стирки все носки в поисках дыр.

Потом совершенно неожиданно, испустив один из наиболее звучных вздохов, она встала и решительно и целеустремленно двинулась к раковине, на то место, где раньше стоял Зуи. Ее первый демонстративно мученический подвиг состоял в том, что она открыла кран с холодной водой.

– Не мешало бы тебе научиться завинчивать тюбики, которыми ты только что пользовался, – сказала она нарочито придирчивым тоном.

Зуи, сидя на батарее и прикрепляя подвязки к своим noскам, поднял на нее глаза.

– Не мешало бы тебе научиться уходить, когда спектакль, черт его подери, уже давно кончился, – сказал он. – Я серьезно, Бесси. Я бы хотел остаться здесь хоть на одну минуту в полном одиночестве – извини, если это звучит г р у б о. Во-первых, я тороплюсь. Мне надо в полтретьего быть у Лесажа, а я еще хотел купить кое-что по дороге. Давай-ка выйдем отсюда – не возражаешь?

Миссис Гласс отвлеклась от уборки, взглянула на него и задала один из тех вопросов, которыми много лет докучала всем своим детям:

– Но ты же п е р е к у с и ш ь перед уходом, правда?

– Я перекушу в городе. Куда, к черту, задевался мой второй ботинок?

Миссис Гласс смотрела на него в упор, многозначительно.

– Ты собираешься перед уходом поговорить с сестрой или нет?

– Не знаю я, Бесси, – помявшись, ответил Зуи. – Не проси ты меня об этом, пожалуйста. Если бы у меня что-то особенно накипело сегодня утром, я бы ей сказал. Не проси меня больше, и все.

Один ботинок у Зуи был уже зашнурован, а второго не хватало, поэтому он внезапно опустился на четвереньки и стал шарить под батареей.

– А, вот ты где, негодяй, – сказал он. Возле батареи стояли маленькие напольные весы. Зуи уселся на них, держа обретенный ботинок в руке. Миссис Гласс смотрела, как он надевает ботинок. Однако присутствовать при церемонии шнуровки она не стала. Она покинула комнату. Но не торопясь. С медлительностью, ей совсем не свойственной – буквально еле переставляя ноги, – так что Зуи даже встревожился. Он поднял голову и окинул ее очень внимательным взглядом.

– Я просто не понимаю, что стряслось со всеми вами, дети, – сказала миссис Гласс, не поворачивая головы. Она задержалась у сушилки для полотенец и поправила губку. – В прежние дни, когда вы выступали по радио, когда вы были маленькие, вы все были такие... умные и радостные – просто прелесть. В любое время дня и ночи.

Она наклонилась и подняла с кафельного пола нечто похожее на длинный человеческий волос таинственно-белесого оттенка. Она вернулась назад, бросила его в мусорную корзину и сказала:

– Не понимаю, к чему знать все на свете и всех поражать своим остроумием, если это не приносит тебе радости. – Она стояла спиной к Зуи и двинулась к двери не оборачиваясь. – По крайней мере, – сказала она, – вы все были такие ласковые и так любили друг друга, одно удовольствие было смотреть на вас. – Она покачала головой и открыла дверь. – Одно удовольствие, – решительно подтвердила она, плотно закрывая за собой дверь.

Зуи, глядя на закрытую дверь, глубоко вздохнул и медленно выдохнул воздух.

– Вот так монолог под занавес, дружище, – сказал он ей вслед, но только тогда, когда был совершенно уверен, что она не услышит его голос из коридора.

Гостиная в доме Глассов была настолько не подготовлена к малярным работам, насколько это вообще возможно. Фрэнни Гласс спала на диване, укрытая шерстяным пледом; ковер, закрывавший весь пол, был не скатан и даже не отогнут от стен; а мебель – по первому впечатлению небольшой мебельный склад – находилась в обычном статично-динамическом беспорядке. Комната была не так уж велика – для манхэттенских квартир, – но такая коллекция мебели забила бы до отказа даже пиршественную залу в Валгалле. Здесь стоял стейнвейновский рояль (постоянно открытый), три радиоприемника («Фрешмен» 1927 года, «Штромберг-Карлсон» 1932-го и «РСА» 1947-го), телевизор с пятидесятисантиметровым экраном, четыре настольных граммофона (в том числе «Виктрола» 1920 года, с трубой, которую даже не сняли с крышки, так что она была в нерабочем состоянии), целое стадо курительных и журнальных столиков, складной стол для пинг-понга (к счастью, поставленный в сложенном виде за рояль), четыре кресла, восемь стульев, шестилитровый аквариум с тропическими рыбками (переполненный во всех отношениях и подсвеченный двумя сорокасвечовыми лампочками), козетка, диван, на котором спала Фрэнни, две пустые птичьи клетки, письменный стол вишневого дерева и целый набор торшеров, настольных ламп и бра, которые торчали в этом до отказа набитом помещении повсюду, как побеги сумаха. Вдоль трех стен шли книжные полки высотой по пояс, которые были так забиты, что буквально ломились под тяжестью книг, – тут были детские книжки, учебники, книги с развалов, книги из библиотеки и еще более разношерстный набор книг, вынесенный сюда из менее «обобществленных» закоулков квартиры. (Так, «Дракула» стоял рядом с «Основами языка пали», «Ребята в войсках на Сомме» рядом со «Всплесками мелодии», «Убийство со скарабеем» по соседству с «Идиотом», а «Нэнси Дрю и потайная лестница» лежала поверх «Страха и трепета».) Но даже если отчаянные и необыкновенно мужественные маляры всем скопом одолели бы книжные полки, то, взглянув на стены, частично прикрытые шкафами, любой уважающий себя работник сферы обслуживания мог бы бросить на стол свой профсоюзный билет. От верха книжных полок и почти до самого потолка вся стена с начинавшей трескаться штукатуркой цвета синего веджвуда[1] была почти без просветов увешана разными предметами, которые можно весьма приблизительно назвать «украшениями», как-то: коллекция вставленных в рамки фотографий, начинающие желтеть страницы частной переписки и переписки с президентом, бронзовые и серебряные памятные медали и целая россыпь разнообразнейших документов, смахивающих на похвальные грамоты, и прочих трофееобразных предметов всех форм и размеров, и все они так или иначе свидетельствовали о том, что с 1927 года почти до конца 1943-го широковещательная программа под названием «Умный ребенок» неизменно выходила в эфир с участием хотя бы одного (а чаще двоих) детей Глассов. (Бадди Гласс, самый старший из ныне здравствующих дикторов программы – ему исполнилось тридцать шесть, – нередко называл стены в квартире своих родителей своеобразным изобразительным гимном образцово-показательному американскому детству и ранней зрелости. Он частенько выражал сожаление, что так редко и ненадолго приезжает из своей

1 Английский фарфор с белыми фигурами на синем фоне.

сельской глуши, и обычно с нескончаемыми подробностями распространялся о том, насколько счастливее его братья и сестры, живущие в Нью-Йорке или его пригородах.) План стенного декора родился в голове мистера Леса Гласса, отца детей, в прошлом знаменитого водевильного актера и, несомненно, давнего и горячего поклонника оформления стен в театральном ресторане Сарди, и осуществлен был этот план с полного духовного благословения миссис Гласс при полном отсутствии ее формального на то согласия. Самое, быть может, вдохновенное изобретение мистера Гласса-декоратора было водружено как раз над диваном, где спала юная Фрэнни Гласс. Семь альбомов для газетных и журнальных вырезок были прикреплены корешками прямо к штукатурке в таком тесном соседстве, что это попахивало инцестом. Судя по всему, эти семь альбомов из года в год могли перелистывать или рассматривать как старые друзья семьи, так и случайные гости, а порой, должно быть, и очередная приходящая уборщица.

Раз уж к слову пришлось, надо сказать, что утром миссис Гласс в ожидании маляров совершила два символических жеста. В комнату можно было войти и из передней, и из столовой через двойные застекленные двери. Сразу же после завтрака миссис Гласс сняла с обеих дверей шелковые сборчатые занавески. Немного позже, улучив минуту, когда Фрэнни делала вид, что пробует куриный бульон, миссис Гласс с легкостью горной козочки взобралась на подоконники трех окон и сняла тяжелые камчатные портьеры.

Комната выходила окнами на одну сторону — на юг. Прямо напротив, через переулок, стояла четырехэтажная частная школа для девочек — надежное и довольно замкнуто-безликое здание, которое, как правило, хранило безмолвие до половины четвертого, когда ученики из обычных школ на Второй и Третьей авеню прибегали сюда поиграть в камешки или мячики на каменных ступенях. Квартира Глассов, на пятом этаже, была этажом выше, и теперь солнце, поднявшись над крышей школы, проникало в гостиную через лишенные портьер окна. Солнечный свет выставлял комнату в очень невыгодном свете. Мало того, что вся обстановка была обшарпанная, неказистая, была вся заляпана воспоминаниями и сантиментами, но сама комната в прошлые времена служила площадкой для бесчисленных хоккейных и футбольных баталий (как для тренировок, так и для игр), и едва ли хоть одна ножка у мебели осталась неободранной и неоцарапанной. Примерно на уровне глаз встречались шрамы от ошеломляюще разнообразных летающих объектов: пулек для рогатки, бейсбольных мячей, стеклянных шариков, ключей от коньков, пятновыводящих ластиков и даже, как в одном памятном случае в начале тридцатых годов, от запущенной в кого-то фарфоровой куклы без головы. Но особенно безжалостно солнце высвечивало ковер. Некогда он был винно-красного цвета и при искусственном освещении более или менее сохранял его, но теперь на нем обозначились многочисленные пятна причудливо-панкреатической формы — лишенные сентиментальности автографы целого ряда домашних животных. В этот час солнце глубоко, далеко и беспощадно добиралось до самого телевизора и било прямо в его немигающий циклопов глаз.

Самые вдохновенные, самые точные мысли обычно посещали миссис Гласс на пороге чулана для белья, и свое младшее дитя она уложила на диван, на розовые перкалевые простыни, укрыв его бледно-голубым шерстяным пледом. Фрэнни спала, отвернувшись к спинке дивана и к стене, еле касаясь подбородком одной из множества набросанных рядом подушек. Губы у нее были сомкнуты, хотя и не сжаты. Правая же рука, лежавшая на покрывале, была не просто сжата, а крепко стиснута, пальцы туго сплетены в кулак, охватывая большой палец, – как будто теперь, в двадцать лет, она вернулась к немым, подсознательным защитным жестам глубокого детства. И надо сказать, что здесь, на диване, солнце при всей своей бесцеремонности по отношению к интерьеру вело себя прекрасно. Солнечный свет сверкал в черных, как вороново крыло, и чудесно подстриженных волосах Фрэнни, которые она за эти три дня мыла не меньше трех раз. Солнце заливало светом и весь вязаный плед, так что можно было залюбоваться игрой горячего, искрящегося света в бледно-голубых переплетениях шерсти.

Зуи пришел сюда прямо из ванной, почти не задерживаясь, и довольно долго стоял в ногах дивана с зажженной сигарой во рту – сначала он заправлял в брюки только что надетую белую рубашку, потом застегивал манжеты, а потом просто стоял и смотрел. Он курил и хмурился, как будто чересчур «броские» световые эффекты придумал театральный режиссер, чей вкус вызывал у него некоторые сомнения. Несмотря на редкостную утонченность черт его лица, несмотря на его возраст и сложение – одетый, он мог бы сойти за юного, очень легкого танцовщика, – нельзя было утверждать, что сигара ему вовсе не к лицу. Во-первых, его никак нельзя было назвать курносым. А во-вторых, для Зуи курение сигар никак не сопровождалось свойственной молодым людям аффектацией. Он начал их курить с шестнадцати лет, а с восемнадцати курил регулярно, по дюжине в день, и большей частью дорогие «Панателас».

Очень длинный прямоугольный кофейный столик из вермонтского мрамора был придвинут вплотную к дивану. Зуи быстро шагнул к нему. Он отодвинул пепельницу, серебряный портсигар и каталог «Харперс базар», потом уселся прямо на узенькую полоску холодного мрамора лицом к Фрэнни, почти склонившись над ней. Он посмотрел на стиснутый кулак на голубом пледе, потом вынул сигару изо рта и совсем тихонько взял Фрэнни за плечо.

– Фрэнни, – сказал он. – Фрэнсис. Пойдем, брат. Нечего валяться в такой чудесный день. Пошли-ка отсюда, брат.

Фрэнни вздрогнула, буквально подскочила, как будто диван в эту минуту подбросило на глубоком ухабе. Она подняла руку и сказала:

– Фу-у. – Она зажмурилась от утреннего света. – Откуда столько солнца? – Она еще не совсем осознала присутствие Зуи. – Откуда столько солнца? – повторила она.

– А я, брат, всегда ношу солнце с собой, – сказал он, пристально глядя на нее.

Фрэнни посмотрела на него, все еще щурясь.

– Зачем ты меня разбудил? – спросила она. Она еще не настолько стряхнула с себя сон, чтобы капризничать, но было видно, что она чует в воздухе какую-то несправедливость.

– Видишь ли… Дело в том, что нам с братом Ансельмо предлагают новый приход. Притом на Лабрадоре. Мы хотели бы испросить твоего благословения, прежде чем…

– Фу-у! – снова сказала Фрэнни и положила руку себе на макушку. Ее коротко, по последней моде, остриженные волосы на удивление мало растрепались во сне. Она их расчесывала на прямой пробор – что вполне устраивало зрителей. – Ой, мне приснился такой жуткий сон, – сказала она. Она немного приподнялась и одной рукой прихватила ворот халата. Халат был сшит на заказ из плотного шелка, бежевый, с прелестным рисунком из крохотных чайных розочек.

– Рассказывай, – сказал Зуи, затягиваясь сигарой. – А я его тебе растолкую.

Она передернула плечами.

– Сон был просто ужасный. Такой п а у ч и й. Никогда в жизни мне не снился такой паучий кошмар.

– Ах, пауки? Чрезвычайно любопытно. Весьма симптоматично. У меня в Цюрихе была одна интересная больная, несколько лет назад – молодая особа, кстати, очень похожая на вас...

– Помолчи минутку, а то я все позабуду, – сказала Фрэнни. Она жадно всматривалась куда-то вдаль, как все, кто пытается вспомнить кошмарный сон. Под глазами у нее были круги, и другие, менее заметные признаки говорили о том, что молодую девушку грызет тревога, но ни от кого не могло бы укрыться, что перед ним – самая настоящая красавица. У нее была прелестная кожа и тонкие, неповторимые черты лица. Глаза у нее были примерно такого же потрясающе синего цвета, как у Зуи, только шире расставлены – как и положено, разумеется, глазам девушки, – и, чтобы понять их выражение, в них не надо было вглядываться часами, как в глаза Зуи. Года четыре назад, на выпускном вечере, ее брат Бадди мрачно предрек самому себе, пока она улыбалась ему со сцены, что она, вполне возможно, в один прекрасный день возьмет, да и выйдет за чахоточного. Значит, и это тоже было в ее глазах.

– Господи, все вспомнила! – сказала она. – Просто ужас! Я сидела в каком-то плавательном бассейне, и там собралась целая толпа, и они заставляли меня нырять за банкой кофе «Медалья д'Оро», которая лежала на дне. Стоило мне только вынырнуть, как они заставляли меня нырять обратно. Я плакала и всем им повторяла: «Вы ведь *тоже* все в купальных костюмах. Поныряйте и вы хоть немножко!» – но они только хохотали и перебрасывались такими ехидными словечками, а я опять ныряла. – Она снова передернула плечами. – Две девчонки из моей комнаты тоже там были. Стефани Логан и другая – я ее почти *не знаю*, только мне ее всегда ужасно *жалко*, потому что у нее такое жуткое имя. Шармон Шерман. Они вдвоем держали громадное весло и все время старались *стукнуть* меня, как только я вынырну. – Фрэнни на минуту закрыла руками глаза. – Фу! – Она потрясла головой. Немного подумала. – Единственный, кто был в этом сне н а с в о е м м е с т е, это профессор Таппер. Он был единственный человек, который меня и вправду терпеть не может, я точно знаю.

– Ах, терпеть не может? Очень интересно. – Зуи не выпускал сигару изо рта. Он вынул ее и медленно покатал между пальцами, точь-в-точь как толкователь снов, который не все еще услышал и ждет новых фактов. Вид у него был очень довольный. – А почему он терпеть тебя не может? Нужна полная откровенность, вы понимаете, иначе я связан по рукам и...

– Он меня не выносит, потому что я числюсь в его дурацком семинаре по религии, и я никогда не могла улыбнуться ему в ответ, как бы он ни расточал свое оксфордское обаяние. Он тут у нас на время, из Оксфорда, по ленд-лизу, что ли, и он такой жуткий старый самодовольный притворяшка, а волосы у него торчат дикой белой копной. По-моему, он перед лекцией бежит в туалет и взбивает их там – нет, честное слово. А на предмет ему наплевать. Он только сам себе интересен. Все, кроме этого, ему безразлично. Ну ладно, это бы еще ничего – то есть ничего у д и в и т е л ь н о г о, – если бы он не донимал нас идиотскими намеками на то, что он – Полноценный Человек, нам, щенкам, повезло, что он сюда приехал. – Фрэнни поморщилась. – Единственное, на что у него хватает истинного вдохновения – если не считать хвастовства, – это на то, чтобы поправлять тебя, если ты спутаешь санскрит с пали. Он з н а е т, что я его видеть не могу! Посмотрел бы ты, какие рожи я корчу у него за спиной.

– А что он делал возле бассейна?

– В том-то и дело! Ничего! То есть ничего! Он просто стоял, улыбался и н а б л ю д а л. Он был самый противный из всех.

Зуи, глядя на нее сквозь клубы сигарного дыма, сказал совершенно спокойно:

– У тебя жуткий вид, знаешь?

Фрэнни широко раскрыла глаза.

– Ты мог бы все утро просидеть здесь и не говорить об этом, – сказала она. И прибавила, подчеркивая каждое слово: – Только не принимайся за меня с утра пораньше, пожалуйста, Зуи. Я серьезно прошу, понимаешь?

– Никто, брат, за тебя не принимается, – сказал Зуи тем же бесстрастным голосом. – Просто ты сегодня жутко выглядишь, и все. Почему бы тебе не съесть чего-нибудь? Бесси говорит, что у нее там есть куриный бульон; так что...

– Если кто-нибудь еще раз мне скажет про этот куриный бульон...

Но Зуи уже отвлекся. Он смотрел на освещенный солнцем плед, который прикрывал ноги Фрэнни до колен.

– Это кто такой? – сказал он. – Блумберг? – Он вытянул палец и несильно ткнул в довольно большой и странно подвижный бугорок под пледом. – Блумберг? Ты, что ли?

Бугорок зашевелился. Фрэнни тоже не сводила с него глаз.

– Не могу от него отделаться, – сказала она. – Он просто б е з у м н о меня полюбил ни с того ни с сего.

Подталкиваемый пальцем Зуи, Блумберг резко потянулся, потом стал медленно пробиваться наружу, к коленям Фрэнни. Не успела его простодушная морда появиться на свет, на солнышко, как Фрэнни схватила его под мышки и прижала к себе.

– Доброе у т р о, мой милый Блумберг! – сказала она и горячо поцеловала его между глаз. Он неприязненно заморгал. – Доброе утро, старый, толстый, грязный котище. Доброе утро, доброе утро, доброе утро!

Она осыпала его поцелуями, но никакой ответной ласки от него не дождалась. Он сделал отчаянную, но безуспешную попытку вырваться и уцепиться за ее плечо. Это был очень крупный, серый в пятнах «холощеный» кот.

– Смотри, как он ласкается, – удивилась Фрэнни. – Никогда в *жизни* он так не ласкался.

Она взглянула на Зуи, ожидая, должно быть, согласия, но Зуи курил сигару с невозмутимым видом.

– Погладь его, Зуи! Посмотри, какой он славный. Ну *погладь* его.

Зуи протянул руку и погладил выгнутую спину Блумберга раз, другой, потом встал с кофейного столика и побрел через всю комнату к роялю, лавируя среди вещей. Рояль с высоко поднятой крышкой во всей своей чернолаковой, стейнвейновской мощи возвышался напротив дивана, а табуретка – почти прямо напротив Фрэнни. Зуи осторожно опустился на табуретку, потом с явным интересом взглянул на ноты, раскрытые на пюпитре.

– Он такой блохастый, что даже смешно, – сказала Фрэнни. Она немного поборолась с Блумбергом, стараясь придать ему мирную позу домашней кошечки. – Вчера я поймала на нем четырнадцать блох. Это только на одном боку. – Она резко столкнула Блумберга вниз, потом взглянула на Зуи. – Кстати, как тебе понравился сценарий? – спросила она. – Получил ты его наконец или нет?

Зуи не отвечал.

– Господи! – сказал он, не сводя глаз с нот на пюпитре. – Кто это выкопал?

Пьеса называлась «Не скупись, послушай, детка». Она была примерно сорокалетней давности. На обложке красовался рисунок сепией с фотографии мистера и миссис Гласс. Мистер Гласс был в цилиндре и во фраке, миссис Гласс – тоже. Оба ослепительно улыбались в объектив, и оба, наклонясь вперед и широко расставив ноги, опирались на тросточки.

– А что это? – сказала Фрэнни. – Мне не видно.

– Бесси и Лес. «Не скупись, послушай, детка».

– А! – Фрэнни хихикнула. – Вчера вечером Лес Предавался Воспоминаниям. В мою честь. Он думает, что у меня расстройство желудка. Все ноты из шкафа вытащил.

– Хотел бы я знать, как это мы все очутились в этой чертовой ночлежке, если все началось с «Не скупись, послушай, детка». Поди пойми.

– Не могу. Я уже пробовала, – сказала Фрэнни. – Расскажи про сценарий. Ты его получил? Ты говорил, что этот самый Лесаж, или как его там, собирался оставить его у швейцара по дороге...

– Получил, получил, – сказал Зуи. – Мне неохота его обсуждать.

Он сунул сигару в рот и принялся правой рукой наигрывать в верхних октавах мотив песенки под названием «Кинкажу», успевшей, что любопытно, стать популярной и позабыться еще до того, как Зуи родился.

– Я не только получил сценарий, – сказал он. – Еще и Дик Хесс позвонил вчера около часу ночи – как раз после *нашей* с тобой маленькой потасовки – и пригласил меня выпить, скотина. В Сан-Ремо. Он открывает Гринич-Вилледж. Боже правый!

– Не колоти по клавишам, – сказала Фрэнни, глядя на него. – Если ты собираешься там сидеть, то я буду давать тебе указания. Вот мое первое указание: не колоти по клавишам.

– *Во-первых*, он знает, что я не пью. Во-вторых, он знает, что я родился в Нью-Йорке, и если есть что-нибудь на свете для меня совершенно невыносимое, так это «местный колорит». В-третьих, он знает, что я живу за семьдесят кварталов от его деревни, черт побери. И в-четвертых, я ему три раза сказал, что я уже в пижаме и в домашних туфлях.

– Не колоти по клавишам, – приказала Фрэнни, гладя Блумберга.

– Так нет, дело было неотложное. Ему надо было видеть меня немедленно. Чрезвычайно важно. Не ломайся, слышишь! Будь человеком хоть раз в жизни, прыгай в такси и кати сюда.

– И ты покатил? И крышкой тоже не грохай. Это мое второе...

– Ну да, конечно же, я покатил! Нет у меня этой треклятой силы воли! – сказал Зуи. Он закрыл крышку сердито, но без стука. – Моя беда в том, что я боюсь за всех этих провинциалов в Нью-Йорке. И мне плевать, сколько времени они тут пробыли. Я вечно за них трясусь – как бы их не переехали или не избили до полусмерти, пока они рыщут в поисках мелких армянских ресторанчиков на Второй авеню. Да мало ли еще какая хреновина случится.

Зуи мрачно пустил клуб дыма поверх страниц «Не скупись...».

– В общем, я таки туда поехал, – сказал он. – Там уже, конечно, сидит старина Дик. Такой убитый, такой расстроенный, до того набитый важными новостями, которые не могут подождать до завтра. Сидит за столом в джинсах и жуткой спортивной куртке. Этакий изгнанник с берегов Де-Мойна в Нью-Йорке. Я его чуть не прикончил, ей-богу. Ну и ночка! Я сидел там битых два часа, а он мне выкладывал, какой я умнейший сукин сын и что вся моя семья – сплошь гениальные психотики и психопаты. И тут – когда он наконец кончил психоанализировать меня, и Бадди, и Симора, которых он в глаза не видал, и когда он наконец уперся в какой-то умственный тупик, решая, быть ему до конца вечера чем-то вроде Колетт, которая одинаково бьет правой и левой, или вроде маленького Томаса Вулфа, – тут он вдруг вытаскивает из-под стола роскошный портфель с монограммой и сует мне в руки новенький сценарий часового фильма.

Зуи махнул рукой, словно отмахиваясь от надоевшей темы. Но он встал с табуретки слишком быстро, так что этот жест вряд ли можно было счесть прощальным. Сигару он держал во рту, а руки засунул в карманы брюк.

– Я годами слушал, как Бадди рассуждает об актерах, – сказал он. – Боже мой, послушал бы он, что я могу ему рассказать о Писателях, Которых Я Знал.

Он с минуту постоял на месте, затем двинулся вперед без видимой цели. Остановился у «Виктролы» образца 20-го года, бессмысленно воззрился на нее и гавкнул в трубу два раза подряд, для собственного удовольствия. Фрэнни засмеялась, глядя на него, а он нахмурился и пошел дальше. У водруженного на радиоприемник «Фрешмен» 1927 года аквариума с рыбками он вдруг остановился и вынул сигару изо рта. Он с явным интересом заглянул в аквариум.

– Все мои черные моллинезии вымирают, – сказал он и машинально потянулся к баночке с кормом, стоявшей возле аквариума.

– Бесси их утром кормила, – вмешалась Фрэнни. Она продолжала гладить Блумберга, все еще насильно приучая его к трудному и сложному миру вне теплого вязаного пледа.

– У них голодный вид, – сказал Зуи, но отдернул руку от рыбьего корма. – Вот этот малый совсем отощал. – Он постучал по стеклу ногтем. – Куриный бульон – вот что тебе нужно, приятель.

– Зуи, – окликнула Фрэнни, чтобы отвлечь его. – Как твои дела все-таки? У тебя два сценария. А о чем тот, что тебе завез на такси Лесаж?

Зуи еще с минуту неотрывно смотрел на рыбку. Потом, повинуясь внезапному, но, как видно, непобедимому капризу, растянулся на ковре лицом вверх.

– В том, что прислал Лесаж, мне предлагают играть некоего Рика Чалмерса, – сказал он, закидывая ногу на ногу. – Могу поклясться, что это салонная комедия образца тысяча девятьсот двадцать восьмого года, готовенькая как на заказ по каталогу Френча. Разве что роскошно осовремененная болтовней о комплексах, подавленных желаниях и сублимации, и все это на жаргоне, который автор перенял у своего психоаналитика.

Фрэнни смотрела на Зуи, точнее, на то, что ей было видно. С того места, где она сидела, были видны только подошвы и каблуки его ботинок.

– Ну а то, что написал Дик? – спросила она. – Ты уже читал?

– А у Дика я могу играть Берни, чувствительного дежурного из метро. В жизни не приходилось читать такой чертовски оригинальной и смелой пьесы для телевидения.

– Правда? Значит, это так здорово?

– Я не говорил – здорово, я сказал – смело. Давай на этом, брат, и помиримся. Наутро после выпуска в эфир все на телевидении будут бегать и хлопать друг друга по плечам, довольные до потери сознания. Лесаж. Хесс. Помрой. Заказчики. Вся бравая команда. А начнется это уже сегодня. Если уже не началось. Хесс войдет в кабинет Лесажа и скажет: «Мистер Лесаж, сэр, есть у меня новый сценарий про чувствительного молодого дежурного из метро, от него так и разит смелостью и первозданной чистотой. А насколько мне известно, сэр, после Нежных и Душещипательных сценариев вы больше всего любите сценарии, полные Смелости и Чистоты. А в этом сценарии, честное слово, от Чистоты и Смелости просто не продохнешь. Он весь набит слезливыми и слюнявыми типами. В нужных местах и жестокости хватает. И как раз тогда, когда душевно тонкий дежурный из метро совсем запутался в своих моральных проблемах и его вера в человечество и в Маленьких людей рушится, из школы прибегает его девятилетняя племянница и выдает ему порцию славной, доморощенной шовинистической философии, которая перекочевала к нам из прошлого прямиком от выросшей в глуши жены Эндрю Джексона. Бьет без промаха, сэр! Он такой приземленный, такой простенький, такой высосанный из пальца и притом достаточно привычный и заурядный, что наши жадные, издерганные, невежественные заказчики непременно его поймут и полюбят».

Зуи вдруг резко приподнялся и уселся на ковре.

– Я только что из ванны, весь в поту, как свинья, – пояснил он.

Он встал и исподтишка, словно против воли, бросил взгляд в сторону Фрэнни. Он совсем было отвел глаза, но вместо этого стал внимательно в нее вглядываться. Опустив голову, она смотрела на Блумберга, который лежал у нее на коленях, и продолжала его гладить. Но что-то переменилось.

– Ага, – сказал Зуи и подошел к дивану, явно напрашиваясь на скандал. – Леди шевелит губками. Настал час Молитвы.

Фрэнни не поднимала глаз.

– На кой черт тебе это понадобилось? – спросил он. – Спасаешься от моего нехристианского отношения к художественному ширпотребу?

Фрэнни подняла глаза и покачала головой, моргая. Она улыбнулась брату. Губы у нее и вправду безостановочно двигались.

– И ты мне не улыбайся, пожалуйста, – сказал Зуи спокойным голосом и отошел от дивана. – Симор вечно мне улыбался. Этот проклятый дом кишит улыбчатыми людьми. – Он мимоходом, почти не глядя, ткнул большим пальцем в какую-то книжку, наводя порядок на книжной полке, и прошел дальше. Подошел к среднему окну, отделенному широким подоконником от столика из вишневого дерева, за которым миссис Гласс просматривала счета и писала письма.

Он стоял спиной к Фрэнни и смотрел в окно с сигарой в зубах, засунув руки в карманы.

– А ты знаешь, что мне, возможно, придется ехать на съемки во Францию нынче летом? – спросил он сердито. – Я тебе говорил?

Фрэнни с интересом посмотрела на его спину.

– Нет, не говорил! – сказала она. – Ты не шутишь? А какая картина?

Зуи, глядя на посыпанную гравием крышу школы напротив, сказал:

– А, это длинная история. Тут возник какой-то хмырь из Франции, он слышал набор пластинок, которые я записал с Филиппом. Я с ним завтракал недели две назад. Настоящий шноррер, но, в общем, симпатичный, и явно он у них там как раз сейчас в большом ходу.

Он поставил ногу на подоконник.

– Ничего определенного – с этими ребятами никогда точно не договоришься, но я, по-моему, почти вбил ему в голову мысль – снять фильм по роману Ленормана. Я его тебе посылал.

– Да-да! Ой как здорово, Зуи! А если ты поедешь, то когда, по-твоему?

– Это *не здорово*. Вот в чем загвоздка. Я бы с удовольствием снялся. Ей-богу, с удовольствием. Но мне адски не хочется уезжать из Нью-Йорка. Если уж хочешь знать, я терпеть не могу так называемых «творческих людей», которые разъезжают разными там пароходами. Мне наплевать, по каким причинам. Я здесь *родился*. Я здесь в школу ходил. Меня тут *машина сбила* – дважды, и оба раза на той же треклятой улице. И нечего мне делать на съемках в этой Европе, прости господи.

Фрэнни задумчиво смотрела на его спину, обтянутую белой тканью рубашки. Ее губы продолжали все так же неслышно произносить что-то.

– Почему же ты едешь? – спросила она. – Раз у тебя такие сомнения.

– Почему я еду? – сказал Зуи не оборачиваясь. – А потому, что мне чертовски надоело вставать по утрам в бешенстве, а по вечерам в бешенстве ложиться спать. Я еду, потому что я сужу каждого несчастного язвенника, который мне встречается. Само по себе это меня не так уж волнует. По крайней мере, когда я сужу, я сужу честно, нутром, и знаю, что расплачусь сполна за каждый вынесенный приговор рано или поздно, так или иначе. Это меня не тревожит. Но есть что-то такое – господи Иисусе, – что-то я такое делаю со всеми людьми, с их нравственными устоями, что мне самому это уже видеть невмоготу. Я тебе точно скажу, что именно я делаю. Из-за меня все они, все до одного, вдруг чувствуют, что вовсе ни к чему делать свое дело по-настоящему хорошо, и каждый норовит выдать такую работу, чтобы все, кого он знает, – критики, заказчики, публика, даже учительница его детишек, – считали бы ее хорошей. Вот что я творю. Хуже некуда.

Он нахмурился, глядя на школьную крышу, потом кончиками пальцев стряхнул несколько капель пота со лба. Услышав, что Фрэнни что-то сказала, он резко повернулся к ней.

– Что? – сказал он. – Не слышу.

– Ничего. Я сказала «О господи».

– Почему «О господи»? – сердито спросил Зуи.

– Ни-по-че-му. Пожалуйста, не накидывайся на меня. Я просто думала, и больше ничего. Если бы ты только видел меня в субботу. Ты говоришь, что подорвал чьи-то нравственные устои! А я вконец испортила Лейну целый день. Мало того, что я хлопалась в обмороки чуть ли не ежечасно, я же ведь и ехала в такую даль ради милого, дружеского, нормального, веселого и радостного футбольного матча, но стоило ему только рот раскрыть, как я на него набрасывалась, или просто перечила, или – ну, не знаю – в общем, все портила.

Фрэнни покачала головой. Она все еще машинально гладила Блумберга. Казалось, она смотрит в одну точку – на рояль.

– Я не могла хоть разок удержаться, не вылезать со своим мнением, – сказала она. – Это был чистый ужас. Чуть ли не с первой секунды, как он встретил меня на вокзале, я начала придираться, придираться, придираться ко всем его взглядам, ко всем оценкам – ну абсолютно ко всему. То есть к каждому слову. Он написал какое-то безобидное, школьное, пробирочное сочинение о Флобере, он так им гордился, так хотел, чтобы я его прочла, а мне показалось, что его слова звучат как-то покровительственно, знаешь, как студенты делают вид, что на английской кафедре они уже свои люди, и я ничего лучше не придумала, чем...

Она замолчала. Потом снова покачала головой, и Зуи, стоя к ней вполоборота, прищурился, внимательно ее рассматривая. Теперь она еще больше походила на больного после операции, она была даже бледнее, чем утром.

– Просто чудо, что он меня не пристрелил, – сказала она. – Я бы его от всей души поздравила.

– Это ты мне рассказывала вчера вечером. Мне не нужны несвежие воспоминания с самого утра, брат, – сказал Зуи и снова отвернулся к окну. – Во-первых, ты бьешь мимо цели – начинаешь ругать разные вещи и людей, а надо бы начать с самой себя. Мы оба такие. Я точно так же говорю о своем телевидении, черт побери, сам знаю. Но это неверно. Все дело в нас самих. Я тебе уже не раз говорил. Почему ты этого никак в толк не возьмешь?

– Не такая уж я бестолковая, только ты-то все время...

– Все дело в *нас самих*, – перебил ее Зуи. – Мы уродцы, вот и все. Эти два подонка взяли нас, миленьких и маленьких, и сделали из нас двух уродов, внушили нам уродские принципы, вот и все. Мы – как Татуированная Женщина, и не будет у нас ни минуты покоя до конца нашей жизни, пока мы всех до единого тоже не перетатуируем. – Заметно нахмурившись, он сунул сигару в рот и попробовал затянуться, но сигара уже потухла. – А сверх всего, – быстро продолжал он, – у нас еще и комплексы «Умного ребенка». Мы же так всю жизнь и чувствуем себя дикторами. Все мы. Мы не отвечаем, мы вещаем. Мы не разговариваем, мы разглагольствуем. По крайней мере, я такой. В ту минуту, как я оказываюсь в комнате с человеком, у которого все уши в наличии, я превращаюсь в *ясновидящего*, черт меня подери, или в живую шляпную булавку. Король Всех Зануд. Взять хотя бы вчерашний вечер. В Сан-Ремо. Я непрестанно молился, чтобы Хесс не рассказывал мне сюжет своего нового сценария. Я отлично знал, что у него все уже готово. Я знал, черт побери, что мне оттуда не выбраться без сценария под мышкой. Я только об одном и молился – чтобы он избавил меня от устного предисловия. Он не дурак. Он *знает*, что я не могу держать язык за зубами.

Зуи резко и неожиданно повернулся, не снимая ноги с подоконника, и взял – скорее схватил – с письменного стола матери пачку спичек. Он опять повернулся к окну, глянул на школьную крышу и снова сунул сигару в рот – но тут же вынул.

– Черт бы его побрал совсем, – сказал он. – Он все-таки душераздирающе туп. Точь-в-точь как все на телевидении. И в Голливуде. И на Бродвее. Он думает, что все сентиментальное – это *нежность*, и *грубость* – это признак реализма, а все, что кончается потасовкой, законное разрешение конфликта, который даже...

— И ты все это сказал?

— Сказал, не сомневайся! Я же только что тебе объяснил, что не умею держать язык за зубами. Как же, я ему все сказал! Он там так и остался сидеть один, и ему явно хотелось сквозь землю провалиться. Или чтобы один из нас провалился в тартарары — надеюсь, черт возьми, что он имел в виду меня. В общем, это была сцена под занавес в истинном духе Сан-Ремо.

Зуи снял ногу с подоконника. Он обернулся — вид у него был напряженный и взволнованный — и, выдвинув стул с прямой спинкой, сел к столу матери. Он закурил потухшую сигару, потом беспокойно подался вперед, положив обе руки на столешницу вишневого дерева. Рядом с чернильницей стояла вещь, которую его мать использовала как пресс для бумаг: небольшой стеклянный шар на черной пластмассовой подставке, а в нем — снеговик в цилиндре. Зуи взял в руки игрушку, встряхнул ее и сидел, созерцая кружение снежинок.

Фрэнни приложила руку козырьком ко лбу и смотрела на Зуи. Он сидел в самом ярком потоке лучей, проникавших в комнату. Если бы ей хотелось смотреть на него подольше, она могла бы переменить положение, но тогда ей пришлось бы потревожить Блумберга, который, видимо, спал.

— А у тебя и вправду язва? — вдруг спросила она. — Мама сказала, что у тебя язва.

— Да, господи боже ты мой, у меня язва. У нас сейчас калиюга, брат, железный век. И любой человек старше шестнадцати лет и без язвы — просто проклятый шпион.

Он снова, посильнее на этот раз, встряхнул шар со снеговиком.

— Но вот что забавно, — сказал он. — Хесс мне нравится. По крайней мере, он мне нравится, когда не пытается навязать мне свое творческое убожество. Все же он хоть носит жуткие галстуки и нелепые костюмы с набитыми ватой плечами в этом запуганном, сверхконсервативном, сверхпослушном сумасшедшем доме. И мне нравится его самодовольство. Он так самодоволен, что держится даже скромно, дурак несчастный. Он явно считает, понимаешь ли, что его неуклюжий, напыщенно-смелый, «незаурядный» талант делает честь телевидению, а это уже какая-то дурацкая разновидность скромности, если вдуматься.

Он смотрел на стеклянный шар, пока снежная круговерть немного не утихла.

– И Лесаж мне в каком-то смысле нравится. Все, что ему принадлежит, лучше, чем у других, – его пальто, его катер с двумя каютами, отметки его сына в Гарварде, его электробритва – в с е. Как-то он повел меня к себе обедать, а по дороге остановился и спрашивает, помню ли я «покойную кинозвезду Кэрол Ломбард». И предупреждает, чтобы я приготовился к потрясающей неожиданности, потому что его жена, мол, вылитая Кэрол Ломбард. Вот за это я буду любить его по гроб жизни. Жена его оказалась до предела усталой рыхлой блондинкой, похожей на персиянку.

Зуи живо обернулся к Фрэнни – она что-то сказала.

– Что? – спросил он.

– Да! – повторила Фрэнни, бледная, но сияющая – видно, и она тоже была обречена любить Лесажа по гроб жизни.

Зуи с минуту молча курил свою сигару.

– Но вот что меня убивает в этом Дике Хессе, – сказал он. – Вот отчего я такой м р а ч н ы й, или злой, или какой там еще, черт побери; ведь первый сценарий, который он сделал для Лесажа, был просто хороший. Он был почти о т л и ч н ы й, честное слово. Это был первый сценарий, по которому мы сняли фильм, – ты, кажется, не видела – была в школе или еще где-то. Я там играл молодого, очень одинокого фермера, который живет вдвоем с отцом. Парень чувствует, что фермерская жизнь ему ненавистна, они с отцом вечно бьются, чтобы заработать на хлеб, так что после смерти отца он тут же продает скот и начинает строить великие планы — как он поедет в большой город и будет там зарабатывать.

Зуи опять взял в руки снеговика, но трясти не стал, а только повернул подставку.

— Там были неплохие места, — сказал он. — Распродав коров, я то и дело бегаю на выпас присмотреть за ними. И когда перед самым отъездом я иду прогуляться на прощанье со своей девушкой — я ее веду прямиком на выпас. Потом, когда я уже перебрался в большой город и поступил на работу, я все свободное время околачиваюсь возле загонов для скота. А конец такой: на главной улице громадного города, где мчатся сотни машин, одна машина делает левый поворот и превращается в корову. Я бегу за ней прямо на красный свет — и гибну, затоптанный обезумевшим стадом.

Он встряхнул снеговика.

— Может, там ничего особенного и не было — можно смотреть телевизор и стричь ногти на ногах, — но, по крайней мере, после репетиций не хотелось поскорее *смыться* домой, чтобы никому на глаза не попадаться. Там была хоть какая-то свежесть и своеобразие — не просто очередной расхожий сюжетец, кочующий по всем сценариям. Поехал бы он, к чертовой матери, домой, поднакопил бы силенок. Всем пора разъехаться по домам, черт побери. Мне до смерти надоело играть резонера в жизни окружающих. Боже, ты бы посмотрела на Хесса и Лесажа, когда они обсуждают новую постановку. Или вообще что-нибудь *новое*. Они счастливы, как поросята, пока не появлюсь я. Я себя чувствую одним из тех зловещих подонков, против которых всех предостерегал любимец Симора, Чжуан-Цзы: «Когда увидишь, что так называемый мудрец ковыляет в твою сторону, берегись». — Он сидел неподвижно, глядя на пляску снежинок. – Бывают минуты, когда я бы с радостью лег и помер, – сказал он.

Фрэнни тем временем не сводила глаз с высвеченного солнцем пятна на ковре у самого рояля, и губы ее заметно шевелились.

– Это так смешно, ты даже представить не можешь, – сказала она чуть-чуть дрожащим голосом, и Зуи посмотрел на нее. Она казалась еще бледнее оттого, что губы у нее совсем не были подкрашены. – Все, что ты говоришь, напоминает мне все то, что я *пыталась* сказать Лейну в субботу, когда он начал меня донимать. Вперемежку с улитками, мартини и прочей снедью. Понимаешь, мы с тобой думаем не совсем одинаково, но об одном и том же, мне кажется, и по одной и той же причине. По крайней мере, похоже на то.

Тут Блумберг встал у нее на коленях и принялся кружиться на месте, чтобы улечься поудобнее, как это часто делают собаки, а не кошки. Фрэнни положила руки ему на спину, как бы не обращая на него внимания, но помогая и направляя, и продолжала:

– Я уже до того дошла, честное слово, что сказала вслух самой себе, как псих ненормальный: «Если я еще хоть раз услышу от тебя хоть одно въедливое, брюзгливое, неконструктивное слово, Фрэнни Гласс, то между нами все кончено – все к о н ч е н о». Некоторое время я держалась неплохо. Почти целый месяц, когда кто-то изрекал что-нибудь типично студенческое, надуманное и попахивающее беспардонным эгоизмом или вообще выпендривался, я хоть держала язык за зубами. Я ходила в кино, или в читальне просиживала целые дни, или принималась как сумасшедшая писать статьи о комедии эпохи Реставрации или о чем-то в этом роде – но я по крайней мере р а д о в а л а с ь, что временно не слышу собственного своего голоса. – Она потрясла головой. – Но вот однажды утром – хоп, и я опять завелась с пол-оборота. Я всю ночь не спала, не помню почему, а в восемь у меня была лекция по французской литературе, так что я в конце концов встала, оделась, сварила себе кофе и пошла гулять по университетскому городку. Мне так хотелось уехать на велосипеде ужасно далеко и надолго, но я боялась, что будет слышно, как я вывожу велосипед со стоянки – вечно что-нибудь падает, – и я просто пошла в аудиторию на литфаке, уселась и сижу. Сидела, сидела, потом встала и начала писать цитаты из Эпиктета по всей доске. Я всю доску исписала – сама не знала, что я столько помню. Слава богу, я успела все стереть, пока никто не вошел. Все равно это было ребячество – Эпиктет меня бы просто возненавидел за это, но... – Фрэнни запнулась. – Не знаю... Наверно, мне просто хотелось увидеть на доске имя хорошего человека. В общем, с этого все и началось. Весь день я ко всем придиралась. Придиралась к профессору Фаллону. Придиралась к Лейну, когда мы говорили по телефону. Придиралась к профессору Тапперу. Все шло хуже и хуже. Я даже к соседке по спальне стала придираться. Господи, бедняга Беверли, я стала замечать, что она иногда глядит на меня будто в надежде, что я надумаю перебраться в другую комнату, а на мое место переедет хоть мало-мальски нормальный и приятный человек, с которым можно жить в мире и спокойствии. Это было просто ужасно! А хуже всего то, что я знала, какая я зануда, знала, что нагоняю на людей тоску, иногда даже обижаю, – но я никак не могла остановиться! Не могла перестать брюзжать, и все тут.

У Фрэнни был не на шутку расстроенный вид, она примолкла, пытаясь столкнуть вниз топчущегося Блумберга.

– Но хуже всего было на занятиях, – решительно сказала она. – Это было хуже всего. Понимаешь, я вбила себе в голову – и никак не могла выбросить, – что колледж – это еще одно фальшивое бессмысленное место в мире, созданное для собирания сокровища на земле, и все такое. Бог мой, сокровище — это и есть сокровище. Ну какая разница: деньги это, или культура, или просто знание? Мне казалось, что все это — одно и то же, стоит только сорвать обертку — да так оно и есть! И мне иногда кажется, что знание — во всяком случае, знание ради знания — это хуже всего. Это самое непростительное, я уверена.

Фрэнни нервно, без всякой необходимости, отбросила волосы со лба левой рукой.

— Мне кажется, все это не так уж меня бы расстроило, если бы хоть один раз — хоть разок — я от кого-нибудь услышала пусть самый маленький, вежливый, мимолетный намек на то, что знание должно вести к мудрости, а иначе это просто возмутительная трата времени, и все! Как бы не так! Во всем университете никогда никто и не заикнется о том, что мудрость — это цель всякого познания. Даже само слово «мудрость» и то почти не упоминается. А хочешь услышать что-то смешное? Хочешь услышать что-то взаправду смешное? За четыре года в колледже — и это чистая правда, — за все четыре года в колледже я всего один раз слышала слова «мудрый человек», и это на первом курсе на лекции по политике! А знаешь, откуда оно выплыло? Говорили о каком-то старом придурковатом государственном деятеле, который сколотил состояние на бирже, а потом отправился в Вашингтон и стал советником президента Рузвельта! Ты только подумай, а? Почти за четыре года в колледже! Я не говорю, что такое случается со всяким, но меня эти мысли так огорчают, что взяла бы и умерла.

Она замолчала и, по всей видимости, вспомнила об интересах Блумберга. Губы ее так побледнели, что казались едва заметными на бледном лице. И они были покрыты мелкими трещинками.

Зуи давно уже не сводил с нее глаз.

— Я хотел тебя спросить, Фрэнни, — неожиданно сказал он. Он снова отвернулся к столу, нахмурился и встряхнул снеговика. — Как по-твоему, что ты делаешь с Иисусовой молитвой? — спросил он. — Именно это я пытался выяснить вчера вечером. Пока ты меня не послала подальше. Ты говоришь про собирание сокровищ — деньги, имущество, культура, знания и прочее, и прочее. А ты, непрерывно повторяя Иисусову молитву — нет, ты дай мне договорить, пожалуйста, — непрерывно повторяя Иисусову молитву, не собираешь ли ты тоже сокровище в своем роде? И это нечто можно точно так же пустить в о б о р о т, до последнего треклятого кусочка, как и те, другие, более материальные вещи? Или то, что это — молитва, так уж меняет дело? Я хочу спросить, неужели для тебя все дело заключается в том, по какую сторону человек складывает свое сокровище — здесь или там? Там, где воры не подкапывают и не крадут, и так далее?[1] Значит, вся разница только в этом? П о г о д и минуточку, пожалуйста, дай мне кончить, и все.

Несколько секунд он просидел, глядя на маленькую бурю в стеклянном шаре. Потом:

— В твоем отношении к этой молитве есть что-то такое, отчего меня мороз по коже подирает, если хочешь знать правду. Ты думаешь, что я хочу заставить тебя бросить молитву. Не знаю, хочу я или не хочу — это вопрос спорный, но я о ч е н ь хотел бы, чтобы ты мне объяснила, из каких соображений, черт возьми, ты ее твердишь?

Он сделал паузу, но не настолько длинную, чтобы Фрэнни успела вставить слово.

— Если рассуждать, сообразуясь с элементарной логикой, то, насколько я понимаю, нет ни малейшей разницы между человеком, который жаждет материальных сокровищ — пусть даже интеллектуальных сокровищ, —

1 Евангелие от Матфея, 6, 19–21.

и человеком, который жаждет сокровищ духовных. Как ты сама сказала, сокровище есть сокровище, черт бы его побрал, и мне сдается, что девяносто процентов ненавидевших мир святых, о которых мы знаем из священной истории, были, по сути дела, такими же непривлекательными стяжателями, как и все мы.

Фрэнни сказала ледяным тоном, насколько ей позволила легкая дрожь в голосе:

– Теперь уже можно тебя перебить, Зуи?

Зуи поставил на место снеговика и принялся играть карандашом.

– Да, да. Перебивай, – сказал он.

– Я *знаю* все, о чем ты говоришь. Ты не сказал ничего такого, о чем бы я сама не думала. Ты говоришь, что я хочу *получить* что-то от Иисусовой молитвы, – значит, я такая же стяжательница, по твоим словам, как и те, кто хочет соболье *манто*, или жаждет *славы*, или мечтает, чтобы из него так и пер какой-нибудь дурацкий *престиж*. Я все это знаю! Господи, неужели ты меня считаешь такой идиоткой?

Ей так мешала дрожь в голосе, что она почти не могла говорить.

– Ну-ну, успокойся, успокойся.

– *Не могу* я успокоиться! Ты меня совершенно вывел из себя! По-твоему, что я делаю здесь, в этой дурацкой комнате: худею как сумасшедшая, довожу Бесси и Леса чуть ли не до истерики, ставлю дом вверх дном и все такое? Неужели ты не понимаешь, что у меня хватает ума волноваться из-за тех причин, которые заставляют меня творить эту молитву? Это же меня и *мучает*. И то, что я чересчур привередлива в своих желаниях – то есть мне нужно *просветление* или душевный покой вместо денег, или престижа, или славы, – вовсе не значит, что я не такая же эгоистка и не ищу своей выгоды, как все остальные. Да я еще хуже, вот что! И я не нуждаюсь в том, чтобы великий Захария Гласс мне об этом напоминал!

Тут голос у нее заметно прервался, и она снова стала очень внимательна к Блумбергу. До слез, судя по всему, было недалеко, если они еще не полились.

Зуи сидел за столом и, сильно нажимая на карандаш, заштриховывал букву «о» на обратной стороне промокашки, где была напечатана какая-то реклама. Некоторое время он продолжал это занятие, а потом бросил карандаш рядом с чернильницей. Он взял свою сигару, которая лежала на краю медной пепельницы, там оставался окурок сантиметров в пять. Зуи глубоко затянулся, словно это была трубка от кислородного аппарата в мире, лишенном кислорода. Потом как бы через силу он снова взглянул на Фрэнни.

– Хочешь, я попробую соединить тебя с Бадди по телефону сегодня вечером? – спросил он. – Мне кажется, тебе нужно поговорить с кем-то – а я тут ни к черту не гожусь.

Он ждал ответа, не спуская с нее глаз.

– Фрэнни! Скажи, хочешь?

Фрэнни не поднимала головы. Казалось, что она ищет у Блумберга блох, так тщательно она перебирала пальцами пряди шерсти... На самом деле она уже плакала, только как бы про себя: слезы текли, но не было слышно ни звука. Зуи смотрел на нее целую минуту, если не дольше, а потом сказал, не то чтобы ласково, но ненавязчиво:

– Фрэнни. Ты хочешь, чтобы я дозвонился до Бадди?

Она покачала головой, но не подняла глаз. Она продолжала искать блох. Немного погодя она ответила на вопрос Зуи, но довольно неясно.

– Что? – спросил Зуи.

Фрэнни повторила свои слова.

– Я хочу поговорить с Симором, – сказала она.

Зуи еще некоторое время смотрел на нее, и лицо его совершенно ничего не выражало, разве что капельки пота выступили на его длинной и определенно ирландской верхней губе. Потом, со свойственной ему резкостью, он отвернулся к столу и опять стал заштриховывать букву «о». Но почти тут же бросил карандаш. Он неторопливо, по сравнению с его обычными темпами, встал из-за стола и, прихватив с собой окурок сигары, занял прежнюю позицию у окна, поставив ногу на подоконник. Мужчина повыше, с более длинными ногами — взять хотя бы любого из его братьев, — мог бы поставить ногу на подоконник с большей легкостью. Но зато, когда Зуи уже сделал это усилие, можно было подумать, что он застыл в танцевальной позиции.

Мало-помалу он позволил себе отвлечься, а затем его всерьез захватила маленькая сценка, которая во всей своей первозданности, не испорченная сценаристами, режиссерами и продюсерами, разыгрывалась пятью этажами ниже, на другой стороне улицы. Перед частной женской школой рос развесистый клен — одно из четырех или пяти деревьев на той, более выигрышной, стороне улицы, — и в данный момент за этим кленом пряталась девчушка лет семи-восьми. На ней была темно-синяя курточка и берет, очень похожий по оттенку на красное одеяло в комнате Ван Гога в Арле. С наблюдательного пункта Зуи этот беретик мог сойти за пятно краски. Футах в пятнадцати от девочки ее собачка — молоденькая такса в зеленом кожаном ошейнике с поводком — вынюхивала ее следы; песик носился кругами как оголтелый, таща за собой поводок. По-видимому, потеряв хозяйку, он не в силах был вынести эту муку, и, когда наконец он уловил ее запах, он был уже на пределе отчаяния. Радость обоих при встрече не поддавалась описанию. Таксик негромко взвизгнул, потом распластался перед ней, трепеща от восторга, а хозяйка, что-то крича, быстро перешагнула через ограждавшую дерево проволоку и подхватила его на руки. Она долго хвалила его понятными только участникам игры словами, потом опустила его на землю, взяла в руки поводок, оба весело побежали к западу, в сторону Пятой авеню и парка, и скрылись из виду. Зуи машинально взялся рукой за раму окна, словно собираясь поднять ее и посмотреть вслед уходящим. Но в этой руке у него оказалась сигара, и он упустил момент. Он затянулся.

– Черт побери, – сказал он. – Есть же славные вещи на свете – понимаешь, с л а в н ы е вещи. Какие же мы идиоты, что так легко даем сбить себя с толку. Вечно, вечно, вечно, что бы с нами ни случилось, черт побери, мы все сводим обязательно к своему плюгавенькому маленькому «я».

Как раз в эту минуту Фрэнни у него за спиной высморкалась простодушно и старательно, и звук оказался значительно громче, чем можно было ожидать от столь утонченного и хрупкого на вид органа. Зуи обернулся и посмотрел на нее не без осуждения.

Фрэнни, комкая несколько листков «Клинекса», взглянула на него.

– Ну и з в и н и меня, – сказала она. – Уже и высморкаться нельзя?

– Ты кончила?

– Да, кончила! Господи, что за семейка. Если тебе нужно всего лишь в ы с м о р к а т ь с я, ты просто жизнью рискуешь.

Зуи отвернулся к окну. Он коротко затянулся, скользя взглядом по бетонным блокам, из которых была сложена школа.

– Бадди как-то, года два назад, высказал мне довольно здравую мысль, – сказал он. – Надо бы только вспомнить, про что.

Он замолчал. И Фрэнни, все еще не расставаясь со своим «Клинексом», взглянула на него. Когда Зуи делал вид, что ему трудно что-то вспомнить, эти паузы неизменно вызывали у его сестер и братьев живой интерес, даже могли сойти за развлечение. Как правило, он просто притворялся, что вспоминает. Почти всегда это был прием, вошедший в привычку за те пять поучительных лет, когда он был диктором «Умного ребенка», и, стараясь не выдать свою несколько противоестественную способность цитировать мгновенно и по большей части дословно почти все, что он когда-либо читал или даже слышал, если это его интересовало, он выработал манеру, подражая другим детям, участвовавшим в программе, морщить лоб и делать вид, что хочет выиграть время. И сейчас он тоже наморщил лоб, но начал говорить намного раньше, чем обычно в подобных случаях, как будто почувствовал, что Фрэнни, его давнишняя партнерша, раскусила его трюк.

– Он сказал, что мужчина должен быть способен на все: и если он лежит у подножия холма с перерезанной глоткой, медленно истекая кровью, и мимо пройдет красивая девушка или старуха с прекрасным кувшином, который покоится в совершенном равновесии у нее на голове, он должен найти в себе силы приподняться на локте и следить за кувшином, покуда тот не скроется, целый и невредимый, за вершиной холма.

Он обдумал сказанное, затем негромко фыркнул.

– Хотел бы я видеть, как это у него получится, подонок он этакий. – Он затянулся сигарой. – В нашем семействе каждый получает свою религию в отдельной упаковке, – прибавил он тоном, начисто лишенным благоговения. – Уолт был настоящим фанатиком. Уолт и Бу-Бу были самыми ярыми приверженцами религии в нашей семье.

Он затянулся сигарой, как будто стараясь отпугнуть удовольствие, которого не хотел испытывать.

– Уолт как-то сказал Уэйкеру, что в нашем семействе, должно быть, каждый накопил черт знает сколько дурной кармы за свои прошлые воплощения. Уолт создал свою теорию: что религиозная жизнь, со всеми сопутствующими мучениями, насылается Богом на тех людей, у которых хватает нахальства обвинять его в том, что он создал такой гнусный мир.

С дивана раздался негромкий смех, выражавший одобрение присутствующих.

– Этого я никогда не слыхала, – сказала Фрэнни. – А какие религиозные взгляды у Бу-Бу? Я не знала, что они у нее есть.

Зуи немного помолчал, потом сказал:

– Бу-Бу? Бу-Бу уверена, что мир сотворил мистер Эш. Она это прочла в «Дневнике» Килверта. Детишек в приходской школе Килверта спросили, кто сотворил мир, и один малыш ответил: «Мистер Эш».

Фрэнни выразила свой восторг довольно громко. Зуи обернулся, посмотрел на нее и – «непредсказуемый» молодой человек! – скорчил очень кислую мину, как будто внезапно отрекся от всяких проявлений неуместной веселости. Он снял ногу с подоконника, опустил окурок сигары в пепельницу на письменном столе и отошел от окна. Он медленно двинулся по комнате, засунув руки в карманы, но все же направляясь в какое-то определенное место.

– Пора мне отсюда убираться. Я приглашен к ленчу, – и тут же наклонился, неторопливо и по-хозяйски всматриваясь в глубину аквариума. Потом настойчиво постучал ногтем по стеклу. – Стоит мне отвернуться на пять минут, как все морят моих черных моллинезий голодом. Надо было взять их с собой в колледж. Я же з н а л.

– Ой, Зуи. Ты это повторяешь пять лет подряд. Пошел бы и купил новых.

Зуи продолжал стучать по стеклу.

– Все вы, школьные ничтожества, одним миром мазаны. Жесткие, как гвозди. Это, брат, не простые черные моллинезии. Это родные существа.

Сказав это, он снова растянулся на ковре, уместившись благодаря своей худобе в довольно узком пространстве между настольным радиоприемником «Штромберг-

Карлсон» и набитым до отказа кленовым стеллажом для журналов. И снова Фрэнни были видны только каблуки и подошвы его ботинок. Однако не успел он улечься, как тут же снова сел, и его голова и шея внезапно выскочили из-под прикрытия — эффект был жутковато-комический, вроде трупа, выпадающего из шкафа.

— Молитва идет полным ходом, а? — сказал он. И снова исчез из виду. С минуту он молчал. А потом, с таким сверхизысканным акцентом, что слова едва можно было разобрать: — Нельзя ли с вами перекинуться парой слов, мисс Гласс, если не возражаете?

На это с дивана ответили отчетливо зловещим молчанием.

— Тверди свою молитву, если хочешь, или возись с Блумбергом, или кури вволю, только обеспечь мне пять минут нерушимого молчания, сестренка. И, если это возможно, никаких слез. О'кей? Ты слышишь?

Фрэнни ответила не сразу. Она поджала ноги, укрытые пледом. И покрепче прижала к себе спящего Блумберга.

— Я тебя слышу, — сказала она и подобрала ноги еще больше, как в крепости поднимают подъемный мост, готовясь к осаде. Она помолчала, потом заговорила снова: — Можешь говорить все, что тебе угодно, только без оскорблений. Сегодня утром я просто не готова к взбучке. Понятно?

— Никаких взбучек, никаких взбучек, сестренка. И я никого никогда не оскорбляю. — Руки у него были благочестиво скрещены на груди. — О, порой я немного резок, да, если на то есть повод. Но оскорблять — нет, никогда. Я лично всегда полагал, что самый лучший способ ловить мух...

— Я серьезно говорю, Зуи, — сказала Фрэнни, обращаясь более или менее к его ботинкам. — Кстати, я хотела бы, чтобы ты сел. Каждый раз, как здесь учиняются адские скандалы, прямо смешно, что все это доносится именно с того места, где ты лежишь. И на этом месте всегда лежишь именно ты. А ну-ка сядь, пожалуйста.

Зуи закрыл глаза.

– К счастью, я знаю, что ты шутишь. В глубине души ты этого не думаешь. Мы с тобой в глубине души знаем, что это единственный кусочек священной земли во всем этом проклятом доме с привидениями. Как раз в этом месте я держал своих кроликов. А они были святые кролики, оба. По сути дела, это были два единственных кролика-отшельника в целом...

– Да перестань ты! – сказала Фрэнни, явно нервничая. – И если хочешь что-то сказать, начинай. Я только прошу, чтобы ты хоть чуть-чуть помнил о такте, я себя сейчас так плохо чувствую – вот и все. Ты самый бестактный человек из всех, кого я знаю, это точно.

– Бестактный? Ничего подобного. Откровенный – да. Темпераментный – да. Пылкий. Жизнерадостный, может быть, излишне. Но никто никогда не...

– Я сказала: бестактный! – перебила его Фрэнни довольно горячо, но рассмешить себя она не давала. – Попробуй только заболей как-нибудь и пойди сам себя навести, тогда ты поймешь, какой ты бестактный! Когда кому-нибудь не по себе, то ты – самое невыносимое существо, какое я знала в своей жизни. Стоит только чихнуть, знаешь, как ты себя ведешь? Каждый раз, как окажешься поблизости, ты смотришь на человека как враг. Ты абсолютно не способен сочувствовать, ты – самый бесчувственный человек на свете. Да, самый!

– Ладно, ладно, ладно, – сказал Зуи, не открывая глаз. – Нет, брат, совершенства на земле. – Чуть смягчив и сделав повыше свой голос, он без напряжения, не переходя на фальцет, продемонстрировал Фрэнни хорошо знакомую манеру их матери, и, как всегда, очень похоже. – Мы сгоряча говорим такое, молодая леди, что вовсе не собирались говорить и о чем назавтра придется очень пожалеть.

Потом он неожиданно нахмурился, открыл глаза и несколько секунд глядел в потолок.

– Во-первых, – сказал он, – ты, кажется, думаешь, что я хочу отнять у тебя твою молитву. Не хочу. Не собираюсь. Что до меня, то ты можешь валяться на этом диване и повторять хоть до конца своих дней Введение к Конституции, но вот чего я хочу...

– Прекрасное вступление. Просто прелесть.

– Что такое?

– Ничего. Ну, говори, говори.

– Я уже начал говорить, что против молитвы ничего не имею. Что бы там тебе ни казалось. Знаешь, ты ведь далеко не первая, кто решил творить Иисусову молитву. Я некогда обошел все армейские и флотские магазины в Нью-Йорке – искал подходящий для странника рюкзак. Я собирался набить его хлебными корками и отправиться пешком бродить по всей стране, черт ее побери. Творя молитву. Неся слово Божие. И все такое. – Зуи помолчал. – И, ей-богу, я говорю это не ради того, чтобы дать тебе понять, что некогда и я был Чувствительным Молодым Существом, Как Ты.

– Тогда зачем ты это говоришь?

– Зачем я это говорю? А затем, что мне надо тебе кое-что сказать, а я, может быть, вовсе и не имею права об этом говорить. По той причине, что и меня когда-то обуревало желание творить эту молитву, а я не стал. Может, мне просто завидно, что ты за это взялась. Очень может быть, честно говоря. Во-первых, я вечно переигрываю. И более чем вероятно, что я, черт побери, не желаю быть Марфой, когда ты строишь из себя Марию[1].

Фрэнни не удостоила его ответом. Но она подвинула Блумберга поближе и как-то неловко, нерешительно

1 См.: Евангелие от Луки, 10, 38–42.

прижала его к себе. Потом она посмотрела на брата и сказала:

– Ты – бесенок. Ты это знаешь?

– Только без комплиментов, дружище, – может, со временем ты о них пожалеешь. Я все же скажу тебе, что мне не нравится твой подход к этому. Даже если я не имею права делать замечания.

Тут Зуи примерно десять секунд без выражения смотрел на беленый потолок, потом опять закрыл глаза.

– Во-первых, – сказал он, – не по душе мне эти выступления в духе Камиллы[1]. И не перебивай меня, ясно? Я знаю, что ты расклеилась на вполне законном основании, и все такое. Я не считаю, что ты притворяешься, – этого я не говорил. Я не думаю, что это подсознательные претензии на сочувствие. Вообще ничего такого я не думаю. Но я повторяю, что мне это не по душе. Это жестоко по отношению к Бесси, жестоко по отношению к Лесу, и если до тебя это еще не дошло, то от тебя начинает попахивать ханжеством. Во всем мире, черт побери, нет такой молитвы и такой религии, которая оправдала бы ханжество. Я не называю тебя ханжой – так что можешь сидеть спокойно, – но я утверждаю, что такие истерики выглядят чертовски непривлекательно.

– Ты все сказал? – спросила Фрэнни. Она сидела, сильно наклонясь вперед. Голос у нее снова стал дрожать.

– Ну ладно, Фрэнни. Послушай. Ты сама согласилась меня выслушать. Похоже, что самое плохое я уже сказал. Я просто стараюсь тебе сказать – нет, не стараюсь, а говорю тебе, – что это нечестно по отношению к Бесси и Лесу, вот и все. Для них это ужасно – ты сама понимаешь. Знаешь ли ты, черт побери, что Лес уже до того дошел, что вчера вечером, перед тем как лечь спать, собирался принести тебе мандаринчик? Господи!

1 Камилла – героиня трагедии П. Корнеля «Гораций».

Даже Бесси не выносит рассказов с мандаринчиками. И я тоже, видит бог. Если ты собираешься и дальше пребывать в этом нервном шоке, то я бы хотел, черт возьми, чтобы ты отправилась обратно в колледж и проделывала это там. Там, где с тобой никто нянчиться не будет. И где, видит бог, никому в голову не придет таскать тебе мандарины. И где ты не будешь держать свои ботинки в бельевом шкафу, черт побери.

Тут Фрэнни на ощупь и совершенно беззвучно протянула руку к коробке с «Клинексом», стоявшей на мраморном кофейном столике.

Зуи рассеянно смотрел на давнишнее пятно на потолке, которое сам же и посадил лет девятнадцать-двадцать назад из водяного пистолета.

— И второе, о чем я беспокоюсь, — сказал он, — это тоже не очень-то приятная штука. Я уже кончаю, так что потерпи минутку, если можешь. Мне *категорически* не нравится это мелкое житьишко одетого во власяницу тайного великомученика, которое ты влачишь там, в колледже, — этакая ничтожная брюзгливая священная война, которую ты, как тебе кажется, ведешь против всех и вся. И не перебивай меня еще хоть секунду, я не хочу сказать ничего такого, чего ты ждешь. Насколько я понял, ты ополчилась в основном на систему высшего образования. Погоди, *не бросайся* на меня. Мне противен этот ураганный обстрел. Я согласен с тобой на девяносто восемь процентов. Но остальные два процента — вот что пугает меня до полусмерти. У меня в колледже был один профессор — всего *один*, приходится с тобой согласиться, но это был большой, большой человек, и к нему все твои разговоры просто не относятся. Нет, он не был *Эпиктетом*. Но он не был ни отпетым эгоистом, ни факультетским любимчиком. Это был великий и скромный ученый. Более того, я уверен, что ни разу — ни в аудитории, ни в другом месте — я не слышал от него ни одного слова, которое не таило бы капельку, а подчас и бездну мудрости. С ним-то что будет, когда ты поднимешь свой бунт? Мне даже думать об этом невыносимо – бросим, к черту, эту тему. Те, о которых ты тут распространялась, – это совсем другое дело. Этот самый профессор Таппер. И те два болвана, о которых ты мне вчера рассказывала, – Мэнлиус и еще кто-то. Таких у меня было хоть пруд пруди, как и у всех нас, и я согласен с тобой, что они не так уж безобидны. Честно говоря, они смертельно опасны. Великий Боже! До чего бы они ни дотронулись, все превращается в бессмысленную ученую чушь. Или – что еще хуже – в предмет культа. Я считаю, что главным образом по их вине ежегодно в июне месяце страну наводняют невежественные недоноски с дипломами.

Тут Зуи, не сводя глаз с потолка, скорчил гримасу и затряс головой.

– Но мне не нравится – и Симору, и Бадди тоже, кстати, не понравилось бы – то, как ты говоришь об этих людях. Видишь ли, ты презираешь не то, что они олицетворяют, – ты их самих презираешь. Какого черта ты переходишь на личности? Я серьезно говорю, Фрэнни. К примеру, когда ты говорила про этого Таппера, у тебя в глазах был такой кровожадный блеск, что запахло убийством. Эта история про то, как он перед лекцией идет в уборную и там взбивает свою шевелюру. И прочее. Может, так он и делает, – судя по твоим рассказам, это в его духе. Я не говорю, что это не так. Но что бы он там ни творил со своими волосами – не твое это, брат, дело. Если бы ты посмеивалась над его излюбленными ужимками, это бы еще ничего. Или если бы тебе было чуть-чуть жалко его за то, что ему от неуверенности в себе приходится наводить на себя этот жалкий лоск, черт его побери. Но когда ты мне об этом рассказываешь – пойми, я не шучу, – можно подумать, что эта его чертова прическа – твой заклятый личный враг. Это нечестно – сама знаешь. Если ты выходишь на бой с Системой – давай стреляй, как положено милой, интеллигентной девушке, потому что *перед тобой враг*, а не потому, что тебе не по нутру его прическа или его треклятый галстук.

Примерно на минуту воцарилось молчание. Затем оно было нарушено: Фрэнни высморкалась – от всей души, длительно, как сморкаются больные, у которых уже дня четыре как заложило нос.

– Точь-в-точь как моя чертова язва. А знаешь, как я ее схлопотал? Или, во всяком случае, в чем на девять десятых причина моей язвы? Потому что я неправильно рассуждаю, я позволяю себе вкладывать слишком много в мое отношение к телевидению и ко всему прочему. Я делаю в точности то же, что и ты, хотя мне в моем возрасте пора бы соображать, что к чему.

Зуи замолчал. Не спуская глаз с пятна на потолке, он глубоко втянул воздух через нос. Пальцы у него все еще были сплетены на груди.

– А то, что я скажу напоследок, возможно, тебя взорвет. Но иначе я не могу. Это самое важное из всего, что я хотел сказать. – Он посмотрел на потолок, словно ища поддержки, и закрыл глаза. – Не знаю, помнишь ли ты, но я-то не забыл, дружок, как ты тут устроила маленькое отступничество от Нового Завета, так что кругом на сто миль было слыхать. В это время все были в этой чертовой армии, так что я единственный такого наслушался, что уши вяли. А ты помнишь? Хоть что-нибудь помнишь?

– Мне же было всего десять лет! – сказала Фрэнни в нос и довольно воинственно.

– Я знаю, сколько тебе было. Прекрасно знаю, сколько тебе было лет. Я ведь не для того это вспомнил, чтобы тыкать тебя носом в прошлые ошибки, видит бог. Я говорю об этом по серьезной причине. Я об этом говорю потому, что ты, по-моему, как не понимала Иисуса в детстве, так и сейчас не понимаешь. Сдается мне, что он у тебя в голове перепутался с пятью или десятью другими религиозными деятелями, и я не представляю себе, как ты можешь творить Иисусову молитву, не разобравшись, кто есть кто и что к чему. Ты вообще-то помнишь, с чего началось то маленькое вероотступничество?.. Фрэнни? Помнишь или нет?

Ответа он не дождался. Вместо ответа Фрэнни довольно громко высморкалась.

– А я, представь себе, помню. Глава шестая, от Матфея. Это я, брат, отлично помню. Даже помню, где я был. Я сидел у себя в комнате, заматывал липкой лентой свою чертову клюшку, и тут ты влетела в полном раже, с раскрытой Библией в руках. Тебе вдруг разонравился Иисус, и ты желала знать, можно ли позвонить Симору в военный лагерь и сообщить ему об этом. А помнишь, за что ты разлюбила Иисуса? Я тебе скажу. Потому, во-первых, что тебе не понравилось, как он пошел в синагогу и опрокинул столы и расшвырял идолов. Это было так грубо, Так Неоправданно. Ты выражала уверенность, что Соломон или кто-то там еще ничего подобного себе бы не позволил. А вторая вещь, которую ты не одобряла, – на этом месте у тебя была как раз раскрыта Библия, – это строчки: «Взгляните на птиц небесных: они не сеют, не жнут, не собирают в житницы; и Отец ваш небесный питает их». Здесь-то все в порядке. Все прелестно. Это ты вполне одобряла. Н о вот, когда Иисус тут же говорит: «Вы не гораздо ли лучше их?»[1] А г а, вот тут-то маленькая Фрэнни и спрыгивает на ходу. Тут наша Фрэнни начисто отрекается от Библии и бросается прямехонько к Будде, который не относится свысока ко всем этим милым небесным птичкам. Ко всем этим чудным, прелестным цыплятам и гусятам, которых мы разводили тогда на озере. И не повторяй, что тебе было десять лет. Я говорю о том, к чему твой возраст не имеет никакого отношения. Никаких существенных перемен в

1 Евангелие от Матфея, 6, 26.

возрасте от десяти до двадцати лет не происходит — и от десяти до восьмидесяти, кстати, тоже. Ты до сих пор не можешь любить так, как тебе хотелось бы, того Иисуса, который сделал или сказал то-то и то-то — или по крайней мере ему это приписали. И ты это знаешь. Ты по природе своей не способна любить или понимать какого бы то ни было Сына Божия, который опрокидывает столы. И ты по природе своей не можешь любить или понимать какого бы то ни было Сына Божия, который говорит, что человек — любой человек, даже такой, как профессор Таппер, — Богу дороже, чем какой-нибудь пушистый, беспомощный пасхальный цыпленок.

Теперь Фрэнни смотрела в ту сторону, откуда доносился голос Зуи, сидя совершенно прямо и стиснув в кулаке комочек «Клинекса». Блумберга у нее на коленях уже не было.

— А ты, конечно, можешь, — пронзительно сказала она.

— Могу или нет, это к делу не относится. Впрочем, да, так оно и есть, я могу. В этот вопрос я сейчас углубляться не хочу, но я никогда не пытался — сознательно или иначе — перекраивать Иисуса под Франциска Ассизского, чтобы сделать его более «любезным сердцу», — а этим занимаются девяносто восемь процентов христиан во всем мире. Это не делает мне чести. Я не в таком уж восторге от святых типа Франциска Ассизского. А тебе они по сердцу. По моему мнению, это и есть одна из причин твоего маленького нервного срыва. И как раз по этой причине ты устроила его дома. Здесь ты на всем готовеньком. Обслуживание по первому разряду, с горячей и холодной проточной чертовщиной и привидениями. Куда уж удобнее! Здесь ты можешь твердить свою Иисусову молитву и лепить свой идеал из Иисуса, святого Франциска, Симора и Хайдиного дедушки. — Зуи ненадолго прервался. — Ты что, не понимаешь? Неужели тебе не понятно, как смутно, как безответственно ты смотришь на мир? Господи, да в тебе никогда ничего третьесортного не было, а вот сейчас ты по горло увязла в мыслишках третьего сорта. И твоя молитва — третьесортная религия, и твое нервное расстройство, знаешь ты это или нет, — тоже третьего сорта. Я видел парочку настоящих нервных срывов, и те, на кого это накатывало, не успевали подыскать себе местечко, где бы...

— Не смей, Зуи! Н е с м е й! — крикнула Фрэнни, захлебываясь слезами.

— Сейчас, минутку, одну минутку. А с ч е г о это у тебя нервный срыв, кстати сказать? То есть если уж ты изо всех сил старалась выйти из строя, то почему бы тебе не употребить всю эту энергию на то, чтобы остаться здоровой и веселой? Ладно, я непоследователен. Сейчас я веду себя очень непоследовательно. Но, боже мой, как ты испытываешь ту малую толику терпения, которая мне досталась от роду! Ты смотришь на свой университетский г о р о д о к, и на м и р, и на п о л и т и к у, и на урожай одного л е т а, слушаешь болтовню кучки безмозглых студентов и решаешь, что повсюду — только «я», «я», «я» и единственный разумный выход для девушки — обрить себе голову, лечь на диван, твердить Иисусову молитву и просить у Бога какого-нибудь маленького мистического чуда, которое принесет ей радость и счастье.

Фрэнни закричала:

— Д а з а м о л ч и ш ь л и т ы н а к о н е ц!

— Секунду, секундочку. Ты все твердишь про «я». Господи, да только самому Христу под силу разобраться, где «я», а где нет. Это, брат, Б о ж и й мир, а не твой, и не тебе судить, где «я», а где нет, — последнее слово за Ним. А как насчет твоего возлюбленного Эпиктета? Или твоей возлюбленной Эмили Д и к и н с о н? Ты что, хочешь, чтобы твоя Эмили каждый раз, как ей захочется написать стишок, садилась бы и твердила молитвы до тех пор, пока это гадкое, эгоистическое желание не пропадет?

Н е т, этого ты не хочешь! Но тебе бы хотелось, чтобы у твоего друга профессора Таппера взяли бы и отняли его «я». Это другое дело? Может быть, и другое. Может быть. Но не кричи ты на весь мир о «я» вообще. Я считаю, если ты хочешь знать мое мнение, что половину всей пакости в мире устраивают люди, которые не пускают в ход свое подлинное «я». Твой профессор Таппер, к примеру. Судя хотя бы по тому, что ты о нем рассказываешь, я готов поспорить на что угодно, что он в жизни использует вовсе не то, что ты принимаешь за его «я», а совсем другое, более грязненькое, но менее присущее ему качество. Господи, да ты же достаточно ходила в школу, чтобы это знать. Только соскреби краску с никуда не годного школьного учителя – или хоть с университетского профессора, – и почти наверняка обнаружится первоклассный автомеханик или каменщик, черт побери. Вот тебе пример – Лесаж, мой друг, мой покровитель, моя Роза с Мэдисон-авеню. Думаешь, это «я» загнало его на телевидение? Черта с два! У него теперь вообще никакого «я» нет – если и было когда-то. Он его расколотил на мелкие хобби. Я знаю по меньшей мере три его хобби, и все они связаны с громадной мастерской у него в подвале, которая обошлась ему в десять тысяч долларов и вся набита электрическими приборами, тисками, динамо-машинами и бог знает чем еще. Ни у одного человека, реализующего свое «я», нет времени ни на какие чертовы хобби.

Зуи внезапно умолк. Он по-прежнему лежал с закрытыми глазами, а пальцы у него были крепко переплетены на груди. Но вот он придал своему лицу нарочито обиженное выражение. Видимо, это была такая форма самокритики.

– Хобби, – сказал он. – Как это я договорился до хобби?

С минуту он лежал и молчал. В комнате были слышны только рыдания Фрэнни, не вполне заглушенные шелковой подушкой. Блумберг теперь сидел под роялем, на солнечном островке, и довольно картинно умывался.

— Опять я играю резонера, — сказал Зуи нарочито будничным голосом. — Что бы я ни говорил, у меня получается одно: как будто я хочу подкопаться под твою Иисусову молитву. А я ничего такого не хочу, черт меня побери! Я только против того, почему, как и *где* ты ею занимаешься. Мне бы хотелось убедиться — я был бы *счастлив* убедиться, — что ты ею не подменяешь дело своей жизни, свой долг, каков бы он, черт побери, ни был, или просто свои ежедневные обязанности. Но вот что еще хуже: я никак не могу понять — ей-богу, никак не пойму, — как ты можешь молиться Иисусу, которого даже не понимаешь. А вот что уже совершенно непростительно, если учесть, что в тебя путем принудительного кормления впихнули примерно такую же массу религиозной философии, как в меня, — совершенно непростительно, что ты и не пытаешься понять его. Еще можно было бы найти какое-то оправдание, если бы ты была либо совсем *простым* человеком, как тот странник, либо человеком *отчаявшимся*, — но ты, брат, не так проста и далеко не в таком отчаянии, черт побери!

Тут Зуи, все еще не открывая глаз, сжал губы — в первый раз с тех пор, как он улегся, — и эта гримаса, заметим в скобках, очень напоминала привычное выражение лица его матери.

— Боже правый, Фрэнни, — сказал он. — Если уж ты хочешь творить Иисусову молитву, то, по крайней мере, молись Иисусу, а не святому Франциску, и Симору, и дедушке Хайди, единому в трех лицах. И когда ты молишься, думай о нем, и только о нем, представляй его себе таким, каким он был, а не каким ты хотела бы его видеть. Ты не желаешь смотреть правде в глаза. Именно эта проклятая привычка не смотреть правде в глаза и довела тебя до этого дурацкого расстройства, и выкарабкаться она тебе не поможет.

Зуи вдруг прижал ладони к своему совершенно мокрому лицу, подержал секунду и снова отнял. Снова скрестил руки на груди. Потом заговорил почти безукоризненно светским тоном:

— Одно меня ставит в тупик, честно говоря, просто ставит в тупик: как может человек — если он не дитя, и не ангел, и не счастливый простачок вроде нашего странника, — как человек может вообще молиться Иисусу, который хоть чуточку непохож на того, кого мы видим и слышим в Новом Завете. Господи! Он ведь просто самый разумный человек в Библии, только и всего! Кого он не перерос на две головы? Кого? И Ветхий и Новый Завет полны жрецами, пророками, учениками, сынами возлюбленными, Соломонами, Исайями, Давидами, Павлами — но, бог ты мой, кто же из них, кроме Иисуса, действительно понимал, где начало и где конец? Никто. Моисей? Ничего подобного. И не говори, что Моисей. Он был хороший человек, и у него был налажен прекрасный контакт с Богом и все такое, но в том-то и дело. Ему приходилось поддерживать контакт. А Иисус понимал, что Бог от него неотделим.

Тут Зуи хлопнул в ладоши — только разок, и негромко, и, может быть, неожиданно для самого себя. Не успел отзвучать хлопок, как он уже снова скрестил руки на груди.

— Господи, какой ум! — сказал он. — Ну кто, например, сумел бы промолчать в ответ на расспросы Пилата? Только не Соломон. Не говори, что Соломон. У Соломона нашлось бы несколько подходящих слов на этот случай. Не уверен, что и Сократ не сказал бы несколько слов. Критон или кто-нибудь там еще ухитрился бы отвести его в сторонку и выудить из него парочку хорошо обдуманных фраз для истории. Но главнее и выше всего: кто из библейских мудрецов, кроме Иисуса, знал —

знал, — что мы носим Царство Божие в себе, внутри, куда мы по своей проклятой тупости, сентиментальности и отсутствию воображения забываем заглянуть? Надо быть Сыном Божьим, чтобы знать такие вещи. Почему ты не задумываешься об этих вещах? Я говорю серьезно, Фрэнни, очень серьезно. Если ты не видишь Иисуса точно таким, каким он был, твоя молитва совершенно не имеет смысла. Если ты не понимаешь Иисуса, ты не поймешь и его молитвы — у тебя вообще не молитва получится, а какая-то дешевая ритуальная тягомотина. Иисус был адептом высшего ранга, черт побери, он был послан с ужасно важной миссией. Это тебе не святой Франциск, у которого хватало времени сочинять разные гимны, или читать проповеди птичкам, или заниматься другими милыми делами, столь любезными сердцу Фрэнни Гласс. Я говорю совершенно серьезно, черт побери. Как ты ухитряешься этого не видеть? Если бы Господу Богу понадобилась личность, приятная во всех отношениях, вроде святого Франциска, чтобы сделать дело, описанное в Новом Завете, он бы его и выбрал, можешь быть уверена. А он выбрал самого лучшего, самого умного, самого любящего, наименее сентиментального, самого неподдельного Учителя из всех. И если ты этого не понимаешь, клянусь тебе, ты не понимаешь и смысла Иисусовой молитвы. У Иисусовой молитвы одна цель, одна-единственная цель. Одарить человека знанием о Христе. Нет, не для того, чтобы устроить маленькое, уютное, «святое-для-тебя»[1] местечко, где некий липкий от патоки, очаровательный божественный пришелец примет тебя в свои объятия, и отпустит тебе все долги твои, и прогонит на вечные времена всю твою гадкую мировую скорбь и профессоров Тапперов. И, черт побери, если у тебя хватает ума понять это, а у тебя ума хватает, и ты все же отказываешься это пони-

1 См.: Книга пророка Исайи, 65, 5.

мать – значит, ты употребляешь молитву во зло, ты ею пользуешься, чтобы вымолить себе мир, полный куколок и святых, где не будет профессоров Тапперов.

Он внезапно уселся прямо и наклонился вперед с такой стремительностью, словно делал гимнастическое упражнение, – ему нужно было взглянуть на Фрэнни. Рубашка на нем была, как говорится, хоть выжимай.

– Если бы Иисус предназначил молитву для того, чтобы...

Зуи осекся. Он рассматривал Фрэнни, ничком лежавшую на диване, и, может быть, в первый раз услышал горестные звуки, которые она старалась заглушить. Он мгновенно побледнел – и от страха за ее здоровье, и, может быть, оттого, что извечно тошнотворный дух поражения вдруг пропитал всю комнату. Его бледность, однако, была до странности чисто белого тона, без желтых и зеленых оттенков вины или жалкого раскаяния. Эту бледность можно было сравнить с обескровленным лицом мальчишки, который до безумия любит животных – всех животных – и который только что увидел, какое выражение появилось на лице у его любимой, обожающей кроликов сестренки, когда она открыла коробку с его подарком ко дню рождения – а там была только что пойманная маленькая кобра с неумело завязанным красным бантиком на шее.

Он не сводил глаз с Фрэнни целую минуту, потом встал на ноги, неловко пошатнувшись, чтобы не потерять равновесия, что было совсем ему несвойственно. Он прошел очень медленно через всю комнату к письменному столу матери. Когда он дошел до стола, стало совершенно ясно, что он знать не знает, зачем его туда понесло. Казалось, он не узнает вещей, лежащих на столе, – ни промокашку с заштрихованными «о», ни пепельницу со своим собственным окурком, – так что он отвернулся и снова стал смотреть на Фрэнни. Ее рыдания чуть-чуть утихли, или это ему показалось, но она по-прежнему лежала все в той же жалкой, безвольной позе, лицом вниз. Одна рука у нее подломилась, подогнулась, так что ей наверняка было очень неудобно, а то и больно так лежать. Зуи отвел от нее глаза, потом набрался смелости и снова посмотрел. Он быстро провел ладонью по потному лбу, сунул руку в карман, чтобы обсушить ее, и сказал:

— Прости меня, Фрэнни. Прости, пожалуйста.

Но это формальное извинение только вызвало новые, более громкие и отчаянные рыдания. Зуи пристально смотрел на нее еще пятнадцать или двадцать секунд. Потом вышел из комнаты в переднюю, закрыв за собой дверь.

* * *

Запах свежей краски чувствовался тотчас же за дверью гостиной. Переднюю еще не начинали красить, весь паркет был застелен газетами, и первый же шаг Зуи — неуверенный, как бы в полусне — оставил отпечаток резиновой подошвы на фотографии в спортивном отделе: прямо на Стэна Мюзиала, держащего в руке полуметровую форель. Через пять или шесть шагов он едва не столкнулся с матерью, которая выходила из своей спальни.

— Я думала, что ты уже ушел! — сказала она.

В руках у нее были два аккуратно сложенных чистых постельных покрывала.

— Мне показалось, что наружная дверь... — Она умолкла и стала внимательно разглядывать Зуи. — Что с тобой? Это ты так вспотел?

Не дожидаясь ответа, она взяла Зуи за руку и повела его — скорее одним махом переметнула, он был легкий как щетка, — поближе к свету, падавшему через открытую дверь только что выкрашенной спальни.

— Так и есть — вспотел. — Она не могла бы говорить более удивленным и придирчивым тоном, даже если из пор Зуи выступала бы неочищенная нефть. — Что такое ты там делал? Ты же только что выкупался. Что ты такое делал?

– Я опаздываю, Пышка. А ну-ка посторонись.

Высокий филадельфийский комод, вынесенный в переднюю, вместе с миссис Гласс преграждал путь Зуи.

– Кто поставил сюда это чудовище? – спросил он, окидывая комод взглядом.

– Почему ты так вспотел? – требовательно спросила миссис Гласс, глядя сперва на его рубашку, потом на него самого. – Ты говорил с Фрэнни? Ты откуда идешь? Из гостиной?

– Да, да, из гостиной. Кстати, на твоем месте я бы заглянул туда на минуту. Она плачет. То есть плакала, когда я уходил. – Он похлопал мать по плечу. – А ну-ка. Давай. Посторонись...

– Плачет? Опять? Почему? Что случилось?

– Не знаю я, боже милостивый, – я спрятал ее книжки про Винни-Пуха. Слушай, Бесси, дай пройти, пожалуйста. Я спешу.

Миссис Гласс, не сводя с него глаз, отступила в сторону. И сразу же метнулась в гостиную с такой скоростью, что едва успела бросить через плечо:

– Переодень рубашку, молодой человек!

Если Зуи и слышал эти слова, то не подал виду. Он прошел через всю переднюю и вошел в спальню, где когда-то вместе с ним жили двое братьев-близнецов; теперь, в 1955-м, она безраздельно принадлежала ему. Но он задержался в своей комнате минуты на две, не больше. Потом вышел, все в той же мокрой от пота рубашке. В его внешности произошло, однако, небольшое, но отчетливое изменение. Он раздобыл сигару и успел ее раскурить. И по неизвестной причине он накрыл голову носовым платком – может быть, чтобы отвести от себя бурю, или град, или пепел огненный.

Он прошел напрямик через переднюю в ту комнату, которую раньше занимали его старшие братья.

Впервые за семь лет Зуи, если употребить подходящее к случаю высокопарное выражение, «переступил порог» комнаты Симора и Бадди. За исключением одного мелкого случая, который запросто можно сбросить со счета: года два назад он методически прочесывал всю квартиру в поисках потерянного или «украденного» пресса для теннисной ракетки.

Он очень плотно затворил за собой дверь, всем своим видом выражая недовольство тем, что в дверях не оказалось ключа. Войдя в комнату, он почти не смотрел вокруг. Он сразу же обернулся и решительно встал лицом к листу некогда белоснежного картона, который был основательно приколочен гвоздями к внутренней стороне двери. Лист был громадный, почти во всю дверь. Должно быть, этот лист своей величиной, белизной и гладкостью некогда взывал о черной туши и печатном шрифте. И если взывал, то не вотще. Вся видимая поверхность листа, до последнего сантиметра, была занята разбитыми на четыре весьма импозантных столбца цитатами из произведений мировой литературы. Буквы были мелкие, но черные как смоль и неистово отчетливые, и если кое-где и встречались причудливые росчерки, то клякс и помарок не было. Работа была выполнена с не меньшей тщательностью даже в самом низу, возле порога, где оба каллиграфа, должно быть, по очереди лежали на животе. Не было сделано ни малейшей попытки распределить афоризмы или их авторов по каким-либо категориям или группам. Так что, читая цитаты сверху вниз, столбец за столбцом, вы как бы пробирались между койками на спасательной станции в районе, пострадавшем от наводнения: например, Паскаль без всякой фривольности улегся рядом с Эмили Дикинсон, а Бодлер и Фома Кемпийский, так сказать, поставили свои зубные щетки в один стакан.

Зуи, стоя достаточно близко, прочел верхние строчки в левом столбце и продолжал читать сверху вниз. Судя по выражению его лица или, скорее, по отсутствию такового, можно было подумать, что он в ожидании поезда от нечего делать читает на доске объявлений рекламу супинаторов д-ра Шолля.

Итак, да будет у тебя устремленность к делу, но никогда к его плодам, да не будет плод действия твоим побуждением, и да не будет у тебя привязанности к неделанью.

Каждое действие совершай, сосредоточившись в своем сердце на Высшем Владыке. Пребывая в йоге, совершай дела, оставив привязанность, равный (подчеркнуто одним из каллиграфов) *в успехе и неудаче. Равновесием именуется йога.*

Работа, совершенная ради награды, много ниже той, которая вершится без страсти, в безмятежности самоотречения. Ищи спасения в познании Брахмана. Несчастен тот, кто трудится ради своекорыстных интересов.

«Бхагавадгита»

Оно любило осуществляться.

Марк Аврелий

О, улитка, –
Взбираясь к вершине Фудзи,
Можешь не торопиться!

Исса

Что же касается богов, то есть люди, отрицающие само существование божественности; другие считают, что она существует, но не волнуется, не заботится, не предопределяет ничего. Третьи допускают и существование, и предопределение, но только в отношении великих событий, небесных дел, а не земных. Четвертая школа признает значение земных дел на-

равне с небесными, но только вообще, а не в отношении к каждому в отдельности. А пятая, к которой принадлежали Улисс и Сократ, это те, кто восклицает:

«Не сделаю ни шага без ведома Твоего!»

Эпиктет

Любовная история в ее высшем развитии наступит тогда, когда мужчина и дама, незнакомые друг другу, разговорятся в поезде, возвращающемся на восток.

– Ну-с, – сказала миссис Крут – а это была именно она, – как вам понравился Каньон?

– Пещерка что надо, – ответил ее спутник.

– Какая оригинальная манера выражаться! – отвечала миссис Крут. – А теперь развлекайте меня.

Ринг Ларднер
«Как писать рассказы»

Бог вразумляет сердце, но не мыслями, а страданиями и препятствиями.

Де Коссад

– Папа! – вскрикнула Кити и закрыла ему рот руками.

– Ну, не буду! – сказал он. – Я очень, очень… ра… Ах! Как я глуп…

Он обнял Кити, поцеловал ее лицо, руку, опять лицо и перекрестил ее.

И Левина охватило новое чувство любви к этому прежде чуждому ему человеку, старому князю, когда он смотрел, как Кити долго и нежно целовала его мясистую руку.

«Анна Каренина»

«Господин, мы должны объяснить людям, что они поступают неверно, поклоняясь в храмах статуям и картинам».

Рамакришна: «Так вы привыкли, жители Калькутты: вы хотите поучать и проповедовать. Вы хотите раздавать миллионы, сами питаясь милостыней... Неужели, по вашему мнению, Бог не знает, что именно ему поклоняются перед статуями и картинами? Даже если молящийся впадет в ошибку, не кажется ли тебе, что Бог узнает о его намерениях?»

«Завет Шри Рамакришны»

«Не хотите ли к нам присоединиться?» – спросил меня как-то знакомый, повстречав меня после полуночи в почти опустевшем кафе. «Нет, не хочу», – ответил я.

Кафка

Счастье общения с людьми.

Кафка

Молитва св. Франциска Сальского:
«Да, Отче! Да, и вовеки веков, да!»

Цюй-Жань ежедневно обращался к самому себе: «Учитель!»
Потом сам себе отвечал: «Да, господин».
Затем продолжал: «Протрезвись».
Опять отвечал: «Да, господин».
«И с этих пор, – продолжал он, – не давай никому ввести тебя в грех».
«Да, господин, да, господин», – отвечал он.

«Мю мэнь гуань»

Ввиду того что картон был исписан довольно мелким почерком, последнее изречение находилось в первой трети левого столбца, наверху, и Зуи мог бы читать этот столбец еще минут пять, не сгибая колен. Но он не захотел. Он неторопливо отвернулся, прошел к письменному столу своего брата Симора и сел, выдвинув небольшой стул с прямой спинкой, как будто проделывал это ежедневно. Он положил сигару справа на край стола горящим концом наружу, оперся локтями о стол и закрыл лицо ладонями.

Два окна, слева, у него за спиной, с наполовину задернутыми шторами, выходили во двор – неприглядный бетонно-кирпичный проход, по которому в любое время дня серыми тенями проходили прачки или рассыльные из лавок. Саму комнату можно было назвать третьей главной спальней в квартире, и по более или менее устоявшимся в манхэттенских многоквартирных домах стандартам она была и тесновата, и темновата. Двое старших сыновей Глассов, Симор и Бадди, заняли эту комнату в 1929-м, когда одному было двенадцать, а второму – десять лет, а освободили ее, когда им было двадцать три и двадцать один. Она была обставлена в основном предметами из гарнитура кленового дерева: две кушетки, ночной столик, два детских письменных столика, под которыми не умещаются ноги, два шкафчика, два полукресла. На полу лежали три сильно потертых половика с восточным орнаментом. Почти все остальное пространство, за малым исключением, занимали книги. Книги, «которые должны быть под рукой». Книги, «которые вечно забывали дома». Книги, «которые неизвестно куда девать». Но всё книги, книги. Три стены в комнате были заняты высокими стеллажами, забитыми до отказа и еще сверх того. Избыток книг кучами громоздился на полу. Места оставалось достаточно, чтобы можно было пройти, но расхаживать было негде. Гость, склонный к описательной прозе, популярной за коктейлем, мог бы сказать, что на первый взгляд комната казалась заброшенным жилищем двух подростков, которые пробивают себе дорогу на поприще науки или юриспруденции. И в самом деле, по немногим малозаметным признакам, не предпринимая пристального изучения наличной литературы, трудно было догадаться, что обитатели этой вполне детской комнаты достигли избирательного возраста. Правда, там был телефон – тот самый пресловутый личный телефон, – он стоял на столе у Бадди. И на обоих столах было множество прожженных сигаретами пятен. Но другие, более красноречивые приметы совершеннолетия – коробочки для запонок, картинки со стен, характерные мелочи, которые скапливаются на верхних полках шкафов, – все исчезли из комнаты в 1940-м, когда молодые люди «отделились» и переехали на собственную квартиру.

Зуи сидел за столиком Симора, спрятав лицо в ладонях, и носовой платок, покрывавший его голову, сполз вниз, на лоб; он сидел неподвижно, хотя и не спал, добрых двадцать минут. Потом он одним почти непрерывным движением убрал руки, взял сигару, сунул ее в рот, открыл нижний ящик слева и вытащил обеими руками стопку картонных листов, с виду смахивавших на картонки от мужских рубашек, как оно и оказалось. Он положил стопку на стол и стал перебирать листы, по два или по три разом. Только на минуту его рука задержалась, и то едва заметно. Он выбрал картонку, на которой была запись от февраля 1938 года. Запись была сделана синим карандашом, почерком его брата Симора:

«Мой двадцать первый день рождения. Подарки, подарки, подарки. Зуи и малышка, по обыкновению, бегали за покупками вниз по Бродвею. Они преподнесли мне большую коробочку зудящего порошка и три зловонных бомбы. Мне предстоит бросить бомбы при первой же возможности в лифте отеля "Колумбия" или в другом месте, "где побольше народу".

Вечером – многоактный водевиль в мою честь. Лес и Бесси прелестно танцевали на песочке, который Бу-Бу принесла из вазы в передней. Когда они кончили, Б. и Бу-Бу очень смешно их передразнивали. Лес чуть не прослезился. Малышка спела "Абдул Абулбул Амир". З. продемонстрировал уход Уилла Мэхони, как его научил Лес, врезался лбом в книжный шкаф и пришел в бешенство. Близнецы повторили нашу с Бадди старую сценку Бака и Бабблза. Просто великолепно. Чудесно. Когда все было в самом разгаре, снизу позвонил швейцар и спросил, не танцуют ли у нас. А то мистер Зелигман, с четвертого...»

Тут Зуи перестал читать. Он дважды основательно постучал стопкой картонок о стол, как это делают с колодой карт, сунул стопку в нижний ящик и задвинул его.

Он снова поставил локти на стол и, подавшись вперед, спрятал лицо в ладонях. На этот раз он просидел, не шелохнувшись, почти полчаса.

А когда он снова задвигался, можно было подумать, что к нему привязали ниточки и дергают его, как марионетку, с излишним усердием. Казалось, он еле успел схватить свою сигару, как новый рывок бросил его на стул возле второго стола – стола Бадди, на котором стоял телефон.

Заняв эту новую сидячую позицию, он первым делом вытащил рубашку из брюк. Расстегнул рубашку сверху донизу, как будто тремя прыжками перенесся в тропики. Потом он вынул сигару изо рта и перехватил ее левой рукой. Правой рукой он стащил носовой платок с головы и поместил его рядом с телефоном, явно в положении «полной готовности». Затем он без проволочек поднял трубку и набрал местный номер. Очень даже местный номер. Кончив набирать, он взял платок со стола и положил его на микрофон трубки довольно высокой рыхлой горкой. Он глубоко вздохнул и стал ждать. Он вполне успел бы закурить потухшую сигару, но не стал этого делать.

Минуты за полторы перед тем Фрэнни, с заметной дрожью в голосе, в четвертый раз за истекшие полчаса отказалась от предложения матери принести чашечку «прекрасного горячего куриного бульона». Миссис Гласс высказала это последнее предложение на ходу, точнее, на полпути к дверям гостиной, ведущим в сторону кухни, и вид у нее был сурово-оптимистический. Но, услышав вновь задрожавший голос Фрэнни, она быстро вернулась обратно к стулу, с которого встала.

Разумеется, этот стул стоял недалеко от Фрэнни. Он представлял собой отличный наблюдательный пункт. Минут пятнадцать назад, когда Фрэнни настолько оправилась, что села и стала искать свою расческу, миссис Гласс принесла стоявший возле письменного стола стул и приставила его вплотную к кофейному столику. Позиция была выигрышной для наблюдения за Фрэнни, кроме того, наблюдатель мог свободно пользоваться пепельницей, стоявшей на мраморной столешнице.

Усевшись на прежнее место, миссис Гласс вздохнула, как вздыхала всегда, всякий раз, когда люди отказывались от чашек с куриным бульоном. Но она, можно сказать, так много лет курсировала на патрульном катере по пищеварительным каналам своих детей, что этот вздох вовсе не означал капитуляции, и она почти сразу же сказала:

– Не понимаю, как ты собираешься восстанавливать свои с и л ы, если ты не хочешь подкрепиться чем-нибудь питательным. Прости, но я не понимаю. Ты ведь уже целых...

– Мама, прошу тебя. В двадцатый раз! П о ж а л у й - с т а, перестань твердить про куриный бульон! Меня тошнит при одном... – Фрэнни замолчала и прислушалась. – Это наш телефон?

Миссис Гласс уже вскочила со стула. Губы у нее слегка сжались. Телефонный звонок, любой звонок в любом месте и в любое время неизменно заставлял миссис Гласс слегка поджимать губы.

– Я сейчас вернусь, – сказала она и вышла из комнаты. Она позвякивала отчетливей, чем обычно, как будто в одном из карманов ее кимоно рассыпалась коробка с гвоздями всех размеров.

Она отсутствовала минут пять. Возвратилась она с тем особым выражением на лице, о котором ее старшая дочь, Бу-Бу, говорила, что оно означает всегда одно из двух: или она только что говорила по телефону с кем-то из своих сыновей, или ей сию минуту сообщили из достоверных источников, что у всех людей на земле – поголовно – желудок целую неделю будет действовать с гигиенической регулярностью, точно по расписанию.

– Это звонит Бадди, – сообщила она, входя в комнату.

Многолетняя тренировка помогла ей скрыть малейшие признаки удовольствия, которые могли прозвучать в ее голосе.

Внешняя реакция Фрэнни на это сообщение была далеко не восторженной. Она явно нервничала.

– Откуда он звонит? – сказала она.

– А я его не спросила. Судя по голосу, у него ужасный насморк. – Миссис Гласс не садилась. Она стояла над Фрэнни.

– Поторопись-ка, молодая леди. Он хочет поговорить с *тобой*.

– Он так сказал?

– *Конечно*, он так сказал! Поспеши, пожалуйста... И тапочки надень.

Фрэнни выбралась из розовых простыней и из-под бледно-голубого пледа. Она сидела, бледная, на краю дивана, и явно тянула время, глядя на мать снизу вверх. Ногами она пыталась нашарить тапочки.

– Что ты ему наговорила? – тревожно спросила она.

– Иди, пожалуйста, к телефону, молодая леди, – уклончиво сказала миссис Гласс. – И поторопись ты хоть капельку, ради бога.

– Наверно, ты ему сказала, что я при смерти или что-нибудь такое, – сказала Фрэнни. Ответа она не получила. Она встала с дивана, далеко не с такой немощью, как встал бы выздоравливающий после операции больной, но в ее движениях был намек на робость и неуверенность, словно она ждала или даже надеялась, что у нее вот-вот закружится голова. Она поглубже засунула ноги в тапочки, а потом с мрачным видом выбралась из-за кофейного столика, то завязывая, то развязывая пояс своего халата. Примерно год назад, в неоправданном самоуничижительном письме к брату Бадди, она назвала свою фигуру «безукоризненно американской». Глядя на нее, миссис Гласс, великий знаток фигур и походок молодых девушек, снова сжала губы, вместо того чтобы улыбнуться. Но в ту же секунду, как Фрэнни скрылась за дверью, она перенесла свое внимание на диван. Ее взгляд ясно говорил, что мало найдется на свете вещей, которые возмущали бы ее больше, чем вид дивана, прекрасного стеганого дивана, превращенного в постель. Она вошла в проход между диваном и кофейным столиком и принялась, как массажист, взбивать все подушки, которые попадались ей под руку.

Фрэнни прошла мимо телефона в передней, не удостоив его вниманием. Она явно предпочитала пройти подальше через переднюю в спальню родителей, где находился телефон, пользовавшийся в семье большей популярностью. И хотя в ее походке, пока она шла через переднюю, не было ничего бросающегося в глаза — она не плелась и не особенно торопилась, — но все же она удивительно менялась прямо на глазах. Казалось, что с каждым шагом она становится младше. Может быть, длинные коридоры, да еще остаточное действие пролитых слез, да еще телефонный звонок, да запах свежей краски, да газеты под ногами — для нее, может быть, все это в сумме было равно новой кукольной колясочке. Так или иначе, когда она подошла к дверям родительской спальни, ее модный, сшитый на заказ шелковый халат — быть может, олицетворение всего, что в дортуарах считается шикарным и р о к о в ы м, — выглядел как шерстяной купальный халатик маленькой девчушки.

В комнате мистера и миссис Гласс от крашеных стен шел резкий, даже режущий запах. Вся мебель сгрудилась посредине комнаты под холстом – старым, испещренным пятнами, почти растительным на вид полотном. Кровати тоже были отодвинуты от стен, но их закрывали ситцевые покрывала, о которых позаботилась лично миссис Гласс. Телефон оказался на подушке, на кровати мистера Гласса. Миссис Гласс тоже явно предпочитала этот аппарат тому, который стоял в передней, у всех на ходу. Трубка лежала рядом в ожидании Фрэнни. Было что-то почти человеческое в том, как покорно она дожидалась, пока вспомнят о ее существовании. Чтобы добраться до нее, чтобы выручить ее, Фрэнни пришлось перейти вброд шуршащее море газет и обогнуть пустое ведро из-под краски. Добравшись до телефонной трубки, она не стала ее брать, а просто присела рядом с ней на кровать, взглянула на нее, отвела взгляд в сторону и отбросила волосы со лба. Ночной столик, обычно стоявший вплотную к кровати, был отодвинут не очень далеко, так что Фрэнни могла дотянуться до него, не вставая. Она сунула руку под кусок особенно замызганного холста и шарила под ним, пока не наткнулась на то, что искала, – на фарфоровую сигаретницу и коробку спичек в медном футляре. Она закурила сигарету и бросила на телефон еще один, долгий и очень встревоженный, взгляд. Надо сказать, что, за исключением ее покойного брата Симора, у всех остальных братьев голоса по телефону звучали чересчур мощно, чтобы не сказать оглушительно. И надо полагать, что в данный момент Фрэнни никак не могла набраться решимости просто услышать голос такого тембра, какой был у всех ее братьев, не говоря уж о том, чтобы выслушать словесное содержание. И все же она нервно затянулась сигаретой и довольно решительно взяла трубку.

– Алло, Бадди? – сказала она.

– Привет, радость моя. Как ты там – все в порядке?

– В полном. А ты как? У тебя как будто насморк. – И добавила, не дожидаясь ответа: – Наверно, Бесси тебе тут целый час на меня наговаривала.

– Ну – в некотором роде. И да и нет. Сама знаешь. У тебя все хорошо, радость моя?

– У меня все прекрасно. Все же голос у тебя забавный. Или у тебя жуткий насморк, или телефон жутко барахлит. Где ты, кстати?

– Где я? Я в своей стихии, Флопси. Я сижу в маленьком домике с привидениями, по соседству. Не важно где. Давай поговорим.

Фрэнни неспокойно скрестила ноги.

– Я как-то не представляю, о чем ты хочешь со мной поговорить, – сказала она. – То есть что тебе Бесси наговорила?

На том конце провода возникла весьма характерная для Бадди пауза. Это была как раз такая пауза – совсем немного перенасыщенная сознанием своего старшинства, – какие не раз испытывали терпение не только Фрэнни, но и виртуоза на том конце провода еще в те времена, когда они были малышами.

– Видишь ли, я не так уж точно помню, что она мне сказала, радость моя. После определенного момента слушать, что Бесси говорит по телефону, даже как-то невежливо. Можешь быть уверена, что о сырниках, на которых ты сидишь, я все слышал. И, само собой, о книжках странника. А потом я, кажется, просто сидел и держал трубку возле уха, но не прислушивался. Сама понимаешь.

– А, – сказала Фрэнни. Она перехватила сигарету той рукой, в которой была телефонная трубка, а свободную руку опять сунула под холст, выудила из-под него крохотную керамическую пепельницу и поставила ее рядом с собой на кровать. – Какой у тебя смешной голос, – сказала она. – Простудился или еще что-нибудь?

— Я себя прекрасно чувствую, радость моя. Сижу здесь, болтаю с тобой и чувствую себя прекрасно. Очень радостно — слышать твой голос. Просто нет слов.

Фрэнни опять откинула волосы со лба одной рукой и промолчала.

— Флопси? Ты не вспомнишь, что Бесси забыла сказать? Ты вообще-то хочешь поговорить?

Фрэнни подтолкнула крохотную пепельницу пальцами, слегка изменив ее положение на кровати.

— Знаешь, я немного устала от разговоров. Честно говоря, — сказала она, — Зуи обрабатывал меня все утро.

— Зуи? А как он там?

— Как он? Прекрасно. У него все тип-топ. Только я убить его готова, вот что.

— Убить? За что? За что, радость моя? За что ты хочешь убить нашего Зуи?

— За что? Просто убила бы, и все тут. Он все разбивает в пух и прах. В жизни не встречала такого ниспровергателя! И это так бессмысленно! То он бросается в сокрушительную атаку на Иисусову молитву — а сейчас это меня как раз интересует, — так что и вправду начинаешь считать себя какой-то истеричной идиоткой только потому, что интересуешься этой молитвой. А ровно через две минуты он уже набрасывается на тебя как ненормальный, доказывая, что Иисус — единственная в мире личность, которую он способен хоть немного уважать, — такой светлый ум и так далее. Он такой непоследовательный. Понимаешь, он все кружит и кружит, такими жуткими кругами.

— Расскажи-ка. Расскажи-ка про жуткие круги.

Тут Фрэнни имела неосторожность сердито фыркнуть — а она только что затянулась сигаретой. Она закашлялась.

— Расскажи! Да мне на это целого дня не хватит, вот что!

Она поднесла руку к горлу и подождала, пока не прошел кашель от дыма, попавшего «не в то горло».

– Он настоящее чудовище! – сказала она. – Чудовище! Ну, может, не в прямом смысле слова – но... не знаю. Его так все злит. Его злит религия. Его злит телевидение. Он злится на тебя и на Симора – все твердит, что вы сделали из нас уродов. Я не знаю. Он так и перескакивает с одного...

– А почему уродов? Я знаю, что он так думает. Или думает, что он так думает. Но он хоть сказал почему? Дал он определение понятия «урод»? Что он говорил, радость моя?

Именно после этих его слов Фрэнни, явно в отчаянии от наивности вопроса, хлопнула себя рукой по лбу. Возможно, она уже лет пять-шесть как позабыла про этот жест – тогда она, кажется, на полпути домой в автобусе-экспрессе вспомнила, что забыла в кино свой шарф.

– Какое определение? – сказала она. – Да у него на любое слово по сорок определений! И если тебе кажется, что я слегка тронулась, то вот тебе и причина. Сначала он говорит, как вчера вечером, что мы – уроды, потому что нам вдолбили одну-единственную систему принципов. А десять минут спустя он говорит, что он – урод, потому что ему никогда не хочется пойти и выпить с кем-нибудь. Только один раз...

– Никогда не хочется чего?

– Пойти с кем-нибудь выпить. Видишь ли, ему пришлось вчера вечером поехать и выпить со своим сценаристом, в Вилледж, и так далее. С этого все и началось. Он говорит, что единственные люди, с которыми ему хотелось бы пойти выпить, или на том свете, или у черта на куличках. Он говорит, что ему даже и завтракать ни с кем не хочется, если он не уверен, что это окажется Иисус – собственной персоной, – или Будда, или Хой-нэн, или Шанкарачарья, или кто-нибудь в этом роде. Сам знаешь.

Фрэнни неожиданно и довольно неловко сунула свою сигарету в маленькую пепельницу – вторая рука у нее была занята, и придержать пепельницу было нечем.

– А знаешь, что он мне еще рассказал? – сказала она. – Знаешь, в чем он мне клялся и божился? Он мне вчера вечером сказал, что как-то распил по стаканчику эля с Иисусом в кухне, и было ему тогда восемь лет. Ты слушаешь?

– Слушаю, слушаю... радость моя.

– Он сказал – это его собственные слова, – что сидит он как-то на кухне, за столом, один-одинешенек, попивает эль, грызет сырные палочки и читает «Домби и сын», как вдруг откуда ни возьмись на соседний стул садится Иисус и спрашивает, нельзя ли ему выпить маленький стаканчик эля. *Маленький* стаканчик, заметь – так он и сказал. Понимаешь, он несет такую чепуху и при этом уверен, что имеет право давать *мне* кучу советов и указаний! Вот что меня бесит! Можно лопнуть от злости! Да, лопнуть! Как будто сидишь в сумасшедшем доме, и к тебе подходит другой больной, одетый точь-в-точь как доктор, и начинает считать твой пульс или как-то еще придуриваться. Просто ужас. Он говорит, говорит, говорит. А когда он на минутку умолкает, то дымит своими вонючими сигарами по всему дому. Мне так тошно от сигарного дыма, что просто хоть ложись и *умирай*.

– Сигары – это балласт, радость моя. Просто балласт. Если бы он не держался за сигару, он бы оторвался от земли. И не видать бы нам больше нашего братца Зуи.

В семействе Гласс был не один опытный мастер высшего словесного пилотажа, но, может быть, только Зуи был настолько хорошо ориентирован в пространстве, чтобы без риска доверить эту фразу телефонным проводам. Во всяком случае, так считает рассказчик. И Фрэнни, видимо, тоже это почувствовала. Как бы то ни было, она вдруг поняла, что с ней разговаривает не кто иной, как Зуи. Она медленно поднялась с краешка кровати.

– Ну ладно, Зуи, – сказала она. – Кончай.

– Простите: не понял? – не сразу ответили ей.

– Я говорю: кончай, Зуи.

– Зуи? Что это значит, Фрэнни? Слышишь?

– Слышу. Прекрати, пожалуйста. Я знаю, что это ты.

– Что это ты там говоришь, радость моя? А? Какой еще Зуи?

– Зуи Гласс, – сказала Фрэнни. – Ну, перестань, пожалуйста. Это вовсе не смешно. Между прочим, я только стала приходить...

– Грасс, вы сказали? Зуи Грасс? Норвежец? Такой белокурый увалень, спортсмен...

– Ну хватит, Зуи. Пожалуйста, перестань. Пора и честь знать. Это вовсе не смешно. Если хочешь знать, я чувствую себя препаршиво. Так что если тебе нужно сказать мне что-нибудь особенное, пожалуйста, говори поскорее и оставь меня в покое.

Это последнее, выразительно подчеркнутое слово было странным образом как бы брошено на полдороге, словно его раздумали подчеркивать.

На другом конце провода воцарилась непонятная тишина. И Фрэнни реагировала на нее тоже непонятным образом. Она встревожилась. Она опять присела на край отцовской кровати.

– Я не собираюсь бросать трубку или еще что-нибудь, – сказала она. – Но я... не знаю... я устала, Зуи. Я вымоталась, честное слово.

Она прислушалась. Ответа не было. Она скрестила ноги.

– Ты-то можешь продолжать это целыми днями, а я не могу, – сказала она. – Я только и делаю, что слушаю. И это не такое уж громадное удовольствие, знаешь ли. По-твоему, все мы железные, что ли?

Она прислушалась. Потом начала было говорить, но замолчала, услышав, как Зуи откашливается.

– Я не считаю, что все вы железные, дружище.

Эти простые в своем смирении слова, казалось, взволновали Фрэнни гораздо больше, чем взволновало бы дальнейшее молчание. Она быстро протянула руку и достала сигарету из фарфоровой сигаретницы, но закуривать не стала.

– Ну а можно подумать, что ты так считаешь, – сказала она.

Она прислушалась. Подождала.

– Я хотела спросить, ты позвонил по какой-то особой причине?

– Никаких особых причин, брат, никаких особых причин.

Фрэнни ждала. Затем на другом конце снова заговорили:

– Кажется, я позвонил тебе более или менее ради того, чтобы сказать: твори себе свою Иисусову молитву, если хочешь. В общем, это твое дело. Молитва чертовски хорошая, и не слушай никого, кто станет возражать.

– Я знаю, – сказала Фрэнни. Сильно волнуясь, она потянулась за спичками.

– Не думаю, чтобы я когда-нибудь всерьез собирался остановить тебя. Во всяком случае, я так не думаю. Не знаю. Не знаю, что за чертовщина взбрела мне на ум. Но одно я знаю точно. Я не имею никакого права вещать, как какой-то чертов ясновидец, а я именно так и делал. Хватит с нас ясновидящих в нашей семье, черт побери. Вот что меня тревожит. Вот что меня даже малость пугает.

Фрэнни воспользовалась наступившей паузой и слегка выпрямила спину, как будто по неизвестной причине хорошая, более правильная осанка могла в ближайший момент пригодиться.

– Это меня малость пугает, но не ужасает. Давай говорить начистоту. Меня это не ужасает. Потому что ты об одном забываешь, дружище. Когда ты впервые почувствовала желание, точнее, призвание творить молитву, ты не бросилась шарить по всему миру в поисках учителя. Ты явилась домой. И не только явилась домой, но и устроила этот нервный срыв, черт побери. Так что если ты посмотришь на это определенным образом, то поймешь, что ты вправе претендовать только на духовные советы самого низшего порядка, которые мы в силах тебе дать, и больше ни на что. Но ты по крайней мере знаешь, что в этом сумасшедшем доме ни у кого нет корыстных мотивов. Какие бы мы ни были, нам можно доверять, брат.

Фрэнни неожиданно сделала попытку закурить, хотя у нее была свободна только одна рука. Она сумела открыть спичечный коробок, но так неловко чиркнула спичкой, что коробок полетел на пол. Она быстро нагнулась и подняла коробок, не трогая рассыпавшиеся спички.

– Скажу тебе одно, Фрэнни. Одну вещь, которую я знаю. И не расстраивайся. Ничего плохого я не скажу. Но если ты стремишься к религиозной жизни, то да будет тебе известно: ты же в упор не видишь ни одного из тех религиозных обрядов, черт побери, которые совершаются прямо у тебя под носом. У тебя не хватает соображения даже на то, чтобы выпить, когда тебе подносят чашу освященного куриного бульона, – а ведь только таким бульоном Бесси угощает всех в этом сумасшедшем доме. Так что ответь, ответь, брат, честно. Даже если ты пойдешь и обшаришь весь мир в поисках учителя – какого-нибудь там гуру или святого, – чтобы он научил тебя творить Иисусову молитву по всем правилам, чего ты этим добьешься? Как же ты, черт побери, узнаешь подлинного святого, если ты неспособна даже опознать чашку освященного куриного бульона, когда тебе суют ее под самый нос? Можешь ты мне ответить?

Фрэнни сидела, почти неестественно выпрямившись.

– Я просто тебя спрашиваю. Я не хочу тебя расстраивать. Я тебя расстраиваю?

Фрэнни ответила, но ее ответ явно не дошел до собеседника.

– Что? Я тебя не слышу.

– Я сказала – нет. Откуда ты звонишь? Где ты?

– А какая, к черту, разница! Ну, хотя бы в Пьере, Южная Дакота. Боже ты мой! Послушай меня, Фрэнни, прости и не сердись. Только послушай. Еще одна-две мелочи, и я оставлю тебя в покое, честное слово. А знаешь ли ты, что мы с Бадди приезжали посмотреть тебя на сцене этим летом? Известно ли тебе, что мы видели одно из представлений «Повесы с Запада»? Вечер был адски жаркий, должен тебе сказать. А ты знала, что мы приезжали?

Видимо, он ждал ответа. Фрэнни встала, но тут же снова села. Она отодвинула пепельницу чуть подальше, словно та очень ей мешала.

– Нет, не знала, – сказала она. – Никто ни одним словом... Нет, не знала.

– Так вот, мы там были, мы там были. И я вот что скажу тебе, брат. Ты играла хорошо. Когда я говорю «хорошо», это значит х о р о ш о. Весь этот чертов хаос держался на тебе. Даже вся эта валявшаяся до обалдения на солнце курортная публика это понимала. А теперь мне говорят, что ты навсегда порвала с театром – да, слухи до меня доходят, слухи доходят. И я помню, какой концерт ты тут устроила, когда кончился сезон. Ох и зол же я на тебя, Фрэнни! Извини, но я на тебя так зол! Ты сделала великое, п о т р я с а ю щ е е открытие, черт побери, что среди актерской братии полно торгашей и мясников. Я помню, у тебя был такой вид, словно тебя огорошило то, что не все билетерши гениальны. Что с тобой, брат? Где твой ум? Раз уж ты получила уродское воспитание, то хоть *пользуйся* им, *пользуйся*. Можешь долбить Иисусову молитву хоть до Судного дня, но если ты не понимаешь, что единственный смысл религиозной жизни в *отречении*, не знаю, как ты продвинешься хоть на *дюйм*. Отречение, брат, и только отречение. Отрешенность от желаний. «Устранение всех вожделений». А ведь именно умение желать, если хочешь знать, черт побери, всю правду, — это самое главное в настоящем актере. Зачем ты заставляешь меня говорить тебе то, что ты сама знаешь? В том или ином воплощении, где-то на протяжении этой цепочки, ты желала, черт возьми, быть актрисой, да еще и *хорошей* актрисой. И теперь тебе не увернуться. Ты не можешь взять, да и бросить то, чего так горячо желала. Причина и следствие, брат, причина и следствие. И тебе остается только одно — единственный религиозный путь — это *играть*. Играй ради Господа Бога, будь актрисой Господа Бога, если хочешь. Что может быть прекрасней? Если тебе хочется, ты можешь хотя бы попробовать — попытка не пытка. — Он на минуту примолк. — И лучше бы тебе не мешкая взяться за дело. Этот чертов песок так и сыплется вниз, стоит только отвернуться. Я знаю, о чем говорю. Если ты успеешь хотя бы чихнуть в этом проклятом материальном мире, то считай, что тебе крупно повезло. — Он снова помолчал. — Меня это всю жизнь тревожило. А теперь как-то перестало тревожить. По крайней мере, я до сих пор люблю череп Йорика. Я хочу оставить после себя достопочтенный череп, брат. Я *желаю*, чтобы после моей смерти остался такой же достойный уважения череп, черт побери, как череп Йорика. И *ты* желаешь того же, Фрэнни Гласс. Да, и ты, и ты тоже... О господи, что толку в разговорах? Ты получила точно такое же треклятое уродское воспитание, как и я, и если ты до сих пор не знаешь, какой именно *череп* ты хочешь оставить, когда помрешь, и что надо делать, чтобы *добиться* этого, то есть если ты до сих пор не поняла хотя бы того, что актриса должна *играть*, тогда какой смысл в разговорах?

Фрэнни сидела, прижав ладонь свободной руки к щеке, как человек, у которого невыносимо разболелся зуб.

– И еще одно. Последнее. Клянусь. Дело в том, что ты приехала домой и принялась возмущаться и издеваться над тупостью зрителей. «Животный смех», черт побери, раздающийся в пятом ряду. Все верно, верно – видит бог, от этого тошно становится. Я не отрицаю этого. Но ведь тебе до этого нет дела. Это не твое дело, Фрэнни. Единственная цель артиста – достижение совершенства в чем-то *и так, как он это понимает*, а не по чьей-то указке. Ты не имеешь права обращать внимание на подобные вещи, клянусь тебе. Во всяком случае, всерьез, понимаешь, что я хочу сказать?

Наступило молчание. Оба выдержали паузу без малейшего нетерпения или чувства неловкости. Можно было подумать, что у Фрэнни, которая все еще держала руку у щеки, по-прежнему сильно болит зуб, но выражение ее лица никак нельзя было назвать страдальческим.

Снова на том конце провода послышался голос:

– Помню, как я примерно в пятый раз шел выступать в «Умном ребенке». Я несколько раз дублировал Уолта, когда он там выступал, – помнишь, когда он был в этом составе? В общем, как-то вечером, накануне передачи, я стал капризничать. Симор напомнил мне, чтобы я почистил ботинки, когда я уже выходил из дому с Уэйкером. Я взбеленился. Зрители в студии были идиоты, ведущий был идиот, заказчики были идиоты, и я сказал Симору, что черта с два я буду ради них наводить блеск на свои ботинки. Я сказал, что оттуда, где они сидят, моих ботинок *все равно* не видать. А он сказал, что их все равно надо почистить. Он сказал, чтобы я их почистил ради Толстой Тети. Я так и не понял, о чем он говорит, но у него было очень «симоровское» выражение на лице, так что я пошел и почистил ботинки. Он так и не сказал мне, кто такая эта Толстая Тетя, но с тех пор я чистил ботинки ради Толстой Тети каждый раз, перед каждой передачей, все годы, пока мы с тобой были дикторами, – помнишь? Думаю, что я поленился раза два, не больше. Потому что в моем воображении возник отчетливый, ужасно отчетливый образ Толстой Тети. Она у меня сидела целый день на крыльце, отмахиваясь от мух, и радио у нее орало с утра до ночи. Мне представлялось, что стоит адская жара, и, может, у нее рак и – ну, не знаю, что еще. Во всяком случае, мне было совершенно ясно, почему Симор хотел, чтобы я чистил свои ботинки перед выходом в эфир. В этом был смысл.

Фрэнни стояла возле кровати. Она перестала держаться за щеку и обеими руками держала трубку.

– Он и мне тоже это говорил, – сказала она в трубку. – Он мне один раз сказал, чтобы я постаралась быть позабавней ради Толстой Тети. – Она на минуту освободила одну руку и очень быстро коснулась ею своей макушки, но тут же снова взялась за трубку. – Я никогда не представляла ее на крыльце, но у нее были очень – понимаешь, – очень толстые ноги, и все в узловатых венах. У меня она сидела в жутком плетеном кресле. Но рак у нее тоже был, и радио орало целый день! И у моей все это было, точь-в-точь!

– Да. Да. Да. Ладно. А теперь я хочу тебе что-то сказать, дружище. Ты слушаешь?

Фрэнни кивнула, слушая с крайним нервным напряжением.

– Мне все равно, где играет актер. Может, в летнем театре, может, на радио, или на телевидении, или в театре на Бродвее, черт побери, перед самыми расфуфыренными, самыми откормленными, самыми загорелыми зрителями, каких только можно вообразить. Но я открою тебе страшную тайну. Ты меня слушаешь? Все они, все до одного – это Толстая Тетя, о которой говорил Симор. И твой профессор Таппер тоже, брат. И вся его чертова куча родственников. На всем белом свете нет ни одного человека, который не был бы Симоровой Толстой Тетей. Ты этого не знала? Ты не знала этой чертовой тайны? И разве ты не знаешь – слушай же, слушай, – не знаешь, кто эта Толстая Тетя на самом деле? Эх, брат. Эх, брат. Это же сам Христос. Сам Христос, дружище.

Было видно, что от радости Фрэнни только и может, что двумя руками держаться за трубку.

Прошло не меньше полминуты, и ни одно слово не нарушило молчания. Затем:

– Больше я говорить не могу, брат.

Было слышно, как трубку положили на рычаг.

Фрэнни тихонько ахнула, но не отняла трубку от уха. Разумеется, после отбоя послышался гудок. Очевидно, этот звук казался ей необыкновенно прекрасным, самым лучшим после первозданной тишины. Но она, очевидно, знала и то, когда пора перестать его слушать, как будто сама мудрость мира во всем своем убожестве или величии теперь была в ее распоряжении. И, после того как она положила трубку, казалось, что она знает и то, что надо делать дальше. Она убрала все курительные принадлежности, откинула ситцевое покрывало с кровати, на которой сидела, сбросила тапочки и забралась под одеяло. Несколько минут перед тем, как заснуть глубоким, без сновидений, сном, она просто лежала очень тихо, глядя на потолок и улыбаясь.

Девять рассказов

Доротее Олдинг и Гасу Лабрано

Все слышали хлопок двух ладоней,
А кто слышал одной ладони хлопок?
Коандзен

Хорошо ловится рыбка-бананка

В гостинице жили девяносто семь ньюйоркцев, агентов по рекламе, и они так загрузили междугородный телефон, что молодой женщине из 507-го номера пришлось ждать полдня, почти до половины третьего, пока ее соединили. Но она не теряла времени зря. Она прочла статейку в женском журнальчике — карманный формат! — под заглавием «Секс — либо радость, либо ад!». Она вымыла гребенки и щетку. Она вывела пятнышко с юбки от бежевого костюма. Она переставила пуговку на готовой блузке. Она выщипнула два волосика, выросшие на родинке. И когда телефонистка наконец позвонила, она, сидя на диванчике у окна, уже кончала покрывать лаком ногти на левой руке.

Но она была не из тех, кто бросает дело из-за какого-то телефонного звонка. По ее виду можно было подумать, что телефон так и звонил без перерыва с того дня, как она стала взрослой.

Телефон звонил, а она наносила маленькой кисточкой лак на ноготь мизинца, тщательно обводя лунку. Потом завинтила крышку на бутылочке с лаком и, встав, помахала в воздухе левой, еще не просохшей рукой. Другой, уже просохшей, она взяла переполненную пепельницу с диванчика и перешла с ней к ночному столику — телефон стоял там. Сев на край широкой, уже оправленной кровати, она после пятого или шестого сигнала подняла телефонную трубку.

– Алло, – сказала она, держа поодаль растопыренные пальчики левой руки и стараясь не касаться ими белого шелкового халатика, – на ней больше ничего, кроме туфель, не было – кольца лежали в ванной.

– Даю Нью-Йорк, миссис Гласс, – сказала телефонистка.

– Хорошо, спасибо, – сказала молодая женщина и поставила пепельницу на ночной столик.

Послышался женский голос:

– Мюриель? Это ты?

Молодая особа отвела трубку от уха:

– Да, мама. Здравствуй, как вы все поживаете?

– Безумно за тебя волнуюсь. Почему не звонила? Как ты, Мюриель?

– Я тебе пробовала звонить и вчера, и позавчера вечером. Но телефон тут...

– Ну, как ты, Мюриель?

Мюриель еще немного отодвинула трубку от уха:

– Чудесно. Только жара ужасающая. Такой жары во Флориде не было уже...

– Почему ты мне не звонила? Я волновалась, как...

– Мамочка, милая, не кричи на меня, я великолепно тебя слышу. Я пыталась дозвониться два раза. И сразу после...

– Я уже говорила папе вчера, что ты, наверно, будешь вечером звонить. Нет, он все равно... Скажи, как ты, Мюриель? Только правду!

– Да все чудесно. Перестань спрашивать одно и то же...

– Когда вы приехали?

– Не помню. В среду утром, что ли.

– Кто вел машину?

– Он сам, – ответила дочь. – Только не ахай. Он правил осторожно. Я просто удивилась.

– Он сам правил? Но, Мюриель, ты мне дала честное слово...

– Мама, я же тебе сказала, – перебила дочь, – он правил очень осторожно. Кстати, не больше пятидесяти в час, ни разу...

– А он не фокусничал – ну, помнишь, как тогда, с деревьями?

– Мамочка, я же тебе сказала – он правил очень осторожно. Перестань, пожалуйста. Я его просила держаться посреди дороги, и он послушался, он меня понял. Он даже старался не смотреть на деревья, видно было, как он старается. Кстати, папа уже отдал ту машину в ремонт?

– Нет еще. Запросили четыреста долларов за одну только...

– Но, мамочка, Симор *обещал* папе, что он сам заплатит. Не понимаю, чего ты...

– Посмотрим, посмотрим. А как он себя вел в машине и вообще?

– Хорошо! – сказала дочь.

– Он тебя не называл этой ужасной кличкой?..

– Нет. Он меня зовет по-новому.

– Как?

– Да не все ли *равно*, мама!

– Мюриель, мне необходимо *знать*. Папа говорил...

– Ну ладно, ладно! Он меня называет «Святой бродяжка выпуска 1948 года», – сказала дочка и засмеялась.

– Ничего тут нет смешного, Мюриель. Абсолютно не смешно. Это ужасно. Нет, это просто очень *грустно*. Когда подумаешь, как мы...

– Мама, – прервала ее дочь, – погоди, послушай. Помнишь ту книжку, он ее прислал мне из Германии? Помнишь какие-то немецкие стихи? Куда я ее *девала*? Ломаю голову и не могу...

– Она у тебя.

– Ты уверена?

– Конечно. То есть она у меня. У Фредди в комнате. Ты ее тут оставила, а места в шкафу... В чем дело? Она ему нужна?

— Нет. Но он про нее *спрашивал* по дороге сюда. Допытывался — читала я ее или нет.

— Но книга *немецкая*!

— Да, мамочка. А ему все равно, — сказала дочь и закинула ногу на ногу. — Он говорит, что стихи написал *единственный великий поэт нашего века*. Он сказал: надо было мне хотя бы достать перевод. Или выучить немецкий — вот, пожалуйста!

— Ужас. Ужас! Нет, это так *грустно*... Папа вчера говорил...

— Одну секунду, мамочка! — сказала дочь. Она пошла к окну — взять сигареты с диванчика, закурила и снова села на кровать. — Мама? — сказала она, выпуская дым.

— Мюриель, выслушай меня внимательно.

— Слушаю.

— Папа говорил с доктором Сивским...

— Ну? — сказала дочь.

— Он *все* ему рассказал. По крайней мере, так он мне говорит, но ты знаешь папу. И про деревья. И про историю с окошком. И про то, что он сказал бабушке, когда она обсуждала, как ее надо будет хоронить, и что он сделал с этими чудными цветными открыточками, помнишь, Бермудские острова, словом, *про все*.

— Ну? — сказала дочь.

— Ну и вот. Во-первых, он сказал — сущее *преступление*, что военные врачи выпустили его из госпиталя, честное слово! Он *определенно* сказал папе, что не исключено, *никак* не исключено, что Симор *совершенно* может потерять способность владеть собой. Честное благородное слово.

— А здесь в гостинице есть психиатр, — сказала дочь.

— *Кто*? Как фамилия?

— Не помню. Ризер, что ли. Говорят, очень хороший врач.

— Ни разу не слыхала!

– Это еще не значит, что он плохой.

– Не дерзи мне, Мюриель, пожалуйста! Мы *ужасно* за тебя волнуемся. Папа даже хотел дать тебе *вчера* телеграмму, чтобы ты вернулась домой, и потом...

– Нет, мамочка, домой я пока не вернусь, успокойся!

– Мюриель, честное слово, доктор Сивский сказал, что Симор может *окончательно* потерять...

– Мама, мы только что *приехали*. За столько лет я в первый раз по-настоящему отдыхаю, не стану же я хватать вещички и лететь домой. Да я и не могла бы сейчас ехать. Я так обожглась на солнце, что еле хожу.

– Ты обожглась? И сильно? Отчего же ты не мазалась «Бронзовым кремом» – я тебе положила в чемодан? Он в самом...

– Мазалась, мазалась. И все равно сожглась.

– Вот ужас! Где ты обожглась?

– Вся, мамочка, вся, с ног до головы.

– Вот ужас!

– Ничего, выживу.

– Скажи, а ты говорила с этим психиатром?

– Да, немножко.

– Что он сказал? И где в это время был Симор?

– В Морской гостиной, играл на рояле. С самого приезда он оба вечера играл на рояле.

– Что же сказал врач?

– Ничего особенного. Он сам заговорил со мной. Я сидела рядом с ним – мы играли в «бинго», и он меня спросил: «Это ваш муж играет на рояле в той комнате?» Я сказала «да», и он спросил, не болел ли Симор недавно. И я сказала...

– А почему он вдруг спросил?

– Не знаю, мама. Наверно, потому, что Симор такой бледный, худой. В общем, после «бинго» он и его жена пригласили меня чего-нибудь выпить. Я согласилась. Жена у него чудовище. Помнишь то жуткое вечернее платье, мы его видели в витрине у Бонуита? Ты еще сказала, что для такого платья нужна тоненькая-претоненькая...

– То, зеленое?

– Вот она и была в нем! А бедра у нее! Она все ко мне приставала – не родня ли Симор той Сюзанне Гласс, у которой мастерская на Мэдисон-авеню – шляпы!

– А он-то что говорил? Этот доктор?

– Да так, ничего особенного. И вообще мы сидели в баре, шум ужасный.

– Да, но все-таки ты ему сказала, что он хотел сделать с бабусиным креслом?

– Нет, мамочка, никаких подробностей я ему не рассказывала. Но, может быть, удастся с ним еще поговорить. Он *целыми* днями сидит в баре.

– А он не говорил, что может так случиться – ну в общем, что у Симора появятся какие-нибудь странности? Что это для тебя *опасно*?

– Да нет, – сказала дочь. – Видишь ли, мама, для этого ему нужно собрать всякие данные. Про детство и всякое такое. Я же сказала – мы почти не разговаривали: в баре стоял ужасный шум.

– Ну что ж... А как твое синее пальтишко?

– Ничего. Прокладку из-под плеч пришлось вынуть.

– А как там вообще одеваются?

– Ужасающе. Ни на что не похоже. Всюду блестки – бог знает что такое.

– Номер у вас хороший?

– Ничего. Вполне терпимо. Тот номер, где мы жили до войны, нам не достался, – сказала дочь. – Публика в этом году жуткая. Ты бы посмотрела, с кем мы сидим рядом в столовой. Прямо тут же, за соседним столиком. Вид такой, будто они приехали на грузовике.

– Сейчас везде так. Юбочку носишь?

– Она слишком длинная. Я же тебе *говорила*.

– Мюриель, ответь мне в последний раз – как ты? Все в порядке?

– Да, мамочка, да! – сказала дочка. – В сотый раз – да!

– И тебе не хочется домой?

– Н е т, мамочка!

– Папа вчера сказал, что он готов дать тебе денег, чтобы ты уехала куда-нибудь одна и все хорошенько обдумала. Ты могла бы совершить чудесное путешествие на пароходе. Мы оба думаем, что тебе...

– Нет, спасибо, – сказала дочь и села прямо. – Мама, этот разговор влетит в...

– Только подумать, как ты ждала этого мальчишку всю войну, то есть только подумать, как все эти глупые молодые жены...

– Мамочка, давай прекратим разговор. Симор вот-вот придет.

– А где он?

– На пляже.

– На пляже? Один? Он себя прилично ведет на пляже?

– Слушай, мама, ты говоришь про него, словно он буйный маньяк.

– Ничего подобного, Мюриель, что ты!

– Во всяком случае, голос у тебя *такой*. А он лежит на песке, и все. Даже халат не снимает.

– Не снимает халат? Почему?

– Не знаю. Наверно, потому, что он такой бледный.

– Боже мой! Но ведь ему *необходимо* солнце! Ты не можешь его заставить?

– Ты же знаешь Симора, – сказала дочь и снова скрестила ножки. – Он говорит – не хочу, чтобы всякие дураки глазели на мою татуировку.

– Но у него же нет никакой татуировки! Или он в армии себе что-нибудь наколол?

– Нет, мамочка, нет, миленькая, – сказала дочь и встала. – Знаешь что, давай я тебе позвоню завтра.

– Мюриель! Выслушай меня! Только внимательно!

— Слушаю, мамочка! — Она переступила с ноги на ногу.

— В ту же *секунду*, как только он *скажет* или сделает что-нибудь странное, ну, ты меня понимаешь, немедленно звони! Слышишь?

— Мама, но я не боюсь Симора!

— Мюриель, дай мне слово!

— Хорошо. Даю. До свидания, мамочка! Поцелуй папу. — И она повесила трубку.

* * *

— Сими Гласс, Семиглаз, — сказала Сибилла Карпентер, жившая в гостинице со своей мамой. — Где Семиглаз?

— Кисонька, перестань, ты маму замучила. Стой смирно, слышишь?

Миссис Карпентер растирала маслом от загара плечики Сибиллы, спинку и худенькие, похожие на крылышки лопатки. Сибилла, кое-как удерживаясь на огромном, туго надутом мячике, сидела лицом к океану. На ней был желтенький, как канарейка, купальник — трусики и лифчик, хотя в ближайшие девять-десять лет она еще прекрасно могла обойтись и без лифчика.

— Обыкновенный шелковый платочек, но это заметно только вблизи, — объясняла женщина, сидевшая в кресле рядом с миссис Карпентер. — Интересно, как это она умудрилась так его завязать. Прелесть что такое.

— Да, наверно, мило, — сказала миссис Карпентер. — Сибиллочка, кисонька, сиди смирно.

— А где мой Семиглаз? — спросила Сибилла.

Миссис Карпентер вздохнула.

— Ну вот, — сказала она. Она завинтила крышку на бутылочке с маслом. — Беги теперь, киска, играй. Мамочка пойдет в отель и выпьет мартини с миссис Хабель. А оливку принесет тебе.

Выбравшись на волю, Сибилла стремглав добежала до пляжа, потом свернула к Рыбачьему павильону. По дороге она остановилась, брыкнула ножкой мокрый, развалившийся дворец из песка и скоро очутилась далеко от курортного пляжа.

Она прошла с четверть мили и вдруг понеслась бегом, прямо к дюнам на берегу. Она добежала до места, где на спине лежал молодой человек.

– Пойдешь купаться, Сими Гласс? – спросила она.

Молодой человек вздрогнул, схватился рукой за отвороты купального халата. Потом перевернулся на живот, и скрученное колбасой полотенце упало с его глаз. Он прищурился на Сибиллу.

– А, привет, Сибиллочка!

– Пойдешь купаться?

– Только тебя и ждал, – сказал тот. – Какие новости?

– Чего? – спросила Сибилла.

– Новости какие? Что в программе?

– Мой папа завтра прилетит на ариплане! – сказала Сибилла, подкидывая ножкой песок.

– Только не мне в глаза, крошка! – сказал молодой человек, придерживая Сибиллину ножку. – Да, пора бы твоему папе приехать. Я его с часу на час жду. Да, с часу на час.

– А где та тетя? – спросила Сибилла.

– Та тетя? – Молодой человек стряхнул песок с негустых волос. – Трудно сказать, Сибиллочка. Она может быть в тысяче мест. Скажем, у парикмахера. Красится в рыжий цвет. Или у себя в комнате – шьет кукол для бедных деток. – Он все еще лежал ничком и теперь, сжав кулаки, поставил один кулак на другой и оперся на него подбородком. – Ты лучше спроси меня что-нибудь попроще, Сибиллочка, – сказал он. – До чего у тебя костюмчик красивый, прелесть. Больше всего на свете люблю синие купальнички.

Сибилла посмотрела на него, потом – на свой выпяченный животик.

— А он *желтый*, — сказала она, — он вовсе *желтый*.

— Правда? Ну-ка подойди!

Сибилла сделала шажок вперед.

— Ты совершенно права. Дурак я, дурак!

— Пойдешь купаться? — спросила Сибилла.

— Надо обдумать. Имей в виду, Сибиллочка, что я серьезно обдумываю это предложение.

Сибилла ткнула ногой надувной матрасик, который ее собеседник подложил под голову вместо подушки.

— Надуть надо, — сказала она.

— Ты права. Вот именно — надуть и даже сильнее, чем я намеревался до сих пор. — Он вынул кулаки и уперся подбородком в песок. — Сибиллочка, — сказал он, — ты очень красивая. Приятно на тебя смотреть. Расскажи мне про себя. — Он протянул руки и обхватил Сибиллины щиколотки. — Я Козерог, — сказал он. — А ты кто?

— Шэрон Липшюц говорила — ты ее посадил к себе на рояльную табуретку, — сказала Сибилла.

— Неужели Шэрон Липшюц так и сказала?

Сибилла энергично закивала.

Он выпустил ее ножки, скрестил руки и прижался щекой к правому локтю.

— Ничего не поделаешь, — сказал он, — сама знаешь, как это бывает, Сибиллочка. Сижу, играю. Тебя нигде нет. А Шэрон Липшюц подходит и забирается на табуретку рядом со мной. Что же мне — спихнуть ее, что ли?

— Спихнуть.

— Ну нет. Нет! Я на это не способен. Но знаешь, что я сделал, угадай!

— Что?

— Я притворился, что это ты.

Сибилла сразу нагнулась и начала копать песок.

— Пойдем купаться! — сказала она.

— Так и быть, — сказал ее собеседник. — Кажется, на это я способен.

— В другой раз ты ее спихни! — сказала Сибилла.

– Кого это?

– Шэрон Липшюц.

– Ах, Шэрон Липшюц! Как это ты все время про нее вспоминаешь? Мечты и сны... – Он вдруг вскочил на ноги, взглянул на океан. – Слушай, Сибиллочка, знаешь, что мы сейчас сделаем? Попробуем поймать рыбку-бананку.

– Кого?

– Рыбку-бананку, – сказал он и развязал пояс халата. Он снял халат. Плечи у него были белые, узкие, плавки – ярко-синие. Он сложил халат сначала пополам, в длину, потом свернул втрое. Развернув полотенце, которым перед тем закрывал себе глаза, он разостлал его на песке и положил на него свернутый халат. Нагнувшись, он поднял надувной матрасик и засунул его под мышку. Свободной левой рукой он взял Сибиллу за руку.

Они пошли к океану.

– Ты-то уж наверняка не раз видела рыбок-бананок? – спросил он.

Сибилла покачала головкой.

– Не может быть! Да где же ты *живешь*?

– Не знаю! – сказала Сибилла.

– Как это не знаешь? Не может быть! Шэрон Липшюц и то знает, где она живет, а ей всего *три с половиной*!

Сибилла остановилась и выдернула руку. Потом подняла ничем не приметную ракушку и стала рассматривать с подчеркнутым интересом. Потом бросила ее.

– Шошновый лес, Коннетикат, – сказала она и пошла дальше, выпятив животик.

– Шошновый лес, Коннетикат, – повторил ее спутник. – А это случайно не около Соснового леса, в Коннектикуте?

Сибилла посмотрела на него.

– Я там *живу*! – сказала она нетерпеливо. – Я живу Шошновый лес, Коннетикат. – Она пробежала несколько шажков, подхватила левую ступню левой же рукой и запрыгала на одной ножке.

– До чего ты все хорошо объяснила, просто прелесть, – сказал ее спутник.

Сибилла выпустила ступню.

– Ты читал «Негритенок Самбо»? – спросила она.

– Как странно, что ты меня об этом спросила, – сказал ее спутник. – Понимаешь, только вчера вечером я его дочитал. – Он нагнулся, взял ручонку Сибиллы. – Тебе понравилось? – спросил он.

– А тигры бегали вокруг дерева?

– Да-а, я даже подумал: когда же они остановятся? В жизни не видел столько тигров.

– Их всего шесть, – сказала Сибилла.

– Всего шесть? – переспросил он. – По-твоему, это мало?

– Ты любишь воск? – спросила Сибилла.

– Что? – переспросил он.

– Ну, воск.

– Очень люблю. А ты?

Сибилла кивнула.

– Ты любишь оливки? – спросила она.

– Оливки? Ну, еще бы! Оливки с воском. Я без них ни шагу!

– Ты любишь Шэрон Липшюц? – спросила девочка.

– Да. Да, конечно, – сказал ее спутник. – И особенно я ее люблю за то, что она никогда не обижает собачек у нас в холле, в гостинице. Например, карликового бульдожку той дамы, из Канады. Ты, может быть, не поверишь, но есть такие девочки, которые любят тыкать в этого бульдожку палками. А вот Шэрон – никогда. Никого она не обижает, не дразнит. За это я ее и люблю.

Сибилла промолчала.

– А я люблю жевать свечки, – сказала она наконец.

– Это все любят, – сказал ее спутник, пробуя воду ногой. – Ух, холодная! – Он опустил надувной матрасик на воду. – Нет, погоди, Сибиллочка. Давай пройдем подальше.

Они пошли вброд, пока вода не дошла Сибилле до пояса. Тогда юноша поднял ее на руки и положил на матрасик.

– А ты никогда не носишь купальной шапочки, не закрываешь головку? – спросил он.

– Не отпускай меня! – приказала девочка. – Держи крепче!

– Простите, мисс Карпентер. Я свое дело знаю, – сказал ее спутник. – А ты лучше смотри в воду, карауль рыбку-бананку. Сегодня отлично ловится рыбка-бананка.

– А я их не вижу, – сказала девочка.

– Вполне понятно. Это очень странные рыбки. *Очень* странные. – Он толкал матрасик вперед. Вода еще не дошла ему до груди. – И жизнь у них грустная, – сказал он. – Знаешь, что они делают, Сибиллочка?

Девочка покачала головкой.

– Понимаешь, они заплывают в пещеру, а там – куча бананов. Посмотреть на них, когда они *туда* заплывают, – рыбы как рыбы. Но там они ведут себя просто по-свински. Одна такая рыбка-бананка заплыла в банановую пещеру и съела там семьдесят восемь бананов. – Он подтолкнул плотик с пассажиркой еще ближе к горизонту. – И, конечно, они от этого так раздуваются, что им никак не выплыть обратно. В двери не пролезают.

– Дальше не ходи, – сказала Сибилла. – А после что?

– Когда после? О чем ты?

– О рыбках-бананках.

– Ах, ты хочешь сказать – после того как они так наедаются бананов, что не могут выбраться из банановой пещеры?

– Да, – сказала девочка.

– Грустно мне об этом говорить, Сибиллочка. Умирают они.

— Почему? — спросила Сибилла.

— Заболевают банановой лихорадкой. Страшная болезнь.

— Смотри, какая *волна*! — сказала Сибилла с тревогой.

— Давай ее не замечать, — сказал он, — давай презирать ее. Мы с тобой гордецы. — Он взял в руки Сибиллины щиколотки и нажал вниз. Плотик подняло на гребень волны. Вода залила светлые волосики Сибиллы, но в ее визге слышался только восторг.

Когда плотик выровнялся, она отвела со лба прилипшую мокрую прядку и заявила:

— А я ее видела!

— Кого, радость моя?

— Рыбку-бананку.

— Не может быть! — сказал ее спутник. — А у нее были во рту бананы?

— Да, — сказала Сибилла. — Шесть.

Молодой человек вдруг схватил мокрую ножку Сибиллы — она свесила ее с плотика — и поцеловал пятку.

— Фу! — сказала она.

— Сама ты «фу»! Поехали назад! Хватит с тебя?

— Нет!

— Жаль, жаль! — сказал он и подтолкнул плотик к берегу, где Сибилла спрыгнула на песок. Он взял матрасик под мышку и понес на берег.

— Прощай! — крикнула Сибилла и без малейшего сожаления побежала к гостинице.

Молодой человек надел халат, плотнее запахнул отвороты и сунул полотенце в карман. Он поднял мокрый, скользкий, неудобный матрасик и взял его под мышку. Потом побрел один по горячему, мягкому песку к гостинице.

В подвальном этаже — дирекция отеля просила купальщиков подыматься наверх только оттуда — какая-то женщина с намазанным цинковой мазью носом вошла в лифт вместе с молодым человеком.

– Я вижу, вы смотрите на мои ноги, – сказал он, когда лифт подымался.

– Простите, не поняла, – сказала женщина.

– Я сказал: вижу, вы смотрите на мои ноги.

– *Простите*, но я смотрела на пол! – сказала женщина и отвернулась к дверцам лифта.

– Хотите смотреть мне на ноги, так и говорите, – сказал молодой человек. – Зачем это вечное притворство, черт возьми?

– Выпустите меня, пожалуйста! – торопливо сказала женщина лифтерше.

Дверцы лифта открылись, и женщина вышла не оглядываясь.

– Ноги у меня совершенно нормальные, не вижу никакой причины, чтобы так на них глазеть, – сказал молодой человек. – Пятый, пожалуйста. – И он вынул ключ от номера из кармана халата.

Выйдя на пятом этаже, он прошел по коридору и открыл своим ключом двери 507-го номера. Там резко пахло новыми кожаными чемоданами и лаком для ногтей.

Он посмотрел на молодую женщину – та спала на одной из кроватей. Он подошел к своему чемодану, открыл его и достал из-под груды рубашек и трусов трофейный пистолет. Он достал обойму, посмотрел на нее, потом вложил обратно. Он взвел курок. Потом подошел к пустой кровати, сел, посмотрел на молодую женщину, поднял пистолет и пустил себе пулю в правый висок.

Лапа-растяпа

Почти до трех часов Мэри Джейн искала дом Элоизы. И когда та вышла ей навстречу к въезду, Мэри Джейн объяснила, что все шло отлично, что она помнила дорогу совершенно точно, пока не свернула с Меррик-Паркуэй.

– Не Меррик, а *Меррит*, деточка! – сказала Элоиза и тут же напомнила Мэри Джейн, что она уже дважды приезжала к ней сюда, но Мэри Джейн что-то невнятно простонала насчет салфеток и бросилась к своей машине. Элоиза подняла воротник верблюжьего пальто, повернулась спиной к ветру и осталась ждать. Мэри Джейн тут же возвратилась, вытирая лицо бумажной салфеточкой, но это не помогало – вид у нее все равно был какой-то растрепанный, даже грязный. Элоиза весело сообщила, что завтрак сгорел к чертям – и сладкое мясо, и все вообще, – но оказалось, что Мэри Джейн уже перекусила по дороге. Они пошли к дому, и Элоиза поинтересовалась, почему у Мэри Джейн сегодня выходной. Мэри Джейн сказала, что у нее вовсе *не весь* день выходной, просто у мистера Вейнбурга грыжа и он сидит дома, в Ларчмонте, а ее дело – возить ему вечером почту и писать под диктовку письма.

– А что такое грыжа, не знаешь? – спросила она Элоизу. Элоиза бросила сигарету себе под ноги, на грязный снег, и сказала, что вообще-то не знает, но Мэри Джейн может не беспокоиться – это не заразное. – Ага, – сказала Мэри Джейн, и они вошли в дом.

Через двадцать минут они уже допивали в гостиной первую порцию виски с содовой и разговаривали так, как только умеют разговаривать бывшие подруги по колледжу и соседки по общежитию. Правда, между ними была еще более прочная связь: обе ушли из колледжа, не окончив его. Элоизе пришлось уйти со второго курса, в 1942 году, через неделю после того, как ее застали на третьем этаже общежития в закрытом лифте с солдатом. А Мэри Джейн в том же году, с того же курса, чуть ли не в том же месяце вышла замуж за курсанта Джэксонвиллской летной школы в штате Флорида – это был худенький мальчик из Дилла, штат Миссисипи, влюбленный в авиацию. Два месяца из своего трехмесячного брака с Мэри Джейн он просидел в тюрьме за то, что пырнул ножом сержанта из военного патруля.

– Нет, нет, – говорила Элоиза, – совершенно рыжая.

Она лежала на диване, скрестив худые, но очень стройные ножки.

– А я слыхала, что блондинка, – повторила Мэри Джейн. Она сидела в синем кресле. – Эта, как ее там, жизнью клялась, что блондинка.

– Ну прямо! – Элоиза широко зевнула. – Она же красилась чуть ли не при мне. Что ты? Сигареты кончились?

– Ничего, у меня есть целая пачка. Только где она? – сказала Мэри Джейн, шаря в сумке.

– Эта идиотка нянька, – сказала Элоиза не двигаясь, – час назад я у нее под носом выложила две нераспечатанные картонки. Вот увидишь, сейчас явится и спросит, куда их девать. Черт, совсем сбилась. Про что это я?

– Про эту Тирингер, – подсказала Мэри Джейн, закуривая сигарету.

– Ага, верно. Так вот, я точно помню. Она выкрасилась *вечером*, накануне свадьбы, она же вышла за этого Фрэнка Хенке. Помнишь его?

– Ну как же не помнить, помню, конечно. Такой задрипанный солдатишка. Ужасно некрасивый, верно?

— Некрасивый? Мать родная! Да он был похож на немытого Белу Лугоши!

Мэри Джейн расхохоталась, запрокинув голову.

— Здорово сказано! — проговорила она и снова наклонилась к своему стакану.

— Дай-ка твой стакан, — сказала Элоиза и спустила на пол ноги в одних чулках. — Ох, эта идиотка нянька! И чего я только не делала, честное слово, чуть не заставила Лью с ней целоваться, лишь бы она поехала с нами сюда, за город. А теперь жалею. Ой, откуда у тебя эта штучка?

— *Эта*? — Мэри Джейн тронула камею у ворота. — Господи, да она у меня со школы. Еще мамина.

— Чертова жизнь, — сказала Элоиза, держа пустые стаканы, — а мне хоть бы кто что оставил — ни черта, носить нечего. Если когда-нибудь моя свекровь окочурится — дождешься, как же! — она мне, наверно, завещает свои старые щипцы для льда да еще с монограммой!

— А ты с ней теперь ладишь? — спросила Мэри Джейн.

— Тебе все шуточки! — сказала Элоиза, уходя на кухню.

— Я больше не хочу, слышишь? — крикнула ей вслед Мэри Джейн.

— Черта с два! Кто кому названивал по телефону? Кто опоздал на два часа? Теперь сиди, пока мне не надоест. А карьера твоя пусть катится к чертовой маме!

Мэри Джейн опять захохотала, мотая головой, но Элоиза уже вышла на кухню.

Когда Мэри Джейн стало скучно сидеть одной в комнате, она встала и подошла к окну. Откинув занавеску, она взялась было рукой за раму, но вымазала пальцы угольной пылью, вытерла их о другую ладонь и отодвинулась от окна. Подмерзало, слякоть на дворе постепенно переходила в гололед. Мэри Джейн опустила занавеску и пошла к своему синему креслу, мимо двух набитых до отказа книжных шкафов, даже не взглянув на заглавия книжек. Усевшись в кресло, она открыла сумочку и стала рассматривать в зеркальце свои зубы. Потом сжала губы, крепко провела языком по верхней десне и снова посмотрела в зеркальце.

– Гололедица началась, – сказала она, оборачиваясь. – Ого, как ты быстро. Не разбавляла, что ли?

Элоиза остановилась, в руках у нее были полные стаканы. Она вытянула указательные пальцы, как дула пистолетов, и сказала:

– Ни с места! Ваш дом оцеплен.

Мэри Джейн опять закатилась и убрала зеркальце.

Элоиза подошла к ней со стаканом. Неловким движением она поставила стакан гостьи на подставку, но свой из рук не выпустила. Растянувшись на диване, она сказала:

– Догадайся, что эта нянька делает? Расселась всем своим толстым черным задом и читает «Облачение». Я нечаянно уронила подносик со льдом из холодильника, а она на меня как взглянет – помешала ей, видите ли!

– Это последний! Слышишь? – сказала Мэри Джейн и взяла стакан. – Да, угадай, кого я видела на прошлой неделе? В главном зале, в универмаге?

– А? – сказала Элоиза и подсунула себе под голову диванную подушку. – Акима Тамирова?

– Кого-о-о? – удивилась Мэри Джейн. – Это еще кто?

– Ну, Аким Тамиров. В кино играет. Он еще так потешно говорит: «Шутыш, всо шутыш, э?» Обожаю его... Ох, черт, в этом проклятом доме ни одной удобной подушки нет. Так кого ты видела?

– Джексон. Она шла...

– Это какая Джексон?

– Ну, не знаю. Та, что была с нами в семинаре по психологии. Она еще вечно...

– Обе они были с нами в семинаре.

– Ну, знаешь, с таким огромным...

– А-а, Марсия-Луиза. Мне она тоже как-то попалась. Наверно, заговорила тебя до обморока?

– Спрашиваешь! Но вот что она мне рассказала: доктор Уайтинг умерла. Говорит, Барбара Хилл ей писала, что у доктора Уайтинг прошлым летом нашли рак, вот она и умерла. А весу в ней было всего шестьдесят два фунта. Перед смертью, понимаешь. Ужас, правда?

– А мне-то что?

– Фу, какая ты стала злюка, Элоиза!

– М-да. Ну а еще что она рассказывала?

– Говорит, только что вернулась из Европы. Муж у нее служил где-то в Германии, что ли, она там была с ним. Дом, говорит, у них был в сорок семь комнат, кроме них, еще одна семья и десять слуг. Своя верховая лошадь, а ихний конюх раньше служил у Гитлера, чуть ли не личный его шталмейстер. Да, и еще она мне стала рассказывать, как ее чуть не изнасиловал солдат-негр. Понимаешь, стоим в универмаге, в главном зале, а она *во весь голос* – ты же ее знаешь, эту Джексон. Говорит, он служил у мужа шофером, повез ее утром на рынок или еще куда. Говорит, до того перепугалась, что даже не могла...

– Погоди минутку! – Элоиза подняла голову, повысила голос: – Рамона, ты?

– Я, – ответил детский голосок.

– Закрой, пожалуйста, двери хорошенько! – крикнула Элоиза.

– Рамона пришла? Умираю, хочу ее видеть! Ведь я ее не видела с тех самых пор...

– Рамона! – крикнула Элоиза, зажмурив глаза. – Ступай на кухню, пусть Грэйс снимет с тебя ботики!

– Ладно, – сказала Рамона. – Пойдем, Джимми!

– Умираю, хочу ее видеть! – сказала Мэри Джейн. – Боже! Смотри, что я натворила! Прости меня, Эл!

– Брось! *Да брось* же! – сказала Элоиза. – Мне этот гнусный ковер и так опротивел. Погоди, я тебе налью еще.

– Нет, нет, смотри, у меня больше половины осталось! – И Мэри Джейн подняла стакан.

– Не хочешь? – сказала Элоиза. – Дай-ка мне сигарету!

Мэри Джейн протянула ей свою пачку и повторила:

– Умираю, хочу ее видеть. На кого она похожа?

Элоиза зажгла спичку.

– На Акима Тамирова.

– Нет, я серьезно.

– На Лью. Вылитый Лью. А когда его мамаша является, они все как тройняшки. – Не вставая, Элоиза потянулась к пепельницам, сложенным стопкой на дальнем углу курительного столика. Ей удалось снять верхнюю и поставить себе на живот. – Мне бы собаку завести, спаниеля, что ли, – сказала она, – пусть хоть кто-нибудь в семье будет похож на меня.

– А как у нее с глазками? – спросила Мэри Джейн. – Хуже не стало?

– Господи, да почем я знаю?

– Но без очков она видит или нет? Ну, например, ночью, если надо встать в уборную?

– Да разве она скажет? Скрытная, чертенок, как не знаю что.

Мэри Джейн обернулась.

– Ну, здравствуй, Рамона! – сказала она. – Ах, какое *чудное* платьице! – Она поставила стакан. – Да ты меня, наверно, и не помнишь, Рамона?

– Как это не помнит? Кто эта тетя, Рамона?

– Мэри Джейн, – сказала Рамона и почесалась.

– Молодец! – сказала Мэри Джейн. – Ну поцелуй же меня, Рамона!

– Перестань сейчас же! – сказала Рамоне Элоиза. Рамона перестала чесаться.

– Ну, поцелуй же меня, Рамона! – повторила Мэри Джейн.

– Не люблю целоваться.

Элоиза презрительно фыркнула и спросила:

– А где твой Джимми?

– Тут.

– Кто такой Джимми? – спросила Мэри Джейн у Элоизы.

– Господи боже, да это же ее кавалер. Ходит за ней. Всегда они заодно. Все как у людей.

– Нет, правда? – восторженно спросила Мэри Джейн. Она наклонилась к Рамоне. – У тебя есть кавалер, Рамона?

В близоруких глазах Рамоны за толстыми стеклами очков не отразилось ни тени восторга, звучавшего в голосе Мэри Джейн.

– Мэри Джейн тебя спрашивает, Рамона, – сказала Элоиза.

Рамона засунула палец в широкий курносый носик.

– Не смей! – сказала Элоиза. – Мэри Джейн спрашивает, есть у тебя кавалер или нет.

– Есть, – сказала Рамона, ковыряя в носу.

– Рамона! – сказала Элоиза. – Перестань сейчас же! Слышишь? Кому говорят?

Рамона опустила руку.

– Нет, правда, это чудесно! – сказала Мэри Джейн. – А как его звать? Скажи мне, как его зовут, Рамона? Или это секрет?

– Джимми, – сказала Рамона.

– Ах, Джимми! Как я люблю это имя! Джимми, а дальше как, Рамона?

– Джимми Джиммирино, – сказала Рамона.

– Не вертись! – сказала Элоиза.

– О-о, какое интересное имя! А где сам Джимми? Скажи, Рамона, где он?

– Тут, – сказала Рамона.

Мэри Джейн оглянулась вокруг, потом посмотрела на Рамону с самой нежной улыбкой.

– Где тут, солнышко?

– Тут, – сказала Рамона. – Я его держу *за руку*.

– Ничего не понимаю, – сказала Мэри Джейн Элоизе.

Та допила виски.

– А я тут при чем? – сказала она.

Мэри Джейн обернулась к Рамоне.

– Ах, поняла! Ты просто придумала себе маленького мальчика Джимми. Какая прелесть! – Мэри Джейн приветливо наклонилась к Рамоне. – Здравствуй, Джимми! – сказала она.

– Да разве он станет с тобой разговаривать! – сказала Элоиза. – Рамона, ну-ка расскажи Мэри Джейн про Джимми.

– Что про Джимми?

– Не вертись, стой прямо, слышишь... Расскажи Мэри Джейн, какой он, твой Джимми.

– У него глаза зеленые, а волосы черные.

– Еще что?

– Папы-мамы нет.

– Еще что?

– Веснушек нет.

– А что есть?

– Сабля.

– А еще что?

– Не знаю, – сказала Рамона и снова стала почесываться.

– Да он просто *красавец*! – сказала Мэри Джейн и еще ближе наклонилась вперед. – Скажи, Рамона, а Джимми тоже снял ботики, когда вы пришли?

– Он в сапогах, – сказала Рамона.

– Нет, это прелесть! – сказала Мэри Джейн, обращаясь к Элоизе.

– Тебе хорошо говорить. А мне целыми днями терпеть. Джимми с ней ест, Джимми с ней купается, Джимми спит на ее кровати. Она и ложится-то с самого краю, чтобы его нечаянно не толкнуть.

Мэри Джейн сосредоточенно закусила губу, выражая полное восхищение, потом спросила:

– Откуда она взяла это имя?

– Джимми Джиммирино? Кто ее знает!

– Наверно, так зовут какого-нибудь соседского мальчишку?

Элоиза зевнула и покачала головой.

– Нет тут никаких соседских мальчишек. Тут вообще ребят нету. Меня и то зовут «соседка-наседка», конечно, не в глаза, а...

– Мама, можно поиграть во дворе? – спросила Рамона.

Элоиза покосилась на нее:

– Ты же только что пришла.

– Джимми хочет туда.

– Это еще зачем?

– Саблю забыл.

– О черт, опять Джимми, опять эти дурацкие выдумки. Ладно. Ступай. Ботики не забудь.

– Я возьму это? – Рамона взяла обгорелую спичку из пепельницы.

– Бери. На улицу не выходи, слышишь?

– До свидания, Рамона! – ласково пропела Мэри Джейн.

– ...свидания. Пошли, Джимми!

Элоиза вдруг вскочила, покачнулась.

– Дай-ка твой стакан!

– Не надо, Эл, ей-богу! Меня ведь ждут в *Ларчмонте.* Мистер Вейнбург такой добрый, я никак не могу...

– Позвони, скажи, что тебя зарезали. Ну, давай стакан, слышишь?

– Не надо, Эл, честное слово. Тут еще подмораживает. А у меня и антифриза почти не осталось. Понимаешь, если я...

– Ну и пусть все замерзает к чертям. Иди звони. Сообщи, что ты умерла, – сказала Элоиза. – Ну, давай стакан.

– Что с тобой делать... Где у вас телефон?

– А во-он куда он забрался, – сказала Элоиза, выходя

с пустыми стаканами в столовую. – Во-он где. – Она вдруг остановилась на пороге столовой и вильнула бедрами, как в танце. Мэри Джейн только хихикнула.

* * *

– А я тебе говорю – не знала ты Уолта, – говорила Элоиза в четверть пятого, лежа на ковре и держа стакан с коктейлем на плоской, почти мальчишеской груди. – Никто на свете не умел так смешить меня. До слез, по-настоящему. – Она взглянула на Мэри Джейн. – Помнишь тот вечер, в последний семестр, как мы хохотали, когда эта психованная Луиза Германсон влетела к нам в одном черном бюстгальтере, она еще купила его в Чикаго, помнишь?

Мэри Джейн громко прыснула. Она лежала ничком на диване, оперев подбородок на валик, чтобы лучше видеть Элоизу. Стакан с коктейлем стоял на полу, рядом.

– Вот он умел меня рассмешить, – сказала Элоиза. – Смешил в разговоре. Смешил по телефону. Даже в письмах смешил до упаду. И самое главное, он и не старался нарочно, просто с ним всегда было так весело, так смешно. – Она повернула голову к Мэри Джейн: – Будь другом, брось мне сигаретку.

– Никак не дотянусь, – сказала Мэри Джейн.

– Ну, шут с тобой. – Элоиза опять уставилась в потолок. – А как-то раз я упала, – сказала она. – Ждала его, как всегда, на автобусной остановке, около самого общежития, и он почему-то опоздал, пришел, а автобус уже тронулся. Мы побежали, я грохнулась и растянула связку. Он говорит: «Бедный мой лапа-растяпа!» Это он про мою ногу. Так и сказал: «Бедный мой лапа-растяпа!..» Господи, до чего ж он был милый!

– А разве у твоего Лью нет чувства юмора? – спросила Мэри Джейн.

– Что?

– Разве у Лью нет чувства юмора?

– А черт его знает! Наверно, есть, не знаю. Смеется, когда смотрит карикатуры, и всякое такое. – Элоиза приподняла голову с ковра и, сняв стакан с груди, отпила глоток.

– Нет, все-таки это еще не все, – сказала Мэри Джейн. – Этого мало. Понимаешь, мало.

– Чего мало?

– Ну... сама знаешь... Если тебе с человеком весело и все такое...

– А кто тебе сказал, что этого мало? – сказала Элоиза. – Жить надо весело, не в монашки же мы записались, ей-богу!

Мэри Джейн захохотала.

– Нет, ты меня уморишь! – сказала она.

– Господи боже, до чего он был милый, – сказала Элоиза. – То смешной, то ласковый. И не то чтобы прилипчивый, как все эти дураки мальчишки, нет, он и ласковый был по-своему. Знаешь, что он однажды сделал?

– Ну? – сказала Мэри Джейн.

– Мы ехали поездом из Трентона в Нью-Йорк – его только что призвали. В вагоне холодина, мы оба укрылись моим пальто. Помню, на мне еще был джемпер – я его взяла у Джойс Морроу, – помнишь, такой чудный синий джемперок?

Мэри Джейн кивнула, но Элоиза даже не поглядела на нее.

– Ну вот, а его рука как-то очутилась у меня на животе. Понимаешь, просто так. И вдруг он мне говорит: «У тебя животик до того красивый, что лучше бы сейчас какой-нибудь офицер приказал мне высунуть другую руку в окошко. – Говорит: – Хочу, чтоб все было по справедливости». И тут он убрал руку и говорит проводнику: «Не сутультесь! Не выношу, – говорит, – людей, которые не умеют носить форму с достоинством». А проводник ему говорит: «Спите, пожалуйста».

Элоиза помолчала, потом сказала:

– Важно не то, что он говорил, важно, как он это говорил.

– А ты своему Лью про него рассказывала? Вообще рассказывала?

– Ему? – сказала Элоиза. – Да, я как-то упомянула, что был такой. И знаешь, что он прежде всего спросил? В каком он был звании.

– А в каком?

– И ты туда же? – сказала Элоиза.

– Да нет же, я просто так...

Элоиза вдруг рассмеялась грудным смехом.

– Знаешь, что Уолт мне как-то сказал? Сказал, что он, конечно, продвигается в армии, но не в ту сторону, что все. Говорит: когда его повысят в звании, так, вместо того чтоб дать ему нашивки, у него срежут рукава. Говорит, пока дойду до генерала, меня догола разденут. Только и останется, что медная пуговка на пупе.

Элоиза посмотрела на Мэри Джейн – та даже не улыбнулась.

– По-твоему, не смешно?

– Смешно, конечно. Только почему ты не рассказываешь про него своему Лью?

– Почему? Да потому что Лью – тупица, каких свет не видел, вот почему, – сказала Элоиза. – Мало того. Я тебе вот что скажу, деловая барышня. Если ты еще раз выйдешь замуж, никогда ничего мужу не рассказывай. Поняла?

– А почему? – спросила Мэри Джейн.

– Потому. Ты меня слушай, – сказала Элоиза. – Им хочется думать, что у тебя от каждого знакомого мальчишки всю жизнь с души воротило. Я не шучу, понятно? Да, конечно, можешь им рассказывать что угодно. Но правду – никогда, ни за что! Понимаешь, правду – ни за что! Скажешь, что была знакома с красивым мальчиком, обязательно добавь, что красота у него была какая-то слащавая. Скажешь, что знала остроумного парня, непременно тут же объясни, что он был трепло или задавака. А не скажешь, так он тебе будет колоть глаза этим мальчиком при всяком удобном случае… Да, конечно, он тебя выслушает очень разумно, как полагается. И физиономия у него будет умная до черта. А ты не поддавайся. Ты меня слушай. Стоит только поверить, что они умные, у тебя не жизнь будет, а сущий *ад*.

Мэри Джейн явно расстроилась, подняла голову с диванного валика и для разнообразия оперлась на локоть, уткнув подбородок в ладонь. Видно, она обдумывала совет Элоизы.

– Но не будешь же ты отрицать, что Лью – умный? – сказала она вслух.

– Как это не буду?

– А разве он не умный? – невинным голоском спросила Мэри Джейн.

– Слушай! – сказала Элоиза. – Что толку болтать впустую? Давай бросим. Я тебе только настроение испорчу. Не слушай меня.

– Чего ж ты за него вышла замуж? – спросила Мэри Джейн.

– Матерь божия! Да почем я знаю. Говорил, что любит романы Джейн Остин. Говорил – эти книги сыграли большую роль в его жизни. Да, да, так и сказал. А когда мы поженились, я все узнала: оказывается, он ни одного ее романа и не открывал. Знаешь, кто его любимый писатель?

Мэри Джейн покачала головой.

– Л. Меннинг Вайнс. Слыхала про такого?

– Не-ет.

– Я тоже. И никто его не знает. Он написал целую книжку про каких-то людей, как они умерли с голоду на Аляске – их было четверо. Лью и названия книжки не помнит, но говорит, она изумительно написана! Видала? Не хватает честности прямо сказать, что ему просто нравится читать, как эти четверо подыхают с голоду в этом самом иглу или как оно там называется. Нет, ему надо выставляться, говорить – из-зумительно написано!

– Тебе бы все критиковать, – сказала Мэри Джейн. – Понимаешь, слишком ты все критикуешь. А может, на самом деле книга хорошая.

– Ни черта в ней хорошего, поверь мне! – сказала Элоиза. Потом подумала и добавила: – У тебя хоть работа есть. Понимаешь, хоть работа...

– Нет, ты послушай, – сказала Мэри Джейн. – Может, ты все-таки расскажешь ему когда-нибудь, что Уолт погиб? Понимаешь, не станет же он ревновать, когда узнает, что Уолт – ну, сама знаешь. Словом, что он погиб.

– Ах ты, моя миленькая! Дурочка ты моя невинная, а еще карьеру делаешь, бедняжечка! – сказала Элоиза. – Да тогда будет в тысячу раз хуже! Он из меня кровь выпьет. Ты пойми. Сейчас он только и знает, что я дружила с каким-то Уолтом – с каким-то остряком-солдатиком. Я ему ни за что не скажу, что Уолт погиб. Ни за что на свете. А если скажу – что вряд ли, – так скажу, что он убит в бою.

Мэри Джейн приподняла голову, потерлась подбородком об руку.

– Эл... – сказала она.

– Ну?

– Почему ты мне не расскажешь, как он погиб? Клянусь, я тебя никому не выдам. Честное благородное. Ну, пожалуйста!

– Нет.

– Ну, пожалуйста. Честное благородное. Никому.

Элоиза допила виски и поставила стакан прямо на грудь.

– Ты расскажешь Акиму Тамирову, – проговорила она.

– Да что ты! То есть я хочу сказать – ни за что, никому...

– Понимаешь, его полк стоял где-то на отдыхе, – сказала Элоиза. – Передышка между боями, что ли, так в письме было, мне его друг написал. Уолт с одним парнем упаковывали японскую плитку. Их полковник хотел ее отослать домой. А может, распаковывали, вынимали из ящика, чтобы перепаковать, – точно не знаю. Словом, в ней было полно бензина и всякого хламу – она и взорвалась прямо у них в руках. Тому, второму, только глаз выбило. – Элоиза вдруг заплакала и крепко обхватила пальцами пустой стакан, чтобы он не опрокинулся ей на грудь.

Соскользнув с дивана, Мэри Джейн на четвереньках подползла к Элоизе и стала гладить ее по голове:

– Не плачь, Эл, не надо, не плачь!

– Разве я плачу? – сказала Элоиза.

– Да, да, понимаю. Не надо. Теперь уж не стоит, не надо.

Стукнула парадная дверь.

– Рамона явилась, – протянула Элоиза в нос. – Сделай милость, пойди на кухню и скажи этой самой, как ее, чтобы она накормила ее пораньше. Ладно?

– Ладно, ладно, только ты не плачь! Обещаешь?

– Обещаю. Ну, иди же! А мне неохота сейчас идти в эту чертову кухню.

Мэри Джейн встала, пошатнулась, выпрямилась и вышла из комнаты. Вернулась она минуты через две, впереди бежала Рамона. Бежала она, стуча пятками, стараясь как можно громче шлепать расстегнутыми ботиками.

– Ни за что не дает снять ботики! – сказала Мэри Джейн.

Элоиза, так и не поднявшись с полу, лежала на спине и сморкалась в платок. Не отнимая платка, она сказала Рамоне:

– Ступай скажи Грэйс, пусть снимет с тебя боты. Ты же знаешь, что нельзя в ботиках...

– Она в уборной, – сказала Рамона.

Элоиза скомкала платок и с трудом села.

– Дай ногу! – сказала она. – Нет, ты сядь, слышишь?.. Да не *там*, тут, *тут*... О господи!

Мэри Джейн ползала под столом на коленях, ища сигареты.

– Слушай, знаешь, что случилось с Джимми? – сказала она.

– Понятия не имею. Другую ногу! Слышишь, *другую* ногу! Ну!..

– Попал под машину! – сказала Мэри Джейн. – Какой ужас, правда?

– А я видела Буяна с косточкой, – сказала Рамона.

– Что там с твоим Джимми? – спросила ее Элоиза.

– Его переехала машина, он умер. Я хотела отнять косточку у Буяна, а он не отдавал...

– Дай-ка лоб, – сказала Элоиза. Она дотронулась до лобика Рамоны. – Да у тебя жар. Ступай скажи Грэйс, чтобы покормила тебя наверху. И сразу – в кровать. Я потом приду. Иди же, иди, пожалуйста. И забери свои ботики.

Медленно, как на ходулях, Рамона прошагала к дверям.

– Брось-ка мне сигаретку! – попросила Элоиза. – И давай еще выпьем!

Мэри Джейн подала Элоизе сигаретку.

– Нет, ты только подумай! Как она про этого Джимми! Вот это фантазия!

– Угу. Пойди-ка налей нам. А лучше неси бутылку сюда. Не хочу я туда идти... Там так противно пахнет апельсиновым соком.

* * *

В пять минут восьмого зазвонил телефон. Элоиза встала с кушетки у окна и начала в темноте нащупывать свои туфли. Найти их не удалось. В одних чулках она медленно, томной походкой направилась к телефону. Звонок не разбудил Мэри Джейн – уткнувшись лицом в подушку, она спала на диване.

– Алло, – сказала Элоиза в трубку, верхний свет она не включила. – Слушай, я за тобой не приеду. У меня Мэри Джейн. Она загородила своей машиной выезд, а ключа найти не может. Невозможно выехать. Мы двадцать минут искали ключ – в этом самом, как его, в снегу, в грязи. Может, Дик и Милдред тебя подвезут? – Она послушала, потом сказала: – Ах так. Жаль, жаль, дружок. А вы бы, мальчики, построились в шеренгу и марш-марш домой! Только командуй: «Левой, правой! Левой, правой!» Тебя – командиром! – Она опять послушала. – Вовсе я не острю, – сказала она, – ей-богу, и не думаю. Это у меня чисто нервное. – И она повесила трубку.

Обратно в гостиную она шла уже не так уверенно. Подойдя к кушетке у окна, она вылила остатки виски из бутылки в стакан; вышло примерно с полпальца, а то и больше. Она выпила залпом, передернулась и села.

Когда Грэйс включила свет в столовой, Элоиза вздрогнула. Не вставая, она крикнула Грэйс:

– До восьми не подавайте, Грэйс. Мистер Венглер немножко опоздает.

Грэйс остановилась на пороге столовой, лампа освещала ее сзади.

– Ушла ваша гостья? – спросила она.

– Нет, отдыхает.

– Та-ак, – сказала Грэйс. – Миссис Венглер, нельзя бы моему мужу переночевать тут? Места у меня в комнатке хватит, а ему в Нью-Йорк до утра не надо, да и погода – хуже нет.

– Вашему мужу? А где он?

– Да тут, – сказала Грэйс, – он у меня на кухне сидит.

– Нет, Грэйс, ему тут ночевать нельзя.

– Как вы сказали, мэм?

– Ему тут ночевать нельзя. У меня не гостиница.

Грэйс на минуту застыла, потом сказала:

– Слушаю, мэм, – и вышла на кухню.

Элоиза прошла через столовую и поднялась по лестнице, куда падал смутный отсвет из столовой. На площадке валялся Рамонин ботик. Элоиза подняла его и с силой швырнула через перила вниз. Ботик с глухим стуком шлепнулся на пол.

В Рамониной детской она включила свет, крепко держась за выключатель, словно боялась упасть. Так она постояла минуту, уставившись на Рамону. Потом выпустила выключатель и торопливо подошла к кроватке.

– Рамона! Проснись! Проснись сейчас же!

Рамона спала на самом краешке кроватки, почти свесив задик через край. На столике, разрисованном утятами, лежали стеклами вверх очки с аккуратно сложенными дужками.

– *Рамона*!

Девочка проснулась с испуганным вздохом. Она широко раскрыла глаза и тут же сощурилась:

– Мам?

– Ты же сказала, что Джимми Джиммирино умер, что он попал под машину?

– Чего?

– Слышишь, что я говорю? Почему ты опять спишь с краю?

– Потому.

– Почему «потому», Рамона, я тебя серьезно спрашиваю, не то...

– Потому что не хочу толкать Микки.

– *Кого-о*?

– Микки, – сказала Рамона и почесала нос. – Микки Микеранно.

Голос у Элоизы сорвался до визга:

– Сию минуту ложись посередке! Н у!

Рамона испуганно уставилась на мать.

– Ах так! – И Элоиза схватила Рамону за ножки и, приподняв их, не то перетащила, не то перебросила ее на середину кровати. Рамона не сопротивлялась, не плакала, она дала себя передвинуть, но сама не пошевельнулась. – А теперь спи! – сказала Элоиза, тяжело дыша. – Закрой глаза... Что я тебе сказала, закрой сию минуту!

Рамона закрыла глаза.

Элоиза подошла к выключателю, потушила свет. В дверях она остановилась и долго-долго не уходила. И вдруг метнулась в темноте к ночному столику, ударилась коленкой о ножку кровати, но сгоряча даже не почувствовала боли. Схватив обеими руками Рамонины очки, она прижала их к щеке. Слезы ручьем покатились на стекла.

– Бедный мой лапа-растяпа! – повторяла она снова и снова. – Бедный мой лапа-растяпа!

Потом положила очки на столик, стеклами вниз. Наклоняясь, она чуть не потеряла равновесия, но тут же стала подтыкать одеяло на кроватке Рамоны. Рамона не спала. Она плакала, и, видимо, плакала уже давно. Мокрыми губами Элоиза поцеловала ее в губы, убрала ей волосы со лба и вышла из комнаты.

Спускаясь с лестницы, она уже сильно пошатывалась и, сойдя вниз, стала будить Мэри Джейн.

– Что? Кто это? Что такое? – Мэри Джейн рывком села на диване.

– Слушай, Мэри Джейн, милая, – всхлипывая, сказала Элоиза. – Помнишь, как на первом курсе я надела платье, помнишь, такое коричневое с желтеньким, я его купила в Бойзе, а Мириам Белл сказала – таких платьев в Нью-Йорке никто не носит, помнишь, я всю ночь проплакала? – Элоиза схватила Мэри Джейн за плечо. – Я же была хорошая, – умоляюще сказала она, – правда, хорошая?

Перед самой войной с эскимосами

Каждую субботу пять раз подряд Джинни Мэннокс играла в теннис на кортах в Ист-Сайде с Селеной Графф – они учились в одном классе в частной школе мисс Бэйзхор. Джинни и не скрывала, что считает Селену первостатейной занудой – не то чтобы в школе не хватало суперзануд, – но надо признать, что вряд ли хоть одна из них могла каждый раз приносить теннисные мячи целыми упаковками. (Как-то вечером, за ужином, на потеху всему семейству Мэнноксов, Джинни представила в лицах ужин у Граффов; изобразила и вышколенного лакея, который подходил к каждому члену семьи с левой стороны, подавая вместо бокала с томатным соком банку с теннисными мячами.) Но когда дело дошло до того, что ей пришлось, подбросив Селену домой после тенниса, расплачиваться за такси – который раз! – за всю дорогу, она не на шутку разозлилась. Тем более что это Селена придумала раскатывать на такси вместо автобуса. Так что в пятую субботу, когда таксист повернул к северу по Йорк-авеню, Джинни не выдержала:

– Знаешь, Селена...

– Что? – откликнулась Селена. Она была занята – пыталась нашарить что-то на полу под ногами. – Никак не найду чехол от ракетки! – проныла она.

Обе девочки были в шортах и, несмотря на теплую майскую погоду, в пальто.

– Ты его в карман сунула, – сказала Джинни. – Послушай, Селена...

– Боже мой! Да ты мне жизнь спасла!

– Слушай, – сказала Джинни, которой никакие благодарности были ни к чему.

– Что?

Джинни решила выложить все начистоту. Такси уже почти подъехало к улице, где жила Селена.

– Я не собираюсь сегодня опять платить за всю дорогу, – заявила она. – Мы не миллионеры, между прочим.

Селена сделала вид, что удивлена, потом притворилась обиженной.

– А разве я не платила половину? – сказала она с видом оскорбленной невинности.

– Нет, – отрезала Джинни. – Ты заплатила в *первую* субботу. С тех пор уже почти целый месяц прошел. И больше ни разу. Я не жадничаю, просто мне приходится укладываться в четыре пятьдесят в неделю. А мне еще надо...

– Я же всегда приношу мячи, ты забыла? – огрызнулась Селена.

Иногда Джинни готова была убить Селену.

– Твой отец их *делает*, или типа того, – сказала она. – *Тебе-то* они ничего не стоят. А мне приходится платить за малейшую пустяковину...

– Ладно, хватит, – резко и громко сказала Селена, чтобы оставить за собой последнее слово. Со скучающим видом она стала рыться в карманах пальто. – У меня только тридцать пять центов, – холодно сказала она. – Хватит?

– Нет. Извини, но ты мне должна доллар шестьдесят пять. Я каждый раз считала все до...

– Тогда мне придется подняться наверх и попросить у мамы. Неужели нельзя подождать до *понедельника*? Я бы принесла с утра пораньше, если тебе не хватает для полного счастья.

Просить прощения Селена явно не собиралась.

– Нет, – сказала Джинни. – Я сегодня иду в кино. Они мне нужны.

Они отвернулись, каждая к своему окну, храня враждебное молчание, пока машина не остановилась у подъезда большого многоквартирного дома, где жила Селена. Селена сидела ближе к тротуару и вышла первая. Она едва не хлопнула дверцей и быстро, не глядя по сторонам, как приезжая голливудская звезда, прошла к подъезду. Джинни, с пылающими от унижения щеками, расплатилась по счетчику. Потом захватила свои вещи – ракетку, полотенце и бейсболку – и пошла следом за Селеной. В пятнадцать лет Джинни вымахала почти на шесть футов и в теннисных кроссовках размера 9-В казалась еще выше; когда она вошла в вестибюль, ее смущение и неловкость, и даже громоздкие мужские кроссовки не помешали ей сохранить своеобразное и опасное величие талантливой дебютантки. Это заставило Селену упорно созерцать указатель над дверью лифта.

– Теперь с тебя доллар и девяносто центов, – сказала Джинни, шагая к лифту.

Селена обернулась.

– Если хочешь знать, моя мама очень серьезно больна.

– Что с ней такое?

– У нее самое настоящее воспаление легких, и если ты думаешь, что мне приятно беспокоить ее из-за какой-то мелочи... – Селена замолчала, чтобы придать неоконченной фразе особое значение.

Это сообщение – независимо от того, насколько оно соответствовало истине, – слегка сбило Джинни с толку, но отнюдь не заставило ее расчувствоваться.

– Не я же ее заразила, – сказала она, входя вместе с Селеной в кабину лифта.

Когда Селена позвонила в свою квартиру, дверь открыла – или скорее распахнула и оставила открытой – темнокожая прислуга, с которой Селена, как видно, не разговаривала. Джинни положила свои вещи на стул в прихожей и пошла следом за Селеной. В гостиной Селена обернулась и сказала:

– Если не возражаешь, подожди здесь, ладно? Может, мне придется разбудить маму, и вообще мало ли что...

– О'кей, – сказала Джинни и уселась на диван.

– Я в жизни представить себе не могла, что ты можешь быть такой скупердяйкой, – сказала Селена – она достаточно разозлилась, чтобы сказать «скупердяйкой», но так и не осмелилась сделать ударение на этом слове.

– Теперь представляешь, – ответила Джинни и, раскрыв журнал «Vogue», спрятала за ним лицо. Она так и сидела, загородившись журналом, пока Селена не ушла, потом положила его обратно на радиоприемник. Она принялась рассматривать комнату, мысленно меняя обстановку, убирая настольные лампы, выбрасывая искусственные цветы. На ее взгляд, комната была прямо-таки жуткая – все дорогое, а на вид – дешевка.

Вдруг откуда-то из дальней комнаты раздался громкий мужской голос: «*Эрик, ты, что ли?*»

Джинни догадалась, что это старший брат Селены, которого она ни разу не видела. Она скрестила свои длинные ноги, натянула на колени полы широкого пальто и стала ждать. Молодой человек в очках и пижаме, но босиком ворвался в комнату, так и не успев закрыть рот.

– Ой! Я думал, тут Эрик – простите, ради бога, – сказал он. Не останавливаясь и жутко сутулясь, он пробежал через всю комнату, что-то бережно прижимая к своей впалой груди. Он уселся на диван с другой стороны. – Только что порезал свой проклятущий палец, – бросил он, словно еще не успел опомниться. На Джинни он смотрел, как будто она и должна была сидеть здесь. – Случалось порезать палец – прямо до самой кости, и все такое? – спросил он. Громким и откровенно жалобным голосом он как бы умолял Джинни ответить и спасти его от какой-то диковинной формы одиночества – одиночества первопроходца.

Джинни не сводила с него глаз.

– Ну, не то чтобы до самой *кости*, но случалось, – сказала она. Это был самый странный мальчишка – или молодой человек, сразу и не разберешь, – какого ей случалось встречать за всю свою жизнь. Волосы у него были встрепанные, видно, со сна, а на подбородке пробивалась скудная белесая щетинка, дня два не видавшая бритвы. И вид у него был придурковатый, будто не от мира сего. – А как вы его порезали? – спросила она.

Он смотрел на свой раненый палец, открыв рот и распустив губы.

– Чего? – переспросил он.

– Как вы порезались?

– А черт его знает! – он словно утверждал, что ответ на этот вопрос непостижим и окутан тайной. – Рылся зачем-то в проклятой мусорной корзинке, а она вся набита бритвами.

– Вы Селенин брат? – спросила Джинни.

– Ага. Господи, да я так истеку кровью до смерти. Ты меня не бросай. Вдруг мне понадобится переливание крови, черт бы его побрал.

– А вы ничем не перевязали?

Селенин брат слегка отодвинул от груди раненую руку и представил рану на рассмотрение Джинни.

– Да там был только клочок чертовой туалетной бумаги, – сказал он. – Кровь останавливает. Когда бреешься. – Он снова посмотрел на Джинни. – Ты что, подруга недотепы?

– Одноклассница.

– Ага... Как тебя зовут?

– Вирджиния Мэннокс.

– Ты – Джинни? – сказал он, щурясь на нее через очки. – Джинни Мэннокс?

– Да, – ответила Джинни и села прямо, словно только что заметила, что сидит, скрестив ноги.

Селенин брат снова уставился на свой палец – судя по всему, единственный достойный пристального внимания предмет в комнате.

– Знаю твою сестру. Чертова гордячка.

Джинни чуть не подпрыгнула от возмущения.

– *Кто*?

– Ты слышала, что я сказал.

– Никакая она не *гордячка*!

– А я говорю – гордячка, черт побери!

– А вот и *нет*!

– Говорю тебе – чертова гордячка. Прямо королева. Королева чертовых задавак.

Джинни наблюдала, как он приподнял толстый комок из туалетной бумаги на пальце и посмотрел на свою рану.

– Вы даже и *незнакомы* с моей сестрой.

– Черта с два!

– Как ее зовут? Ну, как ее зовут? – с вызовом спросила Джинни.

– Джоан... Джоан Воображала.

Джинни не сразу нашла что сказать.

– А как она выглядит?

Ответа не было.

– Как она выглядит? – повторила Джинни.

– Будь она хоть отчасти такой красавицей, как она *воображает*, ей бы чертовски повезло, – сказал Селенин брат.

Джинни втайне решила, что ответ довольно интересный и заслуживает внимания.

– При мне она о вас вообще не говорила *ни слова*, – сказала она.

– Щас умру от горя, черт меня побери! Умру на месте.

– Между прочим, она уже помолвлена, – сообщила Джинни, следя за ним. – Выходит замуж через месяц.

– За кого? – спросил он, взглянув на нее.

Джинни полностью использовала завоеванное преимущество и заявила ему прямо в глаза:

– А он не из *ваших* знакомых.

Он снова углубился в исследование своей немудреной попытки первой помощи.

– Жаль парня, – сказал он.

Джинни фыркнула.

– Кровь до сих пор хлещет, как бешеная. Как думаешь, стоит чем-то залить? Что подойдет? Меркурохром сгодится?

– Лучше йодом, – сказала Джинни. Потом, почувствовав, что при данных обстоятельствах ответ излишне вежливый, добавила: – Кто же мажет *раны* меркурохромом!

– А что тут плохого? В чем дело?

– Просто в таких случаях это *без пользы*, вот и все. Вам нужен йод.

Он уставился на Джинни.

– Да йод же чертовски щиплет, нет? – спросил он. – Скажешь, он не щиплет, как черт?

– Ну, *щиплет*, – сказала Джинни. – Но это вас не убьет, не бойтесь.

Даже не обидевшись на вызывающий тон Джинни, Селенин брат уставился на больной палец.

– Не люблю я, когда щиплет, – признался он.

– *Никто* не любит.

Он кивнул, соглашаясь.

– Да-а...– сказал он.

Джинни с минуту наблюдала за ним.

– Да перестаньте вы его трогать! – вдруг вырвалось у нее.

Селенин брат отдернул свою здоровую руку, словно его ударило током. Он даже немного выпрямился – точнее, стал чуть меньше сутулиться. Он уставился на какой-то предмет в дальнем углу комнаты. Его помятая физиономия приобрела почти мечтательное выражение. Он принялся выковыривать ногтем невредимого указательного пальца какую-то застрявшую между передними зубами частичку пищи и обернулся к Джинни:

– Уже жавтракала? – спросил он.

– Что?

– Ушпела пожавтракать?

Джинни помотала головой.

– Дома поем. У мамы всегда готов второй завтрак. К моему приходу.

– У меня есть полсэндвича с цыпленком. Хочешь, принесу? Я ни разу не откусил, вообще не трогал.

– Спасибо, не надо. Честное слово.

– Да ведь ты все утро в теннис играла, бог ты мой! И не проголодалась?

– Не в этом дело, – сказала Джинни и снова скрестила ноги. – Просто у моей мамы всегда готов второй завтрак к моему приходу. Если я перебью аппетит, она с ума сойдет, понимаете?

Судя по всему, это объяснение удовлетворило Селениного брата. Он кивнул и отвернулся. Но внезапно снова обернулся:

– А стаканчик молока? Выпьешь?

– Нет, спасибо... Спасибо большое.

Он с отсутствующим видом наклонился и почесал голую ногу.

– А как зовут парня, за кого она выходит?

– Джоан? – спросила Джинни. – За Дика Хеффнера.

Селенин брат все еще чесал свою лодыжку.

– Он капитан-лейтенант морского флота, – добавила Джинни.

– Подумаешь, важная птица.

Джинни хихикнула. Она смотрела, как он расчесывает ногу докрасна. Но когда он принялся отдирать ногтем какую-то мелкую болячку, она отвела взгляд.

– А вы откуда знаете Джоан? Дома я вас не видела, и вообще...

– Я ни разу и не бывал в вашем треклятом доме.

Джинни подождала, но продолжения не последовало.

– Тогда где вы с ней познакомились?

– На вечеринке, – сказал он.

– На какой вечеринке?

– *Почем* я знаю. На Рождество, в 42-м. – Он выудил двумя пальцами из нагрудного кармана пижамы сигарету, явно пролежавшую там всю ночь. – Спички не подбросишь? – сказал он. Джинни взяла со столика спички и протянула ему. Он закурил сигарету, не обращая внимания на то, что она переломлена, и сунул погасшую спичку обратно в коробок. Закинув голову, он выпустил изо рта громадный клуб дыма и втянул его через ноздри. И продолжал демонстрировать этакие «французские затяжки». Вполне вероятно, это не был маленький спектакль в ее честь или попытка покрасоваться – просто открытая и честная демонстрация личного достижения молодого человека, который мог иногда даже рискнуть побриться левой рукой.

– А почему это Джоан – воображала?

– Почему? Потому что так и есть. Какого черта мне знать, почему?

– Ясно. Но я спрашиваю, почему вы так говорите?

Он повернулся к ней, словно преодолевая усталость:

– Слушай. Я ей написал восемь треклятых писем. *Восемь штук.* А она не ответила *ни на одно.*

Джинни задумалась.

– Мало ли что. Может, была занята.

– Как бы не так. Занята. Трудилась, как проклятущий бобренок.

— Неужели вам не надоело все время *ругаться?*

— Не надоело, черт побери.

Джинни хихикнула.

— Ну, и давно вы с ней знакомы? — спросила она.

— Достаточно давно.

— Я спрашиваю, звонили вы ей хоть раз или вообще как-нибудь... Вы что, ни разу ей не позвонили, и вообще...

— Не-а...

— Ну, вы даете. Если вы ни разу ей не позвонили и ничего не...

— Да отстань ты, Христа ради! Не мог я!

— Почему?

— Не был в Нью-Йорке.

— О! А где вы были?

— Я-то? В Огайо.

— О, учились в колледже?

— Да нет. Бросил.

— О, значит, были в армии?

— Да нет. — Рукой, в которой была сигарета, Селенин брат постучал себя по левой стороне груди. — Мотор барахлит.

— Вы хотите сказать — сердце? А что у вас с сердцем?

— Откуда *мне-то* знать, какого черта оно барахлит. У меня в детстве был ревмокардит. Чертовская боль вот...

— А разве вам можно курить? То есть вам совсем нельзя курить, верно? Доктор говорил моему...

— Э! Доктора всегда норовят мозги запудрить, — отпарировал он.

Джинни на минуту прервала обстрел. Но тут же возобновила:

— Что же вы делали в Огайо?

— Я? Работал на треклятом авиационном заводе.

— Да что вы? — сказала Джинни. — И как вам, понравилось?

— «Как вам, понравилось?», — передразнил он. — Я был в восторге. Я просто *обожаю* самолетики. Они такие *симпатичные.*

Джинни была слишком поглощена разговором, чтобы обижаться.

— А вы долго там работали — на авиационном заводе?

— Не выспрашивай, Христа ради. Тридцать семь месяцев. — Он встал и пошел к окну. Стал смотреть сверху вниз на улицу, почесывая спину большим пальцем. — Ты только глянь на них, — сказал он. — Дураки треклятые.

— Кто? — спросила Джинни.

— *Мне-то* откуда знать? Все поголовно.

— У вас кровь еще сильнее пойдет, если будете держать руку опущенной *вниз*, — сказала Джинни.

Он ее услышал. Поставил ногу на подоконник и пристроил руку на бедре, как на подставке. Он продолжал смотреть вниз, на улицу.

— Они все как один шагают на треклятый призывной пункт, — сказал он. — Настала очередь эскимосов. Идем войной на эскимосов. Слыхала?

— На кого?

— На эскимосов... Да открой ты свои уши, Христа ради.

— Почему на эскимосов?

— Не знаю, почему. Какого черта *я* должен знать — почему? На этот раз и всех стариков заберут. Всех ребят, кому под шестьдесят, — сказал он. — Рабочий день немного скостят — и все... Всего и делов.

— *Вам-то* так и так воевать не придется, — сказала Джинни. Она ничего не хотела сказать, кроме чистой правды, но, еще не закончив фразу, поняла, что говорит что-то не то.

— Знаю, — быстро откликнулся он, снимая ногу с подоконника. Он приподнял раму и выбросил окурок на улицу. Покончив возню с окном, он повернулся к Джинни: — Эй. Сделай одолжение. Тут придет один малый —

скажи ему, что я буду через пару секунд. Мне только побриться. Идет?

Джинни кивнула.

– Хочешь, я потороплю Селену, или еще что? Она хоть знает, что ты ждешь?

– О, разумеется она знает, что я здесь, – сказала Джинни. – Я не тороплюсь, спасибо.

Селенин брат кивнул. Потом устремил последний долгий взгляд на свой раненый палец, словно пытаясь понять, в состоянии ли тот выдержать весь путь до его комнаты.

– Почему вы не залепите рану пластырем? У вас что, нет полоски пластыря или типа того?

– Нету, – протянул он. – Ладно. Не бери в голову. – И он побрел в свою комнату.

Через несколько секунд он вернулся с половинкой сэндвича в руке.

– Съешь-ка, – сказал он. – Свежий.

– Честное слово, я совсем не хочу...

– Да *бери* ты, Христа ради! Я его не отравил, и ничего такого.

Джинни пришлось взять половинку сэндвича.

– Большое вам спасибо, – сказала она.

– С цыпленком, – сказал он, стоя рядом и следя за ней. – Купил вчера в треклятой закусочной. Деликатес!

– С виду очень свежий.

– Тогда давай, *ешь*, не тяни.

Джинни откусила кусочек.

– Вкусно, а?

Джинни с трудом проглотила кусок.

– Очень, – сказала она.

Селенин брат кивнул. Он оглядел комнату рассеянным взглядом, почесывая под ложечкой.

– Ну, мне, пожалуй, пора идти одеваться... Господи Иисусе! Звонят! Действуй, не тушуйся! – и он скрылся за дверью.

Оставшись одна, Джинни, не вставая с места, огляделась, соображая, куда бы выбросить или спрятать сэндвич. Она услышала, как кто-то идет в гостиную из прихожей. И сунула сэндвич в карман своего верблюжьего пальто.

В комнату вошел молодой человек лет тридцати с чем-то, среднего роста – не высокий, не маленький. Правильные черты лица, короткая стрижка, мягкий шелковый галстук с примелькавшимся пестреньким узором – ничто не давало о нем определенной информации. Он вполне мог оказаться репортером – или будущим репортером – какого-нибудь глянцевого еженедельника. А может, он только что играл в пьесе, которая сошла со сцены в Филадельфии. А может, служит в адвокатской конторе.

– Хэллоу, – любезно поздоровался он с Джинни.

– Хэлло.

– Фрэнклина видели? – спросил он.

– Он бреется. Просил сказать, чтобы вы подождали. Он сейчас придет.

– *Бреется.* Силы небесные. – Молодой человек взглянул на свои часы. Потом опустился в кресло, крытое алым дамаском, закинул ногу за ногу и поднял руки к лицу. Он стал массировать веки кончиками вытянутых пальцев, как будто у него глаза болели от переутомления, а может, и сам он где-то переутомился. – Сегодняшнее утро – самое ужасное утро во всей моей жизни, – сказал он, отнимая руки от лица. Он говорил на верхнем дыхании, как будто от изнеможения не мог даже глубоко вздохнуть, чтобы послать воздух к своим голосовым связкам.

– Что случилось? – спросила Джинни, разглядывая его.

– О... слишком длинная история. Я никогда не докучаю людям, с которыми не был знаком по меньшей мере тысячу лет. – Он отвел глаза и стал смотреть куда-то в сторону окна с отсутствующим и хмурым видом. – Но с этих пор я никогда не позволю себе претендовать хотя бы на *малейшее* понимание человеческой натуры. Можете повторять мои слова во всеуслышание.

– Что случилось? – повторила Джинни.

– О боже ты мой. Да этот тип, который жил со мной в моей квартире – месяц за месяцем, долгие месяцы, – я о нем даже говорить не хочу... Этот *литератор*, – добавил он со смаком, как будто вспомнил нелестное мнение, высказанное Хэмингуэем в его знаменитом романе.

– Что он натворил?

– *Откровенно говоря*, я бы не хотел входить в подробности, – сказал молодой человек. Он вынул сигарету из собственной пачки, не удостоив вниманием сигаретницу, стоявшую на столе, и прикурил от собственной зажигалки. Руки у него были большие. Но они не казались ни сильными, ни умелыми, ни чуткими. И все же он жестикулировал так, словно руки жили отдельной жизнью и двигались как бы сами собой, повинуясь собственным эстетическим порывам. – Я запретил себе даже думать об этом. Но я все равно вне себя от ярости, – сказал он. – Представьте себе этакую мелкую тварь из *Алту-у-ны*, в Пенсильвании, или еще из какой-то богом забытой дыры. Явно *подыхавшую* с голоду. Я достаточно жалостливый и *порядочный* человек – я от *природы* истинный добрый самаритянин – и я *подбираю* его и привожу к себе в дом, в эту абсолютно *микроскопическую* квартирку, где мне и самому негде повернуться. Я его знакомлю со *всеми* своими друзьями. Позволяю ему завалить *всю* квартиру своими жуткими рукописями, и окурками, и *редиской*, и бог знает чем. *Представляю* его всем театральным продюсерам Нью-Йорка. *Таскаю* его грязные рубашки в прачечную и обратно. И после всего *этого*... – молодой человек сделал паузу. – В благодарность за всю мою доброту и *милосердие*, – продолжал он, – он исчезает в пять или в шесть часов утра – даже *записки* не оставил, – прихватив с собой буквально все, на что ему удалось наложить свои поганые грязные лапы. – Он прервался, чтобы затянуться сигаретой, и выпустил дым изо рта тонкой струйкой, с присвистом. – Нет, не хочу говорить об этом. Не хочу и не стану. – Он посмотрел на Джинни. – Какое у вас пальтишко прелестное, – сказал он, уже вскочив с кресла. Он подошел и пощупал отворот ее пальто. – Просто прелесть. Первое натуральное, *добротное* пальто из верблюжьей шерсти, которое я вижу после войны. Позвольте спросить, где вы его достали?

– Мама привезла из Нассо.

Молодой человек многозначительно кивнул и ретировался к своему креслу.

– Одно из немногих мест, где можно купить *добротную* вещь из верблюжьей шерсти. – Он уселся в кресло. – Она там долго пробыла?

– Что? – спросила Джинни.

– Долго ли ваша матушка там пробыла? Я потому спрашиваю, что *моя* мама провела там декабрь. И часть января. *Обычно* я ее сопровождаю, но этот год выдался такой суматошный, что я просто не смог выбраться.

– Она там была в феврале, – сказала Джинни.

– Супер. А где она останавливалась?

– У моей тети.

Он кивнул.

– Можно узнать ваше имя? Вы подруга сестры Фрэнклина, насколько я понимаю?

– Мы с ней в одном классе учимся, – ответила Джинни только на второй вопрос.

– Не вы ли та самая знаменитая *Мэксайн*, о которой Селена так часто говорит?

– Нет, – сказала Джинни.

Молодой человек внезапно принялся отряхивать ладонью свои брюки.

— Я весь в *собачьей шерсти* с головы до ног, — сказал он. — Мама поехала на уик-энд в Вашингтон и забросила своего звереныша в *мою* квартиру. На самом деле премилая зверушка. Но совершенно невоспитанная. А у вас есть собака?

— Нет.

— Вообще-то я считаю, что держать собак в городе — жестокость. — Отряхнув брюки, он выпрямился и снова посмотрел на часы. — Не припомню, чтобы этот малый *хоть раз* в жизни не опоздал. Мы собираемся посмотреть «Красавицу и чудовище» Кокто, а это *тот* самый фильм, на который *нельзя* опаздывать. Понимаете, стоит пропустить начало, и весь *шарм* фильма пропал. Вы его видели?

— Нет.

— Непременно посмотрите! Я уже смотрел восемь раз. Это же абсолютный гений, гений в чистом виде, — сказал он. — Я *пытаюсь* уже несколько месяцев заставить Фрэнклина пойти и посмотреть. — Он покачал головой, показывая, что дело безнадежное. — Вкус у него... В войну мы с ним вместе работали в одном жутком месте, так этот малый *то и дело* таскал меня на самые несусветные фильмы. Мы смотрели гангстерские фильмы, вестерны, *мьюзиклы*...

— А вы что, тоже работали на авиационном заводе? — спросила Джинни.

— Боже мой, да. Годы, годы, долгие годы. Прошу вас, не будем об этом.

— У вас тоже больное сердце, да?

— Слава богу, нет. Постучим по дереву. — Он два раза стукнул по ручке кресла. — У меня здоровье, как у...

Когда Селена вошла в гостиную, Джинни быстро встала и пошла к ней навстречу. Селена успела сменить шорты на платье, что раньше обязательно обидело бы Джинни.

– Извини, что заставила тебя ждать, – неискренне извинилась Селена, – но мне пришлось подождать, пока мама проснется... Хэлло, Эрик.

– Хэллоу, хэллоу!

– Знаешь, мне деньги не нужны, – сказала Джинни, понижая голос, чтобы ее слышала только Селена.

– Что?

– Я тут подумала. Ты ведь приносишь теннисные мячи, и все такое, каждый раз. Я просто забыла.

– Но ты же сказала, что раз я за них не плачу...

– Проводи меня, – сказала Джинни и пошла впереди нее к двери, не попрощавшись с Эриком.

– А я думала, что ты вечером собираешься в кино и тебе деньги понадобятся, ты сама говорила! – сказала Селена в передней.

– Я слишком устала. – Джинни наклонилась и взяла свои теннисные пожитки. – Слушай, я тебе позвоню после обеда. Ты сегодня вечером куда-нибудь собираешься? Я могла бы заглянуть.

Селена широко раскрыла глаза и сказала: «О'кей».

Джинни открыла дверь квартиры, вышла на лестничную площадку и вызвала лифт.

– Я тут с твоим братом познакомилась, – сказала она.

– Вот как! Он у нас чудной, правда?

– А чем он вообще занимается? – спросила Джинни как бы мимоходом. – Работает или еще что?

– Только что ушел с работы. Папа хочет, чтобы он вернуся в колледж, а он ни в какую.

– Почему?

– Понятия не имею. Говорит, что слишком много пропустил, и все такое.

– А сколько ему лет?

– *Я-то* откуда знаю? Двадцать четыре.

Дверь лифта открылась.

– Так я тебе позвоню! – сказала Джинни.

Выйдя на улицу, она пошла в сторону Лексингтон-авеню, к автобусной остановке. Между Третьей и Лексингтон она полезла в карман пальто за кошельком и наткнулась на половинку сэндвича. Она вынула сэндвич из кармана и совсем было опустила руку вниз, чтобы незаметно уронить его на тротуар, но не стала бросать, а положила обратно. Несколько лет назад она целых три дня не могла выбросить дохлого пасхального цыпленка, которого нашла в опилках на дне своей мусорной корзины.

Человек, который смеялся

В 1928 году – девяти лет от роду – я был членом некой организации, носившей название Клуба команчей, и привержен к ней со всем esprit de corps[1]. Ежедневно после уроков, ровно в три часа, у выхода школы № 165, на Сто девятой улице, близ Амстердамской авеню, нас, двадцать пять человек команчей, поджидал наш Вождь. Теснясь и толкаясь, мы забирались в маленький переделанный рейсовый автобус Вождя, и он вез нас согласно деловой договоренности с нашими родителями в Центральный парк. Все послеобеденное время мы играли в футбол, в зависимости – правда, относительной – от погоды. В очень дождливые дни наш Вождь обычно водил нас в естественноисторический музей или в Центральную картинную галерею.

По субботам и большим праздникам Вождь с утра собирал нас по квартирам и в своем доживавшем век автобусе вывозил из Манхэттена на сравнительно вольные просторы Ван-Кортлендовского парка или в Палисады. Если нас тянуло к честному спорту, мы ехали в Ван-Кортлендовский парк: там были настоящие площадки и футбольные поля и не грозила опасность встретить в качестве противника детскую коляску или разъяренную старую даму с палкой. Если же сердца команчей тосковали по вольной жизни, мы отправлялись за город в

1 Корпоративным духом (*фр.*).

Палисады и там боролись с лишениями. (Помню, однажды, в субботу, я даже заблудился в дебрях между дорожным знаком и просторами Вашингтонского моста. Но я не растерялся. Я примостился в тени огромного рекламного щита и, глотая слезы, развернул свой завтрак – для подкрепления сил, смутно надеясь, что Вождь меня отыщет. Вождь всегда находил нас.)

В часы, свободные от команчей, наш Вождь становился просто Джоном Гедсудским со Стейтен-Айленда. Это был предельно застенчивый, тихий юноша лет двадцати двух – двадцати трех, обыкновенный студент-юрист Нью-Йоркского университета, но для меня его образ незабываем. Не стану перечислять все его достоинства и добродетели. Скажу мимоходом, что он был членом бойскаутской «Орлиной стаи», чуть не стал лучшим нападающим, почти что чемпионом американской сборной команды 1926 года, и что его как-то раз весьма настойчиво приглашали попробовать свои силы в нью-йоркской бейсбольной команде мастеров. Он был самым беспристрастным и невозмутимым судьей в наших бешеных соревнованиях, мастером по части разжигания и гашения костров, опытным и снисходительным подателем первой помощи. Мы все, от малышей до старших сорванцов, любили и уважали его беспредельно.

Я и сейчас вижу перед собой нашего Вождя таким, каким он был в 1928 году. Будь наши желания в силах наращивать дюймы, он вмиг стал бы у нас великаном. Но жизнь есть жизнь, и росту в нем было всего каких-нибудь пять футов и три-четыре дюйма. Иссиня-черные волосы почти закрывали лоб, нос у него был крупный, заметный, и туловище почти такой же длины, как ноги. Плечи в кожаной куртке казались сильными, хотя и неширокими, сутуловатыми. Но для меня в то время в нашем Вожде нерасторжимо сливались все самые фотогеничные черты лучших киноактеров – и Бака Джонса, и Кена Мейнарда, и Тома Микса.

* * *

К вечеру, когда настолько темнело, что проигрывающие оправдывались этим, если мазали или упускали легкие мячи, мы, команчи, упорно и эгоистично эксплуатировали талант Вождя как рассказчика. Разгоряченные, взвинченные, мы дрались и визгливо ссорились из-за мест в автобусе, поближе к Вождю. В автобусе стояли два параллельных ряда плетеных сидений. Слева были еще три места – самые лучшие: с них можно было видеть даже профиль Вождя, сидевшего за рулем. Когда мы все рассаживались, Вождь тоже забирался в автобус. Он садился на свое шоферское место, лицом к нам и спиной к рулю, и слабым, но приятным тенорком начинал очередной выпуск «Человека, который смеялся». Стоило ему начать – и мы уже слушали с неослабевающим интересом. Это был самый подходящий рассказ для настоящих команчей. Возможно, что он даже был построен по классическим канонам. Повествование ширилось, захватывало тебя, поглощало все окружающее и вместе с тем оставалось в памяти сжатым, компактным и как бы портативным. Его можно было унести домой и вспоминать, сидя, скажем, в ванне, пока медленно выливалась вода.

Единственный сын богатых миссионеров, Человек, который смеялся, был в раннем детстве похищен китайскими бандитами. Когда богатые родители отказались (из религиозных соображений) заплатить выкуп за сына, бандиты, оскорбленные в своих лучших чувствах, сунули головку малыша в тиски и несколько раз повернули соответствующий винт вправо. Объект такого, единственного в своем роде, эксперимента вырос и возмужал, но голова у него осталась лысой, как колено, грушевидной формы, а под носом вместо рта зияло огромное овальное отверстие. Да и вместо носа у него были только следы заросших ноздрей. И потому, когда Человек дышал, жуткое уродливое отверстие под носом расширялось и опадало, в моем представлении, словно огромная вакуоля у амебы. (Вождь скорее наглядно изображал, чем описывал, как дышал Человек.) При виде страшного лица Человека, который смеялся, непривычные люди с ходу падали в обморок. Знакомые избегали его. Как ни странно, бандиты не гнали его от себя – лишь бы он прикрывал лицо тонкой бледно-алой маской, сделанной из лепестков мака. Эта маска не только скрывала от бандитов лицо их приемного сына – благодаря ей они всякий раз знали, где он находится: по вполне понятной причине от него несло опиумом.

Каждое утро, страдая от одиночества, Человек прокрадывался (конечно, грациозно и легко, как кошка) в густой лес, окружавший бандитское логово. Там он дружил со всяким зверьем: с собаками, белыми мышами, орлами, львами, удавами, волками. Мало того, там он снимал маску и со всеми зверями разговаривал мягким, мелодичным голосом на их собственном языке. Им он не казался уродом.

(Вождю понадобилось месяца два, чтобы дойти до этого места в рассказе. Но отсюда он стал куда щедрее разворачивать события перед восхищенными команчами.)

Человек, который смеялся, был мастером подслушивать и вскоре овладел всеми самыми сокровенными тайнами бандитской профессии. Но об этих приемах он был не слишком высокого мнения и незамедлительно изобрел собственную, куда более эффективную систему: сначала изредка, потом чаще он стал разгуливать по Китаю, грабя и оглушая людей, – убивал он только в случае крайней необходимости. Своими изворотливыми и хитрыми преступлениями, в которых, как ни удивительно, проявлялось его исключительное благородство, он завоевал прочную любовь простого народа. Как ни странно, его приемные родители (те самые бандиты, которые толкнули его на стезю преступлений) узнали о его подвигах чуть ли не последними. А когда узнали, их обуяла черная зависть. Ночью они гуськом продефилировали мимо постели Человека, думая, что, одурманенный ими, он спит глубоким сном, и по очереди вонзали в тело, покрытое одеялами, свои ножи-мачете. Но жертвой оказалась мамаша главаря банды, чрезвычайно сварливая и неприятная особа. Этот случай только распалил бандитов, жаждавших крови Человека, который смеялся, и в конце концов ему пришлось запереть всю банду в глубокий, но вполне комфортабельно обставленный склеп. Изредка они удирали оттуда и мешали ему жить, но все же убивать их он не желал. (Эта его нелепая жалостливость бесила меня до чертиков.)

Вскоре Человек, который смеялся, стал регулярно пересекать китайскую границу, попадая прямо в Париж, французский город, где он при всей своей скромности любил с гениальной изобретательностью изводить некоего Марселя Дюфаржа, всемирно известного сыщика, чахоточного, но весьма остроумного господина. Дюфарж и его дочка (очаровательная, хоть и мужеподобная девица) стали злейшими врагами Человека. Много раз они пытались провести и поймать его. Человек вначале поддавался им из чисто спортивного интереса, но потом исчезал без следа, так что никто не мог догадаться, каким образом он удрал. Только изредка он оставлял прощальную записочку в системе парижской канализации, и она незамедлительно доставлялась Дюфаржу в собственные руки. Семья Дюфарж проводила невероятное количество времени, шлепая по туннелям парижской канализации.

Вскоре Человек, который смеялся, стал единоличным владельцем самого грандиозного состояния в мире. Большую часть он анонимно пожертвовал монахам одного местного монастыря – смиренным аскетам, посвятившим жизнь разведению немецких овчарок.

Остатки своего богатства Человек вкладывал в бриллианты, он небрежно опускал их в изумрудных сейфах на дно Черного моря. Личные его потребности были до смешного ограниченны. Он питался исключительно рисом с орлиной кровью и жил в скромном домике, с подземным тиром и гимнастическим залом, на бурном берегу Тибета. С ним жили четверо беззаветно преданных сообщников: легконогий гигант волк по прозванию Чернокрылый, симпатичный карлик по имени Омба, великан монгол по имени Гонг (язык ему выжгли белые люди) и несказанно прекрасная девушка-евразийка, которая из неразделенной любви к Человеку и постоянного страха за его личную безопасность иногда не брезговала даже нарушением законности. Человек отдавал распоряжения своей команде из-за черной шелковой ширмы. Даже Омбе, симпатичному карлику, не дано было видеть его лицо.

Я мог бы буквально часами – не бойтесь, не буду! – водить вас, читатель, насильно, если понадобится, взад и вперед через китайско-парижскую границу. До сих пор я считаю Человека, который смеялся, кем-то вроде своего героического предка, ну, скажем, Роберта Э. Ли в глубине вод или в сражениях. Но эти нынешние мечты и сравнить нельзя с теми, что владели мною в 1928 году, когда я считал себя не только прямым потомком Человека, но и его единственным живым и законным наследником. В том, 1928 году я был вовсе не сыном своих родителей, но дьявольски хитрым самозванцем, выжидавшим малейшего просчета с их стороны, чтобы тут же, лучше без насилия, хотя и оно не исключалось, открыть им свое истинное лицо. Но, не желая разбить сердце своей мнимой матери, я предполагал наградить ее в моем преступном мире каким-то пока неопределенным, но, несомненно, королевским званием. Однако самым *главным* для меня в 1928 году была постоянная бдительность. Играть им всем на руку. Чистить зубы, причесываться. Изо всех сил скрывать свой природный, дьявольски жуткий смех.

В действительности я был далеко не единственным живым потомком и законным наследником Человека, который смеялся. В клубе было двадцать пять команчей, двадцать пять живых потомков и законных наследников Человека, и мы все зловещими незнакомцами кружили по городу, чуя возможного врага в каждом лифтере, сдавленным, но отчетливым шепотом отдавали приказания на ухо своему спаниелю и, вытянув указательный палец, брали на мушку учителей арифметики. И напряженно, неустанно выжидали, когда же наконец представится случай вселить ужас и восхищение в чью-то заурядную душу.

* * *

Однажды, в февральский день, открывший сезон бейсбола для команчей, я узрел новое украшение в машине нашего Вождя. Над зеркальцем ветрового стекла появилась маленькая фотография девушки в студенческой шапочке и мантии. Мне показалось, что эта фотография нарушает общий, чисто мужской стиль нашего автобуса, и я прямо спросил Вождя, кто это такая. Сначала он помялся, но наконец открыл мне, что это девушка. Я спросил, как ее зовут. Помедлив, он нехотя ответил: «Мэри Хадсон». Я спросил: в кино она, что ли? Он сказал — нет, она училась в университете, в Уэлсли-колледже. После некоторого размышления он добавил, что Уэлсли-колледж — очень знаменитый колледж. Я спросил его — зачем ему эта карточка *тут*, в нашей машине? Он слегка пожал плечами, словно хотел, как мне показалось, создать впечатление, что фотографию ему вроде как бы навязали.

Но в ближайшие две-три недели эта фотография, силой или случаем навязанная нашему Вождю, так и оставалась в машине. Ее не выметали ни с конфетными бумажками, где был изображен Бэйб Рут, ни с палочками от леденцов. И мы, команчи, как-то к ней привыкли. Постепенно мы ее стали замечать не больше, чем спидометр.

Но однажды по дороге в парк Вождь остановил машину на Пятой авеню в районе Шестидесятых улиц, более чем в полумиле от нашей бейсбольной площадки. Двадцать непрошеных советчиков тут же потребовали объяснений, но Вождь промолчал. Вместо ответа он принял обычную позу рассказчика и не ко времени стал нас угощать продолжением истории Человека, который смеялся. Но не успел он начать, как в дверцу машины постучались. В тот день все рефлексы нашего Вождя были молниеносными. Он буквально перевернулся вокруг собственной оси, дернул ручку дверцы, и девушка в меховой шубке забралась в наш автобус.

Сразу, без раздумья, я вспоминаю только трех девушек в своей жизни, которые с первого же взгляда поразили меня безусловной, безоговорочной красотой. Одну я видел на пляже в Джонс-Бич в 1936 году – худенькая девчонка в черном купальнике, которая никак не могла раскрыть оранжевый зонтик. Вторая мне встретилась в 1939 году на пароходе, в Карибском море, – она еще бросила зажигалку в дельфина. А третьей была девушка нашего Вождя – Мэри Хадсон.

– Я очень опоздала? – спросила она, улыбаясь Вождю.

С тем же успехом она могла бы спросить: «Я очень некрасивая?»

– Нет! – сказал наш Вождь. Растерянным взглядом он обвел команчей, сидевших поблизости, и подал знак – уступить место. Мэри Хадсон села между мной и мальчиком по имени Эдгар – фамилии не помню, – у его дяди лучший друг был бутлеггером. Мы потеснились ради нее, как только могли. Машина двинулась, вильнув, будто ее вел новичок. Все команчи, как один человек, молчали.

На обратном пути к нашей обычной стоянке Мэри Хадсон наклонилась к Вождю и стала восторженно отчитываться перед ним – на какие поезда она опоздала и на какой поезд попала; жила она в Дугластоне, на Лонг-Айленде.

Наш Вождь очень нервничал. Он не только никак не поддерживал разговор, он почти не слушал, что она говорила. Помню, что головка с рычага переключения передач отлетела у него под рукой.

Когда мы вышли из пикапа, Мэри Хадсон тоже увязалась за нами. Не сомневаюсь, что, когда мы подошли к бейсбольной площадке, на лицах всех команчей читалась одна мысль: «Есть же такие девчонки, не знают, когда им пора убираться домой!» И в довершение всего именно в ту минуту, как мы с другим команчем бросали монетку, чтобы разыграть поле между командами, Мэри Хадсон робко выразила желание принять участие в игре. Ответ был более чем ясен. До той минуты команчи с недоумением смотрели на эту особу женского пола, теперь в их взглядах вспыхнуло возмущение. Она же улыбнулась нам в ответ. Мы несколько растерялись. Тут вступился наш Вождь, проявив скрытую ранее способность теряться в некоторых обстоятельствах. Отведя Мэри Хадсон в сторону, чтобы не слышали команчи, он безуспешно пытался поговорить с ней серьезно и внушительно.

Но Мэри Хадсон прервала его, и ее голос отчетливо услышали все команчи.

– Но раз мне *хочется*! – сказала она. – Мне *тоже* хочется поиграть!

Вождь кивнул и снова стал ее убеждать. Он показал на поле, мокрое, все в ямах. Он взял биту и продемонстрировал, какая она тяжелая.

– Все равно! – громко сказала Мэри Хадсон. – Зря я, что ли, приехала в Нью-Йорк, будто бы к зубному врачу, и все такое. Нет, я хочу играть!

Вождь снова покачал головой, но сдался. Он медленно подошел туда, где ждали Смельчаки и Воители – так назывались наши команды, – и посмотрел на меня. Я был капитаном Воителей. Он напомнил мне, что мой центральный принимающий сидит дома больной, и предложил в качестве замены Мэри Хадсон. Я сказал, что мне замена вообще не нужна. А Вождь сказал, а почему, черт подери? Я остолбенел. Впервые в жизни Вождь при нас выругался. Хуже того, я видел, что Мэри Хадсон мне улыбается. Чтобы прийти в себя, я поднял камешек и метнул его в дерево.

Мы подавали первые. Сначала центральному принимающему делать было нечего. Из первого ряда я изредка оглядывался назад. И каждый раз Мэри Хадсон весело махала мне рукой. Рука была в бейсбольной рукавице – со стальным упорством Мэри настояла на своем и надела рукавицу. Ужасающее зрелище!

У нас в команде Мэри Хадсон била по мячу девятой. Когда я ей об этом сообщил, она сделала гримасу и сказала:

– Хорошо, только поторопитесь! – И, как ни странно, мы действительно заторопились. Пришла ее очередь. Для такого случая она сняла меховую шубку и бейсбольную рукавицу и встала на свое место в темно-коричневом платье. Когда я подал ей биту, она спросила, почему она такая *тяжеленная*. Вождь забеспокоился и перешел с судейского места к ней поближе. Он велел Мэри Хадсон упереть конец биты в правое плечо.

– А я уперла, – сказала она. Он велел ей не сжимать биту изо всей силы. – А я и не сжимаю! – сказала она. Он велел ей смотреть прямо на мяч. – Я и смотрю! – сказала она. – Ну-ка, посторонись!

Мощным ударом она отбила первый же посланный ей мяч – он полетел через голову левого крайнего. Даже для обычного удара это было бы отлично, но Мэри Хадсон сразу вышла на третью позицию – вот так, запросто.

Во мне удивление сначала сменилось испугом, а потом — восторгом, и, только оправившись от всех этих чувств, я посмотрел на нашего Вождя. Казалось, что он не стоит за подающим, а парит над ним в воздухе. Он был бесконечно счастлив. Мэри Хадсон махала мне рукой с дальней позиции. Я помахал ей в ответ. Тут меня ничто не могло остановить. Дело было не в умении работать битой, она и махать человеку с дальней позиции умела никак не хуже. До самого конца игры она каждый раз била здорово. Почему-то ей не нравилась первая позиция, она там никак не могла устоять. Трижды она переходила на вторую.

Принимала она из рук вон плохо, но мы уже так разыгрались, что некогда было обращать внимание. Конечно, она могла бы играть лучше, если бы отбивала чем угодно, только не бейсбольной рукавицей. А она никак не желала с ней расстаться. Нет, говорит, она такая миленькая.

Весь месяц она играла в бейсбол с команчами раза два в неделю (как видно, в эти дни она приезжала к зубному врачу). Иногда она встречала машину вовремя, иногда опаздывала. То она трещала без умолку, то молчала и курила свои сигареты с фильтром. А когда я сидел с ней рядом, я чувствовал, что от нее пахнет чудесными духами.

Однажды, холодным апрельским днем, наш Вождь, подобрав нас, как всегда, на углу Сто девятой и Амстердамской, повернул машину на восток у Сто десятой улицы и поехал обычным путем вниз по Пятой авеню. Но волосы у него были приглажены мокрой щеткой, вместо кожаной куртки на нем красовалось пальто, и я, само собой разумеется, предположил, что назначена встреча с Мэри Хадсон. А когда мы проскочили наш обычный въезд в парк, я уже не сомневался. Вождь остановил машину, как и полагалось, на углу одной из Шестидесятых улиц. И чтобы убить время без вреда для команчей, он сел к нам лицом и выдал новую серию приключений «Человека, который смеялся». Помню эту серию до мельчайших подробностей и должен вкратце пересказать ее.

Стечением обстоятельств лучший друг Человека, его ручной волк-гигант, Чернокрылый, попал в ловушку, хитро и коварно подстроенную Дюфаржами. Зная благородство Человека и его неизменную верность друзьям, Дюфаржи предложили ему освободить Чернокрылого в обмен на него самого. Безоговорочно поверив им, Человек согласился на эти условия (иногда в мелочах гениальный механизм его мозга по каким-то таинственным причинам не срабатывал). Было условлено, что Дюфаржи встретятся с Человеком в полночь на полянке в дремучем лесу, окружавшем Париж, и там при свете луны они выпустят Чернокрылого. Однако Дюфаржи и не думали отпускать Чернокрылого, которого они боялись и ненавидели. В назначенную ночь они привязали вместо Чернокрылого другого, подставного волка, выкрасив ему левую заднюю лапу в белоснежный цвет – для полного сходства с Чернокрылым.

Но Дюфаржи позабыли о двух вещах: о чувствительном сердце человека и о его знании волчьего языка. Лишь только он дал дочери Дюфаржа привязать себя колючей проволокой к дереву, как по зову души его прекрасный мелодичный голос зазвучал прощальным напутствием тому, кого он принял за своего старого друга. Подставной волк, стоявший в нескольких шагах на освещенной лунной поляне, был поражен лингвистическими познаниями незнакомца и вежливо выслушал последние напутствия как личного, так и профессионального характера. Но потом ему это надоело, и он стал переступать с лапы на лапу. Внезапно он довольно резким тоном перебил Человека, сообщив, что, во-первых, зовут его не Темнокрылый, и не Чернокрылый, и не Сероногий, и вообще не дурацкой кличкой: зовут его

Арман, а во-вторых, он никогда в жизни не бывал в Китае и не испытывает ни малейшего желания попасть туда.

В справедливом гневе Человек сдернул языком маску и при лунном свете явился Дюфаржам во всей наготе своего лица. Мадемуазель Дюфарж тут же свалилась замертво. Ее отцу повезло больше. Его, к счастью, одолел обычный припадок чахоточного кашля, и он избежал смертельного испуга. Когда припадок прошел и он увидел озаренное луной бесчувственное тело дочери, он тут же все понял. Закрыв глаза ладонью, он выпустил всю обойму из пистолета прямо на звук тяжелого, свистящего дыхания Человека.

На этом рассказ кончался до следующего выпуска. Вождь вынул из карманчика свои долларовые часы, взглянул на них, повернулся к рулю и завел мотор. Я проверил и свои часы. Было почти половина пятого. Когда машина тронулась, я спросил Вождя – разве мы не будем ждать Мэри Хадсон? Он мне не ответил, и, прежде чем я успел повторить вопрос, он обернулся и сказал, обращаясь ко всем:

– А ну давайте-ка помолчим! Тихо! – Как ни кинь, но, по существу, этот приказ был бессмыслицей. В машине и раньше, и сейчас стояла абсолютная тишина. Все думали о передряге, в которую попал Человек. Нет, мы о нем уже давно перестали тревожиться – слишком мы в него верили, – но, когда он подвергался опасности, нам было не до разговоров.

* * *

Мы уже сыграли три или четыре тайма, когда я вдруг издали увидел Мэри Хадсон. Она сидела на скамейке, шагах в ста налево от меня, стиснутая двумя няньками с колясочками. На ней была меховая шубка, она курила сигарету и как будто смотрела в нашу сторону. Я заволновался – такое открытие! – и крикнул об этом нашему

Вождю, стоящему за подававшим. Он поспешил ко мне, стараясь не бежать.

«Где?» – спросил он. Я показал где. Он посмотрел в ту сторону, потом сказал: «Вернусь через минутку». И ушел с поля. Уходил он медленно, расстегнув пальто и засунув руки в карманы брюк. Я сел у первой позиции и стал смотреть ему вслед. Когда он подходил к Мэри Хадсон, пальто у него было уже застегнуто доверху и руки вытянуты по швам.

Он постоял над ней минут пять, кажется, он что-то ей сказал. Потом Мэри Хадсон встала, и оба пошли к площадке. На ходу они молчали и ни разу не взглянули друг на друга. Когда они подошли и Вождь снова встал на свое место, я заорал:

– А она будет играть?

Он сказал – молчи в тряпочку. Я помолчал в тряпочку, но глаз с Мэри Хадсон не спускал. Она медленно прошла вдоль площадки, засунув руки в карманы меховой шубки, и наконец села на сдвинутую с места скамейку, за третьей позицией. Она закурила сигарету и закинула ногу на ногу.

Когда били Воители, я подошел к ее скамейке и спросил, не хочет ли она поиграть на левом краю. Она покачала головой.

Я спросил:

– У вас насморк? – Но она опять помотала головой.

Я сказал, что у меня на левом краю играть совершенно некому. Я ей объяснил, что у меня один и тот же мальчик играет и в центре, и слева. На это сообщение никакого ответа не последовало. Я подбросил кверху свою рукавицу, пытаясь отбить ее головой, но она упала в грязь. Я вытер рукавицу о штаны и спросил Мэри Хадсон, не придет ли она к нам домой, в гости, к обеду. Я ей объяснил, что наш Вождь часто бывает у нас в гостях.

– Оставь меня в покое, – сказала она. – Пожалуйста, оставь меня в покое.

Я посмотрел на нее во все глаза, потом пошел к скамье, где сидели мои Воители, и, вынув мандаринку из кармана, стал подбрасывать ее в воздух. Не дойдя до штрафной линии, я повернул и стал пятиться задом, глядя на Мэри Хадсон и продолжая подкидывать мандаринку. Я понятия не имел, что же происходит между ней и нашим Вождем, да и теперь только чутьем смутно догадываюсь, и все же во мне росла уверенность, что Мэри Хадсон навсегда выбыла из племени команчей. Эта уверенность независимо от внешних обстоятельств так подорвала даже нормальную способность пятиться задом, что я налетел прямо на детскую коляску.

После следующего тайма играть стало уже темновато. Мы закончили игру и стали подбирать снаряжение. Я еще успел разглядеть Мэри Хадсон – она стояла у края площадки и плакала. Вождь придержал было ее за рукав шубки, но она вырвалась. Она побежала от площадки по цементной дорожке и бежала, пока не скрылась из виду. Вождь за ней не побежал. Он только провожал ее глазами, пока она не скрылась. Потом повернулся, вышел на поле и поднял обе наши биты – мы всегда оставляли биты, и он их относил в машину. Я подошел к нему и спросил: может, они с Мэри Хадсон поссорились? Он сказал:

– Не суй нос куда не след.

Как всегда, мы, команчи, с криком и визгом бежали к машине, толкая и теребя друг друга; все отлично знали, что сейчас опять подходит время для рассказа о Человеке, который смеялся. Перебегая Пятую авеню, кто-то уронил свой запасной свитер, и, споткнувшись об него, я растянулся во весь рост. Добежав до машины, я увидел, что лучшие места уже успели занять, и мне пришлось сидеть в середине. Расстроившись, я двинул соседа справа локтем под ребро, потом выглянул – и увидал, как наш Вождь переходит улицу. Было еще не совсем темно, но уже смеркалось, как всегда в четверть шестого. Наш Вождь переходил улицу с поднятым воротником, с битами под мышкой, уставившись на мостовую. Его черная шевелюра, так хорошо приглаженная мокрой щеткой, теперь высохла и развевалась по ветру. Помню, я пожалел, что у него нет перчаток.

Как всегда при его появлении, в машине наступила тишина. То есть тишина относительная, как в театре, когда свет начинает гаснуть. Кто торопливым шепотом заканчивал разговор, кто сразу обрывал его. И все-таки первое, что сказал наш Вождь, было:

– Тихо, ребята, а то рассказывать не буду.

В ту же секунду воцарилась полнейшая тишина, так что Вождю только и оставалось сесть на место и приготовиться к рассказу. Усевшись, он вынул носовой платок и тщательно высморкал сначала одну ноздрю, потом другую. Мы смотрели на это зрелище терпеливо и даже с некоторым интересом. Высморкавшись, он аккуратно сложил платок вчетверо и засунул в карман. И тут последовал новый выпуск рассказа о Человеке, который смеялся. Продолжался он не более пяти минут.

Четыре пули Дюфаржа вонзились в Человека, две из них – прямо в сердце. Когда Дюфарж, все еще закрывавший ладонью глаза, чтобы не видеть лицо Человека, услыхал, как оттуда, куда он целил, доносятся предсмертные стоны, он возликовал. Сердце злодея радостно колотилось, он бросился к дочери, лежавшей в обмороке, и привел ее в чувство. Вне себя от радости они оба с храбростью трусов только теперь осмелились взглянуть на Человека, который смеялся. Его голова поникла в предсмертной муке, подбородок касался окровавленной груди. Медленно, жадно отец и дочь приближались к своей добыче. Но их ожидал немалый сюрприз. Человек вовсе не умер, он тайными приемами сокращал мускулы живота. И когда Дюфаржи приблизились, он вдруг поднял голову, захохотал гробовым голосом и аккуратно, даже педантично, выплюнул одну за другой все четыре пули. Этот подвиг так поразил Дюфаржей, что сердца у них буквально лопнули, и оба, отец и дочь, замертво упали к ногам Человека, который смеялся. (Если выпуск все равно предполагалось сделать коротким, можно было бы остановиться на этом: команчи легко нашли бы объяснение внезапной смерти Дюфаржей. Но рассказ продолжался.)

День за днем Человек стоял, привязанный к дереву колючей проволокой, а трупы Дюфаржей разлагались у его ног. Никогда еще смерть не подбиралась к нему так близко – его раны кровоточили, а запасов орлиной крови под рукой не было. И вот однажды охрипшим, но задушевным голосом он воззвал к лесным зверям, прося их помочь ему. Он поручил им позвать к нему симпатичного карлика Омбу. И они позвали. Но длинна дорога через парижско-китайскую границу и обратно, и, когда Омба прибыл с аптечкой и свежим запасом орлиной крови, Человек уже потерял сознание. Прежде всего Омба совершил акт милосердия: он поднял маску своего господина, которая валялась на кишащем червями теле мадемуазель Дюфарж. Он почтительно прикрыл жуткие черты лица и лишь тогда стал перевязывать раны.

Когда Человек, который смеялся, наконец приоткрыл заплывшие глаза, Омба торопливо поднес к маске сосуд с орлиной кровью. Но Человек не притронулся к нему. Слабым голосом он произнес имя своего любимца – Чернокрылого. Омба склонил голову – она тоже была не слишком красивой – и открыл своему господину, что Дюфаржи убили верного волка, Чернокрылого. Горестный, душераздирающий стон вырвался из груди Человека. Слабой рукой он потянулся к сосуду с орлиной кровью и раздавил его. Остатки крови тонкой струйкой побежали по его пальцам; он приказал Омбе отвернуться, и Омба, рыдая, повиновался ему. И перед тем как обратить лицо к залитой кровью земле, Человек, который смеялся, в предсмертной судороге сдернул маску.

На этом повествование, разумеется, и кончалось. (Продолжения никогда не было.) Наш Вождь тронул машину. Через проход от меня Вилли Уолш, самый младший из команчей, горько заплакал. Никто не сказал ему — замолчи. Как сейчас помню, и у меня дрожали коленки.

Через несколько минут, выйдя из машины, я вдруг увидел, как у подножия фонарного столба бьется по ветру обрывок тонкой алой оберточной бумаги. Он был очень похож на ту маску из лепестков мака. Когда я пришел домой, зубы у меня безудержно стучали, и мне тут же велели лечь в постель.

В лодке

Шел пятый час, и золотой осенний день уже клонился к вечеру. Сандра, кухарка, поглядела из окна в сторону озера и отошла, поджав губы, — с полудня она проделывала это, должно быть, раз двадцать. На этот раз, отходя от окна, она в рассеянности развязала и вновь завязала на себе фартук, пытаясь затянуть его потуже, насколько позволяла ее необъятная талия. Приведя в порядок свое форменное одеяние, она вернулась к кухонному столу и уселась напротив миссис Снелл. Миссис Снелл уже покончила с уборкой и глажкой и, как обычно перед уходом, пила чай. Миссис Снелл была в шляпе. Это оригинальное сооружение из черного фетра она не снимала не только все минувшее лето, но три лета подряд — в любую жару, при любых обстоятельствах, склоняясь над бесчисленными гладильными досками и орудуя бесчисленными пылесосами. Ярлык фирмы «Карнеги» еще держался на подкладке — поблекший, но, смело можно сказать, непобежденный.

— Больно надо мне из-за этого расстраиваться, — наверно, уже в пятый или шестой раз объявила Сандра не столько миссис Снелл, сколько самой себе. — Так уж я решила. Не стану я расстраиваться!

— И правильно, — сказала миссис Снелл. — Я бы тоже не стала. Нипочем не стала бы. Передайте-ка мне мою сумку, голубушка.

Кожаная сумка, до невозможности потертая, но с ярлыком внутри не менее внушительным, чем на подкладке шляпы, лежала на буфете. Сандра дотянулась до нее, не вставая. Подала сумку через стол владелице, та открыла ее, достала пачку ментоловых сигарет и картонку спичек «Сторк-клуб». Закурила, потом поднесла к губам чашку, но сейчас же снова поставила ее на блюдце.

– Да что это мой чай никак не остынет, я из-за него автобус пропущу. – Она поглядела на Сандру, которая мрачно уставилась на сверкающую шеренгу кастрюль у стены. – Бросьте вы расстраиваться! – приказала миссис Снелл. – Что толку расстраиваться? Или он ей скажет, или не скажет. И все тут. А что толку расстраиваться?

– Я и не расстраиваюсь, – ответила Сандра. – Даже и не думаю. Просто от этого ребенка с ума сойти можно, так и шныряет по всему дому. Да всё тишком, его и не услышишь. Вот только на днях я лущила бобы – и чуть не наступила ему на руку. Он сидел вон тут, под столом.

– Ну и что? Не стала бы я расстраиваться.

– То есть словечка сказать нельзя, все на него оглядывайся, – пожаловалась Сандра. – С ума сойти.

– Не могу я пить кипяток, – сказала миссис Снелл. – Да, прямо ужас что такое. Когда словечка нельзя сказать, и вообще.

– С ума сойти! Верно вам говорю. Прямо с ума он меня сводит. – Сандра смахнула с колен воображаемые крошки и сердито фыркнула: – В четыре-то года!

– И ведь хорошенький мальчонка, – сказала миссис Снелл. – Глазищи карие, и вообще.

Сандра снова фыркнула:

– Нос-то у него будет отцовский. – Она взяла свою чашку и стала пить, ничуть не обжигаясь. – Уж и не знаю, чего это они вздумали торчать тут весь октябрь, – проворчала она и отставила чашку. – Никто из них больше и к воде-то не подходит, верно вам говорю. Сама не купается, сам не купается, и мальчонка не купается. Никто теперь не купается. И даже на своей дурацкой лодке они больше не плавают. Только деньги задаром потратили.

– И как вы пьете такой кипяток? Я со своей чашкой никак не управлюсь.

Сандра злобно уставилась в стену.

– Я бы хоть сейчас вернулась в город. Право слово. Терпеть не могу эту дыру. – Она неприязненно взглянула на миссис Снелл. – Вам-то ничего, вы круглый год тут живете. У вас тут и знакомство, и вообще. Вам все одно, что здесь, что в городе.

– Хоть живьем сварюсь, а чай выпью, – сказала миссис Снелл, поглядев на часы над электрической плитой.

– А что бы вы сделали на моем месте? – в упор спросила Сандра. – Я говорю, вы бы что сделали? Скажите по правде.

Вот теперь миссис Снелл была в своей стихии. Она тотчас отставила чашку.

– Ну, – начала она, – первым долгом я не стала бы расстраиваться. Уж я бы сразу стала искать другое...

– А я и не расстраиваюсь, – перебила Сандра.

– Знаю, знаю, но уж я подыскала бы себе...

Распахнулась дверь, и в кухню вошла Бу-Бу Танненбаум, хозяйка дома. Была она лет двадцати пяти, маленькая, худощавая, как мальчишка; сухие, бесцветные, не по моде подстриженные волосы заложены назад, за чересчур большие уши. Весь наряд – черный свитер, брюки чуть ниже колен, носки да босоножки. Прозвище, конечно, нелепое, и хорошенькой ее тоже не назовешь, но такие вот живые, переменчивые рожицы не забываются – в своем роде она была просто чудо! Она сразу направилась к холодильнику, открыла его. Заглянула внутрь, расставив ноги, упершись руками в коленки, и, довольно немузыкально насвистывая сквозь зубы, легонько покачивалась в такт свисту. Сандра и миссис Снелл молчали. Миссис Снелл неторопливо вынула сигарету изо рта.

– Сандра...

– Да, мэм? – Сандра настороженно смотрела поверх шляпы миссис Снелл.

– У нас разве нет больше пикулей? Я хотела ему отнести.

– Он все съел, – без запинки доложила Сандра. – Вчера перед сном съел. Там только две штучки и оставались.

– А-а. Ладно, буду на станции – куплю еще. Я думала, может быть, удастся выманить его из лодки. – Бу-Бу захлопнула дверцу холодильника, отошла к окну и посмотрела в сторону озера. – Нужно еще что-нибудь купить? – спросила она, глядя в окно.

– Только хлеба.

– Я положила вам чек на столик в прихожей, миссис Снелл. Благодарю вас.

– Очень приятно, – сказала миссис Снелл. – Говорят, Лайонел сбежал из дому. – Она хихикнула.

– Похоже, что так, – сказала Бу-Бу и сунула руки в карманы.

– Далеко-то он не бегает. – И миссис Снелл опять хихикнула.

Не отходя от окна, Бу-Бу слегка повернулась, так, чтоб не стоять совсем уж спиной к женщинам за столом.

– Да, – сказала она. Заправила за ухо прядь волос и продолжала: – Он удирает из дому с двух лет. Но пока не очень далеко. Самое дальнее – в городе по крайней мере – он забрел раз на Мэлл в Центральном парке. За два квартала от нашего дома. А самое ближнее – просто спрятался в парадном. Там и застрял – хотел попрощаться с отцом.

Женщины у стола засмеялись.

— Мэлл — это такое место в Нью-Йорке, там все катаются на коньках, — любезно пояснила Сандра, наклоняясь к миссис Снелл. — Детишки, и вообще.

— А-а, — сказала миссис Снелл.

— Ему только-только исполнилось три. Как раз в прошлом году, — сказала Бу-Бу, доставая из кармана брюк сигареты и спички. Пока она закуривала, обе женщины не сводили с нее глаз. — Вот был переполох! Пришлось поднять на ноги всю полицию.

— И нашли его? — спросила миссис Снелл.

— Ясно, нашли, — презрительно сказала Сандра. — А вы как думали?

— Нашли его уже ночью, в двенадцатом часу, а дело было... когда же это... да, в середине февраля. В парке ни детей, никого не осталось. Разве что, может быть, бандиты, бродяги да какие-нибудь чокнутые. Он сидел на эстраде, где днем играет оркестр, и катал камешек взад-вперед по щели в полу. Замерз до полусмерти, и уж вид у него был...

— Боже милостивый! — сказала миссис Снелл. — И с чего это он? То есть, я говорю, чего это он из дому бегает?

Бу-Бу пустила кривое колечко дыма, и оно расплылось по оконному стеклу.

— В тот день в парке кто-то из детей ни с того ни с сего обозвал его вонючкой. По крайней мере, мы думаем, что дело в этом. Право, не знаю, миссис Снелл. Сама не понимаю.

— И давно это с ним? — спросила миссис Снелл. — То есть, я говорю, давно это с ним?

— Да вот, когда ему было два с половиной, он спрятался под раковиной в подвале, — обстоятельно ответила Бу-Бу. — Мы живем в большом доме, а в подвале прачечная. Какая-то Наоми, его подружка, сказала ему, что у нее в термосе сидит червяк. По крайней мере, мы больше ничего от него не добились. — Бу-Бу вздохнула и отошла от окна, на кончике ее сигареты нарос пепел. Она шагнула к двери. – Попробую еще раз, – сказала она на прощанье.

Сандра и миссис Снелл засмеялись.

– Поторапливайтесь, Милдред, – все еще смеясь, сказала Сандра миссис Снелл. – А то автобус прозеваете.

Бу-Бу затворила за собой забранную проволочной сеткой дверь.

Она стояла на лужайке, которая отлого спускалась к озеру; низкое предвечернее солнце светило ей в спину. Ярдах в двухстах впереди на корме отцовского бота сидел ее сын Лайонел. Паруса были сняты, бот покачивался на привязи под прямым углом к мосткам, у самого их конца. Футах в пятидесяти за ним плавала забытая или брошенная водная лыжа, но нигде не видно было катающихся; лишь вдалеке уходил к Парусной бухте пассажирский катер. Почему-то Бу-Бу никак не удавалось толком разглядеть Лайонела. Солнце хоть и не очень грело, но светило так ярко, что издали все – и мальчик, и лодка – казалось смутным, расплывчатым, как очертания палки в воде. Спустя минуту-другую Бу-Бу перестала всматриваться. Смяла сигарету, отшвырнула ее и зашагала к мосткам.

Стоял октябрь, и доски уже не дышали жаром в лицо. Бу-Бу шла по мосткам, насвистывая сквозь зубы «Малютку из Кентукки». Дошла до конца мостков, присела на корточки с самого края и посмотрела на сына. До него можно было бы дотянуться веслом. Он не поднял глаз.

– Эй, на борту! – позвала Бу-Бу. – Эй, друг! Пират! Старый пес! А вот и я!

Лайонел все не поднимал глаз, но ему вдруг понадобилось показать, какой он искусный моряк. Он перекинул незакрепленный румпель до отказа вправо и сейчас же снова прижал его к боку. Но не отрывал глаз от палубы.

— Это я, — сказала Бу-Бу. — Вице-адмирал Танненбаум. Урожденная Гласс. Прибыл проверить стермафоры.

— Ты не адмирал, — послышалось в ответ. — Ты женщина.

Когда Лайонел говорил, ему почти всегда посреди фразы не хватало дыхания, и самое важное слово подчас звучало не громче, а тише других. Бу-Бу, казалось, не просто вслушивалась, но и сторожко ловила взглядом каждый звук.

— Кто тебе это сказал? — спросила она. — Кто сказал тебе, что я не адмирал?

Лайонел что-то ответил, но совсем уж неслышно.

— Кто? — переспросила Бу-Бу.

— Папа.

Бу-Бу все еще сидела на корточках, расставленные коленки торчали углами; левой рукой она коснулась дощатого настила: не так-то просто было сохранять равновесие.

— Твой папа славный малый, — сказала она. — Только он, должно быть, самая сухопутная крыса на свете. Совершенно верно, на суше я женщина, это чистая правда. Но истинное мое призвание было, есть и будет...

— Ты не адмирал, — сказал Лайонел.

— Как вы сказали?

— Ты не адмирал. Ты все равно женщина.

Разговор прервался. Лайонел снова стал менять курс своего судна, он схватился за румпель обеими руками. На нем были шорты цвета хаки и чистая белая рубашка с короткими рукавами и открытым воротом; впереди на рубашке рисунок: страус Джером играет на скрипке. Мальчик сильно загорел, и его волосы, совсем такие же, как у матери, на макушке заметно выцвели.

— Очень многие думают, что я не адмирал, — сказала Бу-Бу, приглядываясь к сыну. — Потому что я не ору об этом на всех перекрестках. — Стараясь не потерять равновесия, она вытащила из кармана сигареты и спички. – Мне и неохота толковать с людьми про то, в каком я чине. Да еще с маленькими мальчиками, которые даже не смотрят на меня, когда я с ними разговариваю. За это, пожалуй, еще с флота выгонят с позором.

Так и не закурив, она неожиданно встала, выпрямилась во весь рост, сомкнула кольцом большой и указательный пальцы правой руки и, поднеся их к губам, точно игрушечную трубу, продудела что-то вроде сигнала. Лайонел вскинул голову. Вероятно, он знал, что сигнал не настоящий, и все-таки весь встрепенулся, даже рот приоткрыл. Три раза кряду без перерыва Бу-Бу протрубила сигнал – нечто среднее между утренней и вечерней зорей. Потом торжественно отдала честь дальнему берегу. И когда наконец опять с сожалением присела на корточки на краю мостков, по лицу ее видно было, что ее до глубины души взволновал благородный обычай, недоступный простым смертным и маленьким мальчикам. Она задумчиво созерцала воображаемую даль озера, потом словно бы вспомнила, что она здесь не одна. И важно поглядела вниз, на Лайонела, который все еще сидел раскрыв рот.

– Это тайный сигнал, слышать его разрешается одним только адмиралам. – Она закурила и, выпустив длинную тонкую струю дыма, задула спичку. – Если бы кто-нибудь узнал, что я дала этот сигнал при тебе... – Она покачала головой. И снова зорким глазом морского волка окинула горизонт.

– Потруби еще.

– Не положено.

– Почему?

Бу-Бу пожала плечами.

– Тут вертится слишком много всяких мичманов, это раз. – Она переменила позу и уселась, скрестив ноги, как индеец. Подтянула носки. И продолжала деловито: – Ну вот что. Скажи, почему ты убегаешь из дому, и я протрублю тебе все тайные сигналы, какие мне известны. Ладно?

Лайонел тотчас опустил глаза.

– Нет, – сказал он.

– Почему?

– Потому.

– Почему «потому»?

– Потому что не хочу, – сказал Лайонел и решительно перевел руль.

Бу-Бу заслонилась правой рукой от солнца, ее слепило.

– Ты мне говорил, что больше не будешь удирать из дому, – сказала она. – Мы ведь об этом говорили, и ты сказал, что не будешь. Ты мне обещал.

Лайонел что-то сказал в ответ, но слишком тихо.

– Что? – переспросила Бу-Бу.

– Я не обещал.

– Нет, обещал. Ты дал слово.

Лайонел опять принялся работать рулем.

– Если ты адмирал, – сказал он, – где же твой флот?

– Мой флот? Вот хорошо, что ты об этом спросил, – сказала Бу-Бу и хотела спуститься в лодку.

– Назад! – приказал Лайонел, но голос его звучал не очень уверенно, и глаз он не поднял. – Сюда никому нельзя.

– Нельзя? – Бу-Бу, которая уже ступила на нос лодки, послушно отдернула ногу. – Совсем никому нельзя? – Она снова уселась на мостках по-индейски. – А почему?

Лайонел что-то ответил, но опять слишком тихо.

– Что? – переспросила Бу-Бу.

– Потому что не разрешается.

Долгую минуту Бу-Бу молча смотрела на мальчика.

– Мне очень грустно это слышать, – сказала она наконец. – Мне так хотелось к тебе в лодку. Я по тебе соскучилась. Очень сильно соскучилась. Целый день я сидела в доме совсем одна, не с кем было поговорить.

Лайонел не повернул руль. Он разглядывал какую-то щербинку на рукоятке.

— Поговорила бы с Сандрой, — сказал он.

— Сандра занята, — сказала Бу-Бу. — И не хочу я разговаривать с Сандрой, хочу с тобой. Хочу сесть к тебе в лодку и разговаривать с тобой.

— Говори с мостков.

— Что?

— Говори с мост-ков!

— Не могу. Очень далеко. Мне надо подойти поближе.

Лайонел рванул румпель.

— На борт никому нельзя, — сказал он.

— Что?

— На борт никому нель-зя!

— Ладно, тогда, может, скажешь, почему ты сбежал из дому? — спросила Бу-Бу. — Ты ведь мне обещал больше не бегать.

На корме лежала маска аквалангиста. Вместо ответа Лайонел подцепил ее пальцами правой ноги и ловким, быстрым движением швырнул за борт. Маска тотчас ушла под воду.

— Мило, — сказала Бу-Бу. — Дельно. Это маска дяди Уэбба. Он будет в восторге. — Она затянулась сигаретой. — Раньше в ней нырял дядя Симор.

— Ну и пусть.

— Ясно. Я так и поняла, — сказала Бу-Бу.

Сигарета торчала у нее в пальцах как-то вкривь. Внезапно почувствовав ожог, Бу-Бу уронила ее в воду. Потом вытащила что-то из кармана. Это был белый пакетик величиной с колоду карт, перевязанный зеленой ленточкой.

— Цепочка для ключей, — сказала Бу-Бу, чувствуя на себе взгляд Лайонела. — Точь-в-точь такая же, как у папы. Только на ней куда больше ключей, чем у папы. Целых десять штук.

Лайонел подался вперед, выпустив руль. Подставил ладони чашкой.

– Кинь! – попросил он. – Пожалуйста!

– Одну минуту, милый. Мне надо немножко подумать. Следовало бы кинуть эту цепочку в воду.

Сын смотрел на нее раскрыв рот. Потом закрыл рот.

– Это моя цепочка, – сказал он не слишком уверенно.

Бу-Бу, глядя на него, пожала плечами:

– Ну и пусть.

Не спуская глаз с матери, Лайонел медленно отодвинулся на прежнее место и стал нащупывать за спиной румпель. По глазам его видно было: он все понял. Мать так и знала, что он поймет.

– Держи! – Она бросила пакетик ему на колени. И не промахнулась.

Лайонел поглядел на пакетик, взял в руку, еще поглядел – и внезапно швырнул его в воду. И сейчас же поднял глаза на Бу-Бу – в глазах был не вызов, но слезы. Еще мгновение – и губы его искривились опрокинутой восьмеркой, и он отчаянно заревел.

Бу-Бу встала – осторожно, будто в театре отсидела ногу – и спустилась в лодку. Через минуту она уже сидела на корме, держа рулевого на коленях, и укачивала его, и целовала в затылок, и сообщала кое-какие полезные сведения:

– Моряки не плачут, дружок. Моряки никогда не плачут. Только если их корабль пошел ко дну. Или если они потерпели крушение, и их носит на плоту, и им нечего пить, и...

– Сандра... сказала миссис Снелл... что наш папа... большой... грязный... июда...

Ее передернуло. Она спустила мальчика с колен, поставила перед собой и откинула волосы у него со лба.

– Сандра так и сказала, да?

Лайонел изо всех сил закивал головой. Он придвинулся ближе, все не переставая плакать, и встал у нее между колен.

– Ну, это еще не так страшно, – сказала Бу-Бу, стиснула сына коленями и крепко обняла. – Это еще не самая большая беда. – Она легонько куснула его ухо. – А ты знаешь, что такое иуда, малыш?

Лайонел ответил не сразу – то ли не мог говорить, то ли не хотел. Он молчал, вздрагивая и всхлипывая, пока слезы не утихли немного. И только тогда, уткнувшись в теплую шею Бу-Бу, выговорил глухо, но внятно:

– Чуда-юда... это в сказке... такая рыба-кит...

Бу-Бу легонько оттолкнула сына, чтобы поглядеть на него. И вдруг сунула руку сзади ему за пояс – он даже испугался, – но не шлепнула его, не ущипнула, а только старательно заправила ему рубашку.

– Вот что, – сказала она. – Сейчас мы поедем в город, и купим пикулей и хлеба, и перекусим прямо в машине, а потом поедем на станцию встречать папу и привезем его домой, и пускай он покатает нас на лодке. И ты поможешь ему отнести паруса. Ладно?

– Ладно, – сказал Лайонел.

К дому они не шли, а бежали наперегонки. Лайонел прибежал первым.

Тебе, Эсме, — с любовью и убожеством

Я только что получил авиапочтой приглашение на свадьбу, которая состоится в Англии и намечена на 18 апреля. Честно скажу – я дорого бы дал, чтобы попасть именно на эту свадьбу, и сгоряча даже решил, что могу себе позволить путешествие за границу, и плевать на расходы. Но потом мы всесторонне обсудили это дело с моей женой – она у меня девочка потрясающе рассудительная – и решили, что не стоит: оказывается, у меня начисто вылетело из головы, что теща мечтает погостить у нас недельки две во второй половине апреля. Мне не так уж часто приходится видеть матушку Гренчер, а моложе она не становится. Ей уже пятьдесят восемь стукнуло. (Как она сама охотно признается.)

Однако где бы мне ни пришлось находиться, я, кажется, не из тех, кто не желает и пальцем пошевельнуть, чтобы спасти брачный союз от полного краха. По этой причине я и решил на скорую руку набросать некоторые свои впечатления о невесте, какой я ее знал почти шесть лет тому назад. Если эти заметки заставят жениха, с которым я не знаком, всерьез задуматься хотя бы на одну-две минуты, – даже если это и не доставит ему удовольствия, – тем лучше. Никто не собирается его развлекать. Скорее я бы сказал – просвещать и наставлять.

В апреле 1944 года я оказался в числе примерно шестидесяти американских солдат, проходивших подготовку к высадке в Нормандии по специальной программе под эгидой британской разведки в Девоне, в Англии. Сейчас, вспоминая это время, я вижу, что мы были и вправду уникальной командой — на шестьдесят душ не нашлось ни одного компанейского парня. Все мы в свободное время по большей части строчили письма, и если приходилось обращаться друг к другу не по службе, то только затем, чтобы спросить, не найдется ли немного чернил, если ему самому пока без надобности. А когда мы не писали письма или не сидели на занятиях, все разбредались поодиночке кто куда. Я обычно в погожие дни бродил по живописным окрестностям. Когда шел дождь, забирался в какой-нибудь сухой уголок и читал книжки, часто у самого стола для пинг-понга, можно рукой достать, а лучше бы — топором.

Спецподготовка продолжалась три недели, и закончилась она в субботу. День выдался дождливый. Судя по слухам, в семь вечера нас должны были перебазировать в Лондон, а там распределить по пехотным и воздушно-десантным подразделениям, предназначенным для высадки на континент. К трем часам дня я упаковал в вещмешок все свои пожитки, включая и брезентовую сумку от противогаза, битком набитую книгами, которые я привез из-за океана. (Сам противогаз я несколько недель тому назад выбросил тайком за борт «Мавритании» — мне было совершенно ясно, что если противник и *вздумает* применить газ, я все равно нипочем не успею натянуть эту чертову штуку.) Помню, как я стоял у окна нашего сборного домика из гофрированного железа, глядя на косой, унылый дождь, и что-то не замечал, чтобы мой указательный палец уж очень чесался от нетерпения нажать на гашетку. У меня за спиной раздавался нелюдимый шорох множества авторучек по множеству листов специальной бумаги для военно-полевой почты. Внезапно и почти без всякой определенной цели я оторвался от окна, надел дождевик, шерстяной шарф, галоши и пилотку (как мне до сих пор напоминают, я носил ее по-своему, слегка надвинув на оба уха). Затем, сверив часы с настенными в уборной, я стал спускаться в город по мощенному булыжником, залитому водой долгому склону холма. Молнии то и дело били в землю вокруг меня, но я не обращал на них внимания. Может, на них и есть твой личный номер, а может, и нет.

В центре — похоже, это было и самое мокрое место во всем городе — я остановился у церкви и стал читать объявления на доске, скорее всего потому, что цифры, белые на черном фоне, бросились мне в глаза, но отчасти и потому, что за три года в армии я пристрастился к чтению вывешенных на досках объявлений. Как следовало из объявления, на три тридцать была назначена спевка детского хора. Я взглянул на свои часы, потом снова на доску. К ней был прикноплен листок бумаги с именами детей, которые должны были явиться на спевку. Я прочел все имена, стоя под дождем, а потом вошел в церковь.

На скамьях сидели человек десять взрослых, и некоторые держали на коленях маленькие резиновые сапожки подошвами кверху. Я прошел вперед и сел в первом ряду. На кафедре на стульях, составленных в три тесных ряда, сидели дети — человек двадцать, большей частью девочки, примерно лет с семи до тринадцати. Регентша, устрашающе монументальная особа в твидовом костюме, как раз уговаривала их петь, открывая рты пошире. Она задала им вопрос: слышал ли кто-нибудь из них хоть раз в жизни, чтобы птичка-невеличка пела свою чудную песенку и при этом *дерзнула* не открывать свой милый клювик как можно шире, шире, шире? Похоже, никто не слыхал. На нее смотрели немигающие, непроницаемые глаза. Она продолжала: ей хочется, чтобы ее детки, *все как один*, прониклись смыслом тех слов, которые они поют, а не просто *повторяли* их, как попка-дурак. Потом она дала ноту на камертоне-дудке, и детишки, как тяжелоатлеты сверхлегкого веса, подняли свои сборники гимнов.

Они пели без музыкального сопровождения – в данном случае, точнее, без помех. Их голоса звучали мелодично и несентиментально, и было в них что-то такое, что человек более религиозный, чем я, мог бы без малейшего усилия воспарить если не телом, то духом. Две девчушки – самые маленькие – немного отставали от темпа, но так, что только матушка композитора могла бы их упрекнуть. Этого гимна я никогда не слышал, но хотелось надеяться, что в нем еще с дюжину стихов, а может, и побольше. Я слушал, разглядывая детей, но особенно лицо одной девочки, сидевшей ближе всех ко мне, с краю, в первом ряду. Ей было лет тринадцать, у нее были светлые пепельные волосы, подстриженные наравне с мочками ушей, прекрасной формы лоб и спокойный, даже равнодушный взгляд – девочка с такими всезнающими глазами, подумалось мне, вполне могла и пересчитать всех присутствующих, и вынести им приговор. Ее голос отчетливо выделялся из общего детского хора, и вовсе не потому, что она сидела ближе ко мне. Он звучал лучше всех в верхнем регистре, так упоительно, так верно, что автоматически вел за собой весь хор. Однако самой юной леди, судя по всему, наскучил собственный певческий талант, а может, просто надоело здесь и сейчас; я видел, как она два раза зевала, когда можно было перевести дух между стихами. Конечно, она зевнула, как подобает леди, не размыкая губ, но скрыть зевок ей не удалось – ее выдали дрогнувшие крылья носа.

Как только гимн отзвучал, руководительница принялась долго и нудно распространяться на тему о том, что некоторые люди никак не могут держать свои ноги в покое, а рты на замке – даже во время проповеди. Я понял, что спевка закончилась, и пока скрипучий голос регентши не разрушил вконец волшебство и очарование детского пения, я встал и вышел из церкви.

Ливень разгулялся вовсю. Я пошел вдоль по улице и заглянул в окно комнаты отдыха Красного Креста, но там у стойки толпилась очередь за чашкой кофе – по двое и по трое в ряд, а из соседней комнаты – я слышал даже через стекло – доносилось щелканье шариков для пинг-понга. Я перешел на другую сторону улицы и зашел в чайную для гражданских, совершенно пустую, хотя там была официантка, которая всем своим видом показывала, что предпочла бы посетителя в сухом плаще. Я повесил свой плащ на стоящую в углу вешалку как можно аккуратнее, сел за столик и заказал чай и тосты с корицей. За весь этот день я в первый раз заговорил с другим человеком. Потом я обшарил все свои карманы, даже карманы плаща, нашел парочку завалявшихся писем, которые и перечитал: одно от жены – она жаловалась, что в магазине Шраффта на Восемьдесят восьмой обслуживание не сравнишь с прежним, второе – от тещи, которая просила, если мне не трудно, достать ей немного тонкой шерсти, как только мне удастся отлучиться из «лагеря».

Я не успел еще допить первую чашку чаю, когда в комнату вошла та самая юная леди, которую я слышал и видел в церкви на спевке хора. Волосы у нее промокли так, что с них капала вода и уши проглядывали сквозь мокрые пряди.

С ней был очень маленький мальчик, очевидно, ее брат, и она сняла с него мокрую кепку двумя пальцами, как будто это какой-то лабораторный зверек. Следом за детьми вошла солидная дама в фетровой шляпе с обвисшими полями – вероятно, их гувернантка. Девочка из хора, снимая по дороге пальто, прошла к столику, на котором остановился ее выбор – на мой взгляд, очень удачный, так как столик был прямо напротив, примерно в трех метрах от меня. Девочка и гувернантка сели за стол. Малыш – ему было лет пять – усаживаться пока не собирался. Он сдернул с себя курточку и избавился от нее; потом с непроницаемым выражением отъявленного безобразника принялся доводить до белого каления свою гувернантку – несколько раз кряду то выдвигал, то задвигал обратно свой стул, не сводя глаз с ее лица. Гувернантка несколько раз вполголоса приказала ему садиться — иначе говоря, прекратить паясничать, но только после того, как он услышал голос старшей сестры, он соблаговолил усесться на стул. Но тут же схватил салфетку и водрузил ее себе на голову. Сестра взяла ее, расправила и положила ему на колени.

К тому времени, когда им принесли чай, девочка из хора успела заметить, что я внимательно разглядываю ее компанию. Она ответила мне пристальным, уже знакомым мне оценивающим взглядом и вдруг одарила меня легкой, сдержанной улыбкой. Улыбка была неожиданно ослепительная, как это свойственно некоторым легким и сдержанным улыбкам. Я ответил улыбкой несколько менее ослепительной, так как приходилось прикрывать верхней губой угольно-черную солдатскую временную пломбу между двумя передними зубами. Не успел я опомниться, как юная леди уже стояла у моего столика, сохраняя завидное самообладание. На ней было платье из шотландки — тартан Кэмблов, если не ошибаюсь. Помоему, это самое чудесное платье для девочки-подростка в такой дождливый, ужасно дождливый день.

— Я думала, что американцы терпеть не могут чай, — сказала она.

Это была не острота, не выходка напоказ, а утверждение правдолюбца — или, может быть, любителя статистики. В ответ я сказал, что некоторые американцы вообще не пьют ничего, *кроме* чая. И спросил, не согласится ли она присесть за мой столик.

— Благодарю вас, — сказала она. — Разве что на малейшее мгновение.

Я встал и отодвинул для нее стул напротив моего, и она села на краешек, выпрямив спину и сохраняя прекрасную осанку. Я поспешил — почти бросился — обратно на свое место, торопясь продолжить нашу беседу. Однако когда я уселся, мне ничего не приходило в голову. Я снова улыбнулся, по-прежнему стараясь не показывать свою черную пломбу. И заметил, что погода нынче просто жуткая.

– Да, вы правы, – сказала моя гостья чистым, не оставляющим сомнений голосом ненавистницы бессмысленных разговоров. Она положила пальцы обеих рук на край столика, как будто на спиритическом сеансе, а потом, почти мгновенно, сложила руки ладонями вместе – ногти у нее были обкусаны «до мяса». На запястье у нее были часы, с виду военного образца, похожие на штурманский хронометр. Циферблат был чересчур велик для такого тоненького запястья.

– Вы были на спевке, – заметила, точнее, констатировала она. – Я вас видела.

Я сказал, что так точно, был, и слышал, как ее голос выделялся из общего хора. Я сказал, что у нее, по-моему, прекрасный голос. Она кивнула.

– Я знаю. Я намерена стать профессиональной певицей.

– Правда? В опере?

– Боже упаси, что вы! Буду петь джаз на радио и заработаю кучу денег. После, когда мне сравняется тридцать, я все брошу и буду жить на ранчо в Огайо. – Она коснулась ладонью своей совершенно мокрой головы. – А вы знаете Огайо? – спросила она.

Я сказал, что мне случалось проезжать мимо на поезде, но по-настоящему я Огайо не знаю. Я предложил ей тостик с корицей.

– Спасибо, не надо, – сказала она. – Я ем, как птичка, честно говоря.

Я откусил кусок тоста и заметил, что в Огайо есть множество диких и непроходимых мест.

– Знаю. Мне рассказывал один знакомый американец. Вы одиннадцатый американец, с которым я познакомилась.

Гувернантка уже давно и настойчиво подавала ей знаки, чтобы она возвратилась к своему столику – то есть перестала бы надоедать чужому человеку. Однако моя гостья невозмутимо развернула свой стул на несколько сантиметров так, что оказалась спиной к своему столику и пресекла всякую возможность принимать оттуда какие бы то ни было сигналы.

– Вы занимаетесь в той секретной школе разведчиков на холме, верно? – спросила она как ни в чем не бывало.

Я был не хуже других натаскан в смысле секретности, и ответил, что приехал в Девоншир на поправку здоровья.

– Ах *вот как*, – сказала она. – Между прочим, я не вчера родилась, к вашему сведению.

Я ответил, что могу поспорить на что угодно, что она права. Потом отпил глоток чаю. Мне стало как-то неловко сидеть развалясь, и я постарался усесться попрямее.

– Вы производите впечатление вполне разумного человека – для американца, – задумчиво сказала она.

Я ей сказал, что это высказывание попахивает махровым снобизмом, если уж говорить начистоту, и выразил надежду, что это не в ее духе.

Она покраснела – автоматически одарив меня достоинством и тактом, которого мне не хватало.

– Да, но... Почти все американцы, которых *я* встречала, вели себя просто как животные. Они то и дело пускают в ход кулаки, и всех подряд оскорбляют, и... знаете, что один из них учудил?

Я отрицательно покачал головой.

– Один из них швырнул пустую бутылку из-под виски в окно моей тете. *К счастью*, окно было отворено. Скажите, вам это кажется вполне разумным поступком?

Мне было нечего возразить, поступок был дурацкий. Я сказал, что солдаты разбросаны по всему миру, так далеко от родного дома, и что мало кому из них в жизни по-настоящему улыбнулась удача. И добавил, что мне казалось, будто большинство людей могли бы и сами это сообразить.

– Возможно, – сказала моя гостья, и я понял, что она осталась при своем мнении. Она снова подняла руку и нащупала несколько мокрых, слипшихся прядей, пытаясь прикрыть ими уши.

– Волосы у меня намокли, просто ужас, – сказала она. – Должно быть, у меня ужасный вид. – Она взглянула мне в глаза. – У меня очень волнистые волосы, когда они высохнут.

– Я уже заметил, что они вьются.

– Не локонами на самом деле, а просто очень волнистые, – сказала она. – Скажите, а вы женаты?

Я сказал, что женат. Она кивнула.

– А вы без памяти влюблены в свою жену? Или это чересчур бестактный вопрос?

Я сказал, что если замечу бестактность, непременно сообщу.

Она положила руки на стол, я взглянул на ее запястья и вспомнил, что мне хотелось сделать что-нибудь с этими великанскими наручными часами – может быть, посоветовать ей носить их вместо пояса.

– Как правило, я не проявляю ужасно сильного стадного инстинкта, – сказала она и взглянула на меня, проверяя, как я воспринял это ученое слово. Я и бровью не повел. – Я просто подошла к вам потому, что вы мне показались чрезвычайно одиноким. У вас чрезвычайно выразительное лицо.

Я сказал, что она угадала, я и *вправду* чувствовал себя очень одиноким, и я очень обрадовался, когда она ко мне подошла.

– Я стараюсь научиться быть более сострадательной. Тетя говорит, что я – ужасно холодный человек. – Она опять потрогала рукой мокрую макушку. – Я живу у своей тети. Она исключительно добрый человек. После маминой смерти она делает все, что в ее силах, чтобы мы с Чарльзом чувствовали себя комфортно.

– Очень рад это слышать.

– Моя мама была исключительно интеллигентным человеком. С большим эстетическим чутьем во многих отношениях. – Она посмотрела мне в глаза с особым, словно заново вспыхнувшим интересом. – А вам я тоже кажусь ужасно холодной?

Я сказал, что ничего подобного – совсем наоборот, честно говоря. Представился ей и спросил, как ее зовут. Она ответила не сразу.

– Меня зовут Эсме. Не думаю, что стоит вам сейчас сообщать мое полное имя. Видите ли, я ношу титул, а вас это может смутить. Понимаете, американцы слишком преклоняются перед титулами.

Я сказал, что ко мне это не относится, но, пожалуй, это неплохая мысль – временно оставить титулы в покое. В эту самую минуту я почувствовал, что прямо мне в затылок кто-то горячо дышит. Я обернулся и едва не столкнулся нос к носу с маленьким братом Эсме. Не обращая на меня ни малейшего внимания, он сообщил сестре пронзительным дискантом:

– Мисс Мегли говорит, чтобы ты шла допивать свой чай!

Выпалив свое сообщение, он уселся на стул справа от меня, между мной и сестрой. Я рассматривал его с живым интересом. Малыш выглядел, как картинка, – в коротких штанишках из коричневой шотландской шерсти, темно-синем свитере, белой рубашке и при полосатом галстуке. На меня уставились громадные зеленые глаза.

– А почему актеры в кино целуются наперекосяк? – спросил он.

– Наперекосяк? – повторил я. Этот вопрос мучил меня самого с раннего детства. Я ответил, что актерам, наверно, мешают носы – слишком велики, чтобы целоваться прямо, нос к носу.

– Его зовут Чарльз, – сказала Эсме. – Он исключительно развит для своего возраста. Блестящий ум.

– А глаза у него совсем зеленые. Верно, Чарльз?

Чарльз бросил на меня недоверчивый взгляд, которого вполне заслуживал такой каверзный вопрос, и начал сползать со своего стула вперед и вниз, так что весь оказался под столом, только затылком опираясь на сиденье, как борец, который делает мостик, чтобы его не уложили на лопатки.

– Они оранжевые, – сдавленным голосом заявил он прямо в потолок. Потом ухватился за угол скатерти и накрыл ею свое красивое непроницаемое личико.

– Порой это блестящий ум, а порой и нет, – сказала Эсме. – Чарльз, сейчас же садись обратно!

Чарльз замер в той же позе. Кажется, он даже дышать перестал.

– Он очень скучает по отцу. Отец был у-б-и-т в Северной Африке.

Я выразил соболезнование. Эсме кивнула.

– Отец его обожал. – Она задумчиво прикусила ноготь большого пальца. – Он – Чарльз – очень похож на нашу маму. А я как две капли воды похожа на отца. – Она продолжала обкусывать ноготь. – Моя мать была очень страстной женщиной. Она была экстроверт. Отец был интроверт. И тем не менее они очень хорошо подходили друг к другу – впрочем, лишь на поверхностный взгляд. Откровенно говоря, отцу нужна более интеллектуальная спутница, чем мама. Он был исключительно одаренный гений.

Я с интересом ждал продолжения рассказа, но больше ничего не услышал. Посмотрел вниз, на Чарльза, который теперь умостился щекой на сиденье стула. Заметив, что я на него смотрю, он закрыл глаза с видом сонного ангела, потом высунул язык – как оказалось, поразительной длины, – и испустил вопль, который *у меня* на родине означал полнейшее презрение к судье-недотепе на бейсбольном поле. Этот вопль буквально потряс чайную.

– Прекрати сейчас же, – приказала Эсме, оставаясь совершенно спокойной. – Он видел, как это делал американец в очереди за жареной рыбой с картошкой, и с тех пор повторяет каждый раз, как ему станет скучно. Прекрати сию минуту, а то я тебя отправлю прямо к мисс Мегли.

Чарльз распахнул свои громадные глазищи, показывая, что слышал угрозу, но не проявил никакого беспокойства. Глаза он снова закрыл, по-прежнему лежа щекой на сиденье стула.

Я заметил, что лучше бы, пожалуй, отложить эту штуку – я имел в виду тот самый вопль – до тех пор, пока он не начнет пользоваться своим титулом по праву. Разумеется, если у него тоже есть право на титул.

Эсме посмотрела на меня долгим изучающим взглядом.

– У вас довольно ограниченное чувство юмора, не так ли? – раздумчиво сказала она. – Отец говорил, что у меня нет никакого чувства юмора. Он сказал, что я не приспособлена к жизни, потому что мне не хватает чувства юмора.

Глядя на нее, я закурил сигарету и сказал, что чувство юмора, на мой взгляд, вряд ли поможет в настоящей беде.

– А отец считал, что поможет.

Это было не возражение, а исповедание веры, и я поспешно дал задний ход. Я кивнул и сказал, что ее отец, как видно, смотрел на этот вопрос более широко, а я имел в виду частный случай (сам не знаю, *что бы* это значило).

– Чарльз неимоверно тоскует по нем, – сказала Эсме минуту спустя. – Он был неимоверно привлекательный человек. И он был исключительно хорош собой. Не то чтобы внешняя красота имела решающее значение, но он был красив. У него был ужасно пронизывающий взгляд – для человека, который был феном*и*нально добр.

Я кивнул. И заметил, что у ее отца, мне кажется, была совершенно особенная манера выражать свои мысли.

– О да, совершенно особенная, – сказала Эсме. – Он работал над архивами – как любитель, разумеется. – В эту минуту я почувствовал, как кто-то нетерпеливо толкнул, почти ударил меня сбоку в руку повыше локтя, – оказалось, это был выпад со стороны Чарльза. Я обернулся к нему. Он уже сидел на стуле почти нормально, хотя подогнул под себя одну ногу.

– Что говорит одна стенка другой стенке? – выпалил он пронзительным голоском. – Это загадка!

Я закатил глаза к потолку, словно решил поразмыслить над загадкой, и повторил ее вслух. Потом сделал вид, что окончательно огорошен, посмотрел на Чарльза и заявил, что сдаюсь.

– Встретимся в уголку! – эта ударная фраза прозвучала на полной мощности. Самое сногсшибательное действие разгадка оказала на самого Чарльза. Она сразила его наповал – настолько непереносимо смешной она ему показалась.

Эсме даже пришлось встать и постукать его по спине, как будто он сильно закашлялся.

– Ну-ка, перестань, – сказала она. Потом вернулась на свое место. – Он эту загадку загадывает всем без исключения и всякий раз впадает в истерику. Ему случается так закатиться со смеху, что он едва не захлебывается слюной. Ну все, перестань же наконец.

– Пожалуй, это одна из самых лучших загадок, которые я слышал, – сказал я, поглядывая на Чарльза, который мало-помалу приходил в себя. В ответ на этот комплимент он снова сполз со стула и опять закрыл лицо краем скатерти до самых глаз, словно маской. Оставив на виду одни глаза, еще сверкавшие от удовольствия, он смотрел на меня как человек, который вправе гордиться тем, что знает парочку первоклассных загадок.

– Разрешите узнать, если можно, чем вы занимались до того, как вступили в ряды армии? – спросила меня Эсме.

Я ответил, что ничем особенным не занимался, потому что только годом раньше закончил колледж, но вообще мне нравилось представлять себя автором коротких рассказов, настоящим профессионалом.

Она вежливо кивнула.

– Печатались? – спросила она.

Вопрос был знакомый, но каждый раз я чувствовал себя неловко и никогда не мог просто сказать – один, два или три раза. Я принялся было объяснять, что все издатели в Америке – настоящая банда...

– Мой отец великолепно писал, – перебила меня Эсме. – Я сохраняю почти все его письма – для будущих поколений.

Я сказал, что это, по-моему, прекрасная мысль. Мне на глаза снова попались ее громадные, похожие на хронометр наручные часы. Я спросил, не остались ли ей эти часы от ее отца. Она с глубокой серьезностью перевела взгляд на свое запястье.

– Да, это его часы, – сказала она. – Он отдал их мне как раз перед тем, как нас с Чарльзом эвакуировали. – Она вдруг застеснялась, убрала руки со стола и добавила: – Разумеется, просто в качестве с*о*венира.

Потом она решила переменить тему:

– Я была бы чрезвычайно польщена, если бы вы когда-нибудь написали рассказ исключительно для меня. Я увлекаюсь чтением книг.

Я заверил ее, что непременно напишу, если сумею. Признался, что я не очень-то плодовитый писатель.

– А вам и не нужно писать ужасно длинно и многословно! Надо только избегать всяких детских глупостей. — Она призадумалась. — Я предпочитаю рассказы про убожество.

— Про что? — переспросил я и наклонился поближе к ней.

— Убожество. Меня чрезвычайно интересует все жалостное и убогое.

Я собирался расспросить ее поподробнее, но тут Чарльз опять изо всех сил ткнул меня в плечо. Я слегка поморщился и обернулся к нему. Он стоял совсем рядом со мной.

— Что одна стенка сказала другой стенке? — задал он знакомый вопрос.

— Ты у него уже спрашивал, — сказала Эсме. — Перестань, слышишь?

Чарльз сделал вид, что не слышит, наступил обеими ногами мне на ногу и повторил заветный вопрос. Я заметил, что галстук у него сбился на сторону. Я поправил узел, а затем, глядя ему прямо в глаза, предложил свой вариант:

— Сойдемся в углу?

Не успел я договорить, как пожалел об этом. Чарльз широко раскрыл рот. Мне показалось, что это я ударил его под дых. Он слез с моей ноги и в пылу праведного гнева прошагал к своему столику, ни разу не оглянувшись.

— Он в ярости, — сказала Эсме. — У него взрывной характер. Мама была склонна потакать ему. Мой отец был единственным человеком, который его не баловал.

Я все еще глядел вслед Чарльзу. Он уселся и стал пить чай, держа чашку обеими руками. Мне хотелось, чтобы он обернулся, но он не собирался смотреть на меня. Эсме встала.

— Il faut que je part aussi, — сказала она, вздохнув. — Вы по-французски понимаете?

Я встал, отодвинув стул; меня одолевали смешанные чувства — сожаление и смущение. Мы с Эсме на прощание обменялись рукопожатием; как я и подозревал, ее ладошка была влажная – признак нервной натуры. Я сказал ей по-английски, что был очень рад с ней познакомиться. Она кивнула.

– Этого следовало ожидать, – сказала она. – Я очень общительна для своего возраста. – Она снова дотронулась до своих волос, проверяя, высохли ли они. – Мне ужасно стыдно за свою прическу, – сказала она. – Должно быть, я выгляжу, как настоящее чудовище.

– Ничего подобного! Честное слово, я уже вижу, какие они волнистые.

Она снова быстро коснулась своих волос.

– Вы собираетесь заходить сюда в ближайшем будущем? – спросила она. – Мы здесь бываем каждую субботу после спевки.

Я сказал, что мне бы этого хотелось больше всего на свете, но, к сожалению, я точно знаю, что у меня больше не будет такой возможности.

– Иными словами, вы не вправе обсуждать передислокацию подразделения, – сказала Эсме. Она не сделала ни шагу прочь от стола. Наоборот, она скрестила ножки и посмотрела вниз, чтобы подровнять носки своих туфель. Этот маленький маневр ей отменно удался – на ней были белые носки, а ножки и щиколотки у нее были точеные. Она внезапно взглянула мне в глаза.

– Хотите, я вам напишу? – спросила она, слегка порозовев от смущения. – Я умею довольно ясно выражать свои мысли для человека моего...

– Буду счастлив. – Я вытащил карандаш и бумагу и записал свое имя, чин, личный номер и номер армейской полевой почты.

– Я вам первая напишу, – сказала она, принимая листок, – чтобы вы не почувствовали себя ни в малейшей степени *скомпрометированным.* – Она положила бумажку в карман платья. – До свиданья, – сказала она и ушла обратно к своему столику.

Я попросил принести еще чайник чаю и сидел, глядя на детей, пока они, вместе с замученной мисс Мегли, не поднялись из-за стола, собираясь уходить. Чарльз шел первым, прежалостно припадая на одну ногу, как будто она у него сантиметров на десять короче другой. За ним шла мисс Мегли, а Эсме вышла последней, помахав мне рукой. Я помахал в ответ, привстав со стула. И сам удивился силе охватившего меня в этот момент чувства.

Не прошло и минуты, как Эсме снова вошла в чайную, таща за рукав курточки упиравшегося Чарльза.

— Чарльз хочет поцеловать вас на прощание, — сказала она.

Я быстро поставил чашку на стол и сказал, что это очень приятно, только вот *уверена* ли она, что...

— Да, — сказала она с некоторой суровостью. Отпустила рукав его курточки и довольно сильно подтолкнула его к моему столику. Он подошел, бледный, как мел, и влепил мне мокрый, звонкий поцелуй пониже правого уха. Претерпев эту пытку, он бросился прямиком на выход из чайной — к менее сентиментальному образу жизни, но я успел ухватиться за хлястик его куртки и, не выпуская его из рук, спросил:

— Что говорит одна стенка другой стенке?

Он просиял.

— Встретимся в уголку! — пронзительно выкрикнул он и опрометью вылетел из чайной, очевидно, в полном экстазе.

Эсме стояла, снова скрестив ноги.

— Вы уверены, что не забудете написать мне рассказ? — спросила она. — Не то чтобы *исключительно* мне одной. Можно его...

Я ей сказал, что такого просто быть не может — чтобы я взял да и забыл. Сказал, что мне еще ни разу не приходилось писать рассказ *для* кого-то лично, но, пожалуй, самое время попробовать. Она кивнула.

— И пусть он будет чрезвычайно жалостный и трогательный, — продолжала она. — Вы хоть немного знакомы с убожеством?

Я ответил, что не слишком близко, но что понемногу свожу с ним более близкое знакомство — собственно, оно постоянно встречается мне в той или иной форме, так что я приложу все усилия, чтобы оправдать ее ожидания.

— Жаль, не правда ли, что мы не встретились при менее тягостных обстоятельствах?

Я сказал, что очень жаль, сказал, что это чистая правда.

— До свиданья, — сказала Эсме. — Надеюсь, что вы возвратитесь с войны, не претерпев непоправимого ущерба.

Я сказал спасибо, прибавил еще несколько слов и смотрел ей вслед, когда она выходила на улицу. Она шла медленно, задумавшись, проверяя на ходу, высохли ли кончики волос или нет.

А вот и жалостная часть истории про убожество, и сцена меняется. Действующие лица тоже изменились. Я все еще присутствую, но с этой самой минуты, по соображениям, которые я не могу обнародовать, я настолько изменил свое обличье, что узнать меня не сумеет даже самый искушенный читатель.

Действие происходит примерно в пол-одиннадцатого вечера в Гофурте, в Баварии, через несколько недель после капитуляции Германии. Штабной сержант Х находился в своей комнате на втором этаже частного дома, где он и несколько других американцев были расквартированы еще до перемирия. Он сидел на деревянном раскладном стуле возле маленького, заваленного чем попало письменного столика, перед ним лежал привезенный из-за моря роман в бумажной обложке, только читать ему было неимоверно трудно. Роман тут ни при чем – все дело было в нем самом. Несмотря на то что обитатели первого этажа обычно первыми набрасывались на книжки, которые ежемесячно присылали спецслужбы, Иксу обычно доставался роман, который он бы и сам выбрал. Но этому молодому человеку не удалось пройти войну, не претерпев при этом никакого ущерба, поэтому он битый час по три раза кряду перечитывал номера главок, а теперь пытался читать предложения, одно за другим. Внезапно он захлопнул книжку, даже не отметив место, где остановился. Он на минуту прикрыл рукой глаза от режущего, слишком яркого света голой лампочки, которая освещала стол.

Он вынул из пачки сигарету и закурил. Пальцы у него приметно и безостановочно дрожали, слабо постукивая друг о друга. Он слегка откинулся на спинку стула и курил, совершенно не чувствуя вкуса. Уже несколько недель он смолил одну сигарету за другой почти беспрерывно. Десны у него кровоточили, стоило лишь слегка тронуть их кончиком языка, и он то и дело повторял эксперимент; в эту собственную маленькую игру он иногда играл часами. Он немного посидел, куря и повторяя свой эксперимент. Вдруг, как всегда, без предупреждения, на него накатило знакомое ощущение – ему показалось, что его разум смещается с места и перекатывается, кувыркаясь, как плохо закрепленные узлы в багажной сетке под потолком автобуса. Он быстро сделал то, что привык делать уже несколько недель кряду, чтобы все вернулось на свое место, – изо всех сил нажал ладонями на виски. С минуту он не разжимал руки. Его волосы не мешало бы подстричь, а заодно и вымыть. Он мыл голову раза три или четыре за две недели, что пролежал в госпитале во Франкфурте-на-Майне, но в волосы набилось полно грязи за долгий, пыльный путь обратно в Гофурт. Капрал Z, который приезжал за ним в госпиталь, до сих пор гонял на джипе, словно в боевой обстановке, уложив ветровое стекло на капот, – мол, плевать мне на ваше перемирие. В Германию прибыли тысячи новых солдат. Разъезжая без ветрового стекла, как на поле боя, капрал Зет хотел им показать, что он не из таковских, что его нипочем не спутаешь с этими новоиспеченными сукиными щенками на европейском театре военных действий.

Отпустив наконец свою голову, Х уперся взглядом в письменный стол, на котором громоздилась настоящая свалка из двух дюжин, не меньше, нераспечатанных писем и пяти или шести бандеролей, адресованных ему лично. Он протянул руку над развалом и достал книгу, прислоненную к стенке. Это была книга Геббельса под названием «Небывалое время». Ее хозяйкой была тридцативосьмилетняя незамужняя дочь семейства, которое обитало здесь всего несколько недель назад. Она была какой-то мелкой сошкой в нацистской партии, но по армейским уложениям этого оказалось достаточно, чтобы она подпадала под категорию автоматического ареста. Х сам ее и арестовал. Теперь, в третий раз за этот день, когда он вернулся из госпиталя, он открыл ее книгу и прочел короткую надпись на титульном листе. Фраза была написана чернилами, по-немецки, мелким, беззащитно искренним почерком: «Боже правый, жизнь – сущий ад». Ничто не предваряло, ничто не завершало ее. В одиночестве на целой странице, в болезненном безмолвии комнаты эти слова обретали вес неопровержимого, даже классического обвинения. Х несколько минут не сводил глаз со страницы, пытаясь, но без надежды на успех, не поддаться впечатлению. Потом с невиданной за последние несколько недель живостью он схватил огрызок карандаша и стал писать под этой фразой по-английски: «Отцы и учители, мыслю: “Что есть ад?” Рассуждаю так: “Страдание о том, что нельзя уже более любить”». Он принялся было выводить под цитатой имя Достоевского, но заметил с ужасом, который пронизал его с ног до головы, что написанное им практически невозможно разобрать. Он захлопнул книгу.

Потом схватил со стола первое, что попалось под руку. Это было письмо от его старшего брата, из Олбани. Оно валялось на столе еще до того, как он попал в госпиталь. Он открыл конверт, слабо надеясь прочесть письмо от начала и до конца, но прочел только полстраницы. Он остановился на словах: «Теперь, когда эта треклятая война кончилась, у тебя, должно быть, куча свободного времени, так не пришлешь ли ребятишкам парочку штыков или там свастик...» Письмо он порвал, а потом взглянул на обрывки, рассыпавшиеся в мусорной корзинке. И увидел, что не заметил вложенную в письмо фотографию. Были видны только неведомо чьи ноги, стоящие на газоне неведомо где.

Он положил руки на стол и уронил на них голову. Боль залила его целиком, с головы до ног, словно все отдельные зоны боли слились воедино. Он был похож на горящую огнями новогоднюю елку, на которой все лампочки в гирлянде соединены последовательно, так что если хоть одна перегорит, всей иллюминации конец.

Кто-то грохнул дверью, распахнув ее без стука. X поднял голову, обернулся и увидел, что на пороге стоит капрал Z. Капрал Z был его партнером по джипу и постоянным напарником с самого дня высадки, они вместе прошли все пять кампаний этой войны. Жил он на первом этаже и обычно являлся навестить Икса, когда ему не терпелось выложить какие-то свои новости или обиды. Это был массивный, фотогеничный малый двадцати четырех лет от роду. Во время войны его сфотографировали для большого журнала в гюртгенском лесу; он позировал с нескрываемым удовольствием, держа в каждой руке по индейке — был как раз День Благодарения.

— Ты чего, письма строчишь? — спросил он у Икса. — Ну и тощища у тебя тут, ей-богу.

Х развернулся на стуле и предложил ему войти — только осторожно, чтобы не наступить на пса.

— На кого, на кого?

— На Алвина. Он у тебя прямо на дороге лежит, Клэй. Да включи же ты этот чертов свет.

Клэй нашарил выключатель и включил верхний свет, потом прошел через тесную комнатушку, пригодную разве что для прислуги, и пристроился на краешке кровати, лицом к хозяину. Он только что причесал свою кирпично-рыжую шевелюру, щедро смочив волосы водой, так что с них капало — а иначе с ними было не совладать. Расческа, прикрепленная на манер авторучки, торчала, как всегда, из правого кармана его оливково-зеленой армейской рубашки. На левом кармане у него красовался Боевой значок пехотинца (который он по уставу не заслужил), орденская лента «За службу в Европе» с пятью бронзовыми звездочками за участие в сражениях (вместо одной серебряной, которая равнялась пяти бронзовым), и орденская ленточка, полученная за Пёрл-Харбор.

Он тяжело вздохнул и сказал: «Боже правый». Это было просто армейское присловье и ровно ничего не значило. Он вытащил из кармана рубашки пачку сигарет, вытряхнул одну, а пачку сунул обратно в карман и застегнул клапан. Он курил, бесцельно шаря по комнате пустым взглядом. Наконец на глаза ему попался радиоприемник.

— Эй, — оживился он, — они обещали запустить потрясные хиты — как раз через пару минут. Боб Хоуп и вся тусовка.

Х, распечатывая новую пачку сигарет, сказал, что только что выключил радио.

Пропустив его слова мимо ушей, Клэй смотрел, как Х пытается закурить.

– Бог ты мой, – сказал он, завороженный этим зрелищем, – посмотрел бы ты со стороны на свои чертовы грабли. Ну, брат, и трясучка же у тебя! Сам-то чуешь?

Х прикурил, наконец, сигарету, кивнул головой и сказал, что глаз у Клэя цепкий, ничего не упустит.

– Нет, слушай, кроме шуток – я едва к черту с катушек не слетел, когда увидел тебя в госпитале. Ты же был ну точь-в-точь как треклятый *труп*, в натуре! Сколько ты весу потерял? Сколько фунтов? Знаешь?

– Не знаю. Расскажи, какие ты письма получал, пока меня не было? Что слышно от Лоретты?

Лоретта – это девушка Клэя. Они собирались пожениться при первой возможности. Она довольно регулярно писала ему – из рая, достойного трех восклицательных знаков кряду и полного не соответствующих истине сообщений. Всю войну Клэй читал напарнику вслух все письма Лоретты, какими бы интимными они ни были, – точнее, было ясно, что чем больше интимностей, тем ему слаще. У него вошло в привычку, прочитав очередное письмо, просить Икса сочинить или набросать ответ или хотя бы вставить парочку немецких или французских словечек для близиру.

– Да вот вчера получил от нее письмишко. Оно у меня внизу – покажу тебе потом, – сказал Клэй с полным равнодушием. Он попрямее уселся на краешке кровати, задержал дыхание и протяжно, смачно рыгнул. Потом опять расслабился, не слишком довольный своим достижением. – Ее треклятый братец увольняется с флота – из-за бедра, – сообщил он. – Бедро у этого ублюдка больное, видите ли. – Он снова выпрямился и попытался рыгнуть еще раз, но с довольно жалким результатом. Тут он чуть-чуть оживился. – Да, пока не забыл: завтра нам вставать в пять, надо смотаться в Гамбург или еще куда. Забрать эйзенхауэровские куртки для всего отделения.

X, глядя на него с неприязнью, заявил, что ему эйзенхауэровская куртка ни к чему.

Клэй удивился, даже слегка оскорбился.

– Да ведь прикид что надо. Красота! Что это на тебя накатило?

– Ничего. Зачем вставать в пять часов? Война уже кончилась, пойми ты, ради бога.

– Не знаю – велено обернуться до обеда. Там какие-то новые документы, которые надо заполнить до обеда. Я спрашивал Буллинга, почему бы нам не заполнить их сегодня вечером – эти чертовы бумажки *валяются* у него на столе. Так он не желает конверты распечатывать, сукин сын.

Оба немного посидели молча, ненавидя Буллинга.

Клэй внезапно уставился на Икса с новым, более живым интересом, чем прежде.

– Эй, – сказал он. – А ты знаешь, что твоя треклятая щека скачет прямо по всей комнате?

X сказал, что знает, и прикрыл рукой щеку, которая дергалась в тике.

Клэй продолжал глазеть на него с минуту, а потом сообщил довольно весело, как прекрасную новость:

– Я написал Лоретте, что у тебя приключился нервный срыв.

– Да?

– Ага. Она чертовски увлекается этой штукой. Специализируется по психологии. – Клэй развалился на кровати, как был, в ботинках. – А знаешь, что она говорит? Она говорит, что нервный срыв ни с того ни с сего не бывает, даже на войне и вообще. Говорит, похоже, что ты и до того был вроде как не в себе, всю твою чертову жизнь.

X заслонился ладонью, как козырьком, – видимо, лампочка над кроватью резала ему глаза – и сказал, что его всегда радовала интуиция Лоретты.

Клэй воззрился на него.

– Послушай, ты, подонок, – сказал он. – У Лоретты в голове куда больше психологии, чем в твоей дурацкой башке.

– А ты не мог бы сделать мне одолжение и убрать свои вонючие ноги с моей кровати? – спросил Х.

Клэй не пошевельнулся еще несколько секунд, мол, «ты-мне-не-указывай-куда-мне-класть-мои-собственные-ноги», потом рывком поставил ноги на пол и уселся на кровати.

– Мне так и так пора вниз. В комнате Уокера тоже есть радио. – Но с кровати он пока не вставал. – Слушь, я там внизу как раз только что рассказывал этому сукину сыну, Бернштейну. Помнишь, как мы с тобой заехали в Валонь и угодили там под ураганный обстрел на два треклятых часа и как я пристрелил ту треклятую кошку, когда она вспрыгнула на капот джипа, пока мы валялись в той яме? Помнишь?

– Помню, только не заводи ты опять про эту кошку, Клэй, черт бы тебя побрал. Я не желаю этого слышать.

– Да нет, я только хотел сказать, что написал про это Лоретте. Она со всем классом психологов устроила обсуждение. Прямо в классе, представляешь? С треклятым преподавателем, и все такое.

– Отлично. Только я не хочу этого слышать, Клэй.

– Ладно тебе! Знаешь, почему я взял да и расстрелял ее в упор – как говорит Лоретта? Она говорит, что у меня временно крыша съехала. Без шуток. От обстрела и всего прочего.

Х запустил пальцы в свои грязные волосы, разок провел по ним рукой, потом снова загородил глаза ладонью от света.

– Ты не свихнулся. Ты просто выполнял свой долг. Ты расправился с этой кощенкой, как подобает мужчине, так поступил бы каждый на твоем месте при подобных обстоятельствах.

Клэй бросил на него подозрительный взгляд.

– Ты что это там мелешь, черт побери?

– Кошка-то была шпионка. Ты был *вынужден* уложить ее на месте. Это была коварная германская карлица, переодетая в дешевую меховую шубейку. Так что в этом не было абсолютно никакого зверства, ни жестокости, ни подлости, не было даже...

– Да пошел ты к чертовой матери! – прошипел Клей, и губы у него сжались в одну черту. – Ты хоть раз в жизни можешь говорить *начистоту*?

Х внезапно почувствовал, что его мутит, быстро повернулся на стуле и успел схватить корзину для бумаг – как раз вовремя.

Когда он разогнулся и снова посмотрел на своего гостя, тот уже стоял на полпути от кровати к двери в большой растерянности. Х собрался было извиняться, потом раздумал и потянулся за своими сигаретами.

– Пошли вниз, послушаем Хоупа по радио, а? – сказал Клэй, соблюдая дистанцию, но пытаясь говорить дружеским тоном. – Взбодришься малость. Я правду говорю.

– Ты ступай, ступай, Клэй. Я поросюсь в своей коллекции марок.

– Да-а? У тебя есть коллекция марок? А я и не знал, что ты...

– Шутка.

Клэй сделал несколько нерешительных шагов к двери.

– Может, я попозже поеду в Эштадт, – сказал он. – Там у них танцы. Может, даже часов до двух. Составишь компанию?

– Нет, спасибо... Я тут попрактикуюсь.

– О'кей. Доброй ночи. И бога ради, не бери ты в голову. – Дверь громко хлопнула, но тут же снова открылась. – Эй! Ничего, если я суну письмо к Лоретте тебе под дверь? Я там вставил разные немецкие словечки. Будь добр, поправь, если что.

– Ладно. А теперь оставь меня в покое. Убирайся к черту.

– Уже пошел, – сказал Клэй. – А знаешь, что мне написала мама? Она написала, что очень рада, что мы с тобой прошли вместе всю войну. В одном джипе, и вообще. Она говорит, что мои письма стали куда интереснее с тех пор, как мы с тобой вместе.

Х взглянул на него снизу вверх, через всю комнату, и выдавил из себя с громадным трудом:

– Спасибо. Скажи ей спасибо от меня.

– Обязательно. Будь спок!

Дверь с грохотом захлопнулась – на этот раз окончательно.

Х долго сидел, не сводя глаз с двери, потом повернул стул к письменному столу и взял с пола свою портативную пишущую машинку. Он расчистил для нее место на столе, заваленном чем попало, отодвинув в сторону бесформенную груду нераспечатанных писем и бандеролей. Ему показалось, что если он напишет письмо старому другу в Нью-Йорк, это сработает как целительное средство – поможет сразу, пусть и ненадолго. Но он даже не смог вставить лист бумаги в каретку – пальцы у него ходуном ходили хуже прежнего. Он еще раз попробовал, но в конце концов смял лист в комок.

Он понимал, что надо бы вынести мусорную корзинку из комнаты, но не стал этого делать, а положил руки на клавиатуру машинки и прилег на них головой, закрыв глаза. Несколько минут он ощущал только толчки своего сердца, потом открыл глаза и увидел, как бы не в фокусе, маленький нераспечатанный пакетик, бандероль в зеленой бумаге. Должно быть, бандероль свалилась сверху, из общего навала, когда он освобождал место для машинки.

Он заметил, что пакет несколько раз переадресовывали. Рассмотрел на ближней стороне бандероли не меньше трех последних адресов своей полевой почты. Он распечатал пакетик без малейшего интереса, даже не взглянув на обратный адрес. Распечатал, подпалив веревочку спичкой. Ему было куда интереснее следить, как бечевка догорит до конца, чем открывать пакет, но в конце концов он его все-таки развернул.

В коробочке лежал листок, исписанный чернилами, а под ним – что-то завернутое в папиросную бумагу. Он вынул листок и стал читать.

17, Роуд,
Девон
7 июня 1944

Дорогой сержант Х,

Надеюсь, что вы извините меня за то, что я задержала нашу переписку на 38 дней, но я была чрезвычайно занята, потому что моя тетушка заболела стрептококковой ангиной и была близка к смерти, а на меня свалилось бремя разных забот, если это может послужить оправданием. Тем не менее я часто вспоминала Вас и чрезвычайно приятное время, которое мы провели вместе 30 апреля 1944 года, с 3.45 до 4.45 пополудни – на случай если вы запамятовали.

Мы все с ужасным волнением и несказанным ликованием узнали про День высадки и горячо надеемся, что теперь будет положен скорый конец войне и этому, мягко говоря, нелепому образу жизни. Мы с Чарльзом очень беспокоимся за Вас; мы надеемся, что вы не попали в ряды армии, которая начала высадку на полуострове Котантен. Или попали? Пожалуйста, ответьте как можно скорее. Передайте от меня самый теплый привет Вашей жене.

Искренне ваша,
Эсме.

P.S. Я позволила себе послать вам мои часы, которые вы можете считать своими на всем протяжении военных действий. Во время нашего короткого знакомства я не успела заметить, были ли у Вас наручные часы, но эти часы чрезвычайно водонепроницаемые и противоударные, а также обладают прочими достоинствами. Например, по ним можно определять при желании, с какой скоростью вы идете. Я глубоко уверена, что Вы сумеете найти им лучшее применение в эти трудные времена, чем удалось бы мне самой, и надеюсь, что Вы примете их как талисман на счастье.

Чарльз, которого я учу читать и писать и нахожу исключительно способным учеником, хочет добавить несколько слов. Пожалуйста напишите, как только у Вас будет время и желание.

ПРИВЕТ ПРИВЕТ ПРИВЕТ ПРИВЕТ ПРИВЕТ
ПРИВЕТ ПРИВЕТ ПРИВЕТ ПРИВЕТ ПРИВЕТ
ЛЮБЛУ ЦУЛУЮ ЧАЛЬЗ

Только долгое время спустя X заставил себя отложить письмо и долго медлил перед тем, как вынуть из коробочки часы отца Эсме. Когда он в конце концов взял их в руки, он заметил, что стекло треснуло при пересылке. Ему захотелось узнать, не поврежден ли механизм, но не хватило духу завести часы и проверить. Он просто сидел очень долго, держа их в руке. Потом, откуда ни возьмись, на него навалилась неодолимая, целительная сонливость.

Знаешь, Эсме, если человеку невмоготу как хочется спать, то у него *непременно* остался шанс снова стать человеком, который не постра... не претерпел никакого не-по-пра-вимого ущерба.

И ЭТИ ГУБЫ, И ГЛАЗА ЗЕЛЕНЫЕ...

Когда зазвонил телефон, седовласый мужчина не без уважительности спросил молодую женщину, снять ли трубку — может быть, ей это будет неприятно? Она повернулась к нему и слушала словно издалека, крепко зажмурив один глаз от света; другой глаз оставался в тени — широко раскрытый, но отнюдь не наивный и уж до того темно-голубой, что казался фиолетовым. Седовласый просил поторопиться с ответом, и женщина приподнялась — неспешно, только-только что не равнодушно — и оперлась на правый локоть. Левой рукой отвела волосы со лба.

— О господи, — сказала она. — Не знаю. А по-твоему, как быть?

Седовласый ответил, что, по его мнению, снять ли трубку, нет ли, один черт, пальцы левой его руки протиснулись над локтем, на который опиралась женщина, между ее теплой рукой и боком, поползли выше. Правой рукой он потянулся к телефону. Чтобы снять трубку наверняка, а не искать на ощупь, надо было приподняться, и затылком он задел край абажура. В эту минуту его седые, почти совсем белые волосы были освещены особенно выгодно, хотя, может быть, и чересчур ярко. Они слегка растрепались, но видно было, что их недавно подстригли — вернее, подровняли. На висках и на шее они, как полагается, были короткие, вообще же гораздо длиннее, чем принято, пожалуй даже, на «аристократический» манер.

– Да? – звучным голосом сказал он в трубку.

Молодая женщина, по-прежнему опершись на локоть, следила за ним. В ее широко раскрытых глазах не отражалось ни тревоги, ни раздумья, только и видно было, какие они большие и темно-голубые.

В трубке раздался мужской голос – безжизненный и в то же время странно напористый, почти до неприличия взбудораженный:

– Ли? Я тебя разбудил?

Седовласый бросил быстрый взгляд влево, на молодую женщину.

– Кто это? – спросил он. – Ты, Артур?

– Да, я. Я тебя разбудил?

– Нет-нет. Я лежу и читаю. Что-нибудь случилось?

– Правда, я тебя не разбудил? Честное слово?

– Да нет же, – сказал седовласый. – Вообще говоря, я уже привык спать каких-нибудь четыре часа...

– Я вот почему звоню, Ли: ты случайно не видал, когда уехала Джоанна? Ты случайно не видал, она не с Эленбогенами уехала?

Седовласый опять поглядел влево, но на этот раз не на женщину, которая теперь следила за ним, точно молодой голубоглазый ирландец-полицейский, а выше, поверх ее головы.

– Нет, Артур, не видал, – сказал он, глядя в дальний неосвещенный угол комнаты, туда, где стена сходилась с потолком. – А разве она не с тобой уехала?

– Нет, черт возьми. Нет. Значит, ты не видал, как она уехала?

– Да нет, по правде говоря, не заметил. Понимаешь, Артур, по правде говоря, я вообще сегодня за весь вечер ни черта не видел. Не успел я переступить порог, как в меня намертво вцепился этот болван – то ли француз, то ли австриец, черт его разберет. Все эти паршивые иностранцы только и ждут, как бы вытянуть из юриста даровой совет. А что? Что случилось? Джоанна потерялась?

– О черт. Кто ее знает. Я не знаю. Ты же знаешь, какова она, когда налакается и ей не сидится на месте. Ничего я не знаю. Может быть, она просто...

– А Эленбогенам ты звонил? – спросил седовласый.

– Звонил. Они еще не вернулись. Ничего я не знаю. Черт, я даже не уверен, что она уехала с ними. Знаю только одно. Только одно, черт подери. Не стану я больше ломать себе голову. Хватит с меня. На этот раз я твердо решил. С меня хватит. Пять лет. Черт подери.

– Послушай, Артур, не надо так волноваться, – сказал седовласый. – Во-первых, насколько я знаю Эленбогенов, они наверняка взяли такси, прихватили Джоанну и махнули на часок-другой в Гринич-Вилледж. Скорее всего они все трое сейчас ввалятся...

– У меня такое чувство, что она развлекается там на кухне с каким-нибудь сукиным сыном. Такое у меня чувство. Она, когда налакается, всегда бежит в кухню и вешается на шею какому-нибудь сукину сыну. Хватит с меня. Клянусь богом, на этот раз я твердо решил. Пять лет, черт меня...

– Ты откуда говоришь? – спросил седовласый. – Из дому?

– Вот-вот. Из дому. Мой дом, мой милый дом. О черт.

– Слушай, не надо так волноваться... Ты что... ты пьян, что ли?

– Не знаю. Почем я знаю, будь оно все проклято.

– Ну погоди, ты вот что. Ты успокойся. Ты только успокойся, – сказал седовласый. – Господи, ты же знаешь Эленбогенов. Скорей всего они просто опоздали на последний поезд. Скорей всего они с Джоанной в любую минуту ввалятся к тебе с пьяными шуточками и...

– Они поехали домой.

– Откуда ты знаешь?

– От девицы, на которую они оставили детей. Мы с ней вели весьма приятную светскую беседу. Мы с ней закадычные друзья, черт подери. Нас водой не разольешь.

– Ну ладно. Ладно. Что из этого? Может, ты все-таки возьмешь себя в руки и успокоишься? – сказал седовласый. – Наверно, они все прискачут с минуты на минуту. Можешь мне поверить. Ты же знаешь Леону. Уж не знаю, что это за чертовщина, но, когда они попадают в Нью-Йорк, всех их сразу одолевает это самое коннектикутское веселье, будь оно неладно. Ты же сам знаешь.

– Да, да. Знаю. Знаю. А, ничего я не знаю.

– Ну конечно, знаешь. Попробуй представить себе, как было дело. Эти двое, наверно, просто силком затащили Джоанну...

– Слушай. Ее сроду никому никуда не приходилось тащить силком. И не втирай мне очки, что ее кто-то там затащил.

– Никто тебе очки не втирает, – спокойно сказал седовласый.

– Знаю, знаю! Извини. О черт, я с ума схожу. Нет, я правда тебя не разбудил? Честное слово?

– Если б разбудил, я бы так и сказал, – ответил седовласый. Он рассеянно выпустил руку женщины. – Вот что, Артур. Может, послушаешься моего совета? – Свободной рукой он взялся за провод под самой трубкой. – Я тебе серьезно говорю. Хочешь выслушать дельный совет?

– Д-да. Не знаю. А, черт, я тебе спать не даю. И почему я просто не перережу себе...

– Послушай меня, – сказал седовласый. – Первым делом, это я тебе серьезно говорю, ложись в постель и отдохни. Опрокинь стаканчик чего-нибудь покрепче на сон грядущий, укройся...

– Стаканчик? Ты что, шутишь? Да я, черт подери, за последние два часа, наверно, больше литра вылакал. Стаканчик! Я уже до того допился, что сил нет...

– Ну ладно, ладно. Тогда ложись в постель, – сказал седовласый. – И отдохни, слышишь? Подумай, ну что толку вот так сидеть и мучиться?

— Да-да, понимаю. Я бы и не волновался, ей-богу, но ведь ей нельзя доверять! Вот клянусь тебе. Клянусь, ей ни на волос нельзя доверять. Только отвернешься, и... А-а, что говорить... Проклятье, я с ума схожу.

— Ладно. Не думай об этом. Не думай. Можешь ты сделать мне такое одолжение? — сказал седовласый. — Попробуй-ка выкинуть все это из головы. Похоже, ты... честное слово, по-моему, ты делаешь из мухи...

— А знаешь, чем я занимаюсь? *Знаешь, чем я занимаюсь*?! Мне очень совестно, но сказать тебе, чем я, черт подери, занимаюсь каждый вечер, когда прихожу домой? Сказать?

— Артур, послушай, все это не...

— Нет, погоди. Вот я тебе сейчас скажу, будь оно все проклято. Мне просто приходится держать себя за шиворот, чтоб не заглянуть в каждый стенной шкаф, сколько их есть в квартире, — клянусь! Каждый вечер, когда я прихожу домой, я так и жду, что по углам прячется целая орава сукиных сынов. Какие-нибудь лифтеры! Рассыльные! Полицейские!..

— Ну ладно. Ладно, Артур. Попробуй немного успокоиться, — сказал седовласый. Он бросил быстрый взгляд направо: там на краю пепельницы лежала сигарета, которую закурили раньше, до телефонного звонка. Впрочем, она уже погасла, и он не соблазнился ею. — Прежде всего, — продолжал он в трубку, — я тебе сто раз говорил, Артур: вот тут-то ты и совершаешь самую большую ошибку. Ты понимаешь, что делаешь? Сказать тебе? Ты как нарочно, — я серьезно говорю, — ты просто как нарочно себя растравляешь. В сущности, ты сам внушаешь Джоанне... — Он оборвал себя на полуслове. — Твое счастье, что она молодец девочка. Серьезно тебе говорю. А по-твоему, у нее так мало вкуса, да и ума, если уж на то пошло...

— Ума! Да ты шутишь? Какой там у нее, к черту, ум! Она просто животное!

Седовласый раздул ноздри, словно ему вдруг не хватило воздуха.

– Все мы животные, – сказал он. – По самой сути своей все мы – животные.

– Черта с два. Никакое я не животное. Я, может быть, болван, бестолочь, гнусное порождение двадцатого века, но я не животное. Ты мне этого не говори. Я не животное.

– Послушай, Артур. Так мы ни до чего не...

– Ума захотел. Господи, знал бы ты, до чего это смешно. Она-то воображает, будто она ужасная интеллектуалка. Вот где смех, вот где комедия. Читает в газете театральные новости и смотрит телевизор, покуда глаза на лоб не полезут, значит, интеллектуалка. Знаешь, кто у меня жена? Нет, ты хочешь знать, кто такая моя жена? *Величайшая артистка, писательница, психоаналитик* и вообще величайший гений во всем Нью-Йорке, только еще не проявившийся, не открытый и не признанный. А ты и не знал? О черт, до того смешно, прямо охота перерезать себе глотку. Мадам Бовари, вольнослушательница курсов при Колумбийском университете. Мадам...

– Кто? – досадливо переспросил седовласый.

– Мадам Бовари, слушательница лекций на тему «Что нам дает телевидение». Господи, знал бы ты...

– Ну ладно, ладно. Не стоит толочь воду в ступе, – сказал седовласый. Повернулся и, поднеся два пальца к губам, сделал женщине знак, что хочет закурить. – Прежде всего, – сказал он в трубку, – черт тебя разберет, умный ты человек, а такта ни на грош. – Он приподнялся, чтобы женщина могла за его спиной дотянуться до сигарет. – Серьезно тебе говорю. Это сказывается и на твоей личной жизни, и на твоей...

– Ума захотел! Фу, помереть можно! Боже милостивый! А ты хоть раз слыхал, как она про кого-нибудь рассказывает, про какого-нибудь мужчину? Вот выпадет у тебя минутка свободная, сделай одолжение, попроси, чтоб она тебе описала кого-нибудь из своих знакомых. Про каждого мужчину, который попадается ей на глаза, она говорит одно и то же: «Ужасно симпатичный». Пусть он будет распоследний, жирный, безмозглый, старый...

— Хватит, Артур, — резко перебил седовласый. — Все это ни к чему. Совершенно ни к чему. — Он взял у женщины зажженную сигарету. Она тоже закурила. — Да, кстати, — сказал он, выпуская дым из ноздрей, — а как твои сегодняшние успехи?

— Что?

— Как твои сегодняшние успехи? Выиграл дело?

— Фу, черт! Не знаю. Скверно. Я уже собирался начать заключительную речь, и вдруг этот Лисберг, адвокат истца, вытащил откуда-то дуру горничную с целой кучей простыней в качестве вещественного доказательства, а простыни все в пятнах от клопов. Бр-р!

— И чем же кончилось? Ты проиграл? — спросил седовласый и опять глубоко затянулся.

— А ты знаешь, кто сегодня судил? Эта старая баба Витторио. Черт его разберет, почему у него против меня зуб. Я и слова сказать не успел, а он уже на меня накинулся. С таким не сговоришься, никаких доводов не слушает.

Седовласый повернул голову и посмотрел, что делает женщина. Она взяла со столика пепельницу и поставила между ними.

— Так ты проиграл, что ли? — спросил он в трубку.

— Что?

— Я спрашиваю, дело ты проиграл?

— Ну да. Я еще на вечере хотел тебе рассказать. Только не успел в этой суматохе. Как по-твоему, шеф полезет на стену? Мне-то плевать, но все-таки как по-твоему? Очень он взбесится?

Левой рукой седовласый стряхнул пепел на край пепельницы.

– Не думаю, что шеф непременно полезет на стену, Артур, – сказал он спокойно. – Но уж, надо полагать, и не обрадуется. Знаешь, сколько времени мы заправляем этими тремя паршивыми гостиницами? Еще папаша нашего Шелли основал...

– Знаю, знаю. Сынок мне рассказывал уже раз пятьдесят, не меньше. Отродясь не слыхивал ничего увлекательнее. Так вот, я проиграл это треклятое дело. Во-первых, я не виноват. Чертов псих Витторио с самого начала травил меня, как зайца. Потом безмозглая дура горничная вытащила эти простыни с клопами...

– Никто тебя и не винит, Артур, – сказал седовласый. – Ты хотел знать мое мнение – очень ли обозлится шеф. Вот я и сказал тебе откровенно...

– Да знаю я, знаю... Ничего я не знаю. Кой черт! В крайнем случае могу опять податься в военные. Я тебе говорил?

Седовласый опять повернулся к женщине – может быть, хотел показать, как терпеливо, даже стоически он все это выслушивает. Но она не увидела его лица. Она нечаянно опрокинула коленом пепельницу и теперь поспешно собирала пепел и окурки в кучку; она подняла глаза секундой позже, чем следовало.

– Нет, Артур, ты мне об этом не говорил, – сказал седовласый в трубку.

– Ну да. Могу вернуться в армию. Еще сам не знаю. Понятно, я вовсе этого не жажду и не пойду на это, если сумею выкрутиться по-другому. Но, может быть, всетаки придется. Не знаю. По крайней мере, можно будет забыть обо всем на свете. Если мне опять дадут тропический шлем, и большущий письменный стол, и хорошую сетку от москитов, может быть, это будет не так уж...

– Вот что, друг, хотел бы я вправить тебе мозги, – сказал седовласый. – Очень бы я этого хотел. Ты до черта... Ты ведь вроде неглупый малый, а несешь какой-то младенческий вздор. Я тебе это от души говорю. Из пустяка раздуваешь невесть что...

— Мне надо от нее уйти. Понятно? Еще прошлым летом надо было все кончить, тогда был такой разговор — ты это знаешь? А знаешь, почему я с нею не порвал? Сказать тебе?

— Артур. Ради всего святого. Этот наш разговор совершенно ни к чему.

— Нет, погоди. Ты слушай. Сказать тебе, почему я с ней не порвал? Так вот, слушай. Потому что мне жалко ее стало. Чистую правду тебе говорю. Мне стало ее жалко.

— Ну, не знаю. То есть, я хочу сказать, тут не мне судить, — сказал седовласый. — Только, мне кажется, ты забываешь одно: ведь Джоанна взрослая женщина. Я, конечно, не знаю, но мне кажется...

— Взрослая женщина! Да ты спятил! Она взрослый ребенок, вот она кто! Послушай, вот я бреюсь — нет, ты только послушай, — бреюсь, и вдруг здрасте, она зовет меня через всю квартиру. Я недобрит, морда вся в мыле, иду смотреть, что у нее там стряслось. И знаешь, зачем она меня звала? Хотела спросить, как по-моему, умная она или нет. Вот честное слово! Говорю тебе, она жалкое существо. Сколько раз я смотрел на нее спящую, и я знаю, что говорю. Можешь мне поверить.

— Ну, тебе виднее... я хочу сказать, тут не мне судить, — сказал седовласый. — Черт подери, вся беда в том, что ты ничего не делаешь, чтобы исправить...

— Мы не пара, вот и все. Коротко и ясно. Мы совершенно друг другу не подходим. Знаешь, что ей нужно? Ей нужен какой-нибудь здоровенный сукин сын, который вообще не станет с ней разговаривать, — вот такой нет-нет, да и даст ей жару, доведет до полнейшего бесчувствия — и пойдет преспокойно дочитывать газету. Вот что ей нужно. Слаб я для нее, по всем статьям слаб. Я знал это, еще когда мы только поженились, клянусь богом, знал. Вот ты хитрый черт, ты так и не женился, но, понимаешь, перед тем как люди женятся, у них иногда бывает вроде озарения: вот, мол, какая будет моя семейная жизнь. А я от этого отмахнулся. Отмахнулся от всяких озарений и предчувствий, черт дери. Я слабый человек. Вот тебе и все.

– Ты не слабый. Только надо шевелить мозгами, – сказал седовласый и взял у молодой женщины зажженную сигарету.

– Конечно, я слабый! Конечно, слабый! А, дьявольщина, я сам знаю, слабый я или нет! Не будь я слабый человек, неужели, по-твоему, я бы допустил, чтобы все так... А-а, что об этом говорить! Конечно, я слаб... Господи боже, я тебе всю ночь спать не даю. И какого дьявола ты не повесишь трубку? Я серьезно говорю. Повесь трубку, и все.

– Я вовсе не собираюсь вешать трубку, Артур. Я хотел бы тебе помочь, если это в человеческих силах, – сказал седовласый. – Право же, ты сам себе худший...

– Она меня не уважает. Господи боже, да она меня и не любит. А в сущности, в самом последнем счете и я тоже больше ее не люблю. Не знаю. И люблю, и не люблю. Всяко бывает. То так, то эдак. О черт! Каждый раз, как я твердо решаю положить этому конец, вдруг почему-то оказывается, что мы приглашены куда-то на обед, и я должен где-то ее встретить, и она является в белых перчатках или еще в чем-нибудь таком... Не знаю. Или я начинаю вспоминать, как мы с ней в первый раз поехали в Нью-Хейвен на матч принстонцев с йельцами. И только выехали, спустила шина, а холод был собачий, и она светила мне фонариком, пока я накачивал эту треклятую шину... ты понимаешь, что я хочу сказать. Не знаю. Или вспомнится... черт, даже неловко... вспомнятся дурацкие стихи, которые я ей написал, когда у нас только-только все началось. «Чуть розовеющая и лилейная, и эти губы, и глаза зеленые...» Черт, даже неловко... Эти строчки всегда напоминали мне о ней. Глаза у нее не зеленые... у нее глаза, как эти проклятые морские раковины, чтоб им... но все равно, мне вспоминается... не знаю. Что толку говорить? Я с ума схожу. И почему ты не повесишь трубку? Серьезно...

Седовласый откашлялся.

– Я совсем не собираюсь вешать трубку, Артур. Тут только одно...

– Как-то она купила мне костюм. На свои деньги. Я тебе не рассказывал?

– Нет, я...

– Вот так взяла и вошла к Трипперу, что ли, и купила мне костюм. Сама, без меня. О черт, я что хочу сказать, есть в ней что-то хорошее. И вот забавно, костюм пришелся почти впору. Надо было только чуть сузить в бедрах... брюки... да подкоротить. Черт, я хочу сказать, есть в ней что-то хорошее...

Седовласый послушал еще минуту. Потом резко обернулся к женщине. Он лишь мельком взглянул на нее, но она сразу поняла, что происходит на другом конце провода.

– Ну-ну, Артур. Послушай, этим ведь не поможешь, – сказал он в трубку. – Этим не поможешь. Серьезно. Ну, послушай. От души тебе говорю. Будь умницей, разденься и ложись в постель, ладно? И отдохни. Джоанна скорей всего через несколько минут явится. Ты же не хочешь, чтобы она застала тебя в таком виде, верно? И вместе с ней скорей всего ввалятся эти черти Эленбогены. Ты же не хочешь, чтобы вся эта шатия застала тебя в таком виде, верно? – Он помолчал, вслушиваясь. – Артур! Ты меня слышишь?

– О господи, я тебе всю ночь спать не даю. Что бы я ни делал, я...

– Ты мне вовсе не мешаешь, – сказал седовласый. – И нечего об этом думать. Я же тебе сказал, я теперь сплю часа четыре в сутки. Но я бы очень хотел тебе помочь, дружище, если только это в человеческих силах. – Он помолчал. – Артур! Ты слушаешь?

– Ага. Слушаю. Вот что. Все равно я тебе спать не даю. Можно я зайду к тебе и выпью стаканчик? Ты не против?

Седовласый выпрямился и свободной рукой взялся за голову.

– Прямо сейчас? – спросил он.

– Ну да. То есть если ты не против. Я только на минутку. Просто мне хочется пойти куда-то и сесть, и... не знаю. Можно?

– Да, отчего же. Но только, Артур, я думаю, не стоит, – сказал седовласый и опустил руку. – То есть я буду очень рад, если ты придешь, но, уверяю тебя, сейчас ты должен взять себя в руки, и успокоиться, и дождаться Джоанну. Уверяю тебя. Когда она прискачет домой, ты должен быть на месте и ждать ее. Разве я не прав?

– Д-да. Не знаю. Честное слово, не знаю.

– Зато я знаю, можешь мне поверить, – сказал седовласый. – Слушай, почему бы тебе сейчас не лечь в постель и не отдохнуть, а потом, если хочешь, позвони мне опять. То есть если тебе захочется поговорить. И не волнуйся ты! Это самое главное. Слышишь? Ну как, согласен?

– Ладно.

Седовласый еще минуту прислушивался, потом опустил трубку на рычаг.

– Что он сказал? – тотчас спросила женщина.

Седовласый взял с пепельницы сигарету – выбрал среди окурков выкуренную наполовину. Затянулся, потом сказал:

– Он хотел прийти сюда и выпить.

– О боже! А ты что?

– Ты же слышала, – сказал седовласый, глядя на женщину. – Ты сама слышала. Разве ты не слыхала, что я ему говорил? – Он смял сигарету.

– Ты был изумителен. Просто великолепен, – сказала женщина, не сводя с него глаз. – Боже мой, я чувствую себя ужасной дрянью.

– Да-а, – сказал седовласый. – Положение не из легких. Уж не знаю, насколько я был великолепен.

– Нет-нет. Ты был изумителен, – сказала женщина. – А на меня такая слабость нашла. Просто ужасная слабость. Посмотри на меня.

Седовласый посмотрел.

– Да, действительно, положение невозможное, – сказал он. – То есть все это настолько неправдоподобно...

– Прости, милый, одну минуту, – поспешно сказала женщина и перегнулась к нему. – Мне показалось, ты горишь! – Быстрыми, легкими движениями она что-то смахнула с его руки. – Нет, ничего. Просто пепел. Но ты был великолепен. Боже мой, я чувствую себя настоящей дрянью.

– Да, положение тяжелое. Он, видно, в совершенном...

Зазвонил телефон.

– А, черт! – выругался седовласый, но тотчас снял трубку. – Да?

– Ли? Я тебя разбудил?

– Нет-нет.

– Слушай, я подумал, что тебе будет интересно. Сию минуту ввалилась Джоанна.

– Что? – переспросил седовласый и левой рукой заслонил глаза, хотя лампа светила не в лицо ему, а в затылок.

– Ага. Вот только что ввалилась. Прошло, наверно, секунд десять, как мы с тобой кончили разговаривать. Вот я и решил тебе позвонить, пока она в уборной. Слушай, Ли, огромное тебе спасибо. Я серьезно – ты знаешь, о чем я говорю. Я тебя не разбудил, нет?

– Нет, нет. Я как раз... нет, нет, – сказал седовласый, все еще заслоняя глаза рукой, и откашлялся.

— Ну вот. Получилось, видно, так: Леона здорово напилась и закатила истерику, и Боб упросил Джоанну поехать с ними еще куда-нибудь выпить, пока все не утрясется. Я-то не знаю. Тебе лучше знать. Все очень сложно. Ну и вот, она уже дома. Какая-то мышиная возня. Честное слово, это все подлый Нью-Йорк. Я вот что думаю: если все наладится, может, мы снимем домик где-нибудь в Коннектикуте. Не обязательно забираться уж очень далеко, но куда-нибудь, где можно жить по-людски, черт возьми. Понимаешь, у нее страсть — цветы, кусты и всякое такое. Если бы ей свой садик и все такое, она, верно, с ума сойдет от радости. Понимаешь? Ведь в Нью-Йорке все наши знакомые — кроме тебя, конечно, — просто психи, понимаешь? От этого и нормальный человек рано или поздно поневоле спятит. Ты меня понимаешь?

Седовласый все не отвечал. Глаза его за щитком ладони были закрыты.

— Словом, я хочу сегодня с нею об этом поговорить. Или, может быть, завтра утром. Она все еще немножко не в себе. Понимаешь, в сущности, она ужасно славная девочка, и если нам все-таки еще можно хоть как-то все наладить, глупо будет не попробовать. Да, кстати, я заодно попытаюсь уладить эту гнусную историю с клопами. Я уж кое-что надумал. Ли, как по-твоему, если мне прямо пойти к шефу и поговорить, могу я...

— Извини, Артур, если ты не против, я бы...

— Ты только не думай, я не потому тебе звоню, что беспокоюсь из-за моей дурацкой службы или что-нибудь в этом роде. Ничего подобного. В сущности, меня это мало трогает, черт подери. Просто я подумал, если бы удалось не слишком лезть вон из кожи и все-таки успокоить шефа, так дурак я буду...

— Послушай, Артур, — прервал седовласый, отнимая руку от лица, — у меня вдруг зверски разболелась голова. Черт ее знает, с чего это. Ты извинишь, если мы сейчас кончим? Потолкуем утром, ладно? – Он слушал еще минуту, потом положил трубку.

Женщина тотчас начала что-то говорить, но он не ответил. Взял с пепельницы не докуренную ею сигарету и поднес было к губам, но уронил. Женщина хотела помочь ему отыскать сигарету – еще прожжет что-нибудь, – но он сказал, чтобы она, ради всего святого, сидела смирно, – и она убрала руку.

Голубой период де Домье-Смита

Если бы в этом был хоть малейший смысл — чего и в помине нету, — я был бы склонен посвятить мой неприхотливый рассказ, особенно если он получится хоть немного озорным, памяти моего покойного отчима, большого озорника, Роберта Агаджаняна. Бобби-младший, как его звали все, даже я, умер в 1947 году от закупорки сосудов, вероятно, с сожалением, но без единой жалобы. Это был человек безрассудный, необыкновенно обаятельный и щедрый. (Я так долго и упорно скупился на эти пышные эпитеты, что теперь считаю делом чести воздать ему должное.)

Мои родители развелись зимой 1928 года, когда мне было восемь лет, а весной мать вышла замуж за Бобби Агаджаняна. Через год, во время финансового кризиса на Уолл-стрит, Бобби потерял все свое и мамино состояние, но, по-видимому, сохранил умение колдовать. Так или иначе, не прошло и суток, как Бобби сам превратил себя из безработного маклера и обнищавшего бонвивана в деловитого, хотя и не очень опытного агента-оценщика, обслуживающего объединение владельцев частных картинных галерей американской живописи, а также музеи изящных искусств. Несколько недель спустя, в начале 1930 года, наша не совсем обычная троица переехала из Нью-Йорка в Париж, где Бобби мог легче заниматься своей профессией. Мне было десять лет — возраст равнодушия, если не сказать — полного безразличия, и эта серьезная перемена никакой особой травмы мне не нанесла. Пришибло меня возвращение в Нью-Йорк девять лет спустя, через три месяца после смерти матери, и пришибло со страшной силой.

Хорошо помню один случай – дня через два после нашего с Бобби приезда в Нью-Йорк. Я стоял в переполненном автобусе на Лексингтон-авеню, держась за эмалированный поручень около сиденья водителя, спиной к спине со стоявшим сзади человеком. Несколько раз водитель повторял тем, кто толпился около него: «Пройдите назад!» Кто послушался, кто – нет. Наконец, воспользовавшись красным светом, умученный водитель круто обернулся и посмотрел на меня – я стоял с ним рядом. Было мне тогда девятнадцать лет, шляпы я не носил, и гладкий, черный, не особенно чистый чуб на европейский манер спускался на прыщавый лоб. Водитель обратился ко мне негромким, даже, я бы сказал, осторожным, голосом.

– Ну-ка, братец, – сказал он, – убери-ка зад! – Это «братец» и взбесило меня окончательно. Не потрудившись хотя бы наклониться к нему, то есть продолжать разговор таким же частным порядком, в таком же bon gout[1], как он, я сообщил ему по-французски, что он грубый, тупой, наглый тип и что он даже не представляет себе, как я его ненавижу. И только тогда, облегчив душу, я пробрался в конец автобуса.

Но бывало и куда хуже. Как-то через неделю-другую, выходя днем из отеля «Ритц», где мы с Бобби постоянно жили, я вдруг вообразил, что из всех нью-йоркских автобусов вытащили сиденья, расставили их на тротуарах и вся улица стала играть в «море волнуется». Я и сам согласился бы поиграть в эту игру, если бы только получил гарантию от манхэттенской церкви, что все остальные участвующие будут почтительно стоять и

1 Хорошем тоне (*фр.*).

ждать, пока я не займу свое место. Когда стало ясно, что никто мне места уступать не собирается, я принял более решительные меры. Я стал молиться, чтобы все люди исчезли из города, чтобы мне было подарено полное одиночество, да, о-д-и-н-о-ч-е-с-т-в-о. В Нью-Йорке это единственная мольба, которую не кладут под сукно и в небесных канцеляриях не задерживают: не успел я оглянуться, как все, что меня касалось, уже дышало беспросветным одиночеством. С утра до половины дня я присутствовал – не душой, а телом – на занятиях ненавистной мне художественной школы на углу Сорок восьмой улицы и Лексингтон-авеню. (За неделю до нашего с Бобби отъезда из Парижа я получил три первые премии на национальной выставке молодых художников, в галерее Фрейберг. И когда мы возвращались в Америку, я не раз смотрелся в большое зеркало нашей каюты, удивляясь своему необъяснимому сходству с Эль-Греко.) Три раза в неделю я проводил послеобеденные часы в зубоврачебном кресле – за несколько месяцев мне вырвали восемь зубов, причем три передних. Дважды в неделю я бродил по картинным галереям, большей частью на Пятьдесят седьмой улице, и еле удерживался, чтоб не освистать американских художников. Вечерами я обычно читал. Я купил полное гарвардское издание «Классиков литературы», главным образом наперекор Бобби – он сказал, что их некуда поставить, – и назло всем прочел эти пятьдесят томов от корки до корки. По вечерам я упрямо устанавливал мольберт между кроватями в номере, где жили мы с Бобби, и писал маслом. В один только месяц, если верить моему дневнику за 1939 год, я закончил восемнадцать картин. Примечательней всего то, что семнадцать из них были автопортретами. Только изредка, должно быть, в дни, когда моя муза капризничала, я откладывал краски и рисовал карикатуры. Одна из них сохранилась до сих пор. На ней изображена огромная человеческая пасть, над которой возится зубной врач. Вместо языка изо рта высовывается стодолларовая ассигнация, и зубной врач грустно говорит пациенту по-французски: «Думаю, что коренной зуб можно сохранить, а вот язык придется вырвать». Я обожал эту карикатуру.

Для совместного житья мы с Бобби подходили друг к другу примерно так же, как, скажем, исключительно воспитанный, уступчивый студент-старшекурсник Гарвардского университета и исключительно противный кембриджский мальчишка-газетчик. И когда с течением времени выяснилось, что мы оба до сих пор любим одну и ту же умершую женщину, нам от этого легче не стало. Наоборот, после этого открытия между нами установились невыносимо фальшивые, приторно-вежливые отношения. «После вас, Альфонс!» – словно говорили мы, бодро ухмыляясь друг другу при встрече на пороге ванной.

Как-то в начале мая 1939 года – мы прожили в отеле «Ритц» около десяти месяцев – в одной квебекской газете (я выписывал шестнадцать газет и журналов на французском языке) я прочел объявление на четверть колонки, помещенное дирекцией заочных курсов живописи в Монреале. Объявление призывало, и даже подчеркивало, что призывает оно весьма fortement[1] всех квалифицированных преподавателей немедленно подать заявления на должность преподавателя на самых новых, самых прогрессивных художественных заочных курсах Канады. Кандидаты должны отлично владеть как английским, так и французским языками, и только лица с безукоризненной репутацией и примерным поведением могут принимать участие в конкурсе. Летний семестр на курсах «Les Amis des Vieux

1 Настойчиво (*фр.*).

Maîtres»[1] официально открывается десятого июня. Образцы работы как в области чистого искусства, так и рекламы надо было выслать на имя мсье Йошото, директора курсов, бывшего члена Императорской академии изящных искусств в Токио.

Меня тут же наполнила непреодолимая уверенность, что лучшего кандидата, чем я, не найти. Я вытащил портативную машинку Бобби из-под его кровати и написал по-французски длиннейшее, неумеренно взволнованное письмо мсье Йошото; утренние занятия в своей школе я из-за этого, конечно, пропустил. От вступления – целых три страницы! – просто шел дым столбом. Я писал, что мне двадцать девять лет и что я внучатый племянник Оноре Домье. Я писал, что только сейчас, после смерти жены, я покинул небольшое родовое поместье на юге Франции и временно – это я подчеркнул особо – гощу в Америке у престарелого родственника. Рисую я с раннего детства, но по совету Пабло Пикассо, старейшего и любимейшего друга нашей семьи, я никогда еще не выставлялся. Однако многие мои полотна – масло и акварель – в настоящее время украшают лучшие дома Парижа, притом отнюдь не дома каких-нибудь нуворишей, и уже gagné[2] внимание самых выдающихся критиков нашего времени. После безвременной и трагической кончины моей супруги, последовавшей после ulcèration cancèreuse[3], я был глубоко уверен, что никогда больше не коснусь кистью холста. Но недавно я почти разорился, и это заставило меня пересмотреть мое серьезнейшее résolution[4]. Я написал, что сочту за честь представить «Любителям великих мастеров» образцы своих работ, как только мне их вышлет мой парижский агент, ко-

1 «Любители великих мастеров» (*фр.*).
2 Привлекли (*фр.*).
3 Раковой опухоли (*фр.*).
4 Решение (*фр.*).

торому я, разумеется, напишу très pressé[1]. И подпись: «С глубочайшим уважением, Жан де Домье-Смит».

Этот псевдоним я придумывал чуть ли не дольше, чем писалось все письмо.

Письмо было написано на простой тонкой бумаге. Но запечатал я его в конверт, где стояло «Отель "Ритц"». Я наклеил марки для заказного письма, стащив их из ящика Бобби, и отнес конверт вниз, в специальный почтовый ящик. По пути я остановился у клерка, раздававшего почту (он явно меня ненавидел), и предупредил его о возможном поступлении писем на имя де Домье-Смита. Около половины третьего я проскользнул в свой класс: урок анатомии уже начался без четверти два. Впервые мои соученики показались мне довольно славными ребятами.

Четыре дня подряд я тратил все свое свободное – да и не совсем свободное – время на рисование образцов, как мне казалось, типичных для американской рекламы. Работая по преимуществу акварелью, но иногда для вящего эффекта переходя на рисунок пером, я изображал сверхэлегантные пары в вечерних костюмах – они прибывали в лимузинах на театральные премьеры, сухопарые, стройные, никому в жизни не причинявшие страданий из-за небрежного отношения к гигиене подмышек, впрочем, у этих существ, наверно, и подмышек не было. Я рисовал загорелых юных великанов в белых смокингах – они сидели у белых столиков около лазоревых бассейнов и с преувеличенным энтузиазмом подымали за здоровье друг друга бокалы с коктейлями, куда входил дешевый, но явно сверхмодный сорт виски. Я рисовал краснощеких, очень «рекламогеничных» детей, пышущих здоровьем, – сияя от восторга, они протягивали пустые тарелки из-под каши и приветливо просили добавку. Я рисовал веселых высокогрудых девушек –

1 Срочно (*фр.*).

они скользили на акваπланах, не зная забот, потому что были прочно защищены от таких всенародных бедствий, как кровоточащие десны, нечистый цвет лица, излишние волоски и незастрахованная жизнь. Я рисовал домашних хозяек, и если они не употребляли лучшую мыльную стружку, то им грозила страшная жизнь: нечесаные, сутулые, они будут маяться в своих запущенных, хотя и огромных кухнях, их тонкие руки огрубеют, и дети перестанут их слушаться, а мужья разлюбят навсегда. Наконец образцы были готовы, и я тут же отправил их мсье Йошото вместе с десятком произведений «чистого искусства», которые я привез с собой из Франции. К ним я приложил небольшое письмецо, где сжато, но задушевно рассказывалось о том, как я без чьей бы то ни было помощи, следуя высоким романтическим традициям, преодолевал всяческие препятствия и в одиночестве достиг сияющих холодной белизной вершин мастерства.

Несколько дней я провел в напряженном ожидании, но к концу недели пришло письмо от мсье Йошото, где сообщалось, что я зачислен преподавателем курсов «Любители великих мастеров». Письмо было написано по-английски, хотя я писал по-французски. (Впоследствии я узнал, что мсье Йошото знал французский и не знал английского, и почему-то поручил ответить мадам Йошото, немного знавшей английский.) Мсье Йошото писал, что летний триместр будет, пожалуй, самым загруженным и начнется двадцать четвертого июня. Он напоминал, что мне оставалось пять недель для устройства личных дел. Он высказывал безграничное сочувствие по поводу моих материальных и моральных потерь. Он надеялся, что я смогу явиться на курсы «Любители великих мастеров» в воскресенье двадцать третьего июня, чтобы ознакомиться со своими обязанностями, а также «завязать дружбу» с другими преподавателями. (Как я потом узнал, их оказалось всего двое — мсье и мадам

Йошото). Он глубоко сожалел, что не в обычаях курсов оплачивать дорожные расходы преподавателей. Мой оклад выражался в сумме двадцати восьми долларов в неделю, и мсье Йошото писал, что вполне отдает себе отчет, насколько эта сумма невелика, но так как при этом полагается квартира и хорошее питание, то он надеется, что я не буду разочарован, тем более что он чувствует во мне истинное призвание. Он с нетерпением ждет от меня телеграммы, подтверждающей согласие, и с чувством живейшего удовольствия предвкушает мой приезд. «Ваш новый друг, директор курсов И. Йошото, бывший член Императорской академии изящных искусств в Токио».

Телеграмма, подтверждающая мое согласие, была подана через пять минут. Может быть, от волнения, а вернее, из чувства вины перед Бобби (телеграмма была послана по телефону за его счет) я сдержал свой литературный пыл и, как ни странно, ограничился всего лишь десятью словами.

Вечером мы с Бобби, как всегда, встретились за обедом в Овальном зале, и я очень расстроился, увидев, что он привел с собой гостью. До сих пор я ничего не говорил ему о своих внешкольных занятиях, и мне до смерти хотелось выложить ему все новости, огорошить его, но только наедине. А тут эта гостья, очень привлекательная молодая особа, — она недавно развелась с мужем, и Бобби виделся с ней довольно часто, да и я не раз с ней сталкивался. Это была очень милая женщина, но любую ее попытку подружиться со мной, ласково уговорить меня снять свой панцирь или хотя бы поднять забрало я предвзято толковал как невысказанное приглашение лечь с ней в постель, как только подвернется удобный случай, то есть как только ей удастся отделаться от Бобби, который, безусловно, был для нее слишком стар. Весь обед я был настроен враждебно и ограничивался краткими репликами. Только за кофе я сжато изложил свои летние планы. Выслушав меня, Бобби задал несколько деловых вопросов. Я отвечал хладнокровно, отрывисто и кратко, как неоспоримый властитель своей судьбы.

– Ах, как интересно! – сказала гостья Бобби, явно выжидая с присущей ей ветреностью, чтобы я передал ей под столом свой монреальский адрес.

– Но я думал, ты поедешь со мной на Род-Айленд, – сказал Бобби.

– Ах, милый, не надо портить ему удовольствие! – сказала миссис Икс.

– А я и не собираюсь, – сказал Бобби, – но я бы не прочь узнать все более подробно.

Но по его тону я сразу понял, что он мысленно уже обменивает два билета в отдельном купе на одно нижнее место.

– По-моему, это самое теплое, самое лестное приглашение, какое только может быть, – с горячностью сказала мне миссис Икс. Ее глаза сверкали порочным вожделением.

В то воскресенье, когда я вышел на перрон Уиндзорского вокзала в Монреале, на мне был двубортный габардиновый песочного цвета костюм (мне он казался верхом элегантности), темно-синяя фланелевая рубаха, плотный желтый бумажный галстук, коричневые с белым туфли, шляпа-панама (взятая у Бобби и слишком тесная), а также каштановые, с рыжинкой усики трех недель от роду. Меня встречал мистер Йошото – маленький человечек, футов пяти ростом, в довольно несвежем полотняном костюме, черных башмаках и черной фетровой шляпе с загнутыми кверху полями. Без улыбки и, насколько мне помнится, без единого слова он пожал мне руку. Выражение лица у него было, как сказано во французском переводе книги Сакса Ромера про Фу Маньчжу, inscrutable[1]. А я по неизвестной причине улыбался до ушей. Ни пригасить эту улыбку, ни тем более стереть ее я никак не мог.

От вокзала до курсов пришлось ехать несколько миль в автобусе. Сомневаюсь, чтобы за всю дорогу мсье Йошото сказал хоть пять слов. То ли из-за этого молчания, то ли наперекор ему я говорил без умолку, высоко задрав левую ногу на правое колено и непрестанно вытирая потную ладонь об носок. Мне казалось, что необходимо не только повторить все прежние выдумки про родство с Домье, про покойную супругу и небольшое поместье на юге Франции, но и разукрасить это вранье. Потом, чтобы избавиться от мучительных воспоминаний (а они и на самом деле начинали меня мучить), я перешел на тему о старинной дружбе моих родителей с дорогим их сердцу Пабло Пикассо, le pauvre Picasso[2], как я его называл.

Кстати, выбрал я Пикассо потому, что считал, что из французских художников его лучше всех знают в США, а Канаду я тоже присоединил к США. Исключительно ради просвещения мсье Йошото я припомнил с подчеркнутым состраданием к падшему гиганту, сколько раз я говорил нашему другу: «Maître Picasso, où allez-vous?»[3] И как в ответ на этот проникновенный вопрос старый мастер медленным, тяжким шагом проходил по мастерской и неизменно останавливался перед небольшой репродукцией своих «Акробатов», вспоминая о своей давно загубленной славе. И когда мы выходили из автобуса, я объяснил мсье Йошото, что беда Пикассо в том, что он никогда и никого не слушает, даже своих ближайших друзей.

В 1939 году «Любители великих мастеров» помещались на втором этаже небольшого, удивительно уныло-

1 Непроницаемое (*фр.*).
2 Бедняга Пикассо (*фр.*).
3 «Куда вы идете, мэтр Пикассо?» (*фр.*)

го с виду трехэтажного домика, как видно, отдававшегося внаем, в самом неприглядном, верденском, районе Монреаля. Школа находилась прямо над ортопедической мастерской. «Любители великих мастеров» занимали одну большую комнату с крохотной незапиравшейся уборной. Но наперекор всему, когда я вошел в это помещение, мне оно сразу показалось удивительно приятным. И тому была причина: все стены этой «преподавательской» были увешаны картинами — главным образом акварелями работы мсье Йошото. Мне и сейчас иногда видится во сне белый гусь, летящий по невыразимо бледному, голубому небу, причем — и в этом главное достижение смелого и опытного мастера — голубизна неба, вернее дух этой голубизны, отражен в оперении птицы. Картина висела над столом мадам Йошото. Это произведение и еще две-три картины, схожие по мастерству, придавали комнате свой особый характер.

Когда я вошел в преподавательскую, мадам Йошото в красивом, черном с вишневым, шелковом кимоно подметала пол коротенькой щеткой. Это была седовласая дама, чуть ли не на голову выше своего супруга, похожая скорее на малайку, чем на японку. Она поставила щетку и подошла к нам. Мсье Йошото представил меня. Пожалуй, она была еще более inscrutable, чем мсье Йошото. Затем мсье Йошото предложил показать мне мою комнату, объяснив по-французски, что это комната их сына, который уехал в Британскую Колумбию работать на ферме. (После его продолжительного молчания в автобусе я обрадовался, что он заговорил, и слушал его с преувеличенным воодушевлением.) Он начал было извиняться, что в комнате сына нет стульев — только циновки на полу, но я сразу уверил его, что для меня это чуть ли не дар небес. (Кажется, я даже сказал, что ненавижу стулья. Я до того нервничал, что, скажи мне, будто в комнате его сына день и ночь стоит вода по колено, я завопил бы от восторга. Возможно, я даже сказал бы, что у меня редкая болезнь ног, требующая ежедневного и по крайней мере восьмичасового погружения их в воду.) Мы поднялись наверх по шаткой деревянной лесенке. Мимоходом я подчеркнул в разговоре, что изучаю буддизм. Впоследствии я узнал, что и он, и мадам Йошото пресвитериане.

До поздней ночи я не спал — малайско-японский обед мадам Йошото en masse[1] то и дело подкатывался кверху, как лифт, распирая желудок, а тут еще кто-то из супругов Йошото застонал во сне за перегородкой. Стон был высокий, тонкий, жалобный; казалось, что стонет не взрослый человек, а несчастный недоношенный ребенок или мелкая искалеченная зверушка. (Ни одна ночь не проходила без концерта, но я так и не узнал, кто из них издавал эти звуки и по какой причине.) Когда мне стало совсем невыносимо слушать стоны в лежачем положении, я встал, сунул ноги в ночные туфли и в темноте уселся на пол, на одну из циновок. Просидел я так часа два и выкурил несколько сигарет — тушить их приходилось о подошву туфли, а окурки класть в карман пижамы. (Сами Йошото не курили, и в доме не было ни одной пепельницы.) Уснул я только часов в пять утра.

В шесть тридцать мсье Йошото постучал в мою дверь и сообщил, что завтрак будет подан без четверти семь. Он спросил через двери, хорошо ли я спал, и я ответил: «Oui»[2]. Я оделся, выбрав синий костюм, как самый подходящий для преподавателя в день открытия курсов, и к нему красный, ручной работы галстук — мне его подарила мама, — и, не умываясь, побежал по коридору на кухню. Мадам стояла у плиты, готовя на завтрак рыбу. Мсье Йошото, в брюках и фуфайке, сидел у кухонного стола и читал японскую газету. Он молчаливо кивнул

1 Целиком (*фр.*).
2 Да (*фр.*).

мне. Никогда еще они не выглядели более inscrutable. Вскоре мне подали какую-то рыбину со слабыми, но довольно явными следами засохшего кетчупа на краю тарелки. Мадам Йошото спросила меня по-английски – выговор у нее был неожиданно приятный, – может быть, я предпочитаю яйца, но я сказал: «Non, non, merci, madame»[1]. Я добавил, что никогда не ем яиц. Мсье Йошото прислонил свою газету к моему стакану, и мы все трое молча стали есть, вернее, они оба ели, а я, также молча, с усилием глотал пищу.

После завтрака мсье Йошото тут же, на кухне, натянул рубашку без воротника, мадам Йошото сняла передник, и мы все трое гуськом, с некоторой неловкостью, проследовали вниз, в преподавательскую. Там, на широком столе мсье Йошото, были грудой навалены штук десять огромных пухлых нераспечатанных конвертов из плотной бумаги. Мне они показались какими-то вымытыми, причесанными – совершенно как школьники-новички. Мсье Йошото указал мне место за столом, стоявшим в дальнем углу комнаты, и попросил сесть. Мадам Йошото подсела к нему, и они стали вскрывать конверты. В том, как раскладывалось и рассматривалось содержимое, по-видимому, была какая-то система, они все время советовались по-японски, тогда как я, сидя в другом конце комнаты в своем синем костюме и красном галстуке, старался всем видом показать, как терпеливо и в то же время заинтересованно я жду указаний, а главное – какой я тут незаменимый человек. Из внутреннего кармана я вынул несколько мягких карандашей, привезенных из Нью-Йорка, и, стараясь не шуметь, разложил их на столе. А когда мсье Йошото, должно быть, случайно, взглянул в мою сторону, я одарил его сверхобаятельной улыбкой. Внезапно, не сказав мне ни слова и даже не взглянув в мою

1 «Нет, нет, спасибо, мадам» (*фр.*).

сторону, они оба разошлись к своим столам и взялись за работу. Было уже половина восьмого.

Около девяти мсье Йошото снял очки и, шаркая ногами, прошлепал к моему столу – в руках он держал стопку рисунков. Полтора часа я просидел без всякого дела, с усилием сдерживая бурчание в животе. Когда он приблизился, я торопливо встал ему навстречу, слегка сутулясь, чтобы не смущать его своим высоким ростом. Он вручил мне принесенные рисунки и вежливо спросил, не буду ли я так добр перевести его замечания с французского на английский. Я сказал: «Oui, monsieur». С легким поклоном он прошаркал назад, к своему столу. Я отодвинул карандаши, вынул авторучку и с тоской в душе принялся за работу.

Как и многие другие по-настоящему хорошие художники, мсье Йошото как преподаватель стоял ничуть не выше любого посредственного живописца с кое-какими педагогическими способностями. Его практические поправки, то есть его рисунки, нанесенные на кальку поверх рисунков учащихся, вместе с письменными замечаниями на обороте рисунков вполне могли показать мало-мальски способному ученику, как похоже изобразить свинью или даже как живописно изобразить свинью в живописном хлеву. Но никогда в жизни он не сумел бы научить кого-нибудь отлично написать свинью и так же отлично хлев, а ведь передачи, к тому же заочной, именно этого небольшого секрета мастерства и добивались от него так жадно наиболее способные ученики. И не в том, разумеется, было дело, что он сознательно или бессознательно скрывал свой талант или не расточал его из скупости, он просто не умел его передать. Сначала эта жестокая правда как-то не затронула и не поразила меня. Но представьте себе мое положение, когда доказательства его беспомощности все накапливались и накапливались. Ко второму завтраку я дошел до такого состояния, что должен был соблюдать величайшую осторожность, чтобы не размазать строчку перевода потными ладонями. В довершение всего у мсье Йошото оказался на редкость неразборчивый почерк. И когда настала пора идти завтракать, я решительно отверг приглашение четы Йошото. Я сказал, что мне надо на почту. Сбежав по лестнице, я наугад углубился в путаницу незнакомых запущенных улочек. Увидав закусочную, я забежал туда, проглотил четыре «с пылу, с жару» кони-айлендские колбаски и выпил три чашки мутного кофе.

Возвращаясь к «Les Amis des Vieux Maîtres», я ощутил сначала привычную смутную тревогу – правда, с ней я, по прошлому опыту, более или менее умел справляться, но тут она перешла в настоящий страх: неужели мои личные качества тому виной, что мсье Йошото не нашел для меня лучшего дела, чем эти переводы? Неужто старый Фу Маньчжу раскусил меня, понял, что я не только хотел сбить его с толку всякими выдумками, но что я, девятнадцатилетний мальчишка, и усы отрастил для того. Думать об этом было невыносимо. Вера моя в справедливость медленно подтачивалась. В самом деле, меня, меня, получившего три первые премии, меня, личного друга Пикассо (я уже сам начал в это верить), меня использовать как переводчика! Мое преступление никак не заслужило такого наказания. И вообще эти усики, пусть жидкие, но мои собственные, разве они наклеены? Для успокоения я все время по дороге на курсы теребил их пальцами. Но чем больше я думал о своем положении, тем быстрее я шел и под конец уже бежал бегом, будто боясь, что меня со всех сторон вот-вот забросают камнями.

Хотя я потратил на завтрак всего минут сорок, чета Йошото уже сидела за столами и работала. Они не подняли глаз, не подали виду, что заметили, как я вошел. Потный, запыхавшийся, я сел за свой стол. Минут пятнадцать–двадцать я сидел, вытянувшись в струнку и придумывая новехонькие анекдотцы про старика Пикассо на тот случай, если мсье Йошото вдруг поднимется и станет разоблачать меня. И тут он действительно поднялся и пошел ко мне. Я встал, готовый, если понадобится, встретить его в упор свеженькой сплетней про Пикассо, но, когда он подошел к столу, все, что я придумал, к моему ужасу, вылетело у меня из головы. Но я воспользовался моментом, чтобы выразить свой восторг по поводу изображения гуся в полете, висящего над столом мадам Йошото. Я рассыпался в самых щедрых похвалах. Я сказал, что у меня в Париже есть знакомый богач – паралитик, как я объяснил, – который не пожалеет никаких денег за картину мсье Йошото. Я сказал, что, если мсье Йошото согласен, я могу немедленно связаться с Парижем. К счастью, мсье Йошото объяснил, что картина принадлежит его кузену, гостящему сейчас у родных в Японии. И тут же, прежде чем я успел выразить сожаление, он, назвав меня «мсье Домье-Смит», спросил, не буду ли я так добр исправить несколько заданий. Он пошел к своему столу и вернулся с тремя огромными пухлыми конвертами. Я стоял, обалделый, машинально кивая головой и ощупывая карман пиджака, куда я засунул все карандаши. Мсье Йошото объяснил мне метод преподавания на курсах (вернее было бы сказать, отсутствие всякого метода). Он вернулся к своему столу, а я все еще никак не мог прийти в себя.

Все три ученика писали нам по-английски. Первый конверт прислала двадцатитрехлетняя домохозяйка из Торонто – она выбрала себе псевдоним Бэмби Кремер, – так ей и надлежало адресовать письма. Все вновь поступающие на курсы «Любители великих мастеров» должны были заполнить анкету и приложить свою фотографию. Мисс Кремер приложила большую глянцевую фотокарточку, восемь на девять дюймов, где она была изображена с браслетом на щиколотке, в купальном костюме без бретелек и в белой морской бескозырке. В анкете она сообщила, что ее любимые художники Рембрандт и Уолт Дисней. Она писала, что надеется когда-нибудь достичь их славы. Образцы рисунков были несколько пренебрежительно подколоты снизу к ее портрету. Все они вызывали удивление. Но один был незабываемым. Это незабываемое произведение было выполнено яркими акварельными красками с подписью, гласившей: «И прости им прегрешения их». Оно изображало трех мальчуганов, ловивших рыбу в каком-то странном водоеме, причем чья-то курточка висела на доске с объявлением: «Ловля рыбы воспрещается». У самого высокого мальчишки на переднем плане одна нога была поражена рахитом, другая – слоновой болезнью; очевидно, мисс Кремер таким способом старалась показать, что он стоит, слегка расставив ноги.

Вторым моим учеником оказался пятидесятишестилетний «светский фотограф» по имени Р. Говард Риджфилд, из города Уиндзор, штат Онтарио. Он писал, что его жена годами не дает ему покоя, требуя, чтобы он тоже «втерся в это выгодное дельце» – стал художником. Его любимые художники – Рембрандт, Сарджент и «Тицян», но он благоразумно добавлял, что сам он в их духе работать не собирается. Он писал, что интересуется скорее сатирической стороной живописи, чем художественной. В поддержку своего кредо он приложил изрядное количество оригинальных произведений – масло и карандаш. Одна из его картин – по-моему, главный его шедевр – навеки врезалась мне в память: так привязываются слова популярных песенок. Это была сатира на всем знакомую, будничную трагедию невинной девицы, с длинными белокурыми локонами и выменобразной грудью, которую преступно соблазнял в церкви, так сказать, прямо под сенью алтаря ее духовник. Художник графически подчеркнул живописный беспорядок в одежде своих персонажей. Но гораздо больше, чем обличительный сатирический сюжет, меня потрясли стиль работы и характер выполнения. Если бы я не знал, что Риджфилд и Бэмби Кремер живут на расстоянии сотен миль друг от друга, я поклялся бы, что именно Бэмби Кремер помогала Риджфилду с чисто технической стороны.

Не считая исключительных случаев, у меня в девятнадцать лет чувство юмора было самым уязвимым местом и при первых же неприятностях отмирало иногда частично, а иногда и полностью. Риджфилд и мисс Кремер вызвали во мне множество чувств, но не рассмешили ни на йоту. И когда я просматривал их работы, меня не раз так и подмывало вскочить и обратиться с официальным протестом к мсье Йошото. Но я не совсем представлял себе, в какой форме выразился бы этот протест. Должно быть, я боялся, что, подойдя к его столу, я закричу срывающимся голосом: «У меня мать умерла, приходится жить у ее милейшего мужа, и в Нью-Йорке никто не говорит по-французски, а в *комнате вашего сына даже* стульев нет!

Как же вы хотите, чтобы я учил этих двух идиотов рисовать?»

Но я так и не встал с места — настолько я приучил себя сдерживать приступы отчаяния и не метаться зря. И я открыл третий конверт.

Третьей моей ученицей оказалась монахиня женского ордена сестер Святого Иосифа по имени сестра Ирма, преподававшая «кулинарию и рисование» в начальной монастырской школе, неподалеку от Торонто. Не знаю, как бы лучше начать описание того, что было в ее конверте. Во-первых, надо сказать, что вместо своей фотографии сестра Ирма без всяких объяснений прислала вид своего монастыря. Помнится также, что она не заполнила графу «возраст». Но, с другой стороны, ни одна анкета в мире не заслуживает, чтобы ее заполняли так, как заполнила ее сестра Ирма. Она родилась и выросла в Детройте, штат Мичиган, ее отец «в миру» служил «в отделе контроля автомашин». Кроме начального образования, она еще год проучилась в средней школе. Рисованию нигде не обучалась. Она писала, что преподает рисование лишь потому, что сестра такая-то скончалась и отец Циммерман (я особенно запомнил эту фамилию, потому что так звали зубного врача, вырвавшего мне восемь зубов), – отец Циммерман выбрал ее в заместительницы покойной. Она писала, что у нее в классе кулинарии 34 крошки, а в классе рисования 18 крошек. Любит она больше всего «Господа и Слово Божье» и еще любит «собирать листья, но только когда они уже сами опадают на землю». Любимым ее художником был Дуглас Бантинг (сознаюсь, что я много лет искал такого художника, но и следа не нашел). Она писала еще, что ее крошки «любят рисовать бегущих человечков, а я этого совсем не умею». Она писала, что будет очень стараться, чтобы научиться лучше рисовать, и надеется, что «мы будем к ней снисходительны».

В конверт были вложены всего шесть образцов ее работы. (Все они были без подписи – само по себе это мелочь, но в тот момент мне необычайно понравилось.) И Бэмби Кремер, и Риджфилд ставили под картинами свою подпись или – что меня раздражало еще больше – свои инициалы. С тех пор прошло тринадцать лет, а я не только ясно помню все шесть рисунков сестры Ирмы, но четыре из них я вспоминаю настолько отчетливо, что это иногда нарушает мой душевный покой. Лучшая ее картина была написана акварелью на оберточной бумаге. (На коричневой оберточной бумаге, особенно на очень плотной, писать так удобно, так приятно. Многие серьезные мастера писали на ней, особенно когда у них не было какого-нибудь грандиозного замысла.)

Несмотря на небольшой размер, примерно десять на двенадцать дюймов, на картине очень подробно и тщательно было изображено перенесение тела Христа в пещеру сада Иосифа Аримафейского. На переднем плане, справа, два человека, очевидно слуги Иосифа, довольно неловко несли тело. Иосиф Аримафейский шел за ними. В этой ситуации он, пожалуй, держался слишком прямо. За ним на почтительном расстоянии среди разношерстной, возможно явившейся без приглашения, толпы плакальщиц, зевак, детей шли жены галилейские, а около них безбожно резвилось не меньше трех дворняжек.

Но больше всех привлекла мое внимание женская фигура на переднем плане, слева, стоявшая лицом к зрителю. Вскинув правую руку, она отчаянно махала комуто – может быть, ребенку или мужу, а может, и нам, зрителям, – бросай все и беги сюда. Сияние окружало головы двух женщин, идущих впереди толпы. Под рукой у меня не было Евангелия, поэтому я мог только догадываться, кто они. Но Марию Магдалину я узнал тотчас же. Во всяком случае, я был убежден, что это она. Она шла впереди, поодаль от толпы, уронив руки вдоль тела. Горе свое она, как говорится, напоказ не выставляла – по ней совсем не было видно, насколько близок ей был Усопший в последние дни. Как все лица, и ее лицо было написано дешевой краской телесного цвета. Но было до боли ясно, что сестра Ирма сама поняла, насколько не подходит эта готовая краска, и неумело, но от всей души попыталась как-то смягчить тон. Других серьезных недостатков в картине не было. Вернее сказать, всякая критика уже была бы придиркой. По моим понятиям, это было произведение истинного художника, с печатью высокого и в высшей степени самобытного таланта, хотя одному Богу известно, сколько упорного труда было вложено в эту картину.

Первым моим побуждением было – броситься с рисунками сестры Ирмы к мсье Йошото. Но я и тут не встал с места. Не хотелось рисковать – вдруг сестру Ирму отнимут у меня? Поэтому я аккуратно закрыл конверт и отложил в сторону, с удовольствием думая, как вечером, в свободное время, я поработаю над ее рисунками. Затем с терпимостью, которой я в себе и не подозревал, я великодушно и доброжелательно стал править обнаженную натуру – мужчин и женщин (sans[1] признаков пола), жеманно и непристойно изображенных Р. Говардом Риджфилдом. В обеденный перерыв я расстегнул три пуговки на рубашке и засунул конверт сестры Ирмы туда, куда было не добраться ни ворам, ни – тем более! – самим супругам Йошото.

Все вечерние трапезы в школе происходили по негласному, но нерушимому ритуалу. Ровно в половине шестого мадам Йошото вставала и уходила наверх готовить обед, а мы с мсье Йошото обычно гуськом приходили туда же ровно в шесть. Никаких отклонений с пути, хотя бы они и были вызваны требованиями гигиены или неотложной необходимостью, не полагалось. Но в тот вечер, согретый конвертом сестры Ирмы, лежавшим у меня на груди, я впервые чувствовал себя спокойным. Больше того, за этим обедом я был настоящей душой общества. Я рассказал про Пикассо такой анекдот, пальчики оближешь! Пожалуй, было бы нелишне приберечь его на черный день. Мсье Йошото только слегка опустил свою японскую газету, зато мадам как будто заинтересовалась; во всяком случае, полного отсутствия интереса заметно не было. А когда я окончил, она впервые обратилась ко мне, если не считать утреннего вопроса: не хочу ли я съесть яйцо? Она спросила: может быть, мне все-таки поставить стул в комнату?

Я торопливо ответил: «Non, non, merci, madame». Я объяснил, что всегда придвигаю циновки к стене и таким образом приучаюсь держаться прямо, а мне это

1 Без (*фр.*).

очень полезно. Я даже встал, чтобы продемонстрировать, до чего я сутулюсь.

После обеда, когда чета Йошото обсуждала по-японски какой-то, может быть, и весьма увлекательный, вопрос, я попросил разрешения уйти из-за стола. Мсье Йошото взглянул на меня так, будто не совсем понимал, каким образом я очутился у них на кухне, но кивнул в знак согласия, и я быстро прошел по коридору к себе в комнату.

Включив полный свет и заперев двери, я вынул из кармана свои карандаши, потом снял пиджак, расстегнул рубаху и, не выпуская конверт сестры Ирмы из рук, сел на пол, на циновку. Почти до пяти утра, разложив все, что надо, на полу, я старался оказать сестре Ирме в ее художественных исканиях ту помощь, в какой она, по моему убеждению, нуждалась.

Первым делом я набросал штук десять-двенадцать эскизов карандашом. Не хотелось идти в преподавательскую за бумагой, и я рисовал на своей собственной почтовой бумаге с обеих сторон. Покончив с этим, я написал длинное, бесконечно длинное письмо.

Всю жизнь я коплю всякий хлам, не хуже какой-нибудь сороки-неврастенички, и у меня до сих пор сохранился предпоследний черновик письма, написанного сестре Ирме в ту июньскую ночь 1939 года. Я мог бы дословно переписать все письмо, но это лишнее. Множество страниц – а их и вправду было множество – я посвятил разбору тех незначительных ошибок, которые она допустила в своей главной картине, особенно в выборе красок. Я перечислил все принадлежности, необходимые ей как художнику, с указанием их приблизительной стоимости. Я спросил, кто такой Дуглас Бантинг. Я спросил, где я мог бы посмотреть его работы. Я спросил ее (понимая, что это политика дальнего прицела), видела ли она репродукции с картин Антонелло да Мессина. Я просил ее – напишите мне, пожалуйста, сколько вам лет, и пространно уверил ее, что сохраню в тайне эти сведения, ежели она их мне сообщит. Я объяснил, что справляюсь об этом по той причине, что мне так будет легче подобрать наиболее эффективный метод преподавания. И тут же, единым духом, я спросил, разрешают ли принимать посетителей в монастыре.

Последние строки, вернее, последние кубические метры моего письма лучше всего воспроизвести дословно, не изменяя ни синтаксис, ни пунктуацию.

«...Если вы владеете французским языком, прошу вас поставить меня в известность, так как лично я умею более точно выражать свои мысли на этом языке, прожив большую часть своей молодости в Париже, Франция.

Очевидно, вы весьма заинтересованы в том, чтобы научиться рисовать бегущих человечков и впоследствии передать технику этого рисунка своим ученицам в монастырской школе. Прилагаю для этой цели несколько набросков, может быть, они вам пригодятся. Вы увидите, что сделаны они наспех, очень далеки от совершенства и подражать им не следует, но надеюсь, что вы увидите в них те основные приемы, которые вас интересуют. Боюсь, что директор наших курсов не придерживается никакой системы в преподавании. К несчастью, это именно так. Вашими успехами я восхищаюсь, вы уже далеко пошли, но я совершенно не представляю себе, чего он хочет от меня и как мне быть с другими учащимися, людьми умственно отсталыми и, по моему мнению, безнадежно тупыми.

К сожалению, я агностик. Однако я поклонник святого Франциска Ассизского, хотя — что само собой понятно — чисто теоретически. Кстати, известно ли вам досконально, что именно он (Франциск Ассизский) сказал, когда ему собирались выжечь глаз каленым железом? Сказал он следующее: "Брат огонь. Бог дал тебе красоту и силу на пользу людям, молю же тебя — будь милостив ко мне". В ваших картинах есть что-то очень хорошее, напоминающее его слова, так мне, по крайней мере, кажется. Между прочим, разрешите узнать, не является ли молодая особа в голубой одежде, на первом плане, Марией Магдалиной? Я говорю о картине, которую мы только что обсудили. Если нет, значит, я глубоко заблуждаюсь. Впрочем, мне это свойственно.

Надеюсь, что вы будете считать меня в полном вашем распоряжении, пока вы обучаетесь на курсах "Любители великих мастеров". Говоря откровенно, я считаю вас необыкновенно талантливой и ничуть не удивлюсь, если в самом ближайшем будущем вы станете великим художником. Я не стал бы внушать вам несбыточные надежды. По этой причине я и спрашиваю вас, является ли молодая особа в голубой одежде, на первом плане, Марией Магдалиной, потому что если это так, то боюсь, что в ней больше выражен ваш врожденный талант, чем ваши религиозные убеждения. Однако, по моему мнению, бояться тут нечего.

С искренней надеждой, что мое письмо застанет вас в добром здравии, остаюсь

Уважающий вас
(тут следовала подпись)
Жан де Домье-Смит,
штатный преподаватель курсов
"Любители великих мастеров".

P.S. Чуть не забыл предупредить вас, что слушатели обязаны представлять в школу свои работы каждые две недели, по понедельникам. В качестве первого задания попрошу вас сделать несколько набросков с натуры. Пишите свободно, без напряжения. Разумеется, я не осведомлен, сколько свободного времени уделяют вам в вашем монастыре для личных занятий искусством, и прошу поставить меня об этом в известность. Также прошу вас приобрести те необходимые пособия, которые я имел смелость перечислить выше, так как я хотел бы, чтобы вы начали писать маслом как можно скорее. Простите меня, если я скажу прямо, но мне кажется, что вы натура страстная, порывистая, и вам надо писать не акварелью, а скорее переходить на масло. Говорю это в совершенно отвлеченном смысле, вовсе не желая вас обидеть, наоборот, я считаю это похвалой. Прошу вас также переслать мне все ваши прежние работы, какие только сохранились, я жажду увидеть их поскорее. Не стану говорить, как невыносимо для меня будут тянуться дни, пока не придет ваше письмо.

Если это не слишком большая смелость с моей стороны, то я бы очень хотел узнать от вас, удовлетворяет ли вас монастырская жизнь, разумеется – в чисто духовном смысле. Скажу откровенно, что я изучал множество религий с чисто научной точки зрения, главным образом по 36-му, 44-му и 45-му тому "Классических произведений" в гарвардском издании, с которым вы, быть может, знакомы. Особенно я восхищаюсь Мартином Лютером, но, конечно, он был протестант. Пожалуйста, не обижайтесь на меня. Я не защищаю ни одного вероисповедания – это не в моем характере. В заключение этого письма еще раз прошу: не забудьте сообщить мне часы приема, так как конец недели у меня всегда свободен и я могу случайно оказаться в ваших краях в субботу. Пожалуйста, не забудьте также сообщить мне, владеете ли вы французским языком, потому что вопреки всем моим стараниям я с трудом нахожу слова на английском языке, так как получил беспорядочное и, честно говоря, неразумное воспитание».

В половине четвертого утра я вышел на улицу, чтобы опустить в почтовый ящик письмо сестре Ирме вместе с рисунками. Буквально ошалев от радости, я разделся, еле двигая руками, и повалился на кровать.

Уже сквозь сон за перегородкой я услышал стон из супружеской спальни Йошото. Я представил себе, как утром они оба подходят ко мне и просят, нет, умоляют, выслушать то, что их мучает, до самых последних, самых страшных подробностей. Я отчетливо представил себе, как это будет. Я сяду между ними за кухонный стол и выслушаю по очереди каждого из них. Опустив голову на руки, я буду их слушать, слушать, слушать, пока наконец у меня не лопнет терпение. И тогда я запущу руку прямо в горло мадам Йошото, выну ее сердце и, как птичку, согрею его в руках. А когда они успокоятся, я покажу им рисунки сестры Ирмы, и они разделят мою радость.

Обычно неоспоримые истины познаются слишком поздно, но я понял, что основная разница между счастьем и радостью — это то, что счастье — твердое тело, а радость — жидкое. Радость, переполнявшая меня, стала утекать уже с утра, когда мсье Йошото положил на мой стол два конверта от новых учеников. В ту минуту я мирно и беззлобно работал над рисунком Бэмби Кремер, зная, что мое письмо к сестре Ирме уже ушло. Но я никак не ожидал, что придется столкнуться с таким уродливым явлением и с двумя людьми, еще более бездарными, чем Бэмби или Р. Говард Риджфилд. Чувствуя, как все мои добрые намерения испаряются, я закурил — это была первая сигарета, выкуренная в преподавательской комнате со дня моего вступления в штат. Сигарета помогла, и я снова взялся за рисунки Бэмби. Но не успел я затянуться раза три-четыре, как почувствовал, что мсье Йошото смотрит мне в спину. И, словно в подтверждение, я услышал, как он отодвигает стул. Я встал ему навстречу, когда он подходил. Донельзя противным шепотом он объяснил мне, что лично он не возражает против курения, но что, увы, школьные правила запрещают курить в преподавательской. Он широким жестом остановил поток моих извинений и вернулся в свой угол, к мадам Йошото. В совершенном ужасе я подумал, как бы мне выдержать эти тринадцать дней до понедельника, когда должно было прийти письмо от сестры Ирмы, и не спятить окончательно.

Это было во вторник утром. Весь этот день и оба следующие дня я развил лихорадочную деятельность. Я, так сказать, распотрошил до основания все рисунки Бэмби Кремер и Р. Говарда Риджфилда и собрал их заново, заменив некоторые части новыми. Я приготовил для них буквально десятки оскорбительных для нормального человека, но вполне конструктивных упражнений по рисунку. Я написал им подробнейшие письма. Р. Говарда Риджфилда я упрашивал на время отказаться от карикатур. Со всей возможной деликатностью я просил Бэмби, если можно, хотя бы временно воздержаться от посылки рисунков с заголовками вроде «И прости им прегрешения их». А в четверг утром, взвинченный до предела, я занялся одним из новых учеников, американцем из города Бангор, штат Мэн, который писал в анкете с многословием честного простака, что его любимый художник он сам. Он именовал себя реалистом-абстракционистом.

Внеслужебные часы я провел так: во вторник вечером поехал на автобусе в центр Монреаля и высидел в третьеразрядном кино целую мультипликационную программу – шел фестиваль мультфильмов, – причем меня главным образом заставили любоваться бесконечным хороводом кошек, которых целые полчища мышей бомбардировали пробками от шампанского. В среду вечером я собрал все циновки в своей комнате, навалил их друг на друга и стал по памяти копировать картину сестры Ирмы «Погребение Христа».

Чувствую большое искушение назвать четверговый вечер странным, может быть, даже зловещим, но, по правде сказать, для описания этого вечера у меня просто не хватает слов. Я ушел из дому после обеда и пошел куда глаза глядят, не то в кино, не то просто прогуляться – не помню, а мой дневник за 1939 год на этот раз меня подвел: в тот день страница так и осталась пустой.

Но я знаю, почему она пустая. Возвращаясь домой после как-то проведенного вечера – ясно помню, что стемнело, – я остановился на тротуаре перед курсами и взглянул на освещенную витрину ортопедической мастерской. И тут я испугался до слез. Меня пронзила мысль, что, как бы спокойно, умно и благородно я ни научился жить, все равно *до самой смерти я навек обречен бродить* чужестранцем по саду, где растут одни эмалированные горшки и подкладные судна и где царит безглазый слепой деревянный идол – манекен, облаченный в дешевый грыжевой бандаж. Непереносимая мысль – хорошо, что она мелькнула лишь на секунду. Помню, что я взлетел по лестнице в свою комнату, сбросил с себя все и нырнул в постель, даже не открыв дневника.

Но заснуть я не мог, меня била лихорадка. Я слушал стоны из соседней комнаты и заставлял себя думать о лучшей моей ученице. Я старался представить себе, как я приеду к ней в монастырь. Я видел – вот она выходит мне навстречу, к высокой решетчатой ограде, робкая, прелестная девушка лет восемнадцати, еще не принявшая постриг, – она еще была вольна уйти в мир со своим избранником, так похожим на Пьера Абеляра. Я видел, как мы медленно и молчаливо проходим в глубину зеленого монастырского сада и там бездумно и безгрешно я обвиваю рукой ее талию. Трудно было удержать этот неземной образ, и, дав ему улетучиться, я погрузился в сон.

В пятницу я проработал как каторжный все утро и полдня, пытаясь при помощи карандаша и кальки переделать в сколько-нибудь похожие деревья тот лес фаллических символов, который добросовестно изобразил на прекрасной веленевой бумаге гражданин города Бангора, штат Мэн. К половине пятого я так отупел умственно, душевно и физически, что едва привстал, когда мсье Йошото на минуту подошел к моему столу. Он подал мне конверт — так же равнодушно, как официант подает меню. Это было письмо настоятельницы монастыря, где находилась сестра Ирма, доводившее до сведения мсье Йошото, что отец Циммерман по не зависящим от него обстоятельствам был вынужден изменить свое решение и не может позволить сестре Ирме заниматься на курсах «Любители великих мастеров». В письме выражалось глубокое сожаление в случае, если это вызовет какие-либо затруднения или неприятности для администрации курсов, а также искренняя надежда, что первый взнос на право учения, в размере четырнадцати долларов, будет возмещен монастырю.

Я всегда был твердо уверен, что мышь, обжегшись искрой, летящей от фейерверка, хромает восвояси с готовым, безукоризненно продуманным планом, как убить кота. Прочитав и перечитав письмо матери-настоятельницы, я долго не отрываясь смотрел на него и вдруг, оторвавшись от созерцания, одним духом написал письма остальным моим ученикам — всем четырем, советуя им навсегда отказаться от мысли стать художниками. Я написал каждому в отдельности, что это пустая трата драгоценного времени, как своего, так и преподавательского. Я написал все письма по-французски. Окончив их, я тут же вышел и опустил их в ящик. И хотя чувство удовлетворения длилось недолго, но в эти минуты мне было очень-очень приятно.

Когда пришло время торжественно проследовать на кухню, я попросил извинить меня. Я сказал, что чувствую себя неважно. (Тогда, в 1939 году, я лгал куда убедительнее, чем говорил правду, и ясно видел, с каким подозрением взглянул на меня мсье Йошото, когда я сказал, что неважно себя чувствую.) Я поднялся к себе в комнату и сел на пол. Просидел я так больше часу, уставившись на светлеющую щелку в шторе, не куря, не снимая пиджака, не развязывая галстука. Потом вдруг вскочил, достал свою почтовую бумагу и написал второе письмо сестре Ирме, не у письменного стола, а прямо тут же на полу.

Письмо я так и не отправил. Привожу точную копию оригинала:

«Монреаль. Канада.
28 июня 1939 г.

Дорогая сестра Ирма!

Неужели я нечаянно написал вам в последнем моем письме что-либо обидное или неуважительное и тем привлек внимание отца Циммермана и вам доставил неприятность? В таком случае осмеливаюсь просить вас дать мне хотя бы возможность извиниться за слова, сказанные с горячим желанием стать не только вашим учителем, но и вашим другом. Может быть, моя просьба слишком нескромна? Думаю, что это не так.

Скажу вам всю правду: не постигнув хотя бы элементарных основ мастерства, вы навек останетесь, может быть, и очень, очень интересным художником, но никогда не будете великим мастером. При этой мысли мне становится страшно. Отдаете ли вы себе отчет, насколько это серьезно?

Возможно, отец Циммерман заставил вас отказаться от занятий, решив, что они помешают вам выполнять долг благочестия. Если это так, то я обязан сказать, что он судит слишком поспешно и опрометчиво. Искусство никак не могло бы вам помешать вести монашескую жизнь. Я сам хоть и грешник, но живу как монах. Самое худшее, что бывает с художником, — это никогда не знать полного счастья. Но я убежден, что никакой трагедии в этом нет. Много лет назад, когда мне было семнадцать, я пережил самый счастливый день в жизни. Я должен был встретиться за завтраком со своей матерью — в этот день она впервые вышла на улицу после долгой болезни, — и я чувствовал себя абсолютно счастливым, как вдруг, проходя по авеню Виктора Гюго — это улица в Париже, — я столкнулся с человеком без всяких признаков носа. Покорно прошу, нет, умоляю вас — продумайте этот случай. В нем скрыт глубочайший смысл.

Возможно также, что отец Циммерман велел вам прервать обучение, потому что не имеет возможности оплатить преподавание. Буду рад, если это так, не только потому, что это снимает с меня вину, но и в практическом отношении. Если причина действительна такова, то достаточно одного вашего слова, и я готов безвозмездно предложить вам свои услуги на неограниченное время. Нельзя ли обсудить этот вопрос? Разрешите еще раз спросить вас — в какие дни и часы допускается посещение монастыря? Не позволите ли вы посетить вас в следующую субботу, шестого июля, между тремя и пятью часами дня, в зависимости от расписания поездов из Монреаля в Торонто? С огромным нетерпением буду ждать ответа.

С глубоким уважением и восхищением
искренне ваш (подпись)
Жан де Домье-Смит,
штатный преподаватель курсов
"Любители великих мастеров".

P.S. В предыдущем письме я мимоходом спросил, не является ли молодая особа в голубой одежде, на переднем плане, Марией Магдалиной, великой грешницей? Если вы еще не написали мне, пожалуйста, воздержитесь от ответа на этот вопрос. Возможно, что я ошибся, но в нынешнем периоде моей жизни мне не хотелось бы испытать еще одно разочарование. Предпочитаю оставаться в неведении».

Даже в эту минуту, через столько лет, я испытываю неловкость, вспоминая, что, уезжая на курсы «Любители великих мастеров», я захватил с собой смокинг. Но я его привез, и, окончив письмо сестре Ирме, я его надел. Все вело к тому, чтобы как следует напиться, а так как я еще никогда в жизни не напивался (из страха, что от пьянства задрожит *та* рука, что писала *те картины, что завоевали те* три первых приза, и так далее), то сейчас, в столь трагической ситуации, я считал нужным надеть парадный костюм.

Пока супруги Йошото сидели на кухне, я прокрался вниз к телефону и позвонил в отель «Виндзор» — перед отъездом из Нью-Йорка мне его рекомендовала приятельница Бобби, миссис Икс. Я заказал к восьми вечера столик на одну персону.

Около половины восьмого, одетый и причесанный, я высунул голову из комнаты — не подкарауливает ли меня чета Йошото? Сам не знаю почему, мне не хотелось, чтобы они увидали меня в смокинге. Но там никого не было, и я быстро вышел на улицу и стал искать такси. Письмо к сестре Ирме уже лежало у меня во внутреннем кармане. Я собирался перечитать его за обедом, желательно при свечах.

Я шел квартал за кварталом, не встречая не только свободной машины, но и вообще ни одного такси. Я шел словно сквозь строй. Верденская окраина Монреаля далеко не светский район, и я был убежден, что каждый прохожий оборачивался мне вслед и провожал меня глубоко неодобрительным взглядом. Дойдя наконец до того бара, где я в понедельник сожрал четыре кониайлендские «с пылу, с жару» колбаски, я решил плюнуть на заказ в отеле «Виндзор». Я зашел в бар, уселся в дальнем углу и, прикрывая левой рукой черный галстук, заказал суп, рулет и черный кофе. Я надеялся, что остальные посетители примут меня за официанта, спешащего на работу.

За второй чашкой кофе я вынул неотосланное письмо к сестре Ирме и перечитал его. В основном оно показалось мне неубедительным, и я решил поскорее вернуться домой и немного подправить его. Думал я и о своем плане – посетить сестру Ирму, даже решил было, что не худо бы взять билет сегодня же вечером. С этими мыслями, от которых, по правде сказать, мне ничуть не стало легче, я покинул бар и быстрым шагом пошел домой.

А через пятнадцать минут со мной случилась совершенно невероятная вещь. Знаю, что по всем признакам мой рассказ неприятно похож на выдумку, но это чистая правда. И хотя речь идет о странном переживании, которое для меня так и осталось совершенно необъяснимым, однако хотелось бы, если удастся, изложить этот случай без всякого, даже самого малейшего оттенка мистицизма. (Иначе, как мне кажется, это все равно что думать или утверждать, будто между духовным откровением святого Франциска Ассизского и религиозными восторгами ханжи-истерички, припадающей лишь по воскресеньям к язвам прокаженного, разница чисто количественная).

Было девять часов, и уже смеркалось, когда я, подходя к дому, заметил свет в окне ортопедической мастерской. Я испугался, увидев в витрине живого человека – плотную особу лет за тридцать, в зелено-желто-палевом шифоновом платье, которая меняла бандаж на деревянном манекене. Когда я подошел к витрине, она, как видно, только что сняла старый бандаж – он торчал у нее под мышкой. Повернувшись ко мне в профиль, она одной рукой зашнуровывала новый бандаж на манекене. Я стоял, не спуская с нее глаз, как вдруг она почувствовала, что на нее смотрят, и увидала меня. Я торопливо улыбнулся, давая понять, что не враг стоит тут за стеклом в смокинге и смотрит на нее из темноты, но ничего хорошего не вышло. Девушка сконфузилась сверх всякой меры. Она залилась краской, уронила снятый бандаж, споткнулась о груду эмалированных кружек и не удержалась на ногах. Я протянул к ней руки, больно стукнувшись пальцами о стекло. Она с маху, всей тяжестью, уселась на пол, — так падают конькобежцы, но тут же вскочила, не глядя на меня. Вся раскрасневшаяся, она ладонью откинула волосы с лица и снова стала зашнуровывать бандаж на манекене. И вот тут-то оно и случилось. Внезапно (я стараюсь рассказать это без всякого преувеличения) вспыхнуло гигантское солнце и полетело прямо мне в переносицу со скоростью девяноста трех миллионов миль в секунду. Ослепленный, страшно перепуганный, я уперся в стекло витрины, чтобы не упасть. Вспышка длилась несколько секунд. Когда ослепление прошло, девушки уже не было, и в витрине расстилался только изысканный, сверкающий эмалью цветник санитарных принадлежностей.

Я попятился от витрины и два раза обошел квартал, пока не перестали подкашиваться колени. Потом, не осмелившись заглянуть в витрину, я поднялся к себе в комнату и бросился на кровать. Через какое-то время (не знаю, минуты прошли или часы) я записал в дневник следующие строки: «Отпускаю сестру Ирму на свободу – пусть идет своим путем. Все мы монахини». (Tout le monde est une nonne.)

Прежде чем лечь спать, я написал письма всем четырем недавно исключенным мною слушателям. Я написал, что администрацией допущена ошибка. Письма шли как по маслу, сами собой. Может быть, это зависело от того, что, прежде чем взяться за них, я принес снизу стул.

Хотя развязка получается очень неинтересная, придется упомянуть, что не прошло и недели, как курсы «Любители великих мастеров» закрылись, так как у них не было соответствующего разрешения (вернее, никакого разрешения вообще). Я сложил вещи и уехал к Бобби, моему отчиму, на Род-Айленд, где провел около двух месяцев – все время до начала занятий в Нью-Йоркской художественной школе – за изучением самой интересной разновидности всех летних зверушек — американской девчонки в шортах.

Хорошо ли, плохо ли, но я больше никогда не пытался встретиться с сестрой Ирмой.

Однако я изредка получаю весточки от Бэмби Кремер. Вот последняя новость — она занялась рисованием поздравительных открыток. Наверно, тут будет чем полюбоваться, если только ее таланты не заглохли.

Тедди

– Ты, брат, схлопочешь у меня волшебный день. А ну слезай сию минуту с саквояжа, – отозвался мистер Макардль. – Я ведь не шучу.

Он лежал на дальней от иллюминатора койке, возле прохода. Не то охнув, не то вздохнув, он с остервенением лягнул простыню, как будто прикосновение даже самой легкой материи к обожженной солнцем коже было ему невмоготу. Он лежал на спине, в одних пижамных штанах, с зажженной сигаретой в правой руке. Головой он упирался в стык между матрасом и спинкой, словно находя в этой нарочито неудобной позе особое наслаждение. Подушка и пепельница валялись на полу, в проходе, между его постелью и постелью миссис Макардль. Не поднимаясь, он протянул воспаленную правую руку и не глядя стряхнул пепел в направлении ночного столика.

– И это октябрь, – сказал он в сердцах. – Что тут у них тогда в августе творится!

Он опять повернул голову к Тедди, и взгляд его не предвещал ничего хорошего.

– Ну вот что, – сказал он. – Долго я буду надрываться? Сейчас же слезай, слышишь!

Тедди взгромоздился на новехонький саквояж из воловьей кожи, чтобы было удобнее смотреть из раскрытого иллюминатора родительской каюты. На нем были немыслимо грязные белые полукеды на босу ногу, полосатые, слишком длинные шорты, которые к тому же отвисали сзади, застиранная тенниска с дыркой размером с десятицентовую монетку на правом плече и неожиданно элегантный ремень из черной крокодиловой кожи. Оброс он так – особенно сзади, – как может обрасти только мальчишка, у которого не по возрасту большая голова держится на тоненькой шее.

– Тедди, ты меня слышишь?

Не так уж сильно высунулся Тедди из иллюминатора, не то что мальчишки его возраста, готовые того и гляди вывалиться откуда-нибудь, – нет, он стоял обеими ногами на саквояже, правда не очень устойчиво, и голова его была вся снаружи. Однако, как ни странно, он прекрасно слышал отцовский голос. Мистер Макардль был на главных ролях по меньшей мере в трех радиопрограммах Нью-Йорка, и среди дня можно было услышать его голос, голос третьеразрядного премьера – глубокий и полнозвучный, словно любующийся собой со стороны, готовый в любой момент перекрыть все прочие голоса, будь то мужские или даже детский. Когда голос его отдыхал от профессиональной нагрузки, он с удовольствием падал до бархатных низов и вибрировал, негромкий, но хорошо поставленный, с чисто театральной звучностью. Однако сейчас было самое время включить полную громкость.

– Тедди! Ты слышишь меня, черт возьми?

Не меняя своей сторожевой стойки на саквояже, Тедди полуобернулся и вопросительно взглянул на отца светло-карими, удивительно чистыми глазами. Они вовсе не были огромными и слегка косили, особенно левый. Не то чтобы это казалось изъяном или было слишком заметно. Упомянуть об этом можно разве что вскользь, да и то лишь потому, что, глядя на них, вы бы всерьез и надолго задумались: а лучше ли было бы, в самом деле, будь они у него, скажем, без косинки, или глубже посажены, или темнее, или расставлены пошире. Как бы там ни было, в его лице сквозила неподдельная красота, но не столь очевидная, чтобы это бросалось в глаза.

– Немедленно, слышишь, немедленно слезь с саквояжа, – сказал мистер Макардль. – Долго мне еще повторять?

– И не думай слезать, радость моя, – подала голос миссис Макардль, у которой по утрам слегка закладывало нос. Веки у нее приоткрылись. – Пальцем не пошевели.

Она лежала на правом боку, спиной к мужу, и голова ее, покоившаяся на подушке, была обращена в сторону иллюминатора и стоявшего перед ним Тедди. Верхнюю простыню она обернула вокруг тела, по всей вероятности обнаженного, укутавшись вся, с руками, до самого подбородка.

– Попрыгай, попрыгай, – добавила она, закрывая глаза. – Раздави папочкин саквояж.

– Оч-чень оригинально, – сказал мистер Макардль ровным и спокойным тоном, глядя жене в затылок. – Между прочим, он мне стоил двадцать два фунта. Я ведь прошу его как человека сойти, а ты ему – попрыгай, попрыгай. Это что? Шутка?

– Если он лопнет под десятилетним мальчиком, а он еще весит на тринадцать фунтов меньше положенного, можешь выкинуть этот мешок из моей каюты, – сказала миссис Макардль, не открывая глаз.

– Моя бы воля, – сказал мистер Макардль, – я бы проломил тебе голову.

– За чем же дело стало?

Мистер Макардль резко поднялся на одном локте и раздавил окурок о стеклянную поверхность ночного столика.

– Не сегодня-завтра... – начал было он мрачно.

– Не сегодня-завтра у тебя случится роковой, да, роковой инфаркт, – томно сказала миссис Макардль. Она еще сильнее, с руками, закуталась в простыню. –

Хоронить тебя будут скромно, но со вкусом, и все будут спрашивать, кто эта очаровательная женщина в красном платье, вон та, в первом ряду, которая кокетничает с органистом, и вся она такая...

– Ах как остроумно! Только не смешно, – сказал мистер Макардль, опять без сил откидываясь на спину.

Пока шел этот короткий обмен любезностями, Тедди отвернулся и снова высунулся в иллюминатор.

– Сегодня ночью, в три тридцать две, мы встретили «Куин Мэри», она шла встречным курсом. Если это кого интересует, – сказал он неторопливо. – В чем я сильно сомневаюсь.

В его завораживающем голосе звучали хрипловатые нотки, как это бывает у мальчиков его возраста. Каждая фраза казалась первозданным островком в крошечном море виски.

– Так было написано на грифельной доске у вахтенного, того самого, которого презирает наша Пуппи.

– Ты, брат, схлопочешь у меня «Куин Мэри»... Сию же минуту слезь с саквояжа, – сказал отец. Он повернулся к Тедди: – А ну слезай! Сходил бы лучше подстригся, что ли.

Он опять посмотрел жене в затылок.

– Черт знает что, переросток какой-то.

– У меня денег нету, – возразил Тедди. Он покрепче взялся за край иллюминатора и положил подбородок на пальцы. – Мама, помнишь человека, который ест за соседним столом? Не тот, худющий, а другой, за тем же столиком. Там, где наш официант ставит поднос.

– Мм-ммм, – отозвалась миссис Макардль. – Тедди. Солнышко. Дай маме поспать хоть пять минут. Будь паинькой.

– Погоди. Это интересно, – сказал Тедди, не поднимая подбородка и не сводя глаз с океана. – Он был в гимнастическом зале, когда Свен меня взвешивал. Он подошел ко мне и заговорил. Оказывается, он слышал мою последнюю запись. Не апрельскую. Майскую. Перед самым отъездом в Европу он был на одном вечере в Бостоне, и кто-то из гостей знал кого-то – он не сказал кого – из лейдеккеровской группы, которая меня тестировала, – так вот, они достали мою последнюю запись и прокрутили ее на этом вечере. А тот человек сразу заинтересовался. Он друг профессора Бабкока. Видно, он и сам преподает. Он сказал, что провел все лето в Дублине, в Тринити-колледже.

– Вот как? – сказала миссис Макардль. – Они крутили ее на вечере?

Она полусонно смотрела на ноги Тедди.

– Как будто так, – ответил Тедди. – Я стою на весах, а он Свену рассказывает про меня. Было довольно неловко.

– А что тут неловкого?

Тедди помедлил.

– Я сказал *довольно* неловко. Я уточнил свое ощущение.

– Я, брат, тебя сейчас *так* уточню, если ты к чертовой матери не слезешь с саквояжа, – сказал мистер Макардль. Он только что прикурил новую сигарету. – Считаю до трех. *Раз*... черт подери... *Два*...

– Который час? – спросила вдруг миссис Макардль, глядя на ноги Тедди. – Разве вам с Пуппи не идти на плавание в десять тридцать?

– Успеем, – сказал Тедди. – *Шлеп*.

Неожиданно он весь высунулся в иллюминатор, а потом обернулся в каюту и доложил:

– Кто-то сейчас выбросил целое ведро апельсиновых очистков из окошка.

– Из окошка... Из *окошка*, – ядовито протянул мистер Макардль, стряхивая пепел. – Из иллюминатора, братец, из иллюминатора.

Он взглянул на жену.

— Позвони в Бостон. Скорей свяжись с лейдеккеровской группой.

— Подумать только, какие мы остроумные, — сказала миссис Макардль. — Чего ты стараешься?

Тедди опять высунулся.

— Красиво плывут, — сказал он, не оборачиваясь. — Интересно...

— Тедди! Последний раз тебе говорю, а там...

— Интересно не то, что они плывут, — продолжал Тедди. — Интересно, что я вообще знаю об их существовании. Если б я их не видел, то не знал бы, что они тут, а если б не знал, то даже не мог бы сказать, что они существуют. Вот вам удачный, я бы даже сказал, блестящий пример того, как...

— Тедди, — прервала его рассуждения миссис Макардль, даже не шевельнувшись под простыней. — Иди поищи Пуппи. Где она? Нельзя, чтобы после вчерашнего перегрева она опять жарилась на солнце.

— Она надежно защищена. Я заставил ее надеть комбинезон, — сказал Тедди. — А они уже начали тонуть... Скоро они будут плавать только в моем сознании. Интересно — ведь если разобраться, именно в моем сознании они и начали плавать. Если бы, скажем, я здесь не стоял или если бы кто-нибудь сейчас зашел сюда и взял бы, да и снес мне голову, пока я...

— Где же Пупсик? — спросила миссис Макардль. — Тедди, посмотри на маму.

Тедди повернулся и посмотрел на мать.

— Что? — спросил он.

— Где Пупсик? Не хватало, чтобы она опять вертелась между шезлонгов и всем мешала. Вдруг этот ужасный человек...

— Не волнуйся. Я дал ей фотокамеру.

Мистер Макардль так и подскочил.

– Ты дал ей *камеру*! – воскликнул он. – Совсем спятил? Мою «лейку», черт подери! Не позволю я шестилетней девчонке разгуливать по всему...

– Я показал ей, как держать камеру, чтобы не уронить, – сказал Тедди. – И пленку я, конечно, вынул.

– Тедди! Чтобы камера была здесь. Слышишь? Сию же минуту слезь с саквояжа, и чтобы через пять минут камера лежала в каюте. Не то на свете станет одним вундеркиндом меньше. Ты меня понял?

Тедди медленно повернулся и сошел с саквояжа. Потом он нагнулся и начал завязывать шнурок на левом полукеде – отец, опершись на локоть, безотрывно следил за ним, точно монитор.

– Передай Пуппи, что я ее жду, – сказала миссис Макардль. – И поцелуй маму.

Завязав наконец шнурок, Тедди мимоходом чмокнул мать в щеку. Она стала вытаскивать из-под простыни левую руку, как будто хотела обнять Тедди, но, пока она тянулась, он уже отошел. Он обошел ее постель и остановился в проходе между койками. Нагнулся и выпрямился с отцовской подушкой под левой рукой и со стеклянной пепельницей с ночного столика в правой руке. Переложив пепельницу в левую руку, он подошел к столику и ребром правой ладони смел с него в пепельницу окурки и пепел. Перед тем как поставить пепельницу на место, он протер локтем ночной столик, очистив стеклянную поверхность от тонкого пепельного налета. Руку он вытер о свои полосатые шорты. Потом он установил пепельницу на чистое стекло, причем с такой тщательностью, словно был уверен в том, что она должна либо стоять в самом центре, либо вовсе не стоять. Тут отец, неотрывно следивший за ним, вдруг отвел взгляд.

– Тебе что, не нужна подушка? – спросил Тедди.

– Мне нужна камера, мой милый.

– Тебе, наверно, неудобно так лежать. Конечно, неудобно, – сказал Тедди. – Я оставлю ее тут.

Он положил подушку в ногах, подальше от отца. И пошел к выходу.

— Тедди, — сказала мать, не поворачиваясь. — Скажи Пуппи, пусть зайдет ко мне перед уроком плавания.

— Оставь ты ребенка в покое, — сказал мистер Макардль. — Ни одной минутки не дашь ей толком порезвиться. Сказать тебе, как ты с ней обращаешься? Сказать? Ты обращаешься с ней, как с отпетой бандиткой.

— *Отпетой.* Какая прелесть! Ты становишься таким британцем, дорогой.

Тедди задержался у выхода, чтобы покрутить в раздумье дверную ручку туда-сюда.

— Когда я выйду за дверь, — сказал он, — я останусь жить лишь в сознании всех моих знакомых. Как те апельсинные корочки.

— Что, солнышко? — переспросила миссис Макардль из дальнего конца каюты, продолжая лежать на правом боку.

— Пошевеливайся, приятель. Неси сюда «лейку».

— Поцелуй мамочку. Крепко-крепко.

— Только не сейчас, — отозвался Тедди рассеянно. — Я устал.

И он закрыл за собой дверь.

Под дверью лежал очередной выпуск корабельной газеты, выходившей ежедневно. Вся она состояла из листка глянцевитой бумаги с текстом на одной стороне. Тедди подобрал газету и начал читать, медленно идя по длинному переходу в сторону кормы. Навстречу ему шла рослая блондинка в белой накрахмаленной форме, неся вазу с красными розами на длинных стеблях. Поравнявшись с Тедди, она потрепала его левой рукой по макушке.

— Кое-кому пора стричься! — сказала она.

Тедди равнодушно поднял на нее глаза, но она уже прошла, и он не обернулся. Он продолжал читать. Дойдя до конца перехода, где открывалась площадка, а над ней стенная роспись – святой Георгий с драконом, он сложил газету вчетверо и сунул ее в левый задний карман. Он стал подниматься по широким ступенькам трапа, устланным ковровой дорожкой, на главную палубу, которая находилась пролетом выше. Шагал он сразу через две ступеньки, но неторопливо, держась при этом за поручень и подаваясь вперед всем телом, так, словно сам процесс подъема по трапу доставлял ему, как и многим детям, определенное удовольствие. Оказавшись на главной палубе, он направился прямиком к конторке помощника капитана по материальной части, где в данный момент восседала хорошенькая девушка в морской форме. Она прошивала скрепками отпечатанные на ротаторе листки бумаги.

– Прошу прощения, вы не скажете, во сколько сегодня начинается игра? – спросил Тедди.

– Что-что?

– Вы не скажете, во сколько сегодня начинается игра?

Накрашенные губы девушки раздвинулись в улыбке.

– Какая игра, малыш?

– Ну как же. В слова. В нее играли вчера и позавчера. Там нужно вставлять пропущенные слова по контексту.

Девушка, начав скреплять три листка, остановилась.

– Вот как? – сказала она. – Я думаю, днем или позже. Думаю, около четырех. А тебе, дружок, не рановато играть в такие игры?

– Не рановато... Благодарю вас, – сказал Тедди и повернулся, чтобы идти.

– Постой-ка, малыш. Тебя как зовут?

– Теодор Макардль, – ответил Тедди. – А вас как?

– Меня? – улыбнулась девушка. – Меня зовут мичман Мэттьюсон.

Тедди посмотрел, как она прошивает листки.

– Я вижу, что вы мичман. Не знаю, возможно, я ошибаюсь, но мне всегда казалось, что, когда человека спрашивают, как его зовут, то полагается называть имя полностью. Например, Джейн Мэттьюсон, или Феллис Мэттьюсон, или еще как-нибудь.

– Да что ты!

– Повторяю, мне так *казалось*, – продолжал Тедди. – Возможно, я и ошибался. Возможно, что на тех, кто носит форму, это не распространяется. В общем, благодарю вас за информацию. До свидания.

Он повернулся и начал подниматься на прогулочную палубу, и вновь он шагал через две ступеньки, но теперь уже быстрее.

После настойчивых поисков он обнаружил Пуппи на самом верху, где была спортивная площадка, на освещенном солнцем пятачке – этакой прогалинке – между пустовавшими теннисными кортами. Она сидела на корточках, сзади на нее падали лучи солнца, легкий ветерок трепал ее светлые шелковистые волосы. Она сидела, деловито складывая две наклонные пирамидки из двенадцати не то четырнадцати кружков от шафлборда[1] – одну пирамиду из черных кружков, другую из красных. Справа от нее стоял совсем еще кроха в легком полотняном костюмчике – этакий сторонний наблюдатель.

– Смотри! – скомандовала Пуппи брату, когда он подошел.

Она наклонилась над своим сооружением и загородила его обеими руками, как бы приглашая всех полюбоваться на это произведение искусства, как бы отделяя его от всего, что существовало на корабле.

– Майрон! – сказала она малышу сердито. – Ты все затемняешь моему брату. Не стой как пень!

Она закрыла глаза и с мучительной гримасой ждала, пока Майрон не отодвинулся. Тедди постоял над пирамидами и одобрительно кивнул головой.

1 Шафлборд – американская игра, в которой разноцветные кружки передвигаются по специально размеченной доске.

— Неплохо, — похвалил он. — И так симметрично.

— *Этот тип*, — сказала Пуппи, ткнув пальцем в Майрона, — не слышал, что такое триктрак. У них и триктрака-то нет!

Тедди окинул Майрона оценивающим взглядом.

— Слушай, — обратился он к Пуппи, — где камера? Ее надо сейчас же вернуть папе.

— Он и живет-то не в Нью-Йорке, — сообщила Пуппи брату. — И отец у него умер. Убили в Корее.

Она взглянула на Майрона.

— Верно? — спросила она его и, не дожидаясь ответа: — Если теперь у него и мать умрет, он будет круглым сиротой. А он и этого не знал.

Пуппи посмотрела на Майрона.

— Не знал ведь?

Майрон скрестил руки и ничего не ответил.

— Я такого дурака еще не видела, — сказала Пуппи. — Ты самый большой дурак на всем этом океане. Ты понял?

— Он не дурак, — сказал Тедди. — Ты не дурак, Майрон.

Тут он обратился к сестре:

— Слышишь, что я тебе говорю? Куда ты дела камеру? Она мне срочно нужна. Где она?

— Там, — ответила Пуппи, не показывая, где именно.

Она придвинула к себе обе пирамидки.

— Теперь мне надо двух великанов, — сказала она. — Они бы играли в триктрак этими деревяшками, а потом им бы надоело, и они забрались бы на эту дымовую трубу, и швыряли деревяшки во всех подряд, и всех бы убили.

Она взглянула на Майрона.

— И твоих родителей, наверно, убили бы, — сказала она со знанием дела. — А если б великаны не помогли, тогда знаешь что? Тогда насыпь яду на мармеладины и дай им съесть.

«Лейка» обнаружилась футах в десяти, за белой загородкой, окружавшей спортплощадку. Она лежала на боку, в водосточной канавке. Тедди подошел к ней, поднял ее за лямки и повесил на шею. Но тут же снял. И понес к сестре.

— Слушай, Пупс, будь другом. Отнеси ее вниз, пожалуйста, — попросил он. — Уже десять часов, а мне надо записать кое-что в дневник.

— Мне некогда.

— И мама тебя зовет, — сказал Тедди.

— Врешь ты все.

— Ничего не вру. Звала, — сказал Тедди. — Так что ты уж захвати ее с собой... Давай, Пупс.

— Зачем она хочет меня видеть? — спросила Пуппи. — Я вот ее видеть не хочу.

Вдруг она шлепнула по руке Майрона, который потянулся было к верхнему кружочку из красной пирамиды.

— Руки! — сказала она.

— Все, шутки в сторону, — сказал Тедди, вешая ей на шею «лейку». — Сейчас же отнеси ее папе. Встретимся возле бассейна. Я буду ждать тебя там в десять тридцать. Или лучше возле кабинки, где ты переодеваешься. Смотри не опоздай. И не забудь, это в самом низу, на палубе Е, так что выйди заранее.

Он повернулся и пошел. А вдогонку ему неслось:

— Ненавижу тебя! Всех ненавижу на этом океане!

Пониже спортивной площадки, на широкой платформе — она служила продолжением палубы, отведенной под солярий и открытой со всех сторон, — было расставлено семьдесят с лишним шезлонгов; они стояли в семь-восемь рядов с таким расчетом, чтобы стюард мог свободно лавировать между рядами, не спотыкаясь о вещи загорающих на солнце пассажиров, об их мешочки с вязаньем, романы в бумажных обложках, флаконы с жидкостью для загара, фотоаппараты. К приходу Тедди почти все места уже были заняты. Тедди начал с последнего ряда и методично, не пропуская ни одного шезлонга, независимо от того, сидели в нем или нет, переходил от ряда к ряду, читая фамилии на подлокотниках. Один или два раза к нему обратились — другими словами, отпустили шуточки, которые иногда отпускают взрослые при виде десятилетнего мальчика, настойчиво ищущего свое место. Сразу было видно, как он сосредоточен и юн, и все же в его поведении, пожалуй, отсутствовала или почти отсутствовала та забавная важность, которая обычно настраивает взрослых на серьезный либо снисходительный лад. Возможно, дело было еще и в одежде. Дырку на его плече никто бы не назвал «забавной» дырочкой. И в том, как сзади отвисали на нем шорты, слишком длинные для него, тоже не было ничего «забавного».

Четыре шезлонга Макардлей, с уже приготовленными подушками для удобства владельцев, обнаружились в середине второго ряда. Намеренно или нет, Тедди уселся таким образом, чтобы места справа и слева от него пустовали. Он вытянул голые, еще не загорелые ноги, положил их на перекладину, сдвинув пятки, и почти сразу же вытащил из правого заднего кармана небольшой десятицентовый блокнот. Мгновенно сосредоточившись, словно вокруг не существовало ни солнца, ни пассажиров, ни корабля, ничего, кроме блокнота, он начал переворачивать страницы.

Кроме нескольких карандашных пометок, все записи в блокноте были сделаны шариковой ручкой. Почерк был размашистый, какому сейчас обучают в американских школах, а не тот, каллиграфический, который прививали по старой, палмеровской, методе. Он был разборчивый, без всяких красивостей. Что в нем удивляло, так это беглость. По тому, как строились слова и фразы, — хотя бы по одному внешнему признаку, — трудно было предположить, что все это написано ребенком.

Тедди довольно долго изучал свою, по всей видимости, последнюю запись. Занимала она чуть больше трех страниц:

Запись от 27 октября 1952 г.
Владелец – Теодор Макардль
Каюта 412, палуба А.

За находку и возвращение дневника будет выдано соответствующее, и вполне приличное, вознаграждение.

Не забыть найти папины армейские бирки и носить их как можно чаще. Для тебя это пустяк, а ему приятно.

Наберись терпения и ответь на письмо профессора Манделя. Попроси профессора, чтобы он больше не присылал книжки стихов. У меня и так уже запас на целый год. И вообще они мне надоели. Идет человек по пляжу, и вдруг, к несчастью, ему на голову падает кокосовый орех. И голова его, к несчастью, раскалывается пополам. А тут его жена идет, напевая, по бережку, и видит две половинки, и узнает их, и поднимает. Жена, конечно, расстраивается и начинает душераздирающе плакать... Дальше я эти стихи читать не могу. Лучше взяла бы в руки обе половинки и прикрикнула бы на них, сердито так: «Хватит безобразничать!» Конечно, профессору советовать такое не стоит. Вопрос сам по себе спорный, и к тому же миссис Мандель – поэт.

Узнай адрес Свена в Элизабет, штат Нью-Джерси. Интересно будет познакомиться с его женой, а также с его собакой Линди. Однако сам я заводить собаку не стал бы.

Написать доктору Уокаваре. Выразить соболезнования по поводу его нефрита. Спросить его новый адрес у мамы.

Завтра утром натощак заняться медитацией на спортплощадке. Только не теряй сознания. А главное, не теряй сознания за обедом, если этот официант опять уронит разливательную ложку. В тот раз папа ужасно сердился.

Вернуть в библиотеку книги и посмотреть слова и выражения:

нефрит
мириада
дареный конь
лукавый
триумвират

Будь учтивее с библиотекарем. Если он начнет сюсюкать, переведи разговор на общие темы.

Тедди вдруг вытащил из бокового кармана шорт маленькую шариковую ручку в виде гильзы, снял колпачок и начал писать. Блокнот он положил на правое колено, а не на подлокотник.

Запись от 28 октября 1952 г.

Адрес и вознаграждение те же, что указаны от 26 и 27 октября.

Сегодня, после утренней медитации, написал следующим лицам:

д-ру Уокаваре
проф. Манделю
проф. Питу
Бёрджесу Хейку-младшему
Роберте Хейк
Сэнфорду Хейку
бабушке Хейк
м-ру Грэму
проф. Уолтону

Можно было бы спросить маму, где папины бирки, но она скорее всего скажет, что они мне ни к чему. А я знаю, что он взял их с собой, сам видел, как он их укладывал.

Жизнь, по-моему, это дареный конь.

Мне кажется, со стороны профессора Уолтона довольно бестактно критиковать моих родителей. Ему надо, чтоб все люди были такими, как он хочет.

Это произойдет либо сегодня, либо 14 февраля 1958 года, когда мне исполнится шестнадцать. Но об этом даже говорить нелепо.

Написав последнюю фразу, Тедди не сразу поднял глаза от страницы и держал шариковую ручку так, словно хотел написать что-то еще.

Он явно не замечал, что какой-то человек с интересом за ним наблюдает. А между тем сверху, в восемнадцати-двадцати футах от него и футах в пятнадцати от первого ряда шезлонгов, у перил спортивной площадки стоял молодой человек в слепящих лучах солнца и пристально смотрел на него. Он стоял так уже минут десять. Видно было, что молодой человек наконец на что-то решился, потому что он вдруг снял ногу с перекладины. Постоял, посмотрел на Тедди и ушел. Однако через минуту он появился среди шезлонгов, загораживая собой солнце. На вид ему было лет тридцать или чуть меньше. Он сразу же направился к Тедди, шагая как ни в чем не бывало (хотя кроме него здесь никто не разгуливал и не стоял) через мешочки с вязаньем и все такое и отвлекая пассажиров, когда его тень падала на страницы книг.

Тедди же как будто не видел, что кто-то стоит перед ним и отбрасывает тень на дневник. Но некоторых пассажиров, сидевших сзади, отвлечь оказалось куда легче. Они смотрели на молодого человека так, как могут смотреть на возникшую перед ними фигуру, пожалуй, только люди в шезлонгах. Но молодой человек был, очевидно, наделен завидным самообладанием, и поколебать его, казалось, не так-то просто, во всяком случае, при условии, что он будет идти, засунув руку в карман.

— Мое почтение! — сказал он Тедди.

Тедди поднял голову.

— Здравствуйте.

Он стал закрывать блокнот, и тот сам собой захлопнулся.

— Позвольте присесть. — Молодой человек произнес это с нескрываемым дружелюбием. — Здесь не занято?

— Вообще-то эти четыре шезлонга принадлежат нашей семье, — сказал Тедди. — Только мои родители еще не встали.

— *Не встали*? В такое утро?! — удивился молодой человек.

Он уже опустился в шезлонг справа от Тедди. Шезлонги стояли так тесно, что подлокотники соприкасались.

— Но ведь это святотатство! — сказал он. — Сущее святотатство!

У него были поразительно мощные ляжки, и, когда он вытянул ноги, можно было подумать, что это два отдельных туловища. Одет он был — от стриженой макушки до стоптанных башмаков — с почти классической разностильностью, как одеваются в Новой Англии, отправляясь в круиз: на нем были темно-серые брюки, желтоватые шерстяные носки, рубашка с открытым воротом и твидовый пиджак «в елочку», который приобрел свою благородную потертость не иначе как на престижных семинарах в Йеле, Гарварде или Принстоне.

— Боже правый, какой райский денек, — сказал он с чувством, жмурясь на солнце. — Я просто пасую перед игрой погоды.

Он скрестил свои толстые ноги.

— Вы не поверите, но я, бывало, принимал самый обыкновенный дождливый день за личное оскорбление. А такая погода — это для меня просто манна небесная.

Хотя его манера выражаться выдавала в нем человека образованного, в общепринятом смысле этого слова, было в ней и нечто такое, что должно было, как он, видно, считал в душе, придать его словам особую значительность, ученость и даже оригинальность и увлекательность – в глазах как Тедди, к которому он сейчас обращался, так и тех, кто сидел за ними, если они слушали их разговор. Он искоса глянул на Тедди и улыбнулся.

– А в каких *вы* взаимоотношениях с погодой? – спросил он.

Нельзя сказать, чтобы его улыбка не относилась к собеседнику, однако, при всей ее открытости, при всем дружелюбии, он как бы предназначал ее самому себе.

– А *вас* никогда не смущали загадочные атмосферные явления? – продолжал он с улыбкой.

– Не знаю, я не принимаю погоду так близко к сердцу, если вы это имели в виду, – сказал Тедди.

Молодой человек расхохотался, запрокинув голову.

– Прелестно, – восхитился он. – Кстати, меня зовут Боб Никольсон. Не помню, представился ли я вам тогда в гимнастическом зале. *Ваше* имя я, конечно, знаю.

Тедди слегка отклонился, чтобы засунуть блокнот в задний карман шорт.

– Я смотрел оттуда, как вы пишете, – сказал Никольсон, показывая наверх. – Клянусь богом, в этой увлеченности было что-то от юного спартанца.

Тедди посмотрел на него.

– Я кое-что записывал в дневник.

Никольсон улыбнулся и понимающе кивнул.

– Как вам Европа? – спросил он непринужденно. – Понравилось?

– Да, очень, благодарю вас.

– Где побывало ваше семейство?

Неожиданно Тедди подался вперед и почесал ногу.

– Знаете, перечислять все города – это долгая история. Мы ведь были на машине, так что поездили прилично.

Он снова сел прямо.

– А дольше всего мы с мамой пробыли в Эдинбурге и в Оксфорде. Я, кажется, говорил вам тогда в зале, что мне нужно было дать там интервью. В первую очередь в Эдинбургском университете.

– Нет, насколько мне помнится, вы ничего не говорили, – заметил Никольсон. – А я как раз думал, занимались ли вы там чем-нибудь в этом роде. Ну и как все прошло? Помурыжили вас?

– Простите? – сказал Тедди.

– Как все прошло? Интересно было?

– И да, и нет, – ответил Тедди. – Пожалуй, мы там немного засиделись. Папа хотел вернуться в Америку предыдущим рейсом. Но должны были подъехать люди из Стокгольма и из Инсбрука познакомиться со мной, и нам пришлось задержаться.

– Да, жизнь людская такова.

Впервые за все время Тедди пристально взглянул на него.

– Вы поэт? – спросил он.

– Поэт? – переспросил Никольсон. – Да нет. Увы, нет. Почему вы так решили?

– Не знаю. Поэты всегда принимают погоду слишком близко к сердцу. Они любят навязывать эмоции тому, что лишено всякой эмоциональности.

Никольсон, улыбаясь, полез в карман пиджака за сигаретами и спичками.

– Мне всегда казалось, что в этом-то как раз и состоит их ремесло, – возразил он. – Разве в первую очередь не с эмоциями имеет дело поэт?

Тедди явно не слышал его или не слушал. Он рассеянно смотрел то ли на дымовые трубы, похожие друг на друга как два близнеца, то ли мимо них, на спортивную площадку.

Никольсон прикурил сигарету, но не сразу – с севера потянуло ветерком. Он поглубже уселся в шезлонге и сказал:

– Видать, здорово вы озадачили...

– Песня цикады не скажет, сколько ей жить осталось, – вдруг произнес Тедди. – Нет никого на дороге в этот осенний вечер.

– Это что такое? – улыбнулся Никольсон. – Ну-ка еще раз.

– Это два японских стихотворения. В них нет особых эмоций, – сказал Тедди.

Тут он сел прямо, склонил голову набок и похлопал ладошкой по правому уху.

– У меня в ухе вода, – пояснил он, – после вчерашнего урока плавания.

Он еще слегка похлопал себя по уху, а затем откинулся на спинку и положил локти на ручки шезлонга. Шезлонг был, конечно, нормальных размеров, рассчитанный на взрослого человека, и Тедди в нем просто тонул, но вместе с тем он чувствовал себя в нем совершенно свободно, даже уютно.

– Видать, вы здорово озадачили этих снобов из Бостона, – сказал Никольсон, глядя на него. – После той маленькой стычки. С этими вашими лейдеккеровскими обследователями, насколько я мог понять. Помнится, я говорил вам, что у меня с Элом Бабкоком вышел долгий разговор в конце июня. Кстати сказать, в тот самый вечер, когда я прослушал вашу магнитофонную запись.

– Да. Вы мне говорили.

– Я так понял, они были здорово озадачены, – не отставал Никольсон. – Из слов Эла я понял, что в вашей тесной мужской компании состоялся тогда поздно вечером небольшой похоронный разговорчик – в тот самый вечер, если я не ошибаюсь, когда вы записывались.

Он затянулся.

– Насколько я понимаю, вы сделали кое-какие предсказания, которые весьма взволновали всю честную компанию. Я не ошибся?

– Не понимаю, – сказал Тедди, – отчего считается, что надо непременно испытывать какие-то эмоции. Мои родители убеждены, что ты не человек, если не находишь вещи очень грустными, или очень неприятными, или очень... несправедливыми, что ли. Отец волнуется, даже когда читает газету. Он считает, что я бесчувственный.

Никольсон стряхнул в сторону пепел.

– Я так понимаю, сами вы не подвержены эмоциям? – спросил он.

Тедди задумался, прежде чем ответить.

– Если и подвержен, то, во всяком случае, не помню, чтобы я давал им выход, – сказал он. – Не вижу, какая от них польза.

– Но ведь вы любите Бога? – спросил Никольсон, понижая голос. – Разве не в этом заключается ваша сила, так сказать? Судя по вашей записи и по тому, что я слышал от Эла Бабкока...

– Разумеется, я люблю его. Но я люблю его без всякой сентиментальности. Он ведь никогда не говорил, что надо любить сентиментально, – сказал Тедди. – Будь я Богом, ни за что бы не хотел, чтобы меня любили сентиментальной любовью. Очень уж это ненадежно.

– А родителей своих вы любите?

– Да, конечно. Очень, – ответил Тедди. – Но я чувствую, вы хотите, чтобы для меня это слово значило то же, что оно значит для вас.

– Допустим. Тогда скажите, что *вы* понимаете под этим словом?

Тедди задумался.

— Вы знаете, что такое «привязанность»? — обратился он к Никольсону.

— Имею некоторое представление, — сухо сказал тот.

— Я испытываю к ним сильную привязанность. Я хочу сказать, они ведь мои родители, значит, нас что-то объединяет, — говорил Тедди. — Мне бы хотелось, чтобы они весело прожили эту свою жизнь, потому что, я знаю, им самим этого хочется... А вот они любят меня и Пуппи, мою сестренку, совсем иначе. Я хочу сказать, они, мне кажется, как-то не могут любить нас такими, какие мы есть. Они не могут любить нас без того, чтобы хоть чуточку нас не переделывать. Они любят не нас самих, а те представления, которые лежат в основе любви к детям, и чем дальше, тем больше. А это все-таки не та любовь.

Он опять повернулся к Никольсону, подавшись вперед.

— Простите, вы не скажете, который час? — спросил он. — У меня в десять тридцать урок плавания.

— Успеете, — сказал Никольсон, не глядя на часы. Потом отдернул обшлаг. — Только десять минут одиннадцатого.

— Благодарю вас, — сказал Тедди и сел поудобнее. — Мы можем поболтать еще минут десять.

Никольсон спустил на пол одну ногу, наклонился и раздавил ногой окурок.

— Насколько я могу судить, — сказал он, опускаясь в шезлонг, — вы твердо придерживаетесь, в согласии с Ведами, теории перевоплощения.

— Да это не теория, это скорее...

— Хорошо, хорошо, — поспешил согласиться Никольсон. Он улыбнулся и слегка приподнял руки, ладонями вниз, словно шутливо благословляя Тедди. — Сейчас мы об этом спорить не будем. Дайте мне договорить.

Он снова скрестил свои толстые ноги.

— Насколько я понимаю, посредством медитаций вы получили некую информацию, которая убедила вас в том, что в своем последнем воплощении вы были индусом и жили в святости, но потом как будто сбились с Пути...

— Я не жил в святости, — поправил его Тедди. — Я был обычным человеком, просто неплохо развивался в духовном отношении.

— Ну ладно, пусть так, — сказал Никольсон. — Но сейчас вы якобы чувствуете, что в этом своем последнем воплощении вы как бы сбились с Пути перед окончательным Просветлением. Это правильно, или я...

— Правильно, — сказал Тедди. — Я встретил девушку и как-то отошел от медитаций.

Он снял руки с подлокотников и засунул их под себя, словно желая согреть.

— Но мне все равно пришлось бы переселиться в другую телесную оболочку и вернуться на землю, даже если бы я не встретился с этой девушкой, — я хочу сказать, что я не достиг такого духовного совершенства, чтобы после смерти остаться с Брахманом и уже никогда не возвращаться на землю. Другое дело, что не повстречай я эту девушку, и мне бы не надо было воплощаться в *американского* мальчика. Вы знаете, в Америке так трудно предаваться медитациям и жить духовной жизнью. Стоит только попробовать, как люди начинают считать тебя ненормальным. Например, папа видит во мне какого-то урода. Ну а мама... ей кажется, что зря я думаю все время о Боге. Она считает, что это вредно для здоровья.

Никольсон пристально смотрел на него.

— В своей последней записи вы, насколько я помню, сказали, что вам было шесть лет, когда вы впервые пережили мистическое откровение. Верно?

— Мне было шесть лет, когда я вдруг понял, что все вокруг — это Бог, и тут у меня волосы встали дыбом и все такое, — сказал Тедди. — Помню, это было воскресенье. Моя сестренка, тогда еще совсем маленькая, пила молоко, и вдруг я понял, что *она* – Бог, и *молоко* – Бог, и все, что она делала, это переливала одного Бога в другого, вы меня понимаете?

Никольсон молчал.

– А преодолевать конечномерность пространства я мог, еще когда мне было четыре года, – добавил Тедди. – Не все время, сами понимаете, но довольно часто.

Никольсон кивнул.

– Могли, значит? – повторил он. – Довольно часто?

– Да, – подтвердил Тедди. – Об этом есть на пленке... Или я рассказывал об этом в своей апрельской записи? Точно не помню.

Никольсон снова достал сигареты, не сводя глаз с Тедди.

– Как же можно преодолеть конечномерность вещей? – спросил он со смешком. – То есть я что хочу сказать: к примеру, кусок дерева – это кусок дерева. У него есть длина, ширина...

– Нету. Тут вы ошибаетесь, – перебил его Тедди. – Людям только *кажется*, что вещи имеют границы. А их нет. Именно это я пытался объяснить профессору Питу.

Он поерзал в шезлонге, достал из кармана нечто отдаленно напоминавшее носовой платок – жалкий серый комочек – и высморкался.

– *Почему* людям кажется, что все имеет границы? Да просто потому, что большинство людей не умеет смотреть на вещи иначе, – объяснил он. – А сами вещи тут ни при чем.

Он спрятал носовой платок и посмотрел на Никольсона.

– Подымите на минутку руку, – попросил он его.

– Руку? Зачем?

– Ну подымите. На секундочку.

Никольсон слегка приподнял руку над подлокотником.

– Эту? – спросил он.

Тедди кивнул.

– Что это, по-вашему? – спросил он.

– То есть как – что? Это моя рука. Это *рука.*

– Откуда вы знаете? – спросил Тедди. – Вы знаете, что она *называется* рука, но как вы можете знать, что это и есть рука? Вы можете доказать, что это рука?

Никольсон вытащил из пачки сигарету и закурил.

– По-моему, это пахнет самой что ни на есть отвратительной софистикой, да-да, – сказал он, пуская дым. – Помилуйте, это рука, потому что это рука. Она должна иметь название, чтобы ее не спутали с чем-то другим. Нельзя же взять, да и...

– Вы пытаетесь рассуждать логически, – невозмутимо изрек Тедди.

– *Как* я пытаюсь рассуждать? – переспросил Никольсон, пожалуй, чересчур вежливо.

– Логически. Вы даете мне правильный осмысленный ответ, – сказал Тедди. – Я хотел помочь вам разобраться. Вы спросили, как мне удается преодолевать конечномерность пространства. Уж конечно, не с помощью логики. От логики надо избавиться прежде всего.

Никольсон пальцем снял с языка табачную крошку.

– Вы Адама знаете? – спросил Тедди.

– Кого-кого?

– Адама. Из Библии.

Никольсон усмехнулся.

– Лично не знаю, – ответил он сухо.

Тедди помедлил.

– Да вы не сердитесь, – произнес он наконец. – Вы задали мне вопрос, и я...

– Бог мой, да не сержусь я на вас.

– Вот и хорошо, – сказал Тедди.

Сидя лицом к Никольсону, он поглубже устроился в шезлонге.

– Вы помните яблоко из Библии, которое Адам съел в раю? – спросил он. – А знаете, что было в том яблоке?

Логика. Логика и всякое Познание. Больше там ничего не было. И вот что я вам скажу: главное – это чтобы человека стошнило тем яблоком, если, конечно, хочешь увидеть вещи как они есть. Я хочу сказать, если оно выйдет из вас, вы сразу разберетесь с кусками дерева и всем прочим. Вам больше не будут мерещиться в каждой вещи ее границы. И вы, если захотите, поймете наконец, что такое ваша рука. Вы меня слушаете? Я говорю понятно?

– Да, – ответил Никольсон односложно.

– Вся беда в том, – сказал Тедди, – что большинство людей не хочет видеть все как оно есть. Они даже не хотят перестать без конца рождаться и умирать. Им лишь бы переходить все время из одного тела в другое, вместо того чтобы прекратить это и остаться рядом с Богом – там, где действительно хорошо.

Он задумался.

– Надо же, как все набрасываются на яблоки, – сказал он.

И покачал головой.

В это время стюард, одетый во все белое, обходил отдыхающих; он остановился перед Тедди и Никольсоном и спросил, не желают ли они бульона на завтрак. Никольсон даже не ответил. Тедди сказал: «Нет, благодарю вас», – и стюард прошел дальше.

– Если не хотите, можете, конечно, не отвечать, – сказал Никольсон отрывисто и даже резковато. Он стряхнул пепел. – Правда или нет, что вы сообщили всей этой лейдеккеровской ученой братии – Уолтону, Питу, Ларсену, Сэмюэлсу и так далее, – где, когда и как они умрут? Правда это? Если хотите, можете не отвечать, но в Бостоне только и говорят о том, что...

– Нет, это неправда, – решительно возразил Тедди. – Я сказал, где и когда именно им следует быть как можно осмотрительнее. И еще я сказал, что бы им стоило *сделать*... Но ничего *такого* я не говорил. Не говорил я им, что во всем этом есть неизбежность.

Он опять достал носовой платок и высморкался. Никольсон ждал, глядя на него.

– А профессору Питу я вообще ничего такого не говорил. Он ведь был единственный, кто не дурачился и не засыпал меня вопросами. Я только одно сказал профессору Питу, чтобы с января он больше не преподавал, больше ничего.

Откинувшись в шезлонге, Тедди помолчал.

– Остальные же профессора чуть не силой вытянули из меня все это. Мы уже покончили с интервью и с записью, и было совсем поздно, а они все сидели, и дымили, и заигрывали со мной.

– Так вы не говорили Уолтону или там Ларсену, где, когда и как их настигнет смерть? – настаивал Никольсон.

– Нет! Не говорил, – твердо ответил Тедди. – Я бы им вообще ничего не сказал, если бы они сами об этом все время не заговаривали. Первым начал профессор Уолтон. Он сказал, что ему хотелось бы знать, когда он умрет, потому что тогда он решит, за какую работу ему браться, а за какую нет, и как получше использовать оставшееся время, и все в таком духе. И тут они все стали спрашивать... Ну, я им и сказал кое-что.

Никольсон промолчал.

– Но про то, кто когда умрет, я не говорил, – продолжал Тедди. – Это совершенно ложные слухи... Я *мог бы* сказать им, но я знал, что в глубине души им этого знать не хотелось. Хотя они преподают религию и философию, все равно, я знал, смерти они побаиваются.

Тедди помолчал, полулежа в шезлонге.

– Так глупо, – сказал он. – Ты ведь просто бросаешь свое тело ко всем шутам... И все. Тыщу раз все это проделывали. А если кто забыл, так это еще не значит, что ничего такого не было. Так глупо.

– Допустим. Допустим, – сказал Никольсон. – Но факт остается фактом, как бы разумно не...

— Так глупо, — повторил Тедди. — Мне, например, через пять минут идти на плавание. Я спущусь к бассейну, а там, допустим, нет воды. Допустим, ее сегодня меняют. А дальше так: я подойду к краю, ну просто глянуть, есть ли вода, а моя сестренка подкрадется сзади и подтолкнет меня. Голова пополам — мгновенная смерть.

Тедди взглянул на Никольсона.

— А почему бы и нет? — сказал он. — Моей сестренке всего шесть лет, и она прожила человеком не очень много жизней, и еще она меня недолюбливает. Так что все возможно. Но разве это такая уж трагедия? Я хочу сказать, чего так бояться? Произойдет только то, что мне предназначено, вот и все, разве нет?

Никольсон хмыкнул.

— Для вас это, может быть, и не трагедия, — сказал он, — но ваши мама с папой были бы наверняка весьма опечалены. Об этом вы не подумали?

— Подумал, конечно, — ответил Тедди. — Но это оттого, что у них на все уже заготовлены названия и чувства.

До сих пор он держал руки под коленками. А тут он оперся на подлокотники и посмотрел на Никольсона.

— Вы ведь знаете Свена? Из гимнастического зала? — спросил Тедди. Он дождался, пока Никольсон утвердительно кивнул. — Так вот, если бы Свену приснилось сегодня, что его собака умерла, он бы очень-очень мучился во сне, потому что он ужасно любит свою собаку. А проснулся бы — и увидел, что все в порядке. И понял бы, что все это ему приснилось.

Никольсон кивнул.

— Что из этого следует?

— Из этого следует, что, если бы его собака и вправду умерла, было бы совершенно то же самое. Только он не понял бы этого. Он бы не проснулся, пока сам не умер, вот что я хочу сказать.

Никольсон, весь какой-то отрешенный, медленно и вдумчиво потирал правой рукой затылок. Его левая рука – с очередной незажженной сигаретой между пальцами – неподвижно лежала на подлокотнике и казалась странно белой и неживой под ярким солнечным светом.

Внезапно Тедди поднялся.

– Извините, но мне в самом деле пора, – сказал он.

Присев на подставку для ног, лицом к Никольсону, он заправил тенниску в шорты.

– У меня осталось, наверное, минуты полторы до бассейна, – сказал он. – А это в самом низу, на палубе Е.

– Могу я вас спросить, почему вы посоветовали профессору Питу оставить преподавание после Нового года? – не отставал Никольсон. – Я хорошо знаю Боба. Потому и спрашиваю.

Тедди затянул ремень из крокодиловой кожи.

– Потому что в нем сильно развито духовное начало, а эти лекции, которые он читает, только мешают настоящему духовному росту. Они выводят его из равновесия. Ему пора выбросить все из головы, а не забивать ее всякой всячиной. Стоит ему только захотеть, и он бы мог почти целиком вытравить из себя яблоко еще в *этой* жизни. Он очень преуспел в медитации.

Тедди встал.

– Правда, мне пора. Не хочется опаздывать.

Никольсон пристально посмотрел на него, как бы удерживая взглядом.

– Что бы вы изменили в нашей системе образования? – спросил он несколько туманно. – Не задумывались над этим?

– Мне правда пора, – сказал Тедди.

– Ну, последний вопрос, – настаивал Никольсон. – Педагогика – это, так сказать, мое кровное дело. Я ведь преподаю. Потому и спрашиваю.

– М-м-м... даже не знаю, что бы я сделал, – сказал Тедди. – Знаю только, что я не стал бы начинать с того, с чего обычно начинают в школах.

Он скрестил руки и призадумался.

– Пожалуй, я прежде всего собрал бы всех детей и обучил их медитации. Я постарался бы научить их разбираться в том, кто они такие, а не просто знать, как их зовут и так далее... Но сначала я бы, наверно, помог им избавиться от всего, что внушили им родители и все вокруг. Даже если родители успели внушить им только, что СЛОН БОЛЬШОЙ, я бы заставил их и это забыть. Ведь слон большой только рядом с кем-то – например, с собакой или с женщиной.

Тедди остановился и подумал.

– Я бы даже не стал им говорить, что у слона есть хобот. Просто покажу им слона, если тот окажется под рукой, и пусть они подойдут к слону, зная о нем не больше того, что слон знает о них. То же самое с травой и всем остальным. Я б даже не стал им говорить, что трава зеленая. Цвет – это всего лишь название. Сказать им, что трава зеленая, – значит подготовить их к тому, что она непременно такая, какой *вы* ее видите, и никакая другая. Но ведь *их* трава может оказаться ничуть не хуже вашей, может быть, куда лучше... Не знаю. Я бы сделал так, чтобы их стошнило этим яблоком, каждым кусочком, который они откусили по настоянию родителей и всех вокруг.

– А вы не боитесь воспитать целое поколение маленьких незнаек?

– Почему? Они будут не бо́льшими незнайками, чем, скажем, слон. Или птица. Или дерево, – возразил Тедди. – Быть кем-то, а не казаться кем-то – еще не значит, что ты незнайка.

– Нет?

– Нет! – сказал Тедди. – И потом, если им захочется все это выучить – про цвета и названия и все такое прочее, – пусть себе учат, если так хочется, только позже, когда подрастут. А *начал* бы я с ними с того, как же все-таки правильно смотреть на вещи, а не так, как смотрят все эти, которые объелись тем яблоком, понимаете?

Он подошел вплотную к Никольсону и протянул ему руку.

– А сейчас мне пора. Честное слово. Рад был...

– Сейчас, сейчас. Присядьте, – сказал Никольсон. – Вы не думаете заняться наукой, когда подрастете? Медициной или еще чем-нибудь? С вашим умом, мне кажется, вы могли бы...

Тедди ответил, хотя садиться не стал.

– Думал когда-то, года два назад, – сказал он. – И с докторами разными разговаривал.

Он тряхнул головой.

– Нет, что-то не хочется. Эти доктора все такие поверхностные. У них на уме одни клетки и все в таком духе.

– Вот как? Вы не придаете значения клеточной структуре?

– Придаю, конечно. Только доктора говорят о клетках так, словно они сами по себе невесть что. Словно они существуют отдельно от человека.

Тедди откинул рукой волосы со лба.

– Свое тело я вырастил сам, – сказал он. – Никто за меня этого не сделал. А раз так, значит, я должен был знать, *как* его растить. По крайней мере бессознательно. Может быть, за последние какие-нибудь сотни тысяч лет я разучился *осознавать*, как это делается, но ведь само-то знание существует, потому что как бы иначе я им воспользовался... Надо очень долго заниматься медитацией и полностью очиститься, чтобы все вернуть, – я говорю о сознательном понимании, – но при желании это осуществимо. Надо только раскрыться пошире.

Он вдруг нагнулся и схватил правую руку Никольсона с подлокотника. Сердечно встряхнул ее и сказал:

– Прощайте. Мне пора.

И он так быстро пошел по проходу, что на этот раз Никольсону не удалось его задержать.

Несколько минут после его ухода Никольсон сидел неподвижно, опершись на подлокотники и все еще держа незажженную сигарету в левой руке. Наконец он поднял правую руку, словно не был уверен, что у него действительно расстегнут ворот рубашки. Затем он прикурил сигарету и снова застыл.

Он докурил сигарету до конца, резким движением опустил ногу на пол, затоптал сигарету, поднялся и торопливо пошел по проходу.

По трапу в носовой части он поспешно спустился на прогулочную палубу. Не задерживаясь, он устремился дальше вниз, все так же быстро, на главную палубу. Затем на палубу А. Затем на палубу В. На палубу С. На палубу D.

Здесь трап кончался, и какое-то мгновение Никольсон стоял в растерянности, не зная, как ему быть дальше. Но тут он увидел того, кто мог указать ему дорогу. Посреди перехода, неподалеку от камбуза, сидела на стуле стюардесса; она курила и читала журнал. Никольсон подошел к ней, коротко спросил о чем-то, поблагодарил, затем прошел еще несколько метров в сторону носовой части и толкнул тяжелую, окованную железом дверь, на которой было написано: К БАССЕЙНУ. За дверью оказался узкий трап, без всякой дорожки.

Он уже почти спустился с трапа, как вдруг услышал долгий пронзительный крик — так могла кричать только маленькая девочка. Он все звучал и звучал, будто метался меж кафельных стен.

Библиотека Всемирной Литературы

Джером Д. Сэлинджер

Над пропастью во ржи

Редактор Е. Микерина

Художественный редактор М. Суворова

ООО «Издательство «Эксмо»
127299, Москва, ул. Клары Цеткин, д. 18/5.
Интернет/Home page: www.eksmo.ru
Электронная почта – info@eksmo.ru

Подписано в печать 25.09.2012.
Формат 84x108 1/32. Печать офсетная. Бум. тип. Усл. печ. л. 40,32.
Доп. тираж 5000 экз. Заказ № 2659.

Отпечатано с электронных носителей издательства.
ОАО "Тверской полиграфический комбинат". 170024, г. Тверь, пр-т Ленина, 5.
Телефон: (4822) 44-52-03, 44-50-34, Телефон/факс: (4822)44-42-15
Home page - www.tverpk.ru Электронная почта (E-mail) - sales@tverpk.ru